新闻界

THE PARADISE

朱华祥◎著

中国广播电视出版社
CHINA RADIO & TELEVISION PUBLISHING HOUSE

本书内容纯属虚构，请勿对号入座。

目录

CONTENTS

引子 各就各位

GEJIUGEWEI

上午9点30分，东方市委宣传部新闻处处长何大龙签发了《关于东方市突发性新闻报道的要求》和宣传部第二期宣传通知后，开始做每天必做的功课：阅读东方市的报纸。在他的办公桌上，摆着东方市每日出版的全部报纸：《法制导报》《信息快报》《东方经济报》《东方商报》《东方晚报》……

他泡了一杯茶，茶叶是老婆从娘家顺来的，老丈人在省里是分管经济工作的副省长，家里的好茶叶多得发霉。何大龙通常看前几份报纸时都是一目十行，主要看标题。他总是最后才看东方市的媒体老大《东方晚报》，它举足轻重，需要重点监管。轻轻地喝了口香气四溢的绿茶后，忍不住自言自语赞道："好茶呀。"

"嘀铃铃……"电话响了。他看了一眼来显，立刻操起电话，声音也变得恭敬起来："马部长，我是大龙。"电话是市委宣传部长马诚打来的，刚接到省委宣传部通知，要求各媒体不得随意炒作报道大学师生冲突。"大龙，新闻处要转发这个通知。学生问题越来越复杂，必须慎重，要不然会出大乱子。下周的新闻例会准备好了吗？"何大龙答道："都通知了。只是晚报孙强请假，派副总编辑贾诚实参加。"马诚口气不友好地说："这个老孙总想回避宣传部，哼。"何大龙说："是啊，好多会他都借故不来。您是不是找他谈一次？"

“谈什么？真要谈，他就下不来台啰。好了，这几件事抓紧办。”

放下电话，何大龙又喝了一口茶，他没在意马部长的话，要办的事也是例行公事。他明白，在机关，工作是简单的，人事才是复杂的。继续翻看着晚报，他一点儿也没想到自己会在34岁时出任这张报纸的统帅。

同样的时间，《南方时报》常务副总编辑陈元开着桑塔纳轿车在特区主干道上停停走走，每天上班塞车40分钟很正常。车上的CD正在播放经过重新配器的革命歌曲：“我们共产党人，好比种子，人民好比土地。我们到了一个地方就要和那里的人民结合起来，在人民中间生根开花……”车停在红绿灯前，陈元嘴里跟着哼唱，但脑子里却在想《南方时报》的版式问题。社委会要求对报纸的版式作调整，可放眼中国的这些小报，大多是一个风格，均脱胎于四川成都的都市类报纸，即“浓眉大眼”，特粗的黑体字标题。而且每家报纸都爱改报头，新来个社长总编什么也不干，先改报头，都把办报当做政绩。他娘的。

红灯变绿灯了，陈元松刹给油，车流在慢慢向前。陈元想把版式改成美国《华尔街日报》的样子，又担心社委会通不过，那真是好版式，百年老店了依然有生命力。可它符合中国人的口味吗？不知道。恐怕将版式改成英国《太阳报》的样子会比较容易通过，它也是“浓眉大眼”。

正想着，手机响了，是老婆打来的，带上耳机按下通话键：“喂，是我。”

“晚上回来吃饭吗？”

“不回来，晚上要和瑞东集团董事长见面。”

“瑞东集团是干吗的？”

“不很清楚，听说是做造纸厂起家的，别人介绍我认识他，还没见面呢。”

“哦，那晚上别多喝酒。”

“知道，还要值晚班呢。”

刚放下老婆的电话，报社新闻部又来电，讲特区电子元件厂每天对员工搜身，有些男保安乘机在打工妹身上乱摸。他骂了一声“王八蛋”后说：“派记者去，再让摄影部去人，好好弄他娘的。”

又是红灯，陈元停下车。又想，瑞东集团董事长是什么样的人呢？他为什么将自己的名字变成公司的名字？肯定是个独裁。晚上见面就是个应酬，酒不逢知己，马上走人。他不知道，今日一晤，为他出任《东方商报》的大掌柜埋下了伏笔。

集团董秘星儿一上班就在办公室修改文件。是份可行性报告，集团准备在东方市投资一座造纸厂。当看到关于东方市新闻纸的使用数字时，她拿起电话打给她在东方市委宣传部任处长的姐夫何大龙。“喂，姐夫啊，我是星儿。”电话里传来何大龙爽朗的声音：“小姨子有什么吩咐？”星儿问：“我想打听东方市报纸用新闻纸的事。”“哈哈，你问我呀？我怎么会知道。”星儿说：“宣传部不是管报纸的嘛。”何大龙纠正她：“是管报纸的宣传，其他不管。用多少新闻纸是商业秘密。”星儿撒娇道：“我不管，你帮我打听每天全市报纸的发行量是多少？”“不用打听，大约40万份左右。”星儿追问：“真的假的？”“不信拉倒，没事我放电话了。”星儿赶紧说：“别别，我姐在干吗？”“她们出版社在筹备参加莫斯科国际书展。”“向我姐问好，替我亲亲小虹儿。”

放下电话，她拿出计算器计算可行性报告中的数字。算完后嘴中念念有词：“东方市应该是年耗50克的新闻纸约1万吨，加上20%损耗，是1.2万吨。太少了。”她拿笔在报告上修改。

有人敲门进来，是集团人力资源部的经理，他递给星儿一个文件夹说：“这是董事长要的材料。”

“什么材料？董事长去特区出差了。”

“是《南方时报》常务副总编辑陈元的个人材料，董事长打来电话让我们收集的。”

星儿点点头。公司有个人才库，储备了不少人才资料，一旦有新项目要上，便在其中找合适的人选。里边大多数的人都经过了董事长的非正式面试，人力资源部用各种方法搜集董事长要求搜集的资料，据说有的个人资料已70多页了。等经理出去了，星儿把材料抽出来看，她念出了声：“好帅嘛。陈元，《南方时报》常务副总编辑，已婚……”此刻，她根本没想到，她会独自代表瑞东集团去东方市创业，还将与这位叫陈元的人成为同事。

凌晨2点50分，《东方晚报》副总编辑贾诚实来到东方花园社区里的一幢小高层楼房前，按响门禁上的按钮，扩音器里传来钱冰冰的声音：“是教头？”贾诚实回答：“是我。”楼梯门开了。

《东方晚报》广告部副主任钱冰冰刚把做好的宵夜放在桌上，门铃就响了。她过去开门，在门口便和贾诚实热吻一把。

贾诚实进屋后走到桌边坐下，用勺子搅动碗中的酒糟汤圆：“酒糟汤圆，不错。”往嘴里送了一口：“甜。”

钱冰冰微笑着看着他吃。问：“今天有什么猛料？”

贾诚实边吃边说：“有个小偷，偷东西被抓后，说自己有艾滋病，吓得派出所赶紧放人。从那以后这小子竟大鸣大放地偷，后来送到医院检查，狗屁，骗人的。”

“哈……”钱冰冰笑了。笑完后又问：“今天在这儿睡吗？”

贾诚实暧昧地看看她：“怎么？想啦？”

钱冰冰摇摇头说：“不行，来了那个。”

贾诚实笑笑说：“我一会儿就走。”

“为什么？不做就不能在我这儿睡呀。”钱冰冰嗔怪道。

“我早声明过，共同生活的经验还是留到结婚以后再积累吧。这个月广告怎么样？”

“挺好的。”钱冰冰没好气地回答。与贾诚实在一起的时间不短了，可谁也没提过结婚的事。对这种忽远忽近的爱情生活，钱冰冰没觉得饥肠辘辘，贾诚实也未失魂落魄。

东方商业地产公司总经理朱香香也住在东方花园里。半夜了，还蜷在沙发上看影碟，片子是美国大嘴影后朱莉娅·罗伯茨主演的《风月俏佳人》，已看过五六遍情节都熟稔了，可依然看得浮想联翩。

公司能进展顺利是她努力的结果，前些日子又弄到一块地，正在盖座商城，自然也是东方系列，叫东方商城。公司上下都在为这个项目忙碌，她自己则努力寻找项目的漏洞。盖完东方花园后，有不少遗憾，造成业主投诉，预算也超了。如果在项目初期就找到不足，那可以避免许多麻烦。看来有些事必须亲力亲为，来不得半点虚假，更不能自己骗自己。

明天要飞一趟济南，去参加房地产高峰论坛，主要是长长见识。已给师妹星儿打电话，她会安排好济南的行程。建商城的用地，星儿的老爸还帮忙说了话，要不然不会这么顺利。这趟去济南，见了星儿得表示谢意。她买了一只黄金铸的猴子送给星儿做生日礼物，黄金倒没多少钱，贵的是小猴子的两只眼睛，是两颗南非钻石镶上去的。朱香香精通商场上的法则：回报高于一切！要想有回报就必须有付出。只是她做梦也想不到她会和新闻界的人搅在一块儿，恋爱失败多少次后，居然在懵懵懂懂中成功了。

当阳光又普照到东方市时，这座已有1500多年历史的城市醒了。商报记者牛文广给跟着他见习的女记者林彬打电话，让她把一篇市工商局为下岗工人就业出台优惠措施的稿子录入电脑；晚报记者上官德急匆匆跑出报社，老城区有栋房子发生了火灾；省报摄影记者郝歌为几张街头小偷行窃的片子上不了版面而痛苦；有一些新闻人仍在梦中，晚报总编室主任高原红就在做梦，梦见一版标题错了，“发扬艰苦奋斗的精神”搞成了“发扬艰苦奋斗的神精”，把她吓得半死。报社工作就是这样的接力过程，记者采访时编辑可能在睡大觉。此刻还有一些人也在睡觉，她们是笑脸盈盈转战东方市各个舞厅酒吧KTV的小姐们。菲菲是其中一个，昼伏夜出是她的生活属性，她也不知道自己将会和新闻界的人搞在一起。

故事开始了……

第一章 号外

HAOWAI

〖晚报讯〗中央执政改革近日有了新的举措，今后将逐步减少地方党委副职领导人数，以更加精干的干部队伍，提升执政能力。观察人士指出，中央今后在干部调整中，将用卡“职数”、控“增量”、减“存量”，以确保干部队伍的精干和高效。

观察人士认为，中央现在已经将执政能力建设看作最为紧迫的政治任务，而减少和完善领导班子建设被看作是此项政治任务的重中之重。

目前一些政府机构重叠，领导职数过多。以县级的文教卫系统为例，不但有分管副书记，还有分管副县长，有的还设了文教卫领导小组，不但有组长、若干副组长，还下设办公室。

据悉，今后中央将加强对党政领导干部的选配和管理监督，减少地方党委副书记职数，实行常委分工负责。在减少党委副书记职数、以适应常委分工负责制的同时，也要适当扩大党政领导成员交叉任职，切实解决分工重叠问题，撤并党委和政府职能相同或相近的工作部门。

观察人士分析认为，未来中国省市党政拟设三位副书记：一个兼省长，一个负责党务，一个兼纪委书记。但目前各省市自治区中，副书记的职数却是有多有少，多数省市副职还停留在5～6位之间。

上午11点，已在《东方晚报》副总编辑位子上干了8个月的贾诚实急急忙忙走进位于东湖北路1号的报社。此时，社内人来人往忙乱一片。

20多分钟前，美国军队开始进攻伊拉克。尽管报社所有人都知道这一天会到来，也制订了工作预案，但当战争开始的消息传来时，大家还是如饥饿的猎豹闻到血腥味一样兴奋，全体采编人员都处在紧张亢奋之中。

贾诚实刚进办公室，总编室主任高原红就闯进来。"教头，我们怎么干？"她的声音是激动的也是嘶哑的。

在报社，上上下下都叫贾副总编的绰号：教头。这是他当了副总编后，不知是谁先叫的，大家就自然地跟着叫了。他看看高原红刚要说话又忍不住突然笑了，眼前这位人民大学新闻学院高才生蓬头垢面，一身运动装，白领的精悍女人的妩媚在她身上不见踪影。贾诚实想，这哪像个没结婚的白领丽人？"几点睡的？"

高原红从办公桌上拿了根烟，点着后猛吸两口："早上8点才睡着。10点40接到新华社的同学来电话说打起来了。我就像被人抽了筋似的蹦起来，一点瞌睡也没了。"

贾诚实打开电脑："我看你头也没梳牙也没刷。"

高原红不好意思地嚷道："一半是诽谤一半是事实。头没梳，牙刷了。嗨，不要哪壶不开你提哪壶呀，我们是不是按预案走出号外？"她边说边整理乱糟糟的头发。

贾诚实在网上搜索："当然出。你注意到没有？萨达姆没被第一波攻击干掉，安南表示遗憾。这次美国佬牛，让记者跟着部队搞嵌入式新闻。"

高原红给贾诚实倒了杯水，又给自己倒一杯："我建议号外一版主打标题就叫'战争爆发'，不搞花哨的东西，一目了然，现在关键是要快。"

贾诚实表态并吩咐道："我同意，你马上通知开编前会。请广告部的钱冰冰和发行部的汪洋参加。"

"嘀铃铃……"贾诚实拿起电话："喂。"他挥挥手让高原红快去办。

电话里传来正在外地出差的社长孙强的声音："教头，给你家里打电话没人接，估计你到报社来了，手机怎么是关机的？"

贾诚实赶紧掏出手机一看，没电了。他对着话筒说："没电了，昨晚忘了充电，刚才急急忙忙没顾上看。社长，我的意见还是按预案出号外。"

孙强果断地说："我同意。但要报告宣传部和新闻出版局。这样吧，这件事我来办，你全力抓号外的出版，看看钱大圣能不能弄点广告。另外，新闻别过分，严格按联合国1441决议的框架来安排版面，暂时不要评论。"

"好的，我已经通知开编前会了，再见。"放下电话他拿着笔记本起身去会议室。

贾诚实走进会议室时，十几个编辑已经在议论怎么做版面，不少人是打着哈欠在讲话。

一身职业女装的广告部副主任钱冰冰和发行部主任汪洋也在座。

贾诚实坐下说："大家辛苦了，凌晨3点才下班，现在又要上班。刚和社长通了话，他在广州出差，要我向大家道辛苦。闲话少说，开始工作。我根据预案先说个意见。"他翻开记录本，又看了一眼高原红，她的眼睛红红的，但炯炯有神。"做八个版的号外，由大侠统筹。"

高原红听了这话精神一震，摸出烟刚叼在嘴上，又下意识地斜了一眼挂在墙上禁止吸烟的牌子。

贾诚实笑着说："想抽就抽吧，今天不受会议室严禁吸烟的管制，给我也来一支。"汪洋赶紧站起来给他点烟。贾诚实边说"谢谢"，边用余光看了看坐在右前方的钱冰冰。两人的目光碰在一起，钱冰冰翘翘嘴，一副不屑的样子。贾诚实收回目光继续说："一版就用一张大照片，四个大字'战争爆发'，再弄几条导读；二版要表明世界的态度，比如联合国的态度，欧盟的态度，俄罗斯的态度，还有中国的；三版是重头戏，重点是第一波进攻的情况，这次美国主要是步兵作战，说是要打巷战，会比较好看；四五版跨版连起来做，可以考虑放战争走势图和战争分析，央视已有专家分析，把它端过来；六版做伊拉克的反应，重点是萨达姆和他两个儿子在干什么？还有他的共和国卫队在哪里？七版做战争背景，用已经准备好的资料；八版做伤亡情况或者做战争中的巴格达。大家说说吧。"

高原红猛吸一口烟，然后掐灭烟头说："教头的安排我认为是比较到位的，关键还要靠实施。我算了时间，如果要下午4点出报，赶在下班前上市，给我们的时间就只有两个半小时，所以必须抓紧时间。"

汪洋说："我已经通知投递员下午3点上班，大约可以组织400人上街卖报。建议号外的开印数控制在两万份。”

贾诚实想想后说：“还是3万，让记者和广告部的同志也上街，这样就有500多人，每人60份报纸。你看怎么样？”

汪洋说：“我这里没问题。但报纸好不好卖还要看大侠编得怎么样。”

高原红用调侃的口气说：“这是两码事啊。我尽量编好，这个新闻事件本身是能引起人们强烈的阅读欲的。报纸卖得好不好跟编得好不好关系不大，好的销售员就是一堆大粪他也能卖出去。”

汪洋做停止的手势：“STOP，我们可不是布什和萨达姆，卖不好打我的屁股行不行。”

贾诚实哈哈一笑：“女人的屁股怎么能随便打。”他又对钱冰冰说：“对了，社长说看看能不能弄点广告？”

钱冰冰得意地说：“想到我们广告部了？我报告一下，从二版开始到封底，每个版都安排了1/4版的广告。大概有30万的进账。”

贾诚实不信：“这么快就搞定了那么多广告？”

钱冰冰又斜他一眼：“你们采编部有预案，我们广告也有预案。为了这些广告准备了一个多月呢。就怕美国佬不打了，我这可全是品牌广告。”

贾诚实问汪洋：“有这么多广告，能不能用好点的纸印？”

“用80克的涂布纸吧，又漂亮又有分量。”

贾诚实决定道：“我同意。你再算算成本，给社长报告。好啦，同志们，开始干吧，午饭我请客。”

大家议论着走出会议室，一进总编室高原红就对一个编辑说：“今天可没时间磨蹭。号外不可能是精品，时间是第一要素。”她又对另一个编辑讲：“胖子，盯着即时新闻，我们最后截稿时间13点10分。特别要注意萨达姆的动向，他死里逃生一定不会放过布什。”

有编辑对高原红说：“大侠，中午教头请我们吃什么？”

高原红已走到电脑旁眼睛盯着屏幕，那上面正滚动播出新闻，她抬头问：“你说什么？”

“教头中午请我们吃什么？”

高原红操纵鼠标在点击屏幕：“有5块钱的盒饭就不错了，还想鱼翅燕窝呀。”

一个坐在电脑前的编辑叫道：“这下新华社风光了，抢到了第一，比法新社的消息还快。哎，我的U盘到哪儿去了？”

另一个编辑说："还是CNN牛，又弄到了独家，现在全世界的媒体只有他们还在巴格达。他妈的，伊拉克共和国卫队干吗去了？怎么不见踪影呀？"

"恐怕萨达姆真要跟拉姆斯菲尔德打巷战。"有个编辑应道。

高原红对女编辑说："美女，去机房看看，组版的来了没有，没时间了。"

有编辑问高原红："照片怎么办？网上这些像素太小了，放不大。"

高原红答道："去BBC或CNN等国外网站看看，他们图片养眼。"

与总编室一片忙乱相比，贾诚实的办公室还比较静。桌上已有一叠打印出来的稿子，他拿起电话拨进总编室："喂，叫大侠。"话筒里传来高原红的声音："教头，找我？"贾诚实看着桌上的稿子说："中国表态了，希望尽快停止军事行动，这是国家的态度，在号外里要突出。"

"放二版头条吧。一版还是重点做开战和美国想15天内解决问题的新闻。"

"照片怎么样？新华社有片子来吗？此刻照片可比文字更有力量。"

"我们还在找战斧导弹片子。已有伤亡的图片，还有萨达姆的电视讲话图片。"

贾诚实叮嘱道："好的，每个版子都要把养眼的照片作为主打，全部付印完再吃饭。我请钱大圣安排同志们吃自助大餐。就这样，要快。"

钱冰冰走进办公室："都给你安排好了，比给你点烟强吧？"

贾诚实笑了："人家汪洋不就给我点了烟嘛，吃醋啦？"

钱冰冰走到贾诚实的座椅边："我可不愿吃什么醋，只是心疼你，昨晚没睡吧。"

贾诚实翻看着稿子："还可以，睡了3个多小时。要是知道布什今天打萨达姆，打死我也不会去你那儿。"

钱冰冰温馨地说："怎么？后悔啦？"她边说边闻闻贾诚实："回去没洗澡呀？身上全是我的味儿。"

贾诚实站起身来，抱住钱冰冰："要是有别人的味儿，你还不知要吃什么呢。"

钱冰冰轻轻挣扎着："别闹，这是在办公室。"

贾诚实打趣道："怕什么，别人又不是不知道我们好，严肃活泼嘛。来，亲一个。"

钱冰冰见挣扎不开，便指着电脑屏幕说："快看，萨达姆被炸死了。"

贾诚实像触电般放开手，扑到电脑前，可什么也没看见。钱冰冰已笑着走到门口：“还是萨达姆比我重要。告诉你，凯莱自助餐厅是特意为我们延长服务时间的，但也不能太晚。”她拉开门走了。

贾诚实看着她的背影耸耸肩。电话响了，他拿起电话。

“喂，教头吗，我是孙强。”

贾诚实擦了擦疲惫的眼睛：“社长，敲定了？”

“我给宣传部何大龙处长打电话，他讲拿不准不表态。给马部长打电话，他讲上边还没具体的精神，让我们按中宣部要求办。给出版局打电话，他们讲没有当天就批增刊的先例，必须事先报批。”

贾诚实说：“我们也不知道布什什么时候动手呀。那怎么办？”

孙强坚决地说：“不管他，继续干。只要掌握好尺度，不会出问题。汪洋和钱冰冰都给我打了电话，号外弄好了是里子面子都有，干吧。出了问题我负责，但要再提醒你，千万别发东方市的关于战争反应的情况，什么米涨价盐紧张等，那反倒容易惹麻烦。”

“我明白。”门外有人喊：“教头，号外的版子出来了。”他对着话筒说：“社长，我看版子去了，再见。”

下午4点40分，何大龙拿到了《东方晚报》的“号外”。他闻了闻报纸喃喃自语：“真香。”翻看内容，看到二版的大标题“我们祈祷和平”时，又自言自语：“这个题目好。”桌上电话响了，他一看来显立刻坐直了身子，拿起电话：“喂，部长好。现在？好，我马上来。”

放下电话，何大龙拿着“号外”和记录本疾步走出办公室，在走廊尽头的一间办公室门口他敲敲门，里边传出东方市委宣传部部长马诚的声音：“请进。”

何大龙推门进去时，第一眼看到的是马诚也在读《东方晚报》的号外。见他进来示意他坐下：“怎么样？看了号外？”

何大龙挥挥手中的报纸说：“看了，这个贾诚实还真行，编得不错。”

马诚掂量着手中的报纸，不太高兴地说：“我还以为我们表态模糊一点，孙强就不会出号外，可他还是出了。我给出版局打了电话，他们讲这个号外是没报批的，这就是非法出版物嘛。”

何大龙见马诚开口就给号外定了性，一愣。想说点什么，话到嘴边又咽了回去，他没弄清楚马诚要干什么？

马诚放下报纸端起杯子喝了口水说："其他报纸没有出号外吧？"

何大龙小心地答道："不知道，大概没有吧。商报好像没动静，但我想明天各报恐怕都会出特刊的。上面有指示吗？"

马诚叹口气说："没有明确说不能做，但我考虑晚报在没得到批准的情况下就出了号外，是什么意思？仅仅是为了轰动效应？他孙强是不把党的宣传纪律放在眼里，还是不把我们宣传部放在眼里？"

何大龙斟酌马诚的话，虽然不知道马诚要干什么，但他知道孙强不太买马诚的账。

马诚没有让何大龙说话的意思："上次他孙强在媒体研讨会上说什么'我们是历史的主人'。历史的主人是他吗？晚报是用国有资本办报，是党领导下的新闻单位，导向必须和党时刻保持一致。"

何大龙猜测，马部长是不是要借机整孙强。在那次地区媒体研讨会上，孙强的风头完全压过了他这个宣传部长，难免他不耿耿于怀。想到这儿，何大龙开口了："孙强同志有的时候是有点过。但就事论事说，这份号外原则上还没什么大问题。不报批就出版肯定要批评。为了明天各媒体不出问题，是不是发个通知，提一些要求。"

马诚见何大龙如此表态，就没往下说："可以，但必须对晚报提出批评。"

何大龙点点头。

马诚坐回他的办公椅，从桌上拿了份文件说："以下几个方面要注意，甚至要禁止。"何大龙打开记录本开始记录。

"外地和本市的关于这场战争的过激行为，市场上物价上涨的现象，还有学校学生，特别是穆斯林群众的反应，再就是与中国政府态度相违背的言论等，都要禁止。"马诚站起来在办公室里踱步："一定要说清楚，如有违规者宣传部决不姑息。"

何大龙记录完后说："我马上整理，打印出来送你签发。"

马诚点点："好的。建议你们处从今天开始派人值班，省委宣传部可能随时会有关于这场战争的报道意见。这个布什，太霸道了，人家萨达姆惹他什么啦？"

何大龙顺着他的话往下说："世界警察总得管管事，当年八国联军为什么打中国？还不是想占便宜。美国人是看中了伊拉克的石油。"

贾诚实没预料到"号外"这么受欢迎，不到2个小时，3万份报纸一售而空，全城都在看。他给孙强打电话报告后，接到了何大龙的电话。何大龙在电话里赞扬了号外编得不错，但也指出没批准就出版的严重性。孙强不在家，要他好好把握今后几天的特刊，严格按宣传部的通知精神办。

贾诚实很少跟何大龙直接通话，他们常在一起开会，但只是点点头的关系。为什么何大龙会来电话跟他说这些？难道上面对孙强不满意？正想着，手机来了短信，是钱冰冰来的："今晚不过来了吧？我猜你还在兴奋之中。要注意身体哦，别动不动就到了高潮。"看着短信，他咧着嘴开心地拨手机号码："喂，想我了？"

电话里传出钱冰冰俏皮的声音："想，怎么啦？"

贾诚实笑着说："今天这一仗有你的功劳，总编室的同志都说要谢谢你的午餐呢。"

钱冰冰娇嗔道："我不要他们谢，就要你谢。"

"我当然也谢。但我谢的方式不同，对吧。我在等上官德的电话，这小子弄到了一条爆炸性的独家。"

钱冰冰急切地问："哎，我问你，上官和那个什么坐台小姐还在一起吗？"

贾诚实拿起桌上的传真件，是宣传部来的关于美伊战争的宣传通知。他边看边说："他弄到的这条独家就是那位坐台小姐菲菲报的料。告诉你一件怪事，刚才宣传部的何处长给我来电话，要我好好把握这几天的美伊战争特刊。你说他为什么不直接给孙社长打电话？"

电话那头沉默了，半天钱冰冰说："会不会是什么信号？我听说孙社长与宣传部马部长关系不怎么样。这次孙出差好像是有什么事，你可要当心。"

贾诚实心里咯噔一下，难道真会有什么事？"冰冰，你说宣传部会动孙吗？我们没经批准就出了号外，对宣传部来说是个机会呀。"

"说不准。"她又急切地问："出号外的事孙社长最后同意了吗？"

"就是他让出的，我不过是做事的人。"

"反正你应该当心，别为了什么新闻良心当了冤大头。"

"放心吧，我知道。亲亲。"他对着手机"叭叭"两声。"好啦，上官德可能马上有电话进来，拜拜。"

挂了电话，贾诚实默默地坐在办公桌后的大班椅上，不知不觉又想起和钱冰冰在床上情景。这娘们真是会来事，纤细的腰肢，圆润的屁股，结实的肌肉，蚀骨的叫声。她做爱时的爆发力让贾诚实在空前的兴奋中感到有些力不从心。

大学毕业后贾诚实一直在晚报工作，从见习编辑到编辑，再到总编室主任和现在的副总，是从小兵一步一步干到将帅的，中间经过了8年。上大学的时候有个女朋友，毕业后各奔前程。到报社后因长期上晚班，与外面打交道的机会很少，加上始终认为自己很优秀，不会找不到老婆的，就这样拖着。两年前钱冰冰大学毕业应聘到晚报，那时贾诚实是总编室主任，在版面安排上少不了与广告部打交道。钱冰冰因为她的汽车广告被编辑挪动了位置而跟贾诚实大吵两次，两次都是钱冰冰大哭而结束。可到年底，贾诚实发现这个钱冰冰竟然一年做了800万广告，按完成任务的3%奖励，她拿到了24万的年终奖，轰动了报社。再然后，总编室的人就发现每个人过生日的时候，都会收到钱冰冰的礼物，也不知她是从哪里得到编辑生日信息的。而且只要编辑有要求，她总能想办法满足，比如黄金周买火车票，去哪家美容院美容合适，新电影上映的门票等等。从此，她的广告在版面上再也没失误过。

贾诚实记得是被宣布任命为副总编的第二天晚上，和钱冰冰上了床。也不知是她设的圈套，还是缘分到了，如同水到渠成。贾诚实幽默地说他和钱冰冰是自产自销。可一年多了，也没见钱冰冰提出要结婚，开始贾诚实还想，女人一怀孕，肯定就要缠着你结婚。奇怪的是他俩做爱从不戴安全套，她也从未怀过孕，没见她吃药呀。有一次贾诚实说好玩戴了杰士邦的异型安全套，结果到高潮时，被钱冰冰一把扯掉了，说要享受那喷出的快感。贾诚实甚至想好了万一她怀孕了怎样来对付，可后来见她一直没有动静，又怀疑她是不是不会生育？再后来就什么也不想了。因为双方都没提出要同居，所以他们还是分开住的。半年前钱冰冰在东方花园买了一套三室两厅的房子，搬进新房后，贾诚实依然是定期来这里做爱，印象中只在这里过过三次夜，那是冰冰死活不让他走，其他时间都是做完爱他就回报社分给他的那间小屋。他越来越茫然怀疑这是不是恋爱。

手机又响了，是记者上官德的："喂，上官，稿子好了吗？"

"教头，我已发到你的邮箱了。"

"我马上看。"他边用鼠标点开YAHOO的邮箱边说："派出所的人都采访到了吗？"

"具体办案的警官没采访到，但采访了所长。他态度强硬，讲如果新闻发出来他要我好看。"

贾诚实冷笑一声："恐怕不是你好看，而是他要好看了吧。"电脑已显出上官德发过来的稿子"派出所抓嫖客罚款5000，大学生被冤枉丢了性命"。贾诚实点开稿子："喂，上官，这篇稿子可能还是要跟孙社长通个气。你跟他打电话吧，就说我正看稿子。"说这话时，贾诚实自己都愣住了，往常这样的稿子他签了就发，刚才钱冰冰提醒"别为了新闻良心做了冤大头"让他一惊，加上何大龙的电话，弄得他对稿件的处理捉摸不定，报纸的当家人不是自己，为什么要把自己当主人呢？如果宣传部真要有什么动作，自己不是一起被卷进去了吗？还是小心一点。

"笃笃笃"有人敲门。"请进。"贾诚实喊了一声。

高原红进来了："明天的战争特刊你有啥要布置的？"

贾诚实已不兴奋了，拿起桌上宣传部的通知说："通知来了，不能踩线。还是做八个版吧，共和国卫队反击了吗？"

高原红不解道："好像没什么大动静，萨达姆也不见踪影。"

"尽量不重复号外的新闻。另外，上官德有猛料，我让他请示孙社长。如果社长同意，明天本埠主打就是它了。"

上官德与孙强通完电话后，又给贾诚实回话，告之了社长同意发的意见，然后给菲菲小姐挂电话要她过来一趟。

上官德在晚报干了两年。刚毕业是应聘到《东方商报》，后因商报经常不准时发工资，便跳槽到了晚报，是机动部记者。因为爱交朋友，常有人给他报料，他是新闻部收入最高的记者。

半月前和朋友去天上人间演艺厅听歌。零点的时候，公安来检查，本来是例行公事，可演艺厅各个包房乱成一团，上官德看见有夺门而出的，有抱头鼠窜的。等平静下来后，便不时传来小姐们的骂声，骂的对象主要是公安和不买单就跑的客人。上官德问服务员："这种情况多吗？"服务员说："很少，大概是老板得罪了公安。"正说着，一个长发披肩的小姐向上官走来，她一开腔，上官德就听出她是东北丫头。

小姐说："哥，能不能借一块钱给我打个电话？"

上官德打量着她，身材很匀称，上身穿着一件黑色的背心，下边是一条牛仔裤，身上不见别的小姐那些叮叮当当的首饰，只在脖子上挂着一条"万"字图案的项链。她没有浓妆，但身上散发着一种淡淡的高级香水的味道。

上官德不可思议地问："你连一块钱也没有？"

小姐说："我就带了10块钱交了台费，指着拿客人小费。谁知刚才客人趁乱跑了，老板非要我买单，这不瞎了吗。所以想打电话找姐妹借钱。"

上官德好奇地再问："买单要多少钱？"

小姐平静地说："380元。"

上官德略一思考，掏出皮夹子取了400元递给小姐说："我借给你，只要你还380元，剩下的20元给你打的回家。"

小姐有点激动："哥，你信我啵？"

上官德笑笑："我不知道我该不该信，但我愿意借给你。"他说着递给小姐一张名片："这是我的名片，还钱就到这里找我。"

小姐接过钱和名片后叫起来："哥，你是记者呀？"

"快去买单吧，我等你还钱哟。"

小姐感激地点点头，又冲上官德鞠了一躬："哥，放心吧，我会还你的。"

等小姐走后，朋友笑他怜香惜玉，并与他打赌，说小姐肯定不会还钱。

上官德说："我借钱给她，就是跟自己打个赌，看看这个风尘女子和社会道德还有没有必然的联系，算是一次考试吧。"

一连两周，不见动静，朋友还常来电话问："你的债可能变成了风流债吧？"上官德失去了信心。

昨天下午，上官德终于接到了小姐的电话，才知道她叫菲菲。

"哥，你肯定骂我是骗子了吧？我感冒了，一个多星期没去上班。我就在你们报社门口，你出来呀。"

上官德放下电话长出了一口气，心想，这个丫头总算来了。他匆匆下楼，把菲菲带到报社对面的菲力克酒吧里，坐定后才仔细打量这位东北小姐，在天上人间因为灯光暗，没怎么看清楚。

那天晚上感觉她很高，现在一看果然是，大概有1.65米，头发显然是做了离子烫，要不然不会像电视里的洗发水广告模特那样顺。眼睛大大的，目光中没有做小姐的沧桑感。今天她穿了一套看上去挺舒服的衣服，贴身穿着一条白色的羊绒露脐背心，外套一件丝质米黄色的套装，裤子还是牛仔裤，只是颜色与那天不同，是黑色的，鞋子是平跟鞋，整个人显得高挑比较优雅。脸上显然没化妆，也没装假睫毛，只是在薄薄的嘴唇上抹了点唇膏。

菲菲见上官德打量自己，腼腆地说："现在看清楚了？"

上官德掩饰地笑笑："那天就看清楚了。"

菲菲从手提包里拿出钱包抽出380元递给上官德："哥，是你自己说那20元给我打的哦。"

上官德接过钱："当然，更重要的是你我在这场道德的考试中，都及格了，要喝点庆祝。”他没容菲菲说话便叫服务员上了两扎啤酒。

菲菲推辞说：“我喝酒不行。”

上官德没说话，只是端起酒杯客气地说：“意思意思。”

菲菲看出上官德不信她不会喝酒，笑笑：“哥，我是真服你，好吧，喝。”她一口就喝了一半。

上官德笑着说：“还说不会喝。”他说着喝了一大口。

菲菲抹抹嘴用忽闪忽闪的大眼睛看着他：“舍命陪君子呗。”

上官德再次注意到菲菲颈脖上戴的项链。

菲菲托起来给他看：“哥，我姐们儿都讲这是希特勒法西斯的党徽。”

上官德哈哈大笑起来：“她们扯犊子。”他也脱口说了句东北话。

菲菲问：“那你说这是啥呀？”

上官德又看了那“万”字项链一眼：“告诉你，这是个吉祥的符号，在寺庙能常见到，法西斯的党徽跟它的形状正好相反。谁给你的？”

菲菲低声说：“我妈，是我临出门时妈给的。我寻思，我妈也不是法西斯呀，她哪能有这玩艺儿，原来是个吉祥物。”

上官德的目光并没有离开项链，实际上他的余光已看见了菲菲耸起的乳沟。“万”字符项链是块铜制品，可能是长年被佩带的原故，已沾上了菲菲的体香。上官德头一回在这种场合用这种形式看一位漂亮小姐的前胸，心里不由得一阵荡漾。脑子里忽然出现“婀娜”两个字。

菲菲把项链放进露脐背心里：“哥，你不是记者嘛，我给一条线索要不？”

上官德还没回过神：“哦，线索？你说说。”

菲菲坐正了身子，小声说：“前天郊区派出所打死了一个大学生。”

上官德一惊：“你怎么知道的？”

菲菲看看边上，见没人注意，接着说：“我听我姐说的，她吓哭了，都不敢去上班了。”

上官德身上的新闻敏感开始迸发：“怎么回事？”

“我讲给你听，可你不能把我卖了。”

上官德赶紧声明：“我一定为你保密。”

“上次公安不是到天上人间检查嘛，后来又去了另外的舞厅。我有个姐在嘉年华上班，结果被抓了，公安说只要报出五个客人的电话号码就可以出去。我那姐想半天把她高中同学的手机号报给公安了，她那个同学还在科技大学读书。被抓进去后要罚他5000元，他都不知道咋回事。”

上官德问："那位大学生没去过歌舞厅？"

"根本没有，是我姐被公安逼得没办法才乱说的。"

上官德接着问："后来呢？"

"听说那个大学生死活不承认嫖了娼，他也确实没有呀。结果给打死了。"

上官德将信将疑："真有这事？"

菲菲语气肯定地说："你要不信，我领你去见我姐们儿。那大学生家里正在郊区派出所闹呢。"

上官德突然感到浑身发烫，血冲脑门，好像看见了那个年轻大学生被冤枉的脸庞，自己有责任有义务为这位不相识的朋友申冤。他果断地对菲菲说："你带我去找你的姐们儿，如果确有此事，我就要管到底。"

何大龙上班刚泡了一杯庐山云雾茶，就听见马诚在楼道里大声说话："晚报究竟要干什么？这条新闻完全有可能引发社会问题。何大龙！"

一听在叫自己，何大龙赶紧走出来："部长，什么事？"

马诚挥了挥手中的报纸："你还没看吧？'派出所抓嫖客罚款5000，大学生被冤枉丢了性命'，公安局丁局长一早就把电话打到我家里，讲事情根本就不是这么回事。你立刻把孙强找来。"

"据说孙社长还没回来，在广州出差。"

"那就把那个贾诚实请来，问问他，是谁批准发这样的稿件的。"

"好，我马上办。"

贾诚实睡眼惺忪地走进马诚的办公室，何大龙陪他进来。

马诚一见贾诚实就说："这篇报道报告过孙强同志吗？"

贾诚实低着头说："是我当班，我向组织上检讨。"

马诚追问："我是问孙强同志知不知道这篇稿子？"

贾诚实看了看何大龙，慢慢说："上官德把稿子传给孙社长看了。"

马诚对着何大龙说："看看，我猜的没错吧，他孙强不点头，别人是不敢发这样的稿子的。诚实同志，你认为你们发这样的稿子是对党负责任的态度吗？"

"嘀铃铃……"桌上电话响，马诚拿起电话："喂，丁局，我是马诚，什么？《南方周末》和北京的媒体要来采访？怎么这么快？"

贾诚实插了句话："可能是新闻上了网。"

马诚拿着话筒，生气地对着贾诚实指了指，又对着话筒说："丁局，我的意见是你们不接受省外媒体的采访，请他们和宣传部联系，我这边马上要求有关部门做好工作。什么？还有法新社的记者？哎呀，这就要安全部门的同志协助了。好吧，安全局那边就由你们打招呼。好，保持联系，再见。"

在马诚通话时，何大龙和贾诚实交换了几次目光。刚才趁贾诚实还没来部里，何大龙抓紧时间把那篇新闻看了两遍，没觉得有多大的问题，相反，他认为这篇稿子抓得好，这种正义感和良知是有社会责任心的媒体应该具有的。但此刻他不能多说话。

马诚放下电话对何大龙说："都听到了吧，问题严重啊同志们。立刻行动起来，决不能把这个小事变成大的新闻事件。诚实同志，请跟孙强联系，要他马上回来。具体怎么办，大龙你说说意见。"

何大龙想了想说："我认为，上官德的这篇稿子该采访的都采访到了，只是发表不够慎重。没有经过法院的判定，就还不能说那位大学生是被打死的，好在文章的基本事实没大问题。部长，我建议：上官德同志休息几天，关掉一切通讯工具，使外地媒体找不到他。另外那位嘉年华的小姐也要控制起来，不能让她接受采访。死者家属可以先安抚，让他们也不接受采访。我们加紧和外省媒体接触沟通，他们挖不到料，又明白我们的态度，可能会马上撤离的。"

马诚略一考虑："我同意大龙同志的意见。但是对上官德要处理，等这事过去后再说。诚实同志马上通知上官德避一避，决不能雪上加霜。同志们，时刻都不能忘我们是党的喉舌，不是哪个个人的喉舌。凡是可能引发社会问题的新闻，都要慎之又慎。这件事我还会向市委李书记报告，你们去办吧。"

走出马诚的房间，贾诚实用冰凉的手揩了把额头上的汗。

何大龙笑笑："紧张了？你怎么也不长脑子。我不是给你挂过电话吗，怎么还这么不小心？"

贾诚实摇摇头："何处，你凭良心说，这是不是条好新闻？"

何大龙看了他一眼打断他的话："现在不是讨论这个问题的时候，回去叮嘱上官德别再出事了。如果一旦外省媒体参与报道，这件事立马会变得复杂起来。阻止各地来的记者才是当务之急。好啦，快点办吧。"

从下午到晚上，何大龙亲自跑了几家宾馆登门拜访来自广州、北京、河南等地的记者。途中接到马诚的电话，讲法新社的记者在机场就被安全人员劝回去了。在何大龙的诚恳加威胁的作用下，外省媒体记者有的下午就离开了，有的答应明天离开。何大龙保证：事情一有结果，第一时间会给各位记者发稿，那时欢迎大家来采访。

晚上回到家快7点了。他快速煮了一锅速冻水饺，坐在电视机前，习惯性地看央视新闻联播。

刚吃完第二个饺子，电话响了，是他太太虹儿从莫斯科打来的："喂，又没去接小虹儿？"

何大龙委屈地说："我刚进家门，快累死了。晚报惹了点事，各地来了不少记者，我得去打发他们。书展情况怎么样？"

虹儿笑着说："呵，误会你了。书展就那样，年年如此。"

"出去逛了吗？买了什么？"

"到处都是中国制造，还买什么呀。下午在红场，我买了一幅原创风景油画，《春天的伏尔加河》，有点列宾的味道。"

"什么时候回？"

"我要晚几天，还有一周吧。"她叮嘱道："你要勤快点儿，别总让我妈家阿姨去接小虹儿。"

"好的，我争取吧。你弄几个大列巴回来吧。"

"没问题，我在上海还要呆两天。大概4月1日回东方。"

"好，我去机场接你。越洋电话贵，挂了啊。"

挂上电话，何大龙边吃饺子边看电视，然后到书房看书写东西，大多数的晚上都是这样度过的。他在华中理工大学新闻传播学院读在职研究生，这两年在他的书桌上堆的都是新闻理论书籍。现在已经进入到做论文的阶段了，为了找到创新点，他思考了许久。

何大龙是人大中文系毕业的，上学时和虹儿谈恋爱。由于虹儿的父亲从省经委主任升任副省长，他和虹儿的分配问题迎刃而解了。虹儿分到了省人民出版社，他则到了市委宣传部。6年不到的工夫，他从一般科员到主办科员到科长再到副处长，后来又出任新闻出版处处长进了党组。平均两年一个台阶，如此下去，仕途应该是平坦的。可他越来越不愿在机关里耗着，每天8小时，不知干了些什么。读了研究生后便常常在老丈人面前提起他的新闻理想。

何大龙最忌讳的是别人叫他"驸马"，他把这种称谓看作是对他的侮辱。但是他反抗不了现实，如果没有虹儿的爸爸，他这个中学老师的儿子不可能这么顺。他在自己的日记中曾写到：23岁之前，我是属于自己的，一切都是靠我自己的能力创造的。但从23岁毕业那天起，我不属于我自己了，除了属于社会，还属于贺家。这是悲哀？还是幸福？我还是把它当着幸福吧。在何大龙的内心世界里，最不能拨动的就是“驸马”这根弦。虹儿很清醒地知道这一点，所以她从不颐指气使，更愿意作小鸟依人状。除了自己工作上的事，家里的一切都由何大龙作主，大到房子的装修，小到女儿幼儿园和学校的选择。但事实是现在他们的房子还是人民出版社分给虹儿的。

何大龙在书桌前坐下。拿起一本《新闻价值论》翻看，书桌上还堆着《媒体的力量》《真理与方法》《语言的战争》《科学革命的结构》等书，都夹了不少书签。白天的事，让他再次对新闻究竟是什么感兴趣。他相信上官德所采访到的都是真实的，的确有不少公安，特别是派出所简直无法无天。听说有的所长是用钱买来的，因此要在一切可能的情况下捞回本来。他们肯定是要钱而不要命，只是这次有某个环节出了错弄出人命来了。对于这种非社会普遍现象，媒体应该如何对待？新闻又应该如何揭露？上官德采访到的显然只是一堆被解释过的东西，他在拼装的过程中也显然带有自己的情绪。这种情绪会给社会带来什么呢？马诚紧张的原因并不是派出所打死个把人，他和自己一样，担心这条新闻会引发某种对政府和党不信任的情绪。

想到这儿，何大龙好像找到了什么，立刻在稿纸上写起来：“新闻所谓的价值，与新闻的阅读者有着密切关系，它是人与人之间的精神活动。新闻其实是语言的控制者根据经验给出的非自然的结果。”写到这儿，何大龙站起来，似乎找到了论文的创新点。他在书房里兴奋地来回走动，嘴里振振有词：“新闻是语言的控制者根据经验给出的非自然的结果。太棒了。”走到客厅拉开阳台的落地门，一阵清风扑面而来。站在16层高楼看这座城市，何大龙忽然感到自己与这座城市发展迅速相比一点也不逊色。

夜色中的东方市依旧车水马龙，不时有救护车鸣着警报呼啸而过。楼下不远处便是由西向东穿过这座城市的东方河，它是东方市的母亲河。东方市和全国其他中型城市一样发展迅速，但不见特色，到处是钢筋水泥。听说以前这里的建筑还颇有看头，有条街不用改变什么就可以拍三四十年代的电影。现在那条街被建成了仿罗马建筑的步行街，好好的有中国特色的东西，硬是被推倒，搞成不伦不类的现代建筑。奇怪的是，这样的建筑在很多城市都可以看到，难道这些领导人的审美观都惊人一致？显然不是，他们一致的是政绩观。

何大龙刚来东方时这里的高楼并不多，好像最高的楼就是东方信托的那栋26层的大厦。可现在，高楼林立，犹如层峦叠嶂颇为巍峨了。这里边有他老丈人贺副省长的功劳，几年来他是上午在香港下午在新加坡，通过招商弄回了不少钱，也弄得东方市的房价成畸形趋势。何大龙与他不在一个领域，但听说过他们是怎么操作招商引资的，里边不规范的东西太多了。如果让媒体曝光，按马部长的话：会引发大的社会问题，甚至引起社会动荡。而媒体为何会缺席对这些不规范进行监督呢？这实际上涉及到媒体要解释什么和不解释什么的问题。谁掌握了发言权，谁就掌握了解释权。对呀，论文的题目就叫《新闻的解释》。

他快步走回书房，在稿纸上写下了论文题目后得意地说："我怎么这么聪明。"

"叮咚叮咚"。门铃响了。何大龙走到防盗门的猫眼处往外看看，立刻打开门。

"爸爸。"女儿小虹儿叫他。站在女儿边上的是虹儿的妹妹星儿。

何大龙一边抱起女儿一边问："贺大秘怎么回来了？"

星儿拿着小虹儿的书包，笑着说："我怎么就不能回来呀？"她又对小虹儿说："你爸想偷懒不接你，我偏要送你回来，快去写作业啦。"

小虹儿亲了何大龙，欢快地跑进自己的房间，星儿也跟进去。

何大龙无奈笑笑，走进自己的书房。

一会儿星儿进来："姐夫，小虹儿是你的女儿，你都不管她？"

见星儿不满的样子，何大龙说："你来了，还用得着我管吗？"

星儿手里端着一杯水牛哄哄地说："那是，我姐不在，这里我可以当半个家，对不对？"

何大龙慷慨地说："NO，不是当半个，而是全部。我也归你管。"

星儿乐了。何大龙常说虹儿没星儿漂亮，姐妹俩除了个头差不多，其他地方差异都很大。虹儿是瓜子脸，眉毛较粗，鼻梁不太长，也没酒窝，喜欢短发，不显漂亮，但比较匀称。星儿却是细眉大眼，鼻梁长长的，嘴唇较厚，有酒窝，喜欢长发。还有最大的一点不同是虹儿不爱化妆，星儿却相反，不化妆不出门。所以在星儿身上总能闻到一种特别让男人有感觉的味道。何大龙后来才知她用的香水是法国兰蔻，据说这是最易被中国女性接受的欧化的美。虹儿曾开玩笑讲星儿不是她的亲妹妹。

何大龙看看眼前站着的星儿，穿的是一套果绿色的吊带连衣裙套装，她已把外套脱了，双肩露在外面。每次何大龙看见她都觉得她心态健康积极自信。

星儿见何大龙没吱声，又见他看着自己就说："嗨，你的目光不怀好意哦。"

何大龙收回目光说："我可没你想得那么现代。还没告诉我你为什么回来呢。"

星儿放下杯子，拿起伽达默尔的《真理与方法》翻了翻："对解释学感兴趣了？"

何大龙说："写论文要用。你是学西哲的，这位伽达默尔先生有点意思，他从艺术的经验中发现我们被异化了，我们的经验根本不足以说明我们是人。他提出一切翻译都是解释，并且不让别人翻译他的著作。"

星儿点点头："姐夫，看来你对这位德国老头有点感兴趣了。我推荐你看本书。"她说着拿起笔在稿纸上写了一行字：洪汉鼎：《理解的真理》，说："这是中国对伽达默尔研究最牛的人，这本书就是解读《真理与方法》的。"

在星儿俯下身写字时，何大龙又闻到了他熟悉又陌生的香水味。

星儿喝了口水："我姐什么时候回来？"

何大龙答道："4月1日，她们的飞机落上海。你还是没说你怎么回来了。"

星儿认真地说："我老爸不是分管招商嘛，我帮他的忙。瑞东集团准备向外扩张，我建议来东方投资。董事长派我先回来跟贺副省长聊聊。"

何大龙问："你们那位董事长不是和老爷子是中央党校的同学吗，怎么还先派你来。"

星儿摇摇头说："不知道。管他呢，派我回来，我就公私兼顾。"

何大龙又问："还没找男朋友？"

星儿笑着说："怎么那么多问题呀，我等着姐夫你给我介绍呢。"

小虹儿走进来："小姨，我写完了作业。"

"好，小姨给你洗澡去。大闺女了，不能让爸爸给你洗澡了。"

小虹儿问："为什么？昨天都是爸爸洗的。"

何大龙和星儿都笑了。星儿对小虹儿说："小虹儿，记住，以后不可以让爸爸给你洗澡。"

小虹儿问："那妈妈出差去了怎么办？"

"打电话，让外婆来给你洗。"

小虹儿似懂非懂地点点头："哦，知道了。"

星儿朝何大龙调皮地眨眨眼，领着小虹儿出去了。

就在何大龙与星儿聊天的同时，贾诚实坐在办公室犯难。

开编前会前，孙社长来电话讲网上有条重要的消息，中央决定逐步减少省市委副职职数，未来中国省市党政拟设三位副书记：一个兼省长，一个负责党务，一个兼纪委书记。贾诚实想，干部问题向来是地区最敏感的问题，晚报不过是市级报纸，有权利做这样的新闻吗？

晚饭时，和钱冰冰说这事。她说要慎重，报社出的号外和上官德的报道已闯了不大不小的祸。可这是社长的指示，我这个副总有必要和社长对着干吗？正想着，高原红推门进来："教头，孙头儿来电话问省市委减少副职职数的稿子怎么发？"

贾诚实反问："你说呢？"

高原红想都没想就说："一版做大导读，在中国新闻版发头条。"

贾诚实像是问她又像是问自己："会不会出事？"

"出什么事？这是中央的决定呀。"高原红大声嚷道。

"大侠，稿子应该没什么问题。可它涉及到各级干部，牵扯的人太多，都是当权者。新华社又没有发通稿。"

高原红笑道："你的胆子越来越小了，不至于吧。"

贾诚实站起来说："这办报呀，就是八个字'一天到晚，提心吊胆'。你说这美国高科技也不灵了，萨达姆不是还没抓到吗，那个伊拉克发言人萨哈夫又吹什么牛了？"

高原红没接他的话："我说教头，别转移话题呀。"

贾诚实拿起电话按号码："还是再请示孙社长吧。"电话接通了："社长，我是诚实。对，是那篇稿子的事。"

孙社长："像这样的稿子就不能犹豫，这是非常重要的时政新闻，我们不发就对不起自己的良心，也违反了新闻职业道德。"

贾诚实紧蹙眉头还想解释："新华社没有电稿，网上好像也撤了稿。"

"这正说明这条稿子的重要性，今天已有不少报纸做了报道，我们实际上已晚了一天。"

贾诚实问："要不要请示宣传部马部长？"

"我看不用。事事都请示，那我们还办什么报。宣传部对我们出号外和派出所打死人的稿子有看法，但我们没有错嘛。尽管有些地方欠妥，可以改正嘛，没必要对我们兴师动众。派出所打死大学生的事情况怎么样？”

贾诚实回答：“宣传部一过问，我让上官撤了，没消息。”

“上官回避是对的，但这事不能就这么算了，如果事实确凿，我看也不要放过。好啦，我明天到，我会去宣传部解释的。”

贾诚实说：“好吧。”放下电话对高原红说：“他说他去找宣传部。”

高原红特自信地说：“我就说没事嘛。出号外的这一仗我们打得多漂亮呀，这几天西祠胡同上的论坛尽是表扬我们的话，不少人夸你呢。”

贾诚实递给高原红一支烟，自己点了一支：“拉倒吧，捧得越高，摔得越惨。”

高原红用神秘的腔调问：“嗨，你是不是被钱大圣修圆了？好像你有点那个……要不要吃六味地黄丸呀。”

贾诚实笑着骂道：“我知道你想什么，狗嘴里吐不出象牙，快去做事吧。”

“好咧。”高原红哼着：“2002年的第一场雪……”出去了。

贾诚实没想到，他的害怕变成了现实，上面震怒了，明天的报纸引起了省委领导的对市委李书记的批评。

何大龙早上骑车送完女儿去学校，赶到办公室放下提包就直接去会议室了。进去一看，不仅有新闻出版处的人，还有宣传处和干部处的人。大家都不知道要开什么会。

马诚拿着几张报纸和王副部长一起急匆匆走进来，他用目光扫视了会场后说：“大龙同志坐这边来。”他指指他身边的一张椅子。

何大龙看了看其他人，走过去坐下。

马诚对办公室的人说：“小陈，给我们杯水。”看得出，刚才走得急，他还有点喘。把手上的报纸递给何大龙后他对大家说：“同志们，开会。刚才市委李书记把我找去，他非常生气，原因是晚报昨天在中国新闻版发的一条新闻，题目叫‘省市委副职职数将减少’，副题是‘未来拟设三位副书记：一个兼省长，一个负责党务，一个兼纪委书记’。在一版还搞了头版头条导读。大龙同志，你把李书记在报纸上的批示念一念。”

何大龙在马诚讲话时已看到李书记在报纸一版上方空白处用红笔写的批示，他念道：“立诚同志，晚报的这篇新闻我认为很不妥，新闻中所要表达的观点与实际情况严重不符，省委领导对这个报道也非常气愤，责成省委宣传部调查。中央对干部政策进行改革还没有具体部署，如果我们的媒体处理不当，就可能产生极为混乱的负面影响，甚至打乱中央的部署。这是极不负责任的态度。我听说近期晚报有不少情况，这要引起我们的高度重视，宣传部一定要把好关，争取主动。决不能因为对新闻的把关不严，而影响了东方市的发展大局。”

马诚接着说：“李书记的批示实际上是给我们宣传部提出了重要的课题，就是如何把关的问题。这个问题请宣传处新闻出版处研究，尽快拿方案出来。另外，请干部处也要拿出一个关于媒体领导人的考察办法，今后谁当媒体领导，在本单位提名后，宣传部干部处必须对其进行职务考察，要看看他是不是符合担任党的宣传领导干部的条件。另外，关于《东方晚报》的问题，我和王部长刚才商量，坚决贯彻李书记关于‘争取主动’的指示，要追究责任，特别是一把手的责任。”

何大龙听到这儿，一惊，立刻心跳加快。马诚的话像道闪电，他却在这道闪电中看到了原本捉摸不透的东西，这个东西就是机会。凭他的经验，估计孙强怕是干不成社长总编喽。这个位子空出来，谁去合适？从晚报内部提？那位贾诚实不被处分就算便宜他了，接二连三的事都是在他值班期间出的，他没戏。可能还得从外面派人下去。何大龙想，最理想的人选就是宣传处方处长和自己。论资格，方处长比自己老，论新闻理论水平，自己比方处长强很多。虽然《东方晚报》也是正处级，可那个位置的政治地位社会地位可不是呆在宣传部当个处长能比得了的。就说车，孙强坐别克君威，马部长才坐桑塔纳时超。何大龙脑子在急速地想着，直到马诚说散会他才惊醒。

一回到办公室他马上关好门，拿起电话拨号，拨通后对着话筒说：“孙秘书，我是何大龙，贺省长方便接电话吗？好的。”

话筒里传来贺副省长朗朗的声音：“大龙啊，说了多少次，有事直接拨我桌上的电话嘛，机关的这套不要放在家里人身上。有事吗？”

何大龙简单地跟他说了省委领导和市委李书记对晚报的批评以及马诚可能要处理孙强的事。贺副省长马上明白了何大龙的意思，他说：“我知道这件事，晚报的错误是严重的。你是不是想动一动？去实现你那个新闻理想？”

何大龙笑着说：“爸，你知道我正在读新闻学研究生。”

贺副省长：“新闻我不懂。但我知道无论是这个社会，还是在这个社会里生活的人都已经离不开新闻喽。我个人表示支持你，但新闻官不是那么好当哟，你要有充分的思想准备。”

何大龙觉得老丈人的话像够年头的酒一样醇厚热烈，说：“我其实一直都在准备。我想再跟虹儿商量商量。”

贺副省长说：“这有什么好商量的？组织上要你去哪里工作，你还能说我跟老婆商量商量？你这个孩子呀，要自信要从容要有风度。我看你可以先跟马诚同志表个态，让他知道你要求进步的想法。好啦，我还有个会，晚上你回来一趟。”

何大龙高兴地：“好的，我晚上回去吃晚饭吧。”

贺副省长笑了：“我看你是不愿自己做，想回来蹭顿饭。就这样。”

放下电话，何大龙感觉自己这边的砝码又重了。贺副省长插手此事，自己出任《东方晚报》一把手的希望就大大的有了。他惊喜交加。

果然，一周后，何大龙被中共东方市委任命为《东方晚报》党委书记、社长兼总编辑。这种一肩挑的情况，在晚报历史上还是第一次。他给已经回到上海的虹儿挂电话说这事，虹儿不信，她说：“今天是4月1日愚人节，你是在骗我吧。”

何大龙笑嘻嘻地说：“到了一趟西方，就过起愚人节了。告诉你，是真的，已经谈了话，任命也下来了。快回吧，给我祝贺。”

虹儿将信将疑：“你真不骗我？好吧，我信你一次。吃完午饭我们就往回走，社里的奥迪车在上海，我省趟机票钱，坐汽车回去。”

何大龙听后愣了：“不坐飞机了？”

“不是说了，社里的奥迪车在上海。”

何大龙反应过来：“噢，好。”对着电话悄悄说：“我晚上等你。”

虹儿柔声说：“这才20天就熬不住了？”

何大龙反驳道：“等你回来庆祝，什么熬不住呀。告诉你，路上一定要慢一点，别着急，晚上12点到家都没事。”

“没那么晚，10点准到。好啦，我挂了。”

何大龙按捺不住喜悦又给星儿打电话：“喂，星儿，知道我的事了吧。”

星儿生气道：“别跟我说事儿，今天愚人节，我已经分不清什么是真什么是假了。”

何大龙叫道：“你怎么跟你姐一个腔调呀，不跟你说，问你老爸去。”说完挂了电话。

没过五分钟，星儿的电话打过来了：“姐夫，你真的去了晚报呀？”

何大龙得意地说：“不是愚人节新闻吧？”

星儿高兴地说："祝贺祝贺。我姐什么时候回来？"

"今天晚上。"

"我晚上去你们家睡。"

何大龙笑了："拉倒吧，我们两口子团聚，你凑什么热闹。"

星儿也笑了："我去为你庆祝呀，小姨子是姐夫的半边屁股嘛。"

何大龙答应道："好吧，晚上先带小虹儿到外面撮一顿，然后回家等你姐。"

"好嘞，说好了，晚上我请客，去天天渔港吃海鲜。"

放下电话，何大龙突然从嘴里冒出两句京剧："劝千岁，杀字休出口，老臣与主说从头……"此时他的嘴上脸上都荡漾着春风，现在自己有权处理晚报的一切事务了。要不要处理贾诚实和上官德呢？马诚在跟他谈话时已再三提到要处理这两个人。但此一时彼一时，在何大龙的心里这两个人都变得重要起来，他们没犯政治上的大错又是干新闻的料，为什么要处理他们呢？况且上任的三把火如果不"烧"业务而"烧"人，对自己在晚报真正站住脚没什么好处。怎么办呢？他脑子在想，嘴里却在唱："刘备本是中山靖王的后，景帝玄孙一脉留……"

第二章 头版头条

TOUBANTOUTIAO

〖商报讯〗昨日，山东瑞东纸业有限公司与我市正式签订了2亿元人民币的投资项目。该公司的环保项目“东方瑞东纸业有限公司”将在我市工业园区开工建设。副省长贺明、市委书记李浩、市长潘智雄出席签字仪式。

此次山东瑞东纸业将分两期在我市兴建一家年产10万吨纸浆、5万吨新闻纸、6万吨箱板纸、1万吨生活用纸及系列纸制产品的造纸企业，整个生产工艺和生产过程将严格按照国家环保标准的要求实施建设。

据悉，这个项目最大的亮点是由山东瑞东纸业在工业园区内修建一座园区内企业公用的污水处理厂，建成后把它变成由市政府控股的股份制公司。污水处理厂将日处理15万吨污水，该厂采用生化—物化法处理，将使80%的生产用水可循环使用，20%的污水经处理后可达标排放。

目前该项目已经通过立项，项目建成投产后，不仅将完全改变我市纸制品长期只能依赖外地供应的状况，而且还可以安排1500个工作岗位。

虹儿出车祸了。听到这个消息，何大龙怎么也不相信，他想到今天是愚人节。

坐在贺副省长派来的车上，何大龙脑子里一片空白，怎么会这样，他也不知虹儿此时情况究竟如何。10分钟前，他和星儿、小虹儿正在家里看电视，贺副省长来电话讲虹儿的车在离东方市50公里的高速公路上出了车祸，他不知自己是怎么放下的电话，也不知是怎么上了车。直到车到达事故现场时，他才清醒了，像是被水冲涮后的清醒，他知道，虹儿肯定不在了。陡然间，全身的血液好像冻住了，心变得冰凉冰凉。

那辆奥迪车停在高速公路的超车道上，右边整个就没有了。交警把他带到奥迪车司机面前，这个20多岁的小伙子一点事也没有。可能是吓坏了，一直在颤抖。知道何大龙是虹儿的丈夫时，他抖得更厉害了，嘴里说："对不起，对不起虹姐。"

何大龙平静地问："是怎么回事？"

司机没敢看何大龙，眼睛看着地下说："我超车，盘子往左边大了一点，撞上了护栏，弹到了右边，撞击后又弹回了左边。虹……虹姐她坐在右边。"他突然"哇"地哭了起来。

何大龙又平静地问交警："她人呢？"

交警说："刚送到殡仪馆。"

何大龙以自己都难以置信的平静走到事故车前，转着看看，右边副驾驶的位置上全是血，好像还有肢体的肉。他走到后座往里看，一张油画掉在后座的椅子下。何大龙伸手进去拿出画，是那幅《春天的伏尔加河》，这就是虹儿在电话里告诉他有列宾风格的油画。他问身边的的交警："原因查出来了吗？"

交警答道："初步判定还是车速太快了。"

何大龙点点头轻声说："十次事故九次快，这是谁都知道的常识。还叮嘱她要慢一些，为什么还要快呀？"他拿着油画走到他自己的车旁对司机说："去殡仪馆，今天晚上我陪着她。"

接下来的一周，何大龙是在高度悲恸、紧张、疲惫中度过的。

按风俗，4月3日虹儿应该入土，但由于她是非正常死亡，到5日早上才火化。整整四天四夜，何大龙没离开过殡仪馆。白天他基本是接待来吊唁的各色人。因为虹儿情况特殊，她的死亡惊动了省市不少部门的领导。他们在哀悼之余，都提到何大龙出任《东方晚报》社长的事，大家对他都充满了期待。他能感觉到这些他叫叔叔伯伯的省市领导的关心是真心的，也能感觉到那些他叫哥们儿的年轻的处级干部们的支持是无私的。

没有把灵堂设在家里的决定是贺副省长作出的，何大龙明白老丈人用意，他是要把女儿车祸去世看成是公事，既然是公事就要公办。这四天四夜里，何大龙时刻都在体验殡仪馆的一动一静。白天哭嚎喧天撕心裂肺，不时响起的升天炮与爆竹声哀乐声，把这里掀得底朝天。可到了晚上，那种让人汗毛孔全都张开的静，实在是有点害怕。何大龙非常想感知一次虹儿的灵魂走进他的心里，在清清的月光下他找棵柏树蹲下。听人说，柏树下能看到去世的亲人。可几天来，他未见过虹儿一次，就连所谓的鬼火也没见到，只是感受到了那无边的阴气和恐怖，以及自己的血液在汩汩流动的声音。

他这几天很清晰地回忆了与虹儿在一起的许多片段，此时它们都变成了画面。何大龙看见了他和虹儿在学校里参加篝火晚会。就在晚会后回宿舍的路上，他向虹儿求爱。结果虹儿抱住他就吻，说就等他的这句话。可以说，他们的爱是水到渠成；何大龙看见了虹儿在医院生孩子的画面。她疼得脸色煞白，好像都扭曲了，死死抱住他不撒手，如同一个小姑娘在面临巨大的危险下钻进情人的怀里；何大龙还看见了他们一家三口去海南岛过黄金周的情景。蓝天白云沙滩椰树，小虹儿用她的小手把何大龙埋进沙里，虹儿拿着DV给父女俩拍摄；最清晰的是何大龙4月1日下午与虹儿通过话后的每一个小时，真是像放电影。那天晚饭时给虹儿打了电话，她说还在浙江境内，20点左右打电话说离东方市还有两百公里，21点打电话时，她说离家还有70公里。当时何大龙就想，时速140公里也不算太快。这连续的通话，是要与虹儿分享兴奋？还是老天在最后的时刻让他与虹儿多讲几句话？还是因为与虹儿频繁通话使司机分了心误以为他在催虹儿快点回家？还是冥冥之中有定式：乐极就要生悲？一连串的问题让何大龙无法找到答案。

5日凌晨，何大龙最后检查了一遍灵堂的情况，上午8点在这里要开追悼会，那是与虹儿最后告别的时刻。他查看了花圈摆放的位置，领导送的花圈摆放顺序不能有错；要考虑准备一辆救护车，虹儿的妈妈有可能会出意外；参加追悼会的人估计有近200人，他们佩戴的小花要多准备一些；放鞭炮是大问题，得要有人专门管。白天他已去了墓园，给虹儿立的墓碑已刻好，落款只有他和小虹儿的名字，他让人把虹儿一张灿烂笑容的彩色照片镶嵌在碑上，灵堂悬挂的也是这张照片。照片是用彩色还是黑白的，他问过星儿，星儿的想法跟他一样，她说："姐姐走的时候，心里肯定是高兴的，她根本想不到那一刹她会离开人世，还是让我姐带着这个世界所拥有的色彩一路走好吧。"

何大龙对丧事事必躬亲，不是现场没有人干活，虹儿的单位、省政府办公厅、晚报社都派了人在殡仪馆忙，是他自己觉得应该这样。这是为虹儿做最后一件事，决不能马虎，更不能因疏忽导致什么后果，那句"祸不单行"的箴言像一把剑几天来一直悬在他的头顶。治丧委员会的人曾表示他们一定会办好这件事，要他节哀。可他做不到，他坚持着不让自己崩溃，总感觉虹儿在求他说：大龙，你一定要好好送我。

检查完所有的事后，工作人员硬拉他到边上的休息室躺一会儿。他拿着拟好的悼词坐在沙发上，想再斟酌斟酌，可眼皮实在撑不住，他睡着了。何大龙在梦中回到了家里，发现虹儿正在卫生间洗澡，听见他进来，虹儿在里边撒娇似的叫道："我出差这么久，你也不在家里等我。"何大龙赶紧说："我是在家里等你，可不知怎么就出去了。"虹儿说："快来帮我搓搓背。"接下来，两个人居然在浴室里做起爱了，这是从来没有的事。就在虹儿大声呻吟拼命扭动时，何大龙惊醒了，是哀乐声把他惊醒的。他摸了一把脸，全是汗，身上好像也湿了。使劲喘了几口粗气，等平静了才走回灵堂。

外面天已微微泛亮，哀乐阵阵，爆竹声声。何大龙自言自语："又一批人要走了。"他走到虹儿躺着的水晶棺前端详着，虹儿美丽地躺在里面。她的死亡原因是颈椎折断，所以从遗体上看不出她是因严重车祸而死的。不化妆的虹儿此刻化了妆，红润的脸颊，红红的嘴唇，眼睛还画上了淡淡的眼影，何大龙发现她的嘴微微上翘，是不是真的像星儿说的她走的时候正在笑着？何大龙忽然觉得不对，好像自己这几天来都没有流过眼泪。是没有泪水了？还是自己潜意识里并不悲伤？

何大龙还没去晚报报到，但报社的那台别克君威已开始供他使用，几天来主要是这台车在跑。贾诚实、钱冰冰、高原红、上官德等一班人也都到了殡仪馆，何大龙没忘了拜托贾诚实把工作抓好，千万别出什么事。

白天星儿通常在这里陪何大龙，好像记得在星儿的嚎啕大哭中，自己也默然泪下，但泪水不多，只是哽咽着，喉咙似乎不听控制，僵硬地顶住上呼吸道。何大龙自己知道那是人的情绪走到极端时的表现。此后，星儿没有再大哭，她很细心地伺候何大龙，每餐饭都是她逼着何大龙吃的，没有她的强迫，何大龙不可能吃得下东西，他觉得自己没有任何理由在此时此地吃东西。事实上在全部与何大龙见面的人中，只有星儿的身份能强迫他吃东西，这也使得他在极度缺睡眠的状态下，还能支撑着的重要原因。直到丧事办完后，何大龙才发现星儿也瘦了一圈。

追悼会是上午8点30分开始的，到11点30分虹儿葬入公墓。这期间何大龙一直非常冷静，他紧紧地抱着女儿小虹儿。治丧委员会原本安排他讲几句，但他没答应，觉得无论讲什么都是多余的，都是虹儿不愿意听的。但在虹儿落葬的那一刻，他"扑通"一声跪在墓前，对着微笑地看着他的虹儿的彩色照片说："虹儿，我再也找不到你这样的女人了，再也找不到了。你放心去吧，我会把小虹儿带好，我也不会再结婚了。我们一家三口尽管隔着阴阳两界，但我们的心并没有分开，祝福和保佑我和小虹儿吧。"说这些话的时候，何大龙感觉自己已经被掏空了，他不知道他的脸色此刻有多么难看，他也不知道他的声音此刻有多么沙哑。

在床上睡了足足48小时，何大龙才渐渐恢复了状态。他感到自己被格式化了，不仅感情归了零，事业也归了零。不知是哪位哲人说过，人要善于归零。如此归零对自己究竟是福还是祸呢？何大龙对虹儿是充满爱的，爱得越深就越发敏感。从表面看他是为了虹儿才离开自己的家乡来东方市的，可难道在下意识里就没有背靠大树好乘凉的想法？如果没有虹儿和她的家庭背景，自己就是再优秀，也可能不会这么顺地在处于主流社会的体制内游刃有余。但他的心灵深处是忌讳"驸马"这个词的，无论在影视上还是在书上，只要看见"驸马"他心里都会不舒服，好像一口悬着的钟被人"当"地敲响，甚至会自己被自己吓一大跳。

从床上爬起来时，他觉得头还有点紧，尤其是触景生情又泪眼婆娑起来。他走到阳台上俯视这座城市，微凉的自然风依然扑面而来，他觉得自己开始放松。尤其是看到东南方向的一幢建筑上《东方晚报》的霓虹灯闪烁时，他清醒了，马上想到自己第一次出现在员工面前应该是什么样的状态？精神饱满肯定是第一位的，绝对不能让人有他是个鳏夫的感觉。但自己目前的状况肯定会影响情绪，必须尽快调整过来。他突然想到蹦迪，听说蹦迪能舒缓人的压力消除疲劳。对，去蹦迪。

何大龙刚出门，星儿就来了。她敲了门按了铃可没人，便拿出钥匙开门。房间里乱七八糟，客厅桌上零散地放着碗和砂钵，那是她在外面给何大龙买回来的鸡汤。茶几上堆着香蕉皮和苹果皮。星儿动手收拾这些东西。

星儿很喜欢这个姐夫，在她的眼里何大龙是个男子汉。虽然出道时靠了一些贺家的关系，但他自己的确非常优秀，这从他在32岁时考上在职研究生可以看出。他对问题的看法和他的自信儒雅不仅获得贺家的好评，也是星儿喜欢他的理由。当何大龙在虹儿的坟前讲自己再也不结婚时，星儿怦然心动，她在心里对自己说："从今以后我就是小虹儿的妈妈了。"星儿对厨房是陌生的，她除了在家吃饭就是在食堂酒店吃饭，自己几乎没有做过。在治丧期间她只能每天变着花样从餐馆里给何大龙订菜订饭，并亲自看着他吃。48小时前是她逼着何大龙喝了两碗鸡汤一只鸡腿后才让他睡的。所有涉及贺家的事，现在只有她能起到沟通的作用，她跟妈妈讲从今以后小虹儿就在贺家生活，何大龙一个人忙不过来带不了。

星儿这段时间自己也忙得脚不沾地。在姐姐治丧期间，她飞了济南一次，是谈瑞东集团来东方市投资的意向，把贺副省长和市委李书记的想法带回去向董事长汇报，主要问题还在环保上。造纸厂建在工业园区，但它的废水可能会给东方河带来生态上的变化，这是必须解决的问题；然后陪董事长过来参加虹儿的葬礼。

浙江大学毕业后星儿被聘为瑞东集团董事会秘书，这个职务对出校门不久的星儿来讲绝对是个挑战。老爸原准备让她考公务员，说一个学哲学的女孩子去省社科院是蛮合适的。当得知瑞东集团愿意要她时，她给老爸打了电话说："我属猴，喜欢自由，你们体制内的事我搞不懂，也不想搞懂。所以我不去什么社科院，更不想从助理研究员干到研究员，从科员变成处长。"她心里知道瑞东集团为什么要她，但她认为自己有这个能力，家庭背景不过是一块敲门砖。两年过去了，她在瑞东完全站住了脚，而且在单位只有董事长童瑞东知道她的背景，不少人开始还以为她是董事长从浙大弄来的小蜜。

何大龙是一直支持她脱离父母的视线外出闯荡的，在这个问题上他们有超常的共同语言。有时在电话里一聊就一两小时，气得虹儿夺过电话骂她："你是不是真要让我吃醋呀？"这两年虹儿给她介绍了好几个男朋友，她看都不愿去看。家里面给她介绍过门当户对的省军区司令员的儿子，她也不愿意。何大龙曾笑着对姐妹俩说："你们一对姐妹花都让我摘了算了。"

星儿收拾完屋子，看看墙上的钟，已是晚上11点多了。这个何大龙去哪里了？拨他的手机，可手机在床头响着，他就没带在身上。明天瑞东集团就要到达东方市开始投资谈判，今天晚上还要赶一份材料，想到这儿，星儿到书房给何大龙留了个条：“姐夫，你跑到哪里去了，要急死我呀。回来一定给我电话，我今晚要做个材料，明天谈判就要开始了。星儿。”

此刻，何大龙正在“五月花”酒吧随着《老鼠爱大米》的迪斯科节奏疯狂扭动。他若无旁人，也不看别人，神情恍惚地沉浸在自己的世界之中。

五颜六色的灯光忽明忽暗，DJ充满诱惑的声音越过震耳欲聋的音乐声传达到迪厅的每个角落。扭动的人群不时向上伸出双手，又不时左右摆动头颅。在迪厅音乐吧台的两边分别有一个非常有个性的小姑娘在领舞，她们频率飞快地甩着不长的头发，胯部动作也很到位。

何大龙不太会扭，偶然抬头看一眼领舞的，又迅速低下头自己扭着。他知道自己跳得不好，腰部和胯部的配合总不和谐，手也不敢往上伸，只是缩在腰间，双脚在原地不动。但无论跳得怎样，何大龙觉得都达到了目的，他被自己感动，脑子被音乐占据。他的每一个动作都是自然而然的，在一刹那他想到：大概闻鸡起舞就是这样的。语言到了极致音乐就开始了，自己此刻不就是语言到了极致吗？还有什么语言能说清楚现在的何大龙呢？随音乐而动的何大龙已经是满头大汗了，他并不知道在不远处有一双美丽的眼睛早就注意到了他。

东方商业地产开发公司总经理朱香香是个美人胚。她的美在于她的成熟，一头打理得很服帖的短发，刘海部分有意无意地挡住了右边的眉毛，那双眼睛不大不小，双眼皮像是刻出来的，但又很自然。鼻子不小巧，可灵动诱人，最诱人的还是她厚厚的嘴唇，无论开口还是闭着嘴角都微上翘，给人笑的感觉，非常有亲和力。正是凭着她的形象，浙大毕业后她在东方市的一家房地产公司顺利地谋到一份售楼职业，结果第一年她竟卖出去近百套房子，拿到了近300万佣金，在年终兑现时把她吓傻了，公司的人说她天生就是干房地产的料，那年她25岁。清醒过来想到的第一件事就是自己干，于是她和原来的老板成了合作关系，他们合股成立了东方商业地产开发公司。首个楼盘东方花园推出后不到一个季度就全部售罄，目前正操作东方商城项目。根据市政府工厂郊区化的规划，她的公司竞标买下了市玻璃厂的原址，要建一个4万平米的商业社区。

今天她和销售部的几个姑娘来“五月花”玩。朱香香穿着一条Lee牛仔裤，臀部被裤子紧紧地包裹着，身上却是一件宽大中袖丝绸衬衫。此刻她也是香汗淋漓，发现何大龙时，她正坐下来休息拿起一罐蓝带啤酒刚喝一口，就看见了正在角落扭动的何大龙，她愣住了。因为何大龙此时是绝对不可能出现在这种场合。

朱香香是星儿的师姐，她在做毕业论文时，星儿入学。因为她俩都来自东方市，又都是校报的记者，立刻成了无话不谈的好朋友。毕业时星儿要帮她，让贺副省长给安排个工作，但她拒绝了，她和星儿一样不愿在机关呆，但贺家的关系还是在竞标玻璃厂那块地时用上了。她第一次见到何大龙是在虹儿的追悼会上，印象不是太深，只觉得星儿的姐夫好像个子高高的，挺稳重帅气。当时在和别人握手时，他的左手紧紧搂住他的女儿，孤立无援的样子，让人心疼。可朱香香又好像很了解他，因为星儿常在她面前夸自己的姐夫。无论如何，他也不可能一个人来蹦迪呀。

朱香香站起来走到何大龙附近，仔细看看。她拿出电话拨了星儿的号码，但马上又掐了，她想，不能打这个电话，万一面前的这个男人就是何大龙，那对谁都不好。因为不知道他为何会出现在这里。他是高兴？不像。是悲哀？也不像。他面无表情，只是机械地扭动。如果让贺家得知他在迪厅跳舞，无论他有什么理由都是不好的，毕竟他的妻子才刚刚去世。朱香香退回自己的座位喝完了一罐啤酒后，决定试试，看看这个男人到底是不是何大龙？她走到何大龙身边拍了拍他的肩膀说："何处长？你是何处长吗？"

何大龙一惊，不好，被人认出来了。这是他第一个反应。看看眼前这位漂亮的女人，不认识她，何大龙没吱声。

朱香香看清楚了，这位就是何大龙。她用同情的目光看着他："何处长，我是星儿的同学。"

何大龙立刻想到在追悼会上见过这个女人，当时她一身黑色衣服，很端庄。但何大龙脑子里闪过的另一个想法是我不能承认，他马上用陌生的目光看了朱香香一眼："对不起，你认错人了。"边说边往外挤去。

朱香香何等聪明，明白了他为什么不愿承认自己是何大龙。她其实也不愿意何大龙承认，甚至有点后悔自己的冒昧。如果何大龙承认了，接下来该怎么办？邀他喝一杯？还是问他为什么来蹦迪？然后送他回家？NO，都不对，无论发生了什么，其结果都不好。只有何大龙自己否认，才是最好最好的结果。它可以成为两人心里的小秘密，既能延伸又能退回。看来这位何处长不简单，处理问题既迅速果断又考虑周全。难怪星儿喜欢他的姐夫，这样的男人，自己也喜欢呀。想到这儿，心里一颤，觉得自己与他有心灵上的贴近，她马上警告自己别胡思乱想。"朱总，过来喝酒吧。"部下在喊她，可她的思绪回不来了，她也不想跳舞了，拿起酒一仰脖子“咕咚咕咚”喝了下去。

贾诚实这些天都提心吊胆。大家都没想到何大龙会出任晚报一把手，马诚部长摆明了要处分自己，听说上官德也逃不掉。可死就死吧，偏偏新上任的何大龙死了老婆。尽管在追悼会前他带人去吊唁时，何大龙拜托他把报社工作抓起来，会不会是何大龙的缓兵权宜之计。上官德已放出话：此处不留爷，自有留爷处。他可以这样说，我贾诚实却不能这样说，我毕竟是组织部门任命的副处级干部。如果宣传部要处理自己，会怎么处理呢？总不能扒了我的副处级吧？要不要考虑好后路？

一系列问号让贾诚实失眠了。往常下了晚班，他一般要看看电视，大概凌晨3点可以睡着，这些天竟然每天到了早上6点还没睡着。女朋友钱冰冰劝他没必要把这事太放在心上，昨晚他俩还为这事吵了几句。

他是凌晨2点40分到钱冰冰家里的，她熬好了一锅粥在等他。

钱冰冰也不知是什么时候爱上贾诚实的。在学校时她就被同学称为大圣，原因是很能折腾，学的是广告专业，到晚报工作时，她连底薪都没有。但很快就成了广告主力，拿到的广告提成半年就超过了5位数。到报社不久就和贾诚实大吵一架，那天她好不容易说服了丰田汽车的经销商到晚报发一个1/4版的广告，人家说好是试试效果，指定发在三版。但那天正好三版要发一篇特稿《女骗子10年骗了200万》，是篇很有可读性的稿子。贾诚实舍不得删也不愿意转版，便自作主张将丰田汽车的广告弄到五版上。第二天下午，贾诚实刚进办公室就看见新来的广告业务员钱冰冰气鼓鼓地坐在他的座位上。

“你是贾主任？”这是钱冰冰见到贾诚实的第一句话。

贾诚实看看这位不太漂亮但比较优雅的小姐，他还沉浸在昨晚的特稿中，想跟人说说今天见报后的反应，见钱冰冰问便“嗯”了一声。

钱冰冰看他满不在乎的样子，大吼一声：“你有什么权力把我的广告换位置？”

贾诚实没反应过来：“什么换位置？”

钱冰冰把报纸“哗”地摔在他面前。贾诚实这才明白这个女孩是兴师问罪来了，便说：“你怎么知道我没权力把广告换个位置？”

“没有，你就是没有。”钱冰冰叫道。

好几个编辑围上来。贾诚实脸上不大好看了：“你给我站起来，这是我的办公桌。”

钱冰冰气鼓鼓地站起来："走，去社长那里评理。"

贾诚实冷笑着说："你出去，这是总编室，不是广告部，还轮不到你来和我说话。"

高原红在一边冷言冷语："不就是个广告嘛，还兴师问罪来了。教头，我建议没事就换换广告玩。"

钱冰冰突然哇哇地哭起来："你们欺负人。现在客户讲广告换了位置不给钱，你们叫我怎么办？"

贾诚实见钱冰冰哭了，有点不好意思："好啦好啦，以后我们注意一点就是啦。"

可没过多久，钱冰冰拉来的太平人寿1/2版广告居然没上。这回钱冰冰拉着广告部主任把贾诚实堵在总编室门口，她要让报社的人都知道。

没等贾诚实开口她就叫道："别以为我们广告部好欺负。没有我们你教头就得喝西北风。"

贾诚实觉得没面子，没理她而是对着广告部主任说："你们招的是什么业务员？素质太差。"

广告部主任说："教头，你也不能这么说，我们做广告的确不容易。"

贾诚实说："你们应该听我解释嘛。"

钱冰冰直冲冲地说："解释什么？太平人寿1/2版广告人家不做了，我们不仅损失了7万块钱，还可能损失这个大客户，你去跟人家解释呀。教头，我看你就是个大恶人。"

贾诚实气得一脸通红："你再说一遍！"

钱冰冰见他瞪眼竖眉，有点害怕了："就是你不对嘛。"

贾诚实什么也没说，走进总编室，"啪"地把门重重关上。

钱冰冰的眼泪又扑簌簌而下："主任，这广告是没法做下去了。"

广告部主任对她说："走，找孙社长去。"

第二天，钱冰冰请太平人寿策划部的经理吃饭，孙强让贾诚实参加。在酒桌上贾诚实给客人解释了原因，那天是因为编辑调版心时，没调到广告部已放了广告的版心，付印的时候又忘了核实，导致广告漏了，他向客人赔礼道歉。

从进酒店包厢贾诚实就没正眼看钱冰冰。孙社长让他来就是要向客户解释广告漏登的原因，力争挽回这个客户。广告部主任忙前忙后招呼，钱冰冰本来也不想理贾诚实，见贾诚实冷冷的样子，觉得跟他斗下去吃亏的只能是自己，又不可能天天守在报社盯着广告版面。好汉不吃眼前亏，况且有不少人在她面前说了贾诚实的好话，讲他是个敢负责任，又是愿意帮助别人的人。想到这儿，她端起酒杯走到贾诚实面前，说："贾主任，我敬你一杯。"

贾诚实压根儿就不想理她，要不是孙强一定要他出席这个宴会，他才不来呢。见钱冰冰来敬酒，他没看她说："对不起，我不会喝酒。"

钱冰冰笑笑，很优雅地喝了自己的酒，又端起贾诚实面前的酒也一口干了。

"好。"在场的人都鼓掌。这弄得贾诚实反而不好意思。

钱冰冰给贾诚实倒上酒，又给自己倒上："贾主任，你如果还不愿接受我的敬酒，我还替你喝。"

贾诚实没听完她的话，便拿起酒杯一饮而尽。

这回钱冰冰真的笑了，笑得很灿烂。她知道她赢了。

他们第一次接吻是一年前钱冰冰过25岁生日，贾诚实请她看电影《和你在一起》。随着剧情的变化，钱冰冰的身子悄悄地依偎在贾诚实肩上，当看到陈小春获得小提琴比赛的大奖，他养父在北京站离开时，钱冰冰流了眼泪，轻声抽泣。贾诚实把她搂得更紧了，他们吻在了一起。两个月后贾诚实出任晚报副总编辑他们才第一次上了床。后来钱冰冰竞聘当上广告部副主任，他们相互追问到底谁先主动的？争论的结果是不知道。

"哎，你不要愁眉苦脸的，没什么了不起。"钱冰冰看着贾诚实喝粥。

贾诚实声音低低的："你没看见孙社长走的样子，我担心我还不如他。"

钱冰冰问："这个何大龙到底会不会清理门户？"

贾诚实摇摇头："谁知道，但一朝天子一朝臣的古训是摆在那里的。"

钱冰冰想想说："我看不见得，他上任就整人对他有什么好？"

贾诚实放下碗，叹了口气说："你不知这机关里出来的人，就像是猛兽入了森林，谁知道他会干出什么事来。"他边说边进了浴室，浴缸里已经放好了一缸水。

钱冰冰跟了进来："在他老婆的追悼会上他不是要你好好干嘛。"

贾诚实脱了衣服："大概是权宜之计吧。"

钱冰冰帮贾诚实把衣服放好："他没那么卑鄙吧。别动，我帮你搓搓背。"

贾诚实趴在浴缸里任由钱冰冰给搓背。

钱冰冰突然停下手："你说这个何大龙怎么刚要上任就死了老婆呢？是不

是老天在暗示什么？”

贾诚实翻过身来说：“大喜大悲，反过来，大悲也会大喜。来吧。”他让钱冰冰也进浴缸。

“我不，到床上。”钱冰冰不愿意。

贾诚实一把抱过钱冰冰就塞进水里。在钱冰冰的尖叫声中，贾诚实脱掉了她湿淋淋的衣服，他亢奋地喘着粗气。

钱冰冰在迎合他的动作，很快两人做起爱来。

上官德有20多天没上班了，没人叫他上班，也没人管他在干什么。于是，他每天去天上人间玩。没钱进包厢里消费，只是在大厅听歌喝茶。开始几天菲菲还只跟他打招呼后就去坐台，后来就干脆坐他的台了。

天上人间是东方市高档的休闲场所，在它圆形的演艺厅里每天都上演一整套节目，不断有新的演员加入，还不时有歌星来走穴，今天就有一位据说在全国青年歌手大奖赛上获过奖的男歌星来演出。上官德晚9点到天上人间，菲菲已经在等他，并占了角度最好的看演出的位置。

上官德对服务员说：“老样子。”他说的老样子是给自己一壶水果茶和一碟西瓜子，给菲菲两支蓝带啤酒一碟卤牛肉，一周来他俩都是这么消费的。上官德拿出芙蓉王香烟，抽了一支递给菲菲，菲菲则拿出打火机给他点上，两人的动作熟练默契。

上官德问：“菲儿，这个阿威唱什么歌最拿手？”

菲菲吸了口烟说：“听说他唱摇滚版的《小薇》唱得最好。”

上官德又问：“他真得过奖？”

菲菲笑笑：“瞎吹呗，得什么奖。哥，你咋的啦，你咋还这么纯呢？”

事实上上官德从未如此密集地到歌舞厅来玩过。自从当了记者，他便不属于自己了，每天都沉浸在一个个新闻事件之中。从表面看，他很坚强，无论是采访突发新闻还是采访策划新闻，他都始终充满真情，并咄咄逼人，常常将当事人讲的每一个细节都弄得明明白白。于是工商、税务、交警等窗口行业的头儿都怕接受他的采访，他一追到底的劲头，让有关干部头皮发麻。有次采访车祸，警察封锁现场，他灵机一动，从事故现场附近的一家诊所借了件白大褂，冒充120急救人员进入到现场，拿到了离新闻最近的新闻。他的职业敏感和经验，使得他能从一件不起眼的小事中挖出大新闻。但上官德的内心还是柔弱的，一边流泪一边写稿的情况时有发生，他常被采访对象所感动，也常常掏钱给投诉的人当路费。除了采访写稿外，很少有时间顾及其他的事，偶尔到娱乐场所坐坐也大多是别人请客。见菲菲说自己纯，他看看菲菲，笑了。笑得很率真："纯不好吗？"

菲菲给自己倒了杯酒喝了一口："好是好，就是容易上当。"

上官德端起盛满水果茶的玻璃杯对着桌上瑟瑟的烛光看了看，烛影摇红逆光中的水果茶真好看，橙色的水波，因为浓度合适，形成光晕，杯中乾坤让人不忍喝下。上官德边欣赏边说："我妈常说做老实人不吃亏。"

菲菲逗他："哥，你真是你妈的好儿子，可现在不都是老实人吃亏嘛。"

上官德看着菲菲说："按照你的逻辑，那我就不该借钱给你。"

菲菲愣住了，一时找不到反击的话，便特妩媚地做个怪相说："我们那是缘分。"

上官德将茶杯放到鼻子下闻一闻，很享受的样子。他没有回答菲菲的话。

菲菲看看台上正在表演的节目，又转过头看着上官德，她掏出手机摆弄了几下说："给你念个段子。"

上官德笑着说："好啊。"

这些天菲菲常给上官德念段子，她喜欢看上官德吃惊、开心的样子。"四个基本扯淡：靠工资买房基本是扯淡，靠政绩升官基本是扯淡，靠老婆解决性欲基本是扯淡，靠和平解放台湾基本是扯淡。"

"哈哈……"上官德开心地笑了："好，切中时弊，快转发给我。"

菲菲见上官德乐了，她也乐了，边给上官德转发短信边问："你这么长时间不去上班了，成吗？"

上官德脱口而出："别提这事，我正烦它呢。"

菲菲小声说："哥，你是不是生我的气？这事是我惹起来的。"

上官德说："我生你的气干吗？生气我还每天来找你？我是说，这事没结束，烦。"

菲菲问："你们那位还没上任的老总会不会因为自己死了老婆就把火撒到你们身上？"

上官德想了想："不至于吧，不过教头好像挺郁闷。"

菲菲又喝了口酒说："新官上任三把火，他不烧你们烧谁呀。"

上官德吸了口烟："没什么了不起，大不了不干了。"

菲菲笑了："哥，其实我特喜欢看你气愤的样子。"

上官德不解："为什么？"

菲菲色眯眯地看着他："有男子汉的味道呗。"

两人正说，台上传来主持人的声音，他说阿威先生要翻唱黄品源的歌《小薇》，希望一位女观众上台合作。在一片掌声和口哨声中，菲菲被高大威猛的阿威请上台，坐在一把椅子上。

阿威开始唱摇滚版的《小薇》："有一个美丽的女孩，她的名字叫做小薇……"

台上菲菲在和阿威配合时还不忘与台下的上官德打招呼。

上官德看着台上灯光照射下的菲菲，此刻的她特别漂亮。她穿着天上人间的工服，一条长到膝盖上方的吊带裙，是黑色丝质的，脖子上依然戴着那条独特的"万"字吉祥符项链。穿的是黑色高跟鞋，这样更显得高挑。上官德喜欢上了这位歌舞厅的三陪小姐，可直到现在，他们连手都没握过。上官德承认有的小姐存在道德上的问题，但他从未歧视过三陪小姐这一行，不是她们造成了道德失范。社会既然不能禁止三陪小姐，那为什么不加强管理呢？他曾经想对此作一次采访，还没开始，就被贾诚实枪毙了，记得贾诚实说了一句特有格言味儿的话："任何一个人都有一些没有办法写成白纸黑字的东西，何况一个社会。"

贾诚实跟他转达宣传部要他回避各地记者时答应让他去外地，就算出差。他也原本准备出去转一圈的，可又一想自己并没错，干吗要躲？等到孙强社长下台后，他才知事情麻烦了。这时他喜欢上了菲菲，表现在行动上的就是每天来天上人间。菲菲说："哥，你别在这儿花钱，要见我打个电话就成。"但他说："我坐在这里虽然你不在我身边，但我知道你在这里，我能感觉到你的气场。"菲菲听了这话就再没去包厢，而是每天在大厅等他。

台上的阿威在唱："小薇啊，你可知道我爱你"时，突然单腿跪在菲菲面前，上官德明显感觉到菲菲像受惊的小鹿，她跳起来躲到一边，在躲避时还不忘看台下的上官德。两人的目光相碰的一刹那，上官德不仅看到了菲菲眼里的炽热，还感到菲菲在向他求救。他"嚯"地站了起来，这时菲菲已蹿下了台跑到他的身边，他情不自禁地张开了双臂，在菲菲钻进他怀里的那一刻，一种从未有过的很甜的幸福感弥漫到全身。菲菲身上的香味和夹杂在香味一起的汗味烟味像是麻醉剂直扑他的鼻子，他陶醉了，手臂不由自主地用力。直到听见菲菲喘气变粗，全场一片掌声时才猛地惊醒。

零时30分，他俩照例走出天上人间打车回家。菲菲住得不远，步行只要十几分钟，是她租的屋子。上官德每天打车先送菲菲回家，再自己回家。而两个人的家都不能称为家，不过是睡觉的宿舍。在出租车上，菲菲依偎在上官德身上。上官德觉得奇怪，刚才在天上人间时抱着菲菲时脸上还发烫，就过了一个小时，现在抱着她却觉得很自然了。快到她家时，菲菲说："你真的不习惯宵夜？"见菲菲问，他笑了："你都问一百遍了，我不宵夜。"菲菲也笑了，她仰起头看着上官德，目光中含情脉脉。上官德对着她的耳朵小声说："你的目光现在大概就是秋波了吧。""嘻……"菲菲在他怀里小声笑了起来。

一切都那么自然，菲菲邀他去家里坐坐时，他跟她进去了。房门刚关上两人就迫不及待吻在了一起，她的嘴唇在上官德看来比含露初绽的花苞还芳香。在菲菲的引导下，上官德很顺利地脱掉了她的衣服。当菲菲圆润挺拔的乳房出现在他眼前时，他不顾一切地吻了下去，他的头在两只乳房中间不停地晃动，仿佛要钻进胸脯里去。菲菲原始的发自喉咙深处的呻吟让上官德失去了理智，他汗流浃背地与菲菲做爱。

两人相拥着裸着睡到第二天10点。醒来后，上官德对菲菲说："上帝总是公平的，他在关上一扇门的同时，总会为你打开另一扇门。"

菲菲说："哥，我明白你说啥，你是说既使报社的大门对你关上了，你还有我。对啵？"

上官德一把搂过菲菲："丫头，你真聪明。我会对你负责的。"

菲菲感动了，眼泪顺着面颊无声地往下流。她是从上官德借钱给她开始爱上上官德的，她明确地告诉自己，这是爱不是喜欢。在接下来的时间里，她看到了上官德做事的认真，文笔的犀利，情感的单纯，思想的坚强。能有这样的男朋友，是自己的幸运。她也知道上官德心里会有斗争，毕竟自己的职业不能放在阳光底下。但菲菲想，如果上官德真的爱上自己，那自己愿意为他而改变一切。

见上官德一直没讲话，菲菲没敢看他，她将目光停留在一个角落说："哥，你后悔了？"

上官德摇摇头，他用嘴唇慢慢吻干菲菲的泪水。菲菲心里又是一阵颤抖，眼中闪烁着迷人的光芒。她轻轻地说："哥，你还要吗？"

那天晚上上官德才知道菲菲与自己同岁，都属马。虽然自己的月份大，但总觉得菲菲比自己更成熟，对社会的认识也更深。

星儿忙晕了头，两部手机轮流打，都是为了瑞东集团落户东方市的事。这会儿她把董事长童瑞东安排在宾馆休息，又赶到何大龙家，她知道何大龙下午将去《东方晚报》报到上班。开门进去时，何大龙正在看篇稿子。星儿问："怎么？在准备就职演说？"

何大龙没抬头："总是要准备准备的，别被人讲外行领导内行。"

星儿走到他身边看了看他正在看的稿子，念起了小标题："突发新闻快一点，策划新闻强一点，报纸差错少一点，原创新闻多一点。姐夫，原创新闻是什么意思？"

何大龙起身到衣柜里找衣服，他取出了一套黑色的西服。见星儿问便说："在现代新闻中，过多强调独家越来越不可能，因为信息资源已开始共享。比如美国911，它虽然发生在美国，但全世界几乎是同步知道了这个消息。如果有一个好编辑，在做这样的新闻时，马上考虑与之相关的几个东西，比如世贸中心的背景，有多少中国人在里面，东方市有没有人去过这里等等。把这些读者想知未知而应知的材料拼在一起，形成有别于他人的整体的版块，我借用了歌曲创作中的一个词'原创'，把它叫原创新闻。我认为原创新闻将会在新闻领域起到革命性的作用。托马斯·库恩的《科学革命的结构》看过吗？里边提到的科学革命将产生新的范式，我看原创新闻就会成为新闻的新范式。"

见何大龙滔滔不绝，星儿目光变得柔情蜜意起来："姐夫，看来你已做好了当新闻官的充分准备。"停了停接着说："知道我的毕业论文题目是什么吗？"

何大龙摇摇头："我哪知道，你又没向我报告。"

星儿得意地说："我的论文题目是《科学革命与政治革命的比较与困境》，科学革命的部分重点是由库恩的《科学革命的结构》引出命题，政治革命部分主要从马克思主义哲学中引出命题。将这两者相比较，真有意思。"

何大龙找出一件白衬衫："忘了你是哲学家。可你弄那东西有意义吗？"

星儿帮他从柜子里找了一套银灰色的西装："什么叫意义？没有意义的东西才是有意义的。"

何大龙乐了："跟哲学家狡辩准没好结果。你别瞎弄，我穿黑色的西服，那显得成熟。"

星儿把黑色的西服挂回到柜子里说："你现在要的不是成熟，而是尽快与你的部下融为一体。穿灰色的衣服既不打眼，又能显得与众不同。你信不信，下午你们那位马部长和组织部的同志肯定都是穿黑色的西服。"

何大龙马上就妥协了，这位小姨子见识比他广。他拿起衣服到隔壁房去换。

星儿说："姐夫，知道现在什么族最牛吗？"没等何大龙回答她接着说："灰色一族最牛。"

何大龙在隔壁房间大声问："为什么？"

星儿回答说："灰色一族介于白领一族和蓝领一族中间。说他是打工的，他一人之下万人之上；说他是当官的，他又是万人之上一人之下。就像你，对上你是打工的，对下你是报社的一把手。"

何大龙换好衣服走过来，星儿打量着他，问："领带呢？"

何大龙从柜子里拿了一条："这条金利来就不错。"

星儿摇着头说："我就知道你会说金利来不错，但它不适合你。"

何大龙不解："怎么不适合，我天天都带，不错的。"

星儿从自己的包里拿出一条领带说："那是乡镇长们喜欢的品牌，以前我都不爱提醒你。喏，这是别人从法国带来的，爱玛仕。"

何大龙问："别人怎么送领带给你这个女孩子？"

星儿笑了："你真逗，这是从我老爹那里摸来的。"

何大龙忙说："那不行，被你爸知道就弄巧成拙了。"

星儿说："什么弄巧成拙。女婿要老丈人一条领带就弄巧成拙了？我姐从娘家顺回来的东西还少哇。快系上吧。"说着就要给他系。

何大龙忙接过领带："我自己来，自己来。"他对着镜子开始打领带，想起了妻子虹儿。星儿说的对，虹儿的确常从家里带东西回来，何大龙的羊绒衫和好几件衬衫西服都是她从家里拿来的。可她从来都是对何大龙说是她买的，何大龙心里知道这是虹儿不想让他觉得沾了贺家的光。他很感谢妻子时时维护着他那不值钱的自尊心，眼下，星儿又从贺家给他拿东西，还一语捅破了虹儿的"谎言"。唉，看来自己真绕不过贺家了。"星儿，你们董事长来没来呀？"何大龙想到瑞东集团来东方市投资的事。

星儿在整理房间："多谢何社长的关心。我们董事长童瑞东先生已在东方市好几天了，环保问题也解决了。"

何大龙踌躇满志："我现在可是有发言权喽，如果你们环保出了问题，我可要替东方市人民维权。"

星儿停下手说："哟，还没上任呢，就想维权？放心吧，环保搞不好不用你维权，我爸第一个饶不了我。明天上午就要签协议了，你是不是也光临？这也是你公开露面的机会，以你的职务你可以站在前排呢。我让人给你送请柬。"

何大龙摆摆手说：“别别，还是低调一点，别让人觉得我出风头。”

星儿要求道：“那你们一定要派记者去。”

何大龙略一想说：“你还是直接找报社吧，我报到后想先调研，不急忙介入日常工作。忘了问你，你会留在东方市吗？”

星儿卖关子：“你猜。”

何大龙内心是矛盾的。星儿如果留在东方市，他与贺家好多事可以方便地沟通。但长此下去，自己与星儿的关系会不会发生变化？从虹儿去世后的这段看，星儿是愿意和自己在一起的。可自己肯定不会和星儿结婚，当驸马的滋味他再也不想尝了。可他又不知该如何回避星儿，只有星儿在济南工作，矛盾才会迎刃而解。

见何大龙不说话，星儿说：“猜不出吧。我也升官了，是瑞东纸业东方分公司执行总经理。”

何大龙有点吃惊：“你当总经理？你懂管理？”

星儿得意地说：“不懂就学嘛。通用电气的杰克·韦尔奇说：‘商业首先是一场游戏，它不是严肃的、致命的、枯燥无味的、毫无乐趣的。’”

何大龙自言自语：“这位董事长胆子真大。”

星儿没管何大龙说这话的用意，告诫他：“姐夫，无论是做企业还是做公务员，用人始终是第一位的，人才是真正的第一生产力。”

何大龙认真地说：“你的事我们先不讨论。但我要建议你爸劝你辞去这个执行总经理的职务。”

星儿眼睛一瞪：“何大龙，你看不起我。”

何大龙对视着星儿说：“不是，正因为我看得起你才劝你放弃。你也不想想，那位童瑞东为什么要这么做？”

星儿反问：“你以为就你会想？这件事傻B都会想。但没有人会想到我的实力和能力，为什么我不可以将我爸的职务转变成我的优势？为什么我不抓住机会展现我的价值？傻B才不呢。我有个师姐叫朱香香，出道才几年？已是千万富翁，成了东方市的著名企业家了。”

何大龙做了个暂停的手势：“好，不讨论了。你说的那个朱香香是不是也参加了虹儿的葬礼？”

星儿点点头：“她去了。我还给你介绍了，你忘了。”

何大龙“哦”了一声：“星儿，小虹儿还好吧。”

星儿斜他一眼：“还知道你有个女儿呀？她都快把你忘了。”

何大龙有点感慨：“真要谢谢你爸你妈，要不然我真不知怎么办。做报纸对我来说既熟悉又陌生，还是要投入很多精力和时间的。”

星儿理解地点点头：“我知道，所以我才把小虹儿接到我家去，让她和外公外婆一起生活一段时间。”

何大龙由衷地说：“谢谢你，星儿。”

听了这话，星儿眼睛有点潮：“谢什么，指责我没能力就是谢我？”

何大龙解释：“不是，我是怕你不留神上了当。”

星儿眨了眨眼睛：“姐夫，我倒要谢谢你。”

何大龙不解：“谢什么？”

星儿说：“谢谢你对我的关心。”她的话里有些调皮又有些动情。

何大龙笑着说：“那不是应该的嘛，谁叫你是我小姨子呢。”

“嘀嘀嘀……”何大龙的手机响了，他拿起来看：“是司机来接我了。”他接通电话：“我就下楼。”

星儿问：“是那辆别克君威？”

何大龙点点头说：“你在这儿还是一起走？”

星儿说：“知道你下午上任，我是抽空来看看你的。明天签约，还有好多事等着我办呢。”

出门时星儿才发现墙上的那幅油画，她走到画前站住脚。何大龙说：“这就是虹儿从莫斯科带回来的画。”星儿微笑着把目光从画上投向何大龙，心情复杂。“走吧。”她说。

两人出门，一起进了电梯。星儿说：“再猜猜公司给我配了什么车？”

何大龙摇摇头说：“肯定不会差吧，民营企业首先就要面子。”

星儿笑笑：“算你聪明。比你的车好，是辆白色的宝马。”

何大龙吃惊地说：“太招摇了吧？”

星儿得意地说：“招摇在广告学里是一种重要的效应。我们瑞东纸业就是要招摇，让东方市的人在最短的时间知道瑞东纸业和它的年轻漂亮的女老总。”

何大龙没敢搭腔，他怕踌躇满志的星儿不高兴，这可是位姑奶奶。何大龙心里还真有点佩服她，她泼辣，充满活力，看问题也看得准。在董事会干秘书，大场面肯定见过不少，况且她的血液中流的是贺家的血，那种高干子弟的气质不是一朝一夕能有的。虹儿虽然也有这种气质，但她特容易满足。但愿这位小姨子能成大气候。

瑞东纸业的董事长童瑞东已经54岁了，一米八的个子，是位山东大汉。10年前他从副厅级干部位子上下海，创办了一家小型造纸厂。短短10年间，他的造纸厂变成了瑞东纸业集团，销售收入达40亿，总资产达80亿，集团成为国内造纸行业第一家AB两种股票上市公司。

童瑞东在下海那天就给自己的企业定下了发展四步曲：先用关系业务拉动增长，再从内部管理着手挖潜增效，等企业有了一定规模就开始资本运作做大企业，最后靠企业文化来巩固业绩。分两个五年计划来完成自己的构想，终于获得成功。他将关系和人才当成自己的左右手，并不断挥动着这两只手，开疆略地所向披靡。在童瑞东的手机中存有上千个电话，其中在重要电话目录中有50个省部级干部的资料，这些人大多是他10年前在中央党校厅级干部进修班的同学，如今几乎都是省部级干部。童瑞东常开玩笑说："他们才是瑞东集团的第一生产力。"

童瑞东的用人策略始终与所谓的"第一生产力"有关，比如使用星儿，董事会多次产生分歧。一个年轻的女大学生，凭父亲是副省长就要用她做董秘，太危险，但童瑞东坚持要用。此前他去杭州找星儿谈了次话，坚定了他用这位大小姐的决心。童瑞东可不是吃素的，他愿意和干部们以及他们的家属打交道，但他把共事与经济资助分得非常清楚。能用钱办到的事是最容易的事，权钱关系既简单又快捷，对于那些纨绔子弟他宁愿花钱养着也不让他们进集团做事。如果让他认为是可造之材的干部家属，他绝不放过招入麾下的机会，他认为在合作中巩固的关系比花钱养着的关系要牢靠得多。目前瑞东集团董事会就有国资委、商务部、证监会的司局级干部，都是被他说服后下海的，这些人被称之为"又红又专"的人才。

在西湖中间的刘庄，他先问起星儿的毕业论文。听了她的论文题后童瑞东很感兴趣地问："得出什么结果来了？"

星儿笑了："童叔，你也对哲学感兴趣？"

童瑞东也笑了："你是不是说双手沾满铜臭的人不配谈哲学？"

星儿忙解释："不不，我没这个意思啊。我的意思是哲学是一群吃饱了饭没事干的人玩的游戏。你那么忙哪有时间呀。"

童瑞东回想道："我在中央党校读书的时候，对马哲很是有好感，常和你老爸聊《马克思主义政治经济学》和《经济学哲学手稿》。"

星儿问："童叔，你们恐怕在心里把马克思主义忘光了吧？"

"别打岔，是我在问你，你怎么反问起我来了。说说你的论文。"

星儿环顾四周问:“这儿好像是毛主席他老人家起草中华人民共和国第一部宪法的地方吧。”

童瑞东回答道:“这就是毛主席在杭州的别墅,中国有不少事是在这里酝酿后发生的。”

童瑞东每次到杭州都住在号称西湖西山之下的第一名园——刘庄。这里原为私人别墅,建国后成为浙江省委第一招待所,后来专门用作毛泽东在杭州的行宫,不再对外开放。刘庄东南西三面傍湖,北倚康山,因戊戌变法的领袖康有为曾在此隐居而闻名。童瑞东喜欢这里的幽雅小厅、古朴陈设、窗明几净。把星儿带到这里来谈话,还有一层意思就是让星儿知道他的实力。此刻,窗外皓月当空,湖面碧波荡漾,真是清静之极。

星儿用讨论的口气说:“我们只说社会主义,而忽略了科学两个字,而马克思提出的实际是科学社会主义。”

童瑞东问:“这有区别吗?”

星儿说:“区别大了。科学社会主义才是准确的、可操作的,也是可以修改的、推翻的。而如果不是科学的,那就变成了宗教,而宗教是不可修改和被推翻的。”

童瑞东赞赏道:“有点意思,接着说。”

见童瑞东愿意听,星儿得意起来:“我们现在为什么不提发展观而要提科学发展观就是这个原故。马克思在1844年《经济学哲学手稿》中提到人是作为一个整体而存在的,由此便产生了共同体的想法。童叔,你看过这部著作,应该知道共同体这个概念吧。”

童瑞东想了想说:“不是太清楚。但我知道无论是政治还是经济,建立共同体是发展的重要步骤。”

星儿看了看童瑞东打趣道:“行啊,童叔,与时俱进了。”

童瑞东不动声色喝了一口茶:“西湖龙井真是名不虚传呀。你接着说。”

星儿说:“马克思告诉我们,要建立科学社会主义制度惟一切实可行的方法就是暴力革命。美国有个叫托马斯·库恩的哲学家在他的哲学著作《科学革命的结构》中提到:革命是世界观的改变,他说科学革命是打破传统的活动,每一次革命都迫使科学共同体抛弃一种盛极一时的科学理论,而赞成另一种与之不相容的理论。所以科学家往往要压制重要的新思想,他们不想已经存在的所谓的经典理论被破坏。”

童瑞东若有所思道:“我大概明白了你的论文要写什么了,科学革命与政治革命其实是异曲同工，那你说的困境是什么？”

星儿已沉浸在自己的论文之中，她没把与童瑞东的谈话看得很重要，而是向这位叔叔尽情阐述几年学习的成果：“马克思主义在鼎盛时，全世界有超过50%的人在用它来解决自己的政治、经济、文化等问题。现在呢？有多少人在用它？这从另一面说明每一种理论都是有弱点的。导致了社会主义这个伟大的理论在20世纪末走了下坡路的原因，不是它本身的问题，而是由于许多当权的马克思主义信徒放弃了用科学的眼光去看马克思主义理论。”

童瑞东点头说：“有点道理。马克思曾预言：机械化程度的提高会使资本家的利润减少，现在看来这就很荒唐。对此，我有切身体会。”

星儿肯定地说：“对，机械化是个科学的概念，社会主义是个政治概念。如何将它们有机结合呢？要不要靠革命？邓小平理论的精髓是解放思想实事求是。什么是解放？解放就是革命。童叔，你想想，在上世纪80年代以前哪有什么招聘、考试。就是邓小平指出‘不是没人才，而是思想没解放’后才有的。”

童瑞东是有心而来，听了星儿的话，觉得这孩子的思想长大了。善于分析是企业文化的重要标志，再考考她对企业的了解，想到这儿他说：“好了，我们换个话题，你对做大做强一个企业有什么见解？”

星儿笑道：“童叔，你好像不是来请我吃饭喝茶的吧？你有企图。”

童瑞东哈哈大笑：“你这孩子，我对你会有什么企图？我这是不耻下问，别人跟我讲话还要付钱给我呢，你还说我有企图。”

听童瑞东否认，星儿越发相信他有企图：“不对，你把我带到这里来，肯定不是为了喝茶看风景，而且从一开始你就只问我，不是不耻下问，一定有企图。”

童瑞东见骗不了星儿便使出另外一招：“刚才你不是讲只有解放思想才能找到人才嘛。我就想搞个大招聘，怕说外行话，特别是与你们年轻人谈，我不能给别人有家长的印象，所以先找你聊一聊。”

星儿信了，说：“这还差不多。找我聊就对了，我去温州做一些调查，又听了美国通用电器的CEO韦尔奇在中国访问时的讲话，对中国的企业特别是对中国企业失败有了点心得。”

童瑞东笑着说：“唔，好，还有心得，说说看。”

星儿侃侃而谈：“做大做强企业有三条路，一是垄断，像中国电信、中国石化等；二是资本，像长江实业、中信集团；三是创新，这主要指高科技企业。这三条路最宽阔的是第二条，资本运作。童叔，你的瑞东集团上市就是典型的资本运作了，这就是所谓的小企业做事大企业做人。”

童瑞东对星儿能看到企业发展之路感到高兴，他继续问：“可是资本与知识是很难融合的，有资本没有知识照样不行。”

星儿说：“盖茨是这个世界上迄今为止把资本与知识融合的最好的人，这就涉及到企业文化。”

童瑞东一震，心想，这姑娘对企业发展的理解与自己的相同点很多。童瑞东清楚，如果一个高干子弟能服你或处处与你想到一起，那他会舍命帮你干，因为一般人根本就不在他们眼里。眼前这位即将毕业的哲学学士看来真和自己有缘。“星儿，你怎么看‘市场不需要解释’这句话？”

星儿想了想答道：“这其实和企业文化有很大关系。如果市场可以解释的话，当年瀛海威就不可能会让搜狐新浪出头，秦池巨人太阳神也不会昙花一现。在企业文化中一半是科学，一半是艺术，所谓科学，就是需要一套不断完善的制度。德国著名的巴斯夫化工厂，一百多年来没出过大事故，他们做法非常简单，培训培训再培训。不管在哪里开会，第一个讲话的一定是安全员，告诉你此刻如发生灾难，你如何逃生；所谓艺术，那就是靠精神作用激发员工的主观能动性，文化的结果就是文明，而越是文明，禁忌就越多。在西方，做事顺序是法理情，而中国文明带给我们的做事习惯却是情理法，这就是所谓的文明的冲突。”

听到此，童瑞东心里有底了，这位大小姐正是瑞东集团需要的人。问题是她愿不愿离开父母去济南工作，那位贺副省长会不会答应？他决定先突破星儿本人，再找她老爸。

“星儿，毕业后有什么打算？”

星儿喝了两口茶：“让我说这么多，渴死我了。我妈要我去社科院工作，我不愿意。”

童瑞东不动声色：“那你想干什么工作？去社科院搞研究还不好呀？”

星儿摇摇头：“我不喜欢，我想自己找工作。”

童瑞东故意说：“你一个学哲学的，找什么工作合适？”

星儿特自信地说：“不是我吹，发了简历出去，要我的单位还不少呢。我声明，我没说自己是副省长的女儿啊。”

童瑞东笑笑：“那有你看中的企业吗？”

星儿看着窗外的西湖说：“杭州和西湖只有相互依靠才能给人美。我还没找到心中的‘杭州’。”她突然说：“童叔，我去你的瑞东集团吧。”

童瑞东狡黠地笑了，笑得好开心。

星儿看着正笑着的童瑞东，她恍然大悟，童瑞东今天是请君入瓮，他三下两下就让自己钻进了套中。她由衷地说："姜还是老的辣。童叔，你给我什么位子？"

童瑞东肯定地说："凡是我亲自考察的干部，位子都不会低。现在最最重要的是你必须说服你的父母。"

星儿立马说："我的事我作主，不用理他们。"

童瑞东摇头："那可不行，贺大省长会说我拐跑了他的女儿。告诉你，你只要跟你爸说如果他不同意你自己出去闯，你就在外面胡乱打他的牌子，他肯定就会让你走了。"

星儿笑了："好嘞，我老爹就怕我们打他的牌子，这是他的软门。"

童瑞东隔着桌子伸出手："星儿，你已经是成人了，我们就一言为定。"

星儿想哭，这是第一次有人把她当大人看待，更是第一次被人重视，特别是受到童瑞东这样的企业家重视。她把手伸过去握住了童瑞东的大手，她感到了踏实，也感到了温暖。

事实证明用星儿是正确的，她只熟悉了两个月情况就正式在董秘的位子上稳稳地坐下。此次集团到东方市投资，中间固然有贺副省长牵线搭桥，但主要工作是星儿在做。对于让一个24岁的女孩来运作2亿元的项目，童瑞东心里没底，他知道学问再好也替代不了经验。好在星儿在董事会工作了两年多时间，她看到听到的集团每一次投资的流程和谈判结果，都可以成为她的经验。这次她代表董事会在东方市全权处理投资的事，除了那块工业园区的地选得好以外，在税务融资特别是在环保问题上打了漂亮仗。创造性地提出在工业园区修建一座企业共用的污水处理工厂，由各企业投资入股，市政府控股。这明显是个多赢的方案，对政府来讲，把环保问题牢牢控制在自己手上，这是科学发展观的具体体现；对企业来讲，避免了无数的关于环保问题的后顾之忧。特别是对于造纸行业，这个问题更是突出问题。星儿在给他汇报这件事时讲了一句广告词：合作——永远是利己的最佳方案。

协议已签下来了，签字仪式的场面与瑞东集团是对称的，市里党政一把手出席，给今后工作留下伏笔。现在要考虑的问题是销售，如果这个纸厂的产品全部销到本省那将又会是双赢，运输费降低和其他成本的降低必定会带来价格的降低。目前5万吨新闻纸的产量将先占领主流报纸，童瑞东已让星儿调查了《东方晚报》和《东方商报》以及几家党报的用纸情况，它们是瑞东集团首先要突破的报社。估计晚报不会有问题，星儿的姐夫何大龙去那里出任一把手了。商报听说情况不是太好，还有行业报的影子，但名气品牌还是有。市委李书记在签字仪式后表了态，他去动员党报用瑞东的纸。

在星儿姐姐虹儿的追悼会上童瑞东见过何大龙，觉得这位宣传部干部出身的青年人一身英气。尽管当时他大悲默默，可童瑞东还是从他的眼睛里看到了坚强执着的东西。瑞东集团要在东方市生存下去，需要与媒体搞好关系，当时他就决定要交何大龙这位朋友。想到这儿，给星儿挂电话，铃声只响了一下，星儿就接了电话："喂，董事长，有事吗？"

"跟你说多少遍了，在私下场合叫我童叔。"

星儿笑了："好，我错了，童叔。"

童瑞东："我考虑请你姐夫吃个饭，你看行不行？"用商量的口气与部下交谈，往往事半功倍。

"那怎么不行，应该他请你。你是他小姨子的领导，他不该尽地主之谊呀。"

童瑞东听星儿的口气，感觉她和何大龙之间不是随便，而是一种亲切。这姑娘会不会是喜欢上她姐夫了？这个想法只在脑子里一闪，他说："不行，我们还要仰仗你姐夫呢，还是我们请他吧。"

"好吧，我来安排。"

童瑞东补充道："记住，不要安排在太好的酒店，中等的。我觉得你姐夫不是个高调的人。"

星儿佩服道："童叔，你看得真准，他那个人太有自己的主张了。别看他才当一把手，其实他心里早就是一把手了。你说是今天还是明天？"

"那要看何大龙的时间安排。"

"别管他，就是有安排，我也让他改了。"

星儿的话更让童瑞东感到这姑娘爱上姐夫了。如果真是这样，那关系就不太好处理了："星儿，还是问问何大龙吧，人与人之间尊重比什么都重要。"

星儿答应道："好嘞，童叔，你真体贴人。我马上给何大社长挂电话。"

放下电话，童瑞东若有所思。听星儿讲过几次她这个姐夫的事，每次讲星儿都是一副敬佩的模样，这位前驸马爷究竟是个什么样的人呢？他会做出用瑞东新闻纸的决定吗？虽然市委李书记表过态，但还得要各路诸侯一起动才行，还有宣传部。按照童瑞东的计划，这次来东方还要争取与宣传部马诚部长挂上钩。请谁牵线让他费了一番脑子，请李书记出面能挂上，但效果不会太好，马诚可能会有逆反心理。如果是何大龙出面，这个钩就会挂得更顺更牢靠。何大龙愿意把瑞东集团介绍给马诚吗？童瑞东心中没底。这个世界上没有什么比揣摩人的心理更难的事了，特别是高手过招，那就是难中之难。童瑞东没有跟星儿兜这个底，还需要走一步观察一步。

〖晚报讯〗昨日，东方花园的业主来本报投诉东方商业地产开发公司，该公司开发的东方花园不仅存在施工上的漏洞，而且有业主指出他们因贷款的原因，在房产证上也做了手脚。该公司总经理朱香香在接受本报记者采访时称：公司没有对不起业主的地方。此后朱经理的手机一直处于关机状态。

记者调查后得知，当前，造成房地产商被投诉原因主要有以下几点：一是政府职能部门对建筑项目审批管理把关不严，使得一些并不具备资格和实力的单位或个人获得房产开发许可证，然后再将工程转包给建筑商。更有甚者，通过种种“关系”，没有许可证也能开工，不经验收就开始卖房。二是建筑商在降低成本上大做偷工减料文章、使用伪劣建材。三是施工人员素质低、技术欠佳。四是工商行政管理部门对房产销售过程中商家误导消费者的行为监管不力，房地产销售市场透明度不高。五是消费者法律意识、维权意识不强。

在房地产投诉的案件中有几种比较常见的质量问题：面积缩水、裂缝问题、渗漏问题、墙体空墙皮脱落问题、门窗密闭性差变形问题、公用设施设计不合理质量不过关问题。

东方商业地产开发公司开发的东方花园楼盘究竟属于上述哪种情况，本报将继续关注。欢迎读者拨打维权热线：3158000。

何大龙接到星儿电话时，他跟上官德刚谈完话。

何大龙没要原来社长的办公室，那间办公室在走廊尽头，相对较安静，但离总编室会议室都比较远。他选择了靠东湖北路比较闹的办公室，这原来是报社办公室的一间大仓库，只做了很简单的装修。从六楼窗口往外看是一道城市风景，高楼林立，车水马龙。尤其是晚上，路口的红灯一亮，汽车便立刻堵成长龙，那一溜耀眼的刹车灯让人浮想联翩。何大龙站在窗口想，人生会有多少个路口？又会遇到多少次刹车？如果走错了路口就会失去方向，如果刹车不及时就会追尾。现在自己有能力来影响这座城市的思想了，该如何来影响？到报社报到那天接到老丈人贺副省长的电话，他说的一句经典的话让何大龙在后来的与报社中层干部见面讲话中不由自主地引用了。贺副省长说："对于现代媒体来讲，不管你多有能耐，到这里工作都不会屈才。"这句话的经典之处在于它将现代媒体的综合性溶为一体，不仅仅是新闻、发行、广告三驾马车的问题，还涉及到观念、资本、团队、机制、扩张等等。在就职演讲时何大龙的四个一点"突发新闻快一点，策划新闻强一点，报纸差错少一点，原创新闻多一点"赢得了报社同仁的认可，在后来的个别谈话时，大家都表示了四个一点对办报有重要的关系。在最火的媒体论坛"西祠胡同"里也有不少人对他的四个一点大肆评论。

何大龙做论文时就常去"西祠胡同"的传媒江湖逛逛，这个网站将全国许多媒体的优秀人物一网打尽，尽管大家都不用真名在网上发表观点，但可以通过这些观点和信息看到网名背后的人的水平。何大龙当时就想，如果自己有机会去办报，一定不能忘了利用这个网。所以他在见面会的当晚就到网上去查自己的信息，结果很让他自豪，不少东方市的媒体人对他的上任寄予了希望。网络真是厉害，他在读新闻学研究生，他是贺副省长的女婿，他的妻子车祸去世在他的名字下都有涉及，让他感到安慰的是不少新闻人对他的妻子虹儿表示哀悼，期望他化悲痛为力量。也有不少人在猜测他将会如何处理贾诚实、上官德。

马诚部长送他去报社报到时再次谈到宣传纪律，指出市委和宣传部决不会姑息不听招呼的任何人，话里的含义很明显了，对新上任的何大龙来讲却非常棘手。到报社后已找了不少人谈话，其中跟高原红的谈话让他大开眼界，这些编辑记者虽然也是主流社会的人，可他们与机关的公务员们表达观点的方式完全不同。

高原红在自我介绍后说："少帅，你没必要找我谈话。"

何大龙觉得好笑，自己才来两天就有绰号，他问："谁给我取的外号？我是张学良吗？"

高原红反问："我可以吸根烟吗？"

何大龙示意她可以。她掏出一包深圳出的"好日子"牌烟，拿出一支夹在手上，又看了看何大龙，意思是他抽不抽，何大龙笑着摇摇头。高原红点火吸了一口烟说："谁取的不重要，重要的是这个外号是不是总结出了你的特点。"

何大龙饶有兴致地问："我的特点是什么？"

高原红："你的就职演讲讲了四个一点，说明你有帅才，你有背景说明你有机会当这个帅，你年纪不大，又是在读研究生，总不能是老帅吧，还是少帅贴切。这其实是报社的同志们对新社长的一种内心期盼。"

面对高原红的率真何大龙笑笑："我是机关干部出身，没办过报。大家期盼我干什么呢？"

高原红也笑笑："期盼你给大家加点工资，期盼你把晚报变成东方市的一个符号。"

何大龙："太高了吧？你能不能说说你对贾诚实同志的看法。"他换了个话题。

高原红猛吸一口烟："这就是我前面讲的你没必要找我谈话的原因。"

何大龙问："为什么？"

高原红站了起来："教头所做的这一切错了吗？你是学新闻的，凭良心你说出号外、揭露派出所的违法行为我们错了没有？关于党委副职人数的新闻，又不是我们的稿子，是别的媒体已经发过的，这难道也是我们的错？"

何大龙摆摆手示意她坐下："你这大编辑用词不准确。首先我没讲你们错了，我已经是报社的一员了，在你们中就有我。其次我也没讲教头错了，我是请你谈谈对他的看法。"

高原红坐下，看了何大龙一眼干脆地说了一句："可你的意思我知道。无非是想找到让他滚蛋的所谓的群众意见。"

何大龙站起来给她倒了杯水，严肃地说："高原红同志，你们可能还不了解我。我是个敢于负责任的人，如果要处理一个干部，我不至于用这种办法来获得群众的意见。我们现在的谈话虽然是轻松的，但也是严肃的。”

高原红站了起来：“我也是严肃的。这么跟你说吧，我已经做好了离开晚报的准备，因为那几件事发生时我是总编室的当班主任。如果追究责任到了社长总编以下，我也逃不了。与其被你处理，不如我自己撤退。”

何大龙愣了，想：这些人太直白了吧，动不动就讲要走。按何大龙的脾气他会很不高兴，但此刻，他知道高原红说这话是有前提的，所以愣了愣后又笑了：“你如果要走，我一定会留你，万一留不住我会热烈欢送。但现在不是谈你的问题，而是谈你心目中的教头。”

何大龙的话里含有语重心长的成分，高原红有了些许平静耸耸肩说：“对官场上的事我外行，对教头的工作我满意，他就是严厉批评我，我也相信他是真诚的。”

何大龙点点头，心里为贾诚实感到自豪，部下如此的评价，比什么表扬都分量重，都更让人感动。“你的外号叫大侠吧？”

高原红有点不好意思地笑了：“他们就没把我当女性，这是我的悲哀。”

何大龙肯定地说：“不，我现在觉得你当之无愧，你担当得起大侠这个名号。”

高原红目光单纯地看了何大龙一眼，把手中的烟掐灭了。

何大龙笑笑说：“你应该叫我师哥。”

高原红像是突然想起什么似的说：“对，西祠胡同里讲你是人大中文的，现在又在读研究生。”

何大龙点点头：“希望你别让师哥下不来台。”

高原红不解地说：“我没让你下不来台呀？”

何大龙装着严肃的样子说：“你开口就说要走，这不是让我下不来台嘛，以后不许这么说。”

高原红笑着点点头。何大龙从她笑容中看到了几许妩媚，他想，这个女孩，有点意思。

几天后，当何大龙决定向宣传部推荐贾诚实出任晚报常务副总编时，大家都不信，马诚更是感到意外。何大龙到马诚的办公室详细汇报了他在报社与中层干部和群众谈话的情况，把报社员工的意见完整地报告给马诚。他知道此时群众意见是可以让贾诚实得分的，只要解决了贾诚实的问题，上官德的问题也就不是问题。

马诚用怀疑的目光看着他，半天问：“你这是不按常理出牌，祭起了群众这面大旗。你自己的态度呢？”

何大龙知道马诚不信这是群众意见，便做出很真诚的样子说：“部长，我新官上任，想三把火烧在工作中，而不是让别人感觉我在烧人。其实部长对我的期望，我诚惶诚恐，就怕完成不好你交给的任务，可办报必须要有内行。如果部里能考虑我的实际情况，我一定不辜负你的期望。”

马诚还是看着他，又站起来在办公室踱了几步。何大龙知道这是马诚在衡量利弊，但他心里清楚，这件事马部长会妥协的，一则何大龙是宣传部派出去的干部，他不能不支持；再则何大龙的背景不能不成为马诚天平上的一个砝码。

马诚站住了，他盯着何大龙说：“你赢了。我同意贾诚实同志任《东方晚报》常务副总编辑，但我要亲自和他谈话。”

何大龙握住马诚的手说：“那当然，谢谢部长的支持。”

在宣传部任命前，何大龙没有和贾诚实谈话，觉得完全没有必要。一纸任命比任何谈话都能说明问题。他看过贾诚实的档案，和自己一样，从单位的最底层干起，一步一步到达现在位置，其中滋味只有干过的人才明白。只是觉得在一家媒体里，常务副总编辑与广告部副主任是一家子好像不太合适。这个想法本是一闪现，结果却挥之不去了。等站住脚，这个问题要解决。

找高原红之前他先找了上官德谈话，又让他吃了一惊，这位名记竟然找了位“名妓”。何大龙没敢表现出吃惊来，他看过一个手机短信段子，就是把记者和妓女相比的，都欢迎来稿（搞），长短不论，按质付酬等等。现在摆在面前的可不是搞笑，上官德在谈到那个叫菲菲的小姐时两眼放光幸福无比，何大龙的经验告诉他这决不是装出来的，是发自内心的。因此，他只能一再强调个人的问题个人去解决，他祝福上官德，并要他好好干。此时在何大龙的心里是准备把上官德放到首席记者的位置上。设立首席记者与首席编辑是何大龙在看了许多媒体的机制创新后借鉴来的，他的目的是在中层干部暂时不动的前提下，提拔几个自己的人，用“首席”的方式提拔既合情又合理，还不露声色。

星儿来电话讲她的老板请吃饭。他问：“你们老板有什么企图？”

星儿骂他：“你这个人真是，你是惊弓之鸟？童瑞东对你有什么企图？要有企图他也是对我对我爸。”

何大龙笑道：“小姨子别生气，我这不是没经验嘛。还是你厉害，你怎么就知道我上任那天马诚和组织部的人会穿黑色的西装？”

星儿得意地笑了："姐夫，你听我的准没错。我会害你吗？我也不舍得呀。"

何大龙听出星儿话里有话，没敢往下接话，便说："在哪里吃？"

星儿说："我怕你拘束，就到喜来登去吃自助餐吧。"

何大龙故意揶揄道："你的那个大老板，就请我这个媒体官员吃自助餐呀，小看人了吧。"

星儿道："你这是狗咬吕洞滨，吃大餐你怕别人有企图，吃自助餐你又讲别人瞧不起你。那好，你点吧。"

何大龙妥协了："好啦好啦，算我幽默未遂。你说了算。"

"那晚上6点半，我在喜来登大堂等你。"

"不用等，我认识，和你姐带小虹儿去吃过。"

星儿教导他："看看，又不懂了吧。我等你是为了要把你隆重推出，这是种形式，就是你们体制内的程序，让你在我们老板面前有派头有尊严。"

何大龙又笑了："好好好，听你的。"

放下电话，何大龙站到窗口，看着马路上川流不息的车流和人流，他想，战争开始了。他要尽快占领制高点，报纸不仅是宣传工具，还是企业。高原红讲期盼自己把晚报变成东方市的符号，只有做大才可能成为符号。怎么做大？兼并是条捷径，这可以把报社员工的信心全部调动起来。团市委有一张《青年报》，市卫生局还有一张《大众医生报》，都是周报。何大龙知道这两张报纸都办得好难，他们的发行都是通过本系统往下压，现在走市场了，情况就不妙了。能不能兼并他们呢？这需要在人力物力上投入多大的成本？何大龙清楚，他在东方市实际的竞争对手只有《东方商报》一家。商报的发行量大约比晚报少三四万份，对于两家日报来讲，这个差距并不算太大。但由于商报的主管单位市经贸委新上任的主任并不想办报纸，这张报纸目前处于自生自灭的状态。何大龙在新闻处当处长时还几次去经贸委协调，宣传部是不想撤掉这张报纸的，他们知道要想北京批一个报号太难了。何大龙也是主张保商报的，可现在这张报纸成了他的对手了，听说他们已多次寻求外资。能不能吞下商报，形成一统天下的格局？不行，不能这么冒出来，刚上来就大张旗鼓暴露心迹是为官之大忌。兼并周报却不同，领导可能还会表扬他，这是为领导分忧。

经过这段调研，晚报自身的问题不少。光发行就问题成堆，每天的零售数字都是那个叫汪洋的主任拍脑袋定的，造成退报严重，听说她连报表都看不懂，这样的干部一定要换掉。还有，报社印宣传单，把投诉热线的号码印错了，结果电话都打到一个市民家里去了，把人家气得半死。广告也问题多多，与一家珠宝商签合同，人家用珠宝抵广告款。可一份合同没履行完，又签了第二份第三份。抵来的珠宝奖励读者，但彼此都没有手续，谁也不知道数字。看来要在晚报有所作为，必须先搞定内部问题。

何大龙在晚报上任后，不仅引起了东方媒体从业人员的议论，也引起省直以及市内媒体的议论，大家都纷纷猜测他会在晚报弄出什么奇迹来。

这天，商报的维权记者牛文广和跟着他见习的女记者林彬又在议论何大龙。牛文广在商报已干了8年，是老维权记者，自称自己是牛吃草，意思是吃的是草挤出是奶，常吹牛说："不了解我老牛的人就不了解商报。"这些年练就了一对火眼金睛，练成了一双敏感的耳朵，他能看出谁在撒谎，也能从道听途说中挖出爆炸性的新闻。更重要的是他了解官场，对国家机器中的规律摸得透，别看他只是个记者，还很少有搞不定的事。

他不屑一顾地对林彬说："那个何大龙我认识，没什么本事，就是个吃软饭的靠着老丈人爬上来的家伙。"

林彬很是崇拜这位比她大10岁的老记者，多次看到那些官员老板求他高抬贵手。有一次在处理东方百货商场超市销售早产牛奶的维权新闻时，牛文广对销售经理吼道："限下午3点之前，你们老总到报社找我，否则让你们好看。"结果百货商场老总居然2点30分就等在报社维权部门口，这可是东方市最大的百货商场呀。后来牛文广告诉她，其实那位老总并不是怕早产牛奶曝光，而是怕他牛文广，因为他掌握了百货商场在转制过程中的猫腻。林彬问他为什么不报出来，牛文广得意地眨眨眼说："难怪人家叫你四木，你真是木头。好戏能随便上演吗？这个商场老总下台了对我有什么好处？"但林彬至今也没明白为什么牛文广不把那些转制的猫腻报出来。听牛文广说何大龙不行，她说："不会吧，听说那位何社长还在读新闻系的研究生呢。"

牛文广眼一抬鼻一翘说："那不叫读，那叫混。你看着，晚报不可能像孙强那样蹦跶喽。"

林彬问："为什么？"

牛文广变得严肃了："他是个驸马，但凡驸马心理都有些不正常。"

林彬说："听说他顶住压力保了一个副总编辑和上官德。"

牛文广点点头："这是他高明之处。他什么也不懂呀，所以要笼络会做事的人呐。四木，我问你，奴隶做错了事如果你不惩罚他，他会怎么办？”

林彬想了想说：“理论上说他会心存感激更努力工作。”

牛文广再问：“那他的奴隶身份改变了没有？”

林彬肯定地摇摇头。

牛文广得意地笑了：“你明白何大龙为什么要保贾诚实和上官德了？”刚说完这句话，手机响了，他接听电话：“喂，是老林吧，你的事我有谱了。下周平乐县要开两会，我去找祖国书记谈谈，估计没太大问题。对，我会带你的一个本家去采访，是个女记者，你可要好好招待呀，哈……”

牛文广挂了手机对林彬说：“我们一起去采访平乐县的两会，我顺便去办一件事。所有费用刚才给我来电话的林坚全包了，回来你还可以报差旅费。”

林彬问：“林坚是什么人呀？这么大方。”

牛文广说：“平乐县招商局局长，别看他是科级干部，在县里玩得转。他想当副县长，但有个竞争对手，所以想我去给他帮帮忙。”

林彬不解地问：“你能帮什么忙？顶多给他写两篇稿子吹吹他。”

牛文广笑了笑，笑得诡秘：“别多问了，天机不可泄露。”

几个月前，牛文广偶然在东方花园碰见平乐县委书记祖国陪同一位省领导的太太在看房子，便悄悄打开录音机跟了他过去。结果他发现是祖国要送一套房子给领导的儿子结婚，这可是如获至宝的新闻。录音机录下了从看房到交定金的全过程，那位太太还口口声声说：“就算我借你的。”祖国则说：“我的就是你的，不谈什么借不借。”牛文广几次想去平乐县找祖国谈谈，他并不想曝光，只想挂上这个县委书记，以后有事可以找他，又一直没什么事找祖书记办。正好林坚局长想当副县长，托人找到他想上几篇稿子宣传宣传招商局，他手一挥说：“想靠政绩当官基本扯淡，就像靠工资买房基本扯淡一样。我跟祖书记是铁哥们儿，信得过我，我一定帮到这个忙。”他其实还不认识祖国，但他知道只要祖书记听了录音，就一定会愿意与他结成铁哥们的。

5天后，牛文广和林彬到了平乐县入住县委招待所。在此之前，他托人带给祖国一张光碟，里边有一小段祖国在东方花园与领导太太的对话。外人绝不知那是什么对话，可祖国一听肯定明白，所以他们刚住进招待所，祖国就亲自登门拜访。这让林彬对牛文广更是刮目相看，因为来了好几家媒体，按常规县里更重视电视台记者，可这次书记亲自拜访商报记者，让林彬特感自豪。闲聊了几句后，牛文广把林彬支出去，说想和祖国书记聊点儿私事。

牛文广关好门，并在门拉手上挂了“请勿打扰”的牌子后，笑着对祖国说："祖书记，平乐县这两年真是旧貌变新颜呀。"

祖国又一次打量这位暗中偷录他讲话的记者，看不出有什么特别之处："哦，都是市委市政府领导得好，路线正确了，一切都好办了。牛记者是哪一年到商报工作的？"

牛文广见祖国试探他便说："在商报干了8年了，跟市委李书记和潘市长都熟，采访过他们好多次了。"

祖国显得很佩服的样子说："噢，那是名记者了。不好意思，我有眼不识泰山，有眼不识泰山呐。"

牛文广笑笑："不敢当，在新闻战线上混了这么多年，也常常得罪人。"他开始进攻。

祖国不解地问："怎么会得罪人呢？别人被你批评，有则改正无则加勉嘛。"

牛文广装着苦笑说："要都像祖书记这么豁达就好喽。我有写内参的任务，所以会得罪人呐，真没办法。"

祖国暗自一惊，他知道内参的重要性，那是一柄当事人看不见的利剑，可谓杀人不见血。内参一般只供省市委常委看，其威力可想而知。他马上笑着说："内参真是厉害，去年新华社给我写了条内参，说平乐县尽管多方想办法还是拖欠教师工资的事。市委李书记亲自给我打了电话，他一方面批评了我，一方面让市教育局找省教育厅要了一笔专项资金，那真是救了我呀。"

牛文广顺势加强攻击，他说："说到新华社，我两个月前写了篇内参，上了新华社国内动态清样，结果让市民政局的一个副局长受了降职处分。"

祖国嘴巴张开了，半天没吱声。他是知道这件事的，同僚在一起还议论过怎么说降职就降职了，原来是这位牛记者搞的名堂。牛文广觉得机会来了，他说："祖书记，我们这次想好好宣传平乐县的招商工作。已经采访了你的招商局长林坚，我认为他真是个非常有能力的干部。"

祖国还没反应过来："哦，招商局的工作的确不错。"

牛文广再进一步："听说这回要差额选举一个副县长？"

祖国明白了，好小子，在这儿等我呢。他的脑子迅速转圈，有一点可以肯定，眼前的这个人决不能得罪，送领导一套商品房的事无论是内参还是公开发表都是会要命的事。要保住命就要按住这位牛记者，争取成为朋友。他既然没有曝光，就肯定事出有因。林坚可以利用他，我祖国就不能利用他？不就是个副县长的位子嘛，给他。想到这儿，他笑眯眯地说："牛记者，我们林坚局长是一位过硬的招商局长，他为平乐县做的工作有目共睹。这次说是说差额选举，可我心目中早就把林坚同志看成是副县长了，这个时候，你们报社再添把火，我真得谢谢你牛记者支持平乐县的工作呀。哈哈……”

牛文广也笑了，笑得得意，也笑得痛快。在当天晚上县人大招待媒体记者的宴席上，祖国把牛文广安排坐在他身边，林彬眼睁睁看着牛文广被一拨又拨的来敬酒的县里的干部灌醉了。

在他们结束采访回东方市时，已当选为副县长的林坚用自己的车送他们，车里装了半车的土特产。林彬接了一个红包，回家一看，里面有2000元。这是她到报社工作后接到的最大的一个红包。她纳闷，老牛是怎么弄的，比美国打伊拉克还复杂。但林彬不喜欢这样，弄来弄去，自己变得不像记者了，郁闷。

连续几天的大雨，把东方市里里外外洗了一遍，到处都干干净净，天也变得蓝了。可钱冰冰却愁死了，她发现房子漏水。住进这套房子半年多，房产证也没拿到，现在又有两个地方漏水，虽然不太厉害，但也够烦人的。贾诚实立刻布置记者，写了篇新闻，并要追踪下去。

钱冰冰气愤地说：“那个朱香香我看就是个奸商，好好曝曝她的光。”

贾诚实是在完全轻松的情况下决定整东方商业地产公司的。自从他升任常务副总编辑后，他的外号从教头就成了大教头，开始还有点怕何大龙会不舒服，但很快何大龙也叫他“大教头”了。看来这位驸马爷真是能扛得住事的人，既然他这么礼贤下士，自己就没有理由不支持他的工作。马诚在找贾诚实谈话时，一口一个欣赏他的才气和工作能力，暗示是他马部长帮忙，才有了今天的大教头。贾诚实心里清楚是谁在帮他，而且帮他的人还沉默不语，这足以说明此人的襟怀是宽阔的，此前他还做好了下台的思想准备。在突然的变化面前，他晕了，清醒过来后，佩服起何大龙的做人方式。

他对钱冰冰说：“这个何社长看来不简单。”

钱冰冰也被何大龙找去谈过话，给她的感觉是何大龙对广告很外行，他对为什么发行量与广告的关系是成正比的，以及每增长1万份报纸就可能增长200万广告额感到莫名其妙。他还问了她和贾诚实的关系，并祝愿他们幸福。钱冰冰的第六感觉是：这个何大龙并不太诚实，在祝自己与贾诚实幸福时表现出来的似乎另有一层意思。钱冰冰把这个感觉告诉了贾诚实。但他说：“何大龙能够提名我出任常务副总就足以说明他这个人还是想干事，能宽容人的。”钱冰冰心里却一直不踏实，说：“我就是感觉他有什么地方不对。”

贾诚实坐在钱冰冰的笔记本电脑前看完了记者发过来的稿子，他问：“你说弄个什么题目好。”

钱冰冰拿个脸盆放在客厅漏水的地方，并把地毯卷起一角，听见贾诚实在问便回答：“越厉害越好，我花40万买的房子居然会漏水。肯定是他们偷工减料，以前我去找他们做广告，他们牛B得很，这回总算落在了我的手上。”

贾诚实随手在电脑上敲了一行题目，他念给钱冰冰听：“房外大雨，房内小雨，东方花园问题多多遭投诉。行不行？”

钱冰冰走过来看了看说：“再加一行副题，‘据称该楼盘在房产证上也做了手脚。’”

贾诚实点点头说：“就这么定，争取连续报道。看看那位朱总怎么办？”

钱冰冰恨恨地说：“除了维修和尽快办好房产证，还要争取让她赔偿损失。”

贾诚实笑了：“最好赔你10万块。”

钱冰冰得意地说：“如果你追下去，这也不是没可能。一家房地产公司的信誉没了，就什么都没了，谁还敢买它的房子。”

贾诚实开玩笑说：“真赔了，你这房子我也有股份啰。”

钱冰冰斜了他一眼说：“那我们去登记，你不就有50%的股份嘛。”

贾诚实打趣道：“可这是你的婚前财产，不能算是夫妻共同财产。”

钱冰冰指指他说：“不懂了吧，婚前财产只要不公证，就都属于夫妻共同财产。”

贾诚实从电脑上把稿子发到总编室电子信箱后说：“好，找个黄道吉日去登记。你真准备好了？”

钱冰冰嫣然一笑，笑得很灿烂：“主动权在你手里。”

何大龙半个月内两次见到了童瑞东。那顿自助餐吃得还是挺轻松的，开了一瓶加州红酒。童瑞东更多的是关心何大龙个人问题，也谈到了希望晚报用瑞东的新闻纸。何大龙对童瑞东的印象不错，有山东人的豪爽，也有生意人的精明。童瑞东不知是有情报知道何大龙最怕别人提他是贺副省长的女婿，还是他也不愿与别人炫耀自己头上的光环，整个就餐他们都没提到各自的渊源，就好像是老朋友见面。

何大龙一直讲自己是新闻界的新兵，还要各方支持。童瑞东则讲瑞东集团进东方市要请何社长大力帮助。星儿在一边低头吃，很少插话，只是不断地帮这两个男人搬运些水果过来。何大龙奇怪，真乃一物降一物，星儿这么一个泼辣的大小姐在上司面前也有温顺平静的一面。

晚餐结束时，何大龙终于表态讲可以考虑用瑞东的纸，但价格一定要最优惠。这话留到最后讲，考虑的是不能在饭桌上谈判，也不能在对方一提出问题，自己立刻就解答，急事缓办。要寻找机会，这个机会应该是能避免现场拍板，又能留有余地的时候。而餐后分手前，是最好时机。何大龙以为自己没有在大企业家面前丢分，但一周后，他就领教了什么是大企业家。

自助餐后不久，星儿就开始找何大龙要他约宣传部马部长吃个饭。开始何大龙没在意，回绝了她，讲这事他不好出面。后来星儿讲他要不出面，就坐到他办公室让他办不了公，这才引起他的重视。何大龙想，恐怕这就是那位童瑞东请自己吃饭的真正目的吧。那他请马诚吃饭是什么目的呢？马部长可帮不了他童瑞东什么忙呀。他仅仅是想拜拜这块土地上的菩萨？何大龙想不透，问星儿是怎么回事，星儿也不知童瑞东卖的是什么药。但星儿说："你出面请马部长吃顿饭，对你有伤害吗？"何大龙想想，好像没什么伤害，相反还有好处，他正找不到机会和马诚聚一聚呢。在贾诚实和上官德的问题上马诚肯定对他有看法，一直想找机会修补，现在机会来了。但他没想到童瑞东是在用他做桥与马诚会师。

何大龙在电话里简单向马诚介绍了瑞东集团以及他们在东方市的投资情况，然后说童瑞东想认识宣传部的官员，马诚似乎想都没想就答应了，他说："企业界的朋友，特别是来东方投资的朋友都是我们宣传部的客人，我们有义务给他们帮助。"他建议由晚报请客，他出席。

何大龙放下电话，琢磨起来。原来是讲童瑞东想认识马诚，现在变成是马诚想认识童瑞东了。这种反被动为主动肯定有原因，马诚大概是想以积极支持市委改革开放招商引资为由，在市委面前加分。何大龙给星儿打电话讲这顿饭由晚报来请，星儿听了哈哈大笑说："姐夫，对不起。我们想花钱，可花不出去呀，准备在哪里请我们呀？"何大龙说："就到天鹅会吧，马部长喜欢讲排场的。"星儿笑道："那可是星级服务，破费了。我马上向董事长报告。"

在天鹅会的宴会还没开始，马诚和童瑞东就很熟悉很热烈地交谈起来。

马诚问："董事长的胆量让我佩服，你怎么就敢放弃公职去下海呢？"

童瑞东笑道："也是被逼的。当时省委鼓励干部下海锻炼，学习市场经济，我去深圳呆了三个月，发现那些发了横财的老板们也没什么了不起嘛，不过是先走一步，用足了政策。正好济南有家小造纸厂面临倒闭，我便向组织上申请我去干。”

马诚问：“当时你多少岁？”

童瑞东看了看马诚笑着说：“马部长，你还不知道吧，我们是老庚。”

马诚惊讶，他是怎么知道与我是老庚？“你也属虎？”

童瑞东伸出右手张开五指说：“50多年的虎喽，下海的时候44岁。”

马诚有点佩服地说：“44岁就是副厅，不容易呀，你比我进步得快。”

童瑞东摆摆手：“哪里哪里。”

何大龙请他们上桌，问马诚：“部长，喝什么酒？”

马诚吩咐道：“今天请大老板，破例，上20年的五粮液吧。”

何大龙偷偷看了星儿一眼，星儿无声地笑笑。

在那瓶五粮液被喝掉了2/3的时候，童瑞东的一句话让何大龙像羚羊发觉了猎豹一样警觉起来。

童瑞东问：“马部长，听说你们那个商报办得不太好。”

马诚摇摇头说：“我真是舍不得浪费了一个报号，要不然早撤了它。为这事大龙还去经贸委协调过。”

童瑞东又敬了马诚一杯说：“现在办报真不容易，听说经贸委不太想办了？”

马诚微醉道：“经贸委主任是去年上任的，他讲一没有钱，二没人才，办什么报。我还为这事发愁呢。”

童瑞东试探地说：“媒体现在可是资本追逐的对象呀。”

马诚看了看童瑞东问：“怎么，童董事长想投资？”

童瑞东笑着欲擒故纵：“我怕实力不够呀。”

马诚态度有些坚决地说：“你不是在东方投了两个亿建造纸厂吗？再投个一两千万到报纸，这不是形成了产业链嘛。”

何大龙在童瑞东提到商报时，“产业链”三个字便在他的脑海里闪现，如果再加上印刷厂，这条链子的每一环就可以联为一体。他好像清楚了童瑞东的用意，投资造纸厂，以此为基础，再进军东方市的媒体，厉害。而自己在不知不觉中成了童瑞东的一颗棋子，想到这儿，他又看了星儿一眼，这时他的目光严厉中夹杂着不安。

星儿也在看他，她也是在童瑞东说出商报后才知道他要认识马诚的真正用意。难怪这几天他一直在和经贸委主任联络，人家还请他去钓了一次鱼。

他没让星儿参加，只说要为星儿在东方市的工作铺好路，没想到他声东击西。但星儿心里不得不佩服这位机关干部出身的董事长，如果能吃掉商报，对瑞东集团在东方的发展绝对有好处。可这么一来，何大龙的压力就大了，他顶得住吗？星儿的目光中透着关心和无奈。

马诚表态说事不宜迟，明天就约经贸委主任谈。童瑞东则胸有成竹地说："只要宣传部愿意促成这件事，我童瑞东绝不会给你马部长脸上抹黑。"

送走马诚和童瑞东，何大龙和星儿站在酒店外面差点吵起来。

何大龙压着愤怒说："好啦，我这是引狼入室。"

早知如此，不如晚报吃掉商报。

星儿委屈地说："我真不知道董事长有做媒体的想法。"

何大龙摇摇头："你这个董事长真懂事，他想吞并商报，可以自己去谈嘛，为什么要让我来搭桥，是测试我的智商？还是下战表？"

星儿解释道："姐夫，如果知道他要做媒体，我肯定就推荐了晚报。"

何大龙冷笑："你以为我会拱手相让？"

星儿小声地："你别激动嘛，有竞争也不是什么坏事。"

何大龙又冷笑说："我怕竞争？小看我了吧。我怕的是我在明处敌人却在暗处。"

星儿不满地问："你是说我在做间谍？"

何大龙不屑地说："不敢，你也用不着做间谍，你都可以当我的家了嘛。"

星儿生气了，因为何大龙冤枉了她。她没吱声，走到自己的宝马车前开车门，发动车走了。

何大龙看着宝马的背影哼了一声，坐进了自己的车里。他刚坐稳，电话就响了，一看是星儿的。他深呼吸两口气，按了接听键。星儿平静地说："刚才被你气得忘了一件事，我有个师姐叫朱香香，你知道的。你们报纸昨天发了一篇新闻，讲她开发的楼盘有问题，今天又发了一篇。她想请你吃饭，解释解释。"何大龙想也没想就说："没时间。"说完按了挂线键，顷刻手机又响了，还是星儿的，他按了接听键，传来星儿愤怒的声音："你爱去不去。"没容他讲话，对方把线掐了。他看看手机，叹口气，一头靠在车后座的靠背上。此刻他满脑子都是童瑞东和商报，他对东方市媒体格局的担忧好像已变成现实，他清楚，要阻止童瑞东进入商报已没有可能，宣传部早就放出话希望商报能引资解决发行和广告问题。尽管有规定禁止民营资本进入媒体的采编工作，但内行人都知道，发行和广告与采编是分不开的。谁将出任商报的一把手呢？经贸委推荐还是童瑞东推荐？不管情况如何，自己都必须加快对《青年报》和《大众医生报》的整合，这是扩大地盘的捷径，也是抵御风浪的有力措施。用什么方式整合呢？何大龙头痛，他才刚上任，就这么多事发生，该如何入手？

朱香香听星儿讲何大龙不肯赴宴，又不知道原因，便决定自己找上门去，陌生拜访是她的强项。

“何社长，我叫朱香香，是商业房地产开发公司的，也是星儿的师姐，她跟你提过我吧。”朱香香开门见山边递名片边说话。

一连串的关于朱香香的信息进入何大龙的脑子里，他迅速分解，想着如何回答她。

朱香香没容他讲话继续说：“何社长，我还是叫你少帅吧，听说报社的记者都这么叫你，这显得亲切。”

何大龙打量着这位年轻的总经理，又看了看名片，对她叫自己“少帅”并不反感，他的内心是喜欢这个绰号的，他说：“不敢当，记者们瞎叫。”

朱香香笑道：“这说明人心所向呀。”

何大龙多次听星儿说起这个女人，但这是第一次单独和她谈话。何大龙对她的第一印象是她挺甜的，近距离观察后，发现了她甜在什么地方，她的嘴角总是往上翘着，未开口就已笑容满面。她的气质在她的服装衬托下显得高雅，让人产生愿意和她讲话的想法：“我听星儿说起过你。”说着起身给她倒水。

趁何大龙倒水的时间，朱香香环视了他的办公室。办公桌前是一组沙发，办公桌后是一排书柜，墙上除了一张大的东方市地图外都是空的。办公桌上放了一台电脑，其他地方堆满了报纸和文件。但在台灯旁有一只精致的相架，是这间办公室最有亮点的地方，照片上是虹儿和小虹儿母女俩笑眯眯地注视着看照片的人。朱香香看到照片时心里又颤动了，有个感觉在脑子里划过，这位少帅是个多情的男人。那天晚上在酒吧相遇时的情景不由自主地显现在脑海，好像当时自己就对这个男人特有好感。

“请喝水。”何大龙的话惊醒了朱香香。

“谢谢。少帅，你这间办公室缺少点植物，如果能用龟背竹和文竹点缀，可能会更有生气。”

何大龙笑笑：“星儿到我这儿也批评了一通，讲我不懂摆设。可是人要知足，这比我在宣传部的办公室强多少倍了，如果办公室还有个大书架我就满足了。”

朱香香听了这话对何大龙的感觉更好了，在心里给他下了个定义：儒雅的多情人。

见朱香香不说话，何大龙问：“朱总不会是来看看我的办公室的吧？”

朱香香脸烫了，心想该死，忘了正事。她忙说：“我是来道歉的。”

何大龙没反应过来问：“道什么歉？我还要谢谢你呢。”

朱香香莫名其妙，自己说道歉是讲那篇新闻的事，怎么何大龙还要谢谢？

何大龙说：“谢谢你参加我妻子的葬礼，还有……”何大龙看着朱香香没往下说。但朱香香已经明白他是指酒吧的事，从何大龙的目光中她能看出他对自己有好感。

朱香香喝了口水说：“都是应该的。少帅你看了那两篇批评我们公司的新闻吗？”

何大龙想起星儿说晚报有批评商业房地产开发公司的稿子：“哦，我忙晕了，没仔细看。是哪一天的报纸？”说着他在桌上翻找。

朱香香从包里拿出两张晚报给何大龙：“都在六版维权版上。”

何大龙低头看报纸，再抬起头问：“朱总认为稿子失实了？”

朱香香依然笑道：“总体上夸大了我们的缺点，细节上是有失实的。”

何大龙听她说得有条有理，估计她抓住了新闻的问题，便说：“你能不能具体说一说？”

朱香香说：“总体上看，如果我们楼盘真像新闻里讲的那样，我怎么可能在很短的时间全卖出去？那天记者采访，我的手机没电了，后来我给记者打电话解释，可文章中一点也没有提到我的解释。我说过公司没有对不起业主的地方，当时在电话里我只能这么说，要不然就可能越描越黑。”

“你有什么想法？”何大龙问。

朱香香尽量把口气弄得真诚一点：“我来找你没有一点兴师问罪的意思，我们肯定有不对的地方。我想这事给报社添了麻烦，一来道个歉，二来希望面对面解释一下，只想请少帅你高抬贵手就此罢休。”朱香香的说法是很能打动人的，她知道和媒体较劲大多数是自讨苦吃，最好的办法是迅速找到关键人物进行沟通息事宁人。

何大龙考虑了一下说：“我问问情况。”他拿起电话拨了一组电话号码：

“喂，大教头，那篇批评东方花园的稿子你知道是怎么回事吗？”贾诚实在电话那头讲了来龙去脉，讲到钱冰冰时，何大龙眉头一皱，但没说什么，只是“哦，哦。”心里产生一丝不快。如此维权虽无不可，理却短了一截，毕竟是用自己的媒体给自己维权。想到这儿，更对朱香香的大度有好感，她肯定知道是钱冰冰在玩花样，但却一句也没在自己面前批评钱冰冰，这说明人家有雅量。他对着电话说：“好，我知道了，还有后续吗？有三篇。好，就这样。”

何大龙放下电话发现朱香香在注视自己，她的目光很矛盾，有疑问有期待。何大龙说：“朱总，你看这样好不好，新闻中反映的问题，你加快解决。这边呢，我再把记者叫来问问情况，如果可能，就先压一压，等你那边处理得差不多了，再发一篇稿子，对读者有个交待。行不行？”

这正是朱香香想达到的目的，稿子暂时压下来。她做一点改正，给房子补漏是没问题的，报社再发一篇东方花园有错即改的新闻，这是个双赢的方案。对于朱香香来说发稿不重要，重要的是导向对她有利，这是花钱买不来的。她马上说：“少帅，我完全同意。我还有个想法，我们在玻璃厂原址要建一个8万平米的社区，叫东方商城，请了同济大学搞整体设计，我想与晚报在广告上合作，弄出一些新东西来，不知可不可以？”

何大龙笑了，这个女人真聪明，她懂得以退为攻，而且不留痕迹。何大龙开始喜欢上了这个女老总，他说：“朱总准备投多少广告给晚报呀？”

朱香香想想说：“五六十万吧。”

何大龙开心地笑了，这是他到报社后第一次与外人谈到广告。晚报一年广告收入约在2000万左右，这一单就是全年的1/30。他压住喜悦说：“不管行不行，我都先表示感谢。我的办报理念是用新闻做平台交一批朋友，帮忙不添乱，还真希望朱总能鼎力支持我呀。”

朱香香开心地说：“没问题。我想请你吃饭，你又不肯赏脸，我请你跳舞吧。”

何大龙笑着问：“跳什么舞？”

“蹦迪呀。”朱香香话刚出口，何大龙就“哈哈”大笑起来，跟这个女人谈话真是轻松愉快。

贾诚实和钱冰冰又吵了一架，原因当然是关于东方花园的事。物业的人来维修了，也传过话讲房产证很快能办好，请钱小姐放他们一马。贾诚实便劝钱冰冰算了，到此为止。可钱冰冰骂他软骨头，她已调查到朱香香与星儿是同学，这事一定是星儿让何大龙干的。贾诚实心里明镜似的，他知道媒体的游戏规则，何大龙开口了，你还干下去，结果是什么？况且又是钱冰冰投诉，这事本来就不那么理气直壮。

钱冰冰气愤地说："难道我是晚报的人，就应该倒霉吗？"

贾诚实劝她："不是这个意思，何大龙要不开口，我就肯定干下去。"

钱冰冰质问道："他何大龙就不是私心？这事他就应该让你来处理。现在好，少帅刚到报社就弄了50万广告，可真正做这件事的人屁也没捞到。"

贾诚实说："你不能这么理解，他何大龙也没装进自己的口袋。"

钱冰冰叫了起来："你真是榆木脑袋，算算50万的5%是多少，好几万块装进他口袋里啦，他还里外都是人。"

贾诚实说："拿佣金也是应该的……"

钱冰冰没容他讲完又叫道："可这笔佣金本该是你的。你不是讲要朱香香赔我10万元吗，你去让她赔呀。"

贾诚实叹了口气说："此一时彼一时嘛。"

"不对，这就是何大龙没把你当一回事的开始，你看着吧，这样的事以后还多着呢。"钱冰冰的语气中明显带有挑拨。贾诚实没吱声。他清楚，何大龙没有经过深思熟虑是不会建议把后续报道停下来的，自己如果坚持发稿势必会顶上火。他有撤稿子的权力，跟自己商量是一种尊重，自己完全没必要在一个非原则性的问题上与何大龙发生冲突。只是何大龙如果把这件事交给他处理，可能会更妥当一些。

钱冰冰还在气呼呼地说："看来我是不能在晚报干了，没有面子了嘛。"

贾诚实被她顶得不高兴了，说："你别说气话，要走就请便。这么点小事就没面子啦？你有本事就不用怕丢什么面子。"

钱冰冰像是在水里被呛了，坐下来没说话，眼泪委屈地流下来了。

她始终认为她对何大龙的感觉是对的，这个人不太真实，在他身后，一定藏着什么。东方花园这件事对报社是件很小的小事，但此事是由她这个广告部副主任发动，报社常务副总编组织，情况就不同了。钱冰冰认定，何大龙是要给她和贾诚实一个下马威，可贾诚实竟反应不过来。钱冰冰很相信自己的第六感觉。她是个完全自由的女人，和贾诚实恋爱至今还糊涂着，只是觉得到了恋爱的时候，在报社贾诚实是她认为最优秀的，和他在一起的感觉也不错，还派生出意外效果：别人更尊重她了，也没谁敢非礼她了，更主要的是她的广告更好做了，所以就和他好了。钱冰冰把这些戏称为"恋爱增值"。

贾诚实从没提过结婚，她也顺其自然，她的目标是30岁时把自己嫁出去。两人在一起时她特别注意避孕，但又做得隐蔽，让贾诚实感到她无比真诚地在做爱。孙强下台的那段时间，她已做好了贾诚实下台的心里准备，万一不行就开个夫妻广告公司。现在的情况却好像是弄成了夹生饭，何大龙可不比孙强，自己还是趁早走吧。想到这儿，钱冰冰暗下决心，离开晚报。谁知决心一下，她竟释然了，走到贾诚实面前抱住他。

贾诚实不知钱冰冰葫芦里卖的是什么药，但此刻，他真的没有做爱的心情，便掰开她的手，站起来走了出去。

钱冰冰呆呆地坐着，闭上了眼睛，眼泪又流了下来。

《南方时报》常务副总编辑陈元接到童瑞东的电话第二天就赶到了东方市，在凯莱大酒店见到了他自称是忘年交的山东大汉童瑞东。

陈元是江西省临川人，此地因出过汤显祖、王安石等文化巨人被称为才子之乡，王勃在《滕王阁序》中提到的人杰地灵就是指此地。陈元身高1.79米，身形很利索，五官没什么特点，但给人的感觉是充满阳光。他喜欢剪小平头，戴一副像李大钊那样的圆镜片眼镜，虽有点另类，但细细看与他这个人整体很和谐。他特别喜欢穿大红色的衬衫或T恤，快40岁了，可显得只有30岁的样子。

在特区偶然遇到童瑞东，他们不在一个行里，却是一见如故，不仅谈得来，还很愉快。童瑞东对陈元的“媒体将是20世纪最后一个暴利行业”的观点很感兴趣，这让他动了办报的念头。将自己的产品形成产业链是集团上市后童瑞东时刻在考虑的问题，当时他就问陈元：“我如果有机会介入一张报纸，你愿意过来帮我吗？”陈元不假思索说：“大哥你要看得起我，我一定来。”当童瑞东考虑《东方商报》时，脑子里首先想到了陈元，可以说是因为陈元，他才敢下决心接下商报。

在凯莱大酒店的顶层套间里，童瑞东和陈元谈了两天，把房间里能吃的东西都吃光了。两天里两人都关了手机，也不让服务员打扫房间。他们对商报的未来做了规划，也把《东方晚报》列为主要对手。

陈元在一张大纸上划了12个圈圈：观念、市场、定位、资本、团队、机制、产品、发行、广告、博弈、公关、品牌。陈元说：“这12个方面应该包括了办好一张报纸的全部。如果每一个环节都基本到位，就一定会是一张不错的报纸。”

童瑞东站那里，眼睛盯着纸上的圈圈，他突然接过陈元的笔，在纸上将12个圈圈用线连成四大块，他说："我看这12个方面可以归纳为四个体系：决策体系、保障体系、操作体系、扩展体系。你看对不对。"

陈元眼睛一亮："对呀，这么一归纳就更清楚了，也更好操作了。"

童瑞东顺着自己的思路说："我准备投入3千万，这个数字估计能给东方市的媒体洗洗牌，3年之内争取赢利，发行量控制在12至15万份，广告达到每年度由1千万向2千万递增。这是我总的想法，其他的就是你的事。"

陈元说："老板，要打造一张受大众欢迎的日报，资本问题是根本问题。我有信心做一张好报纸，但我期待有良好的资金后盾。"

童瑞东哈哈一笑："应该看到商报在东方市已经有一定的品牌效应，发行和广告问题也不是从头开始，我们的成本计算不能忘了这一块。钱的问题你不用考虑，我们在东方市成立了分公司，有一个大能人贺星小姐在这里主持工作，这几天她在跑商报传媒有限公司的事。集团决定用这个公司与商报合作，初步定经贸委出个领导兼社长，但不在报社上班，是甩手掌柜。由你出任总编辑，全部的经营工作由传媒公司做，你同时兼传媒公司总经理。你明白我的意图吗？"

陈元点点头说："明白，我准备借鉴英国《太阳报》的版式……"

童瑞东打断他的话："别往下说，说了也白说。优秀的领导人最重要的工作是用人，现在我已经用你了，剩下的都是你的事，别跟我说。前面讲的四个体系，有两个我挨了点边，比如决策体系和保障体系。我声明，仅仅是挨了点边，这个掌柜的还是你自己来当。你在时报别人不就是叫你'掌柜的'吗。"

陈元笑了："谢谢大哥的信任。"

童瑞东严肃地说："不是大哥，是老板。从现在起，我就是你的老板。在这个问题上不能马虎，我们是上市公司，可不是水泊梁山。"

陈元若有所思地说："我知道自己肩上的担子有多重。"

"笃笃笃"有人敲门。陈元走过去开门，门口站着星儿。陈元眼睛一亮，像是见到了一缕璀璨的阳光，在哪里见过这个女人："请问，你找？"童瑞东走过来笑道："大水冲了龙王庙，一家人不认识一家人了，我来介绍。"他指着星儿说："瑞东纸业东方分公司总经理贺星小姐。"他又指了指陈元："这就是我跟你说的办报精英陈元先生。"星儿先伸出手去："欢迎加入瑞东集团。"陈元握住她的手说："以前听老板讲起过你，尽是表扬。希望贺小姐多多帮助。”星儿笑着说：“相互帮助吧，我喜欢别人叫我星儿。”

童瑞东期待地说：“二位，瑞东集团的产业链计划，在东方能否试验成功，就看二位的工作了。”

陈元与星儿对视着，陈元感到眼前的这个女人有种说不出来的亲切感。而星儿对陈元的感觉是：他真帅，像个报人。

星儿提出设宴欢迎陈元，于是三个人一起到了餐厅。童瑞东说两天来尽吃快餐了，要好好补一补。星儿问怎么个补法。童瑞东想了想说：“一般喝醉了的人，如果再喝，反倒会醒，这就是到极端后回头的捷径。我们吃了两天的快餐和方便面，索性再吃个快餐。”

陈元和星儿差不多异口同声“还吃快餐呀”。童瑞东招手让服务员过来：“每人一份木爪鸡丝翅，一碗鲍鱼加鲍汁拌饭。”听他说完，陈元和星儿都乐了，陈元说：“我还没吃过这么贵的快餐呢。”

童瑞东说：“明天把你介绍给宣传部的马部长和经贸委蒋主任，然后我就回济南。记住马部长能喝，蒋主任能钓。当然他们还都讲原则，这是我们合作的基础。”他问星儿：“商报传媒的手续差不多了？”

星儿点点头：“明天去取营业执照。”

童瑞东说：“三天后先到账1500万。”他看了一眼星儿说：“我建议改版出报就不要大张旗鼓地宣传，悄悄地进城。”

星儿很清楚童瑞东看她一眼是什么意思，他是不想刺激何大龙，不想在工作刚开始时就让何大龙充满敌意。毕竟此次入主商报从大处看还有违规的地方，他们实际介入了商报的采编工作。而何大龙对报刊管理的规章制度了如指掌，不能让这个人找到硬伤再猛打一拳。

童瑞东接着说：“晚餐后我先回房睡觉。星儿看看有没有空给陈元介绍东方市的情况和晚报的情况。”

星儿答道：“好的，一会儿我请陈总喝咖啡。”

陈元笑道：“我也希望聆听星儿小姐的指教。你还是叫我陈元吧，要不然我得叫你贺总了。”

星儿微微笑了，深深的酒窝更加迷人。

何大龙很快就知道了商报正在发生的变化，经贸委的蒋主任跟他大致介绍了与瑞东合作的细节，比如用商报传媒公司来承包经营商报的发行与广告、从外省请一个总编辑等。蒋主任还笑着说：“大龙，看来商报与晚报有一拼呀。”何大龙也笑着回答：“任何繁荣都是竞争的结果，晚报希望与商报的关系是并蒂莲的关系。”

何大龙内心很想从星儿那里得到有关消息，他知道星儿在忙造纸厂一摊事的同时还在做商报传媒的前期工作。可他又不想让星儿为难，更不想让她真成了间谍。星儿几次打他的手机，他都没接，他的底线是不能欠星儿的太多，怕还不起。

商报即将破壳而出，何大龙估计到了自己的困难。他们资金雄厚，用人方便，恐怕办报的机制也会比晚报灵活，还有他们拥有经营的精英，至少星儿算是一个。在竞争的过程中自己如何摆平公事私事？现在晚报最重要的事是尽快接管《青年报》和《大众医生报》，如果顺利，这一着棋可以与商报改版面世的影响打个平手。马部长已原则同意，新闻出版局那边也没太大的问题，关键是市委的意见。

在办公室三口两口吃完快餐，何大龙拿着给市委的报告走到贾诚实办公室：“大教头，有什么大新闻？”

贾诚实正在看网上新闻，见何大龙进来，便站起来说：“小泉还坚持要去靖国神社参拜，美国正加紧搜捕萨达姆。本埠有个猛料，解放东路一家工厂里居然有人在制造冰毒，说是已造了80多公斤。”他边说边给何大龙倒水：“又吃快餐？”何大龙接过杯子喝了一口点点头，把手上的文件递给贾诚实。

贾诚实看着文件问：“李书记会批吗？”

何大龙坐下：“估计问题不大。我考虑的是把两家周报收过来后，怎么办报？我们要把他们办成什么样子？另外报社内部的问题要加紧解决。”

贾诚实把他考虑了较长时间的想法说出来：“我的意见是都办成专业性周刊。比如针对报纸越来越严重的杂志化倾向，把《青年报》改版成‘东方杂志’，稿件选用跟老百姓生活有关的吃穿用。”

何大龙肯定地说：“这个主意好。我们甚至可以用涂布纸印，在北京上海就有类似的报纸，北京的《精品购物指南》、上海的《上海星期三》等。由此思路往下走，《大众医生报》就更专业了，但这个专业必须大众化。我们可以大胆一些，商报能搞什么传媒公司，我们也可以搞合作办报。争取把东方市的主流医院和民办医院拉进来，那就又有权威又有钱。”

贾诚实还是比较佩服何大龙的，来报社这一段，他对办报没提什么意见，主要是听，但只要一点拨，他马上能举一反三。他没有一到报社就改版改报头，通常从做政绩看，改版是最直接让领导看到变化的。但对一家比较成熟的报纸来说，轻易改版往往是对报纸的伤害。何大龙还是懂办报的。

何大龙笑着问："你那位钱大圣没怪我吧？"

"没有。"当他知道何大龙没有要那几万元的佣金，而是将它作为新闻线索奖的奖金时，更觉得何大龙不简单。可钱冰冰还是说这里边有鬼，说今天他不要佣金，明天就会动员其他领导也不要佣金？

何大龙说："我一直想找钱冰冰道歉，可没机会。她的房子修好了吧。"

"没什么大事，听说房产证也在办。"

何大龙语重心长地说："诚实同志，办报我是外行，但我知道办报不是得罪人，而是要通过办报这个平台交一批朋友。如果能用我们的思想观念去扭转另一种思想观念，那办报才会舒心。"他接着问："商报找谁当总编打听到了吗？"

贾诚实拍拍脑袋："差点忘了，是一个叫陈元的人，他目前在《南方时报》当常务副总编。"

何大龙问："能力怎么样？"

"跳了几次槽，在新闻界干了10多年，能力很强，但没有独立操作过一张日报。"

何大龙"哦"了一声说："在南方呆过，优点是办报的观念一定不会太保守，缺点是他能否服这里的水土守住报纸的红线，我们这儿可不是特区。你和钱冰冰的关系还好吧？什么时候结婚？"

对何大龙跳跃性的思维，贾诚实还不太适应："哦，关系一般，结婚还没讨论过。"

何大龙很敏感，他从贾诚实的话语中听出两个人似乎有矛盾，便进一步说："年龄都不小了，我就是你这么大结婚的，干吗不结。"

贾诚实叹了口气说："唉，跟你说实话，她赚的钱是我的好几倍，房子也是她的，现在又要买车，如果我跟她结婚会不会……"

何大龙乐了，这位贾诚实遇到了跟自己一样的情况，他是政治上的驸马，贾诚实则是经济上的驸马。他颇有同感地说："这是个问题，你那位大圣可是个天马行空的人物，你要好好珍惜才行。"

贾诚实说："都是成人，又都是自由人，谁也不能把谁怎么样。她倒是说想结婚了。"

何大龙心里不知怎么搞的，总有不想他们结合的想法，这个想法一到报社来就有，可又想不出他俩究竟怎么不合适的理由。既然上官德跟一个歌舞厅的小姐恋爱都可以祝贺，为什么贾诚实和钱冰冰就不行呢？可能还是自己的问题，怕他俩联手，还是自私啊。何大龙叹了口气说："女人都不容易，你对钱冰冰应该是很了解了。"

贾诚实笑笑说："现在流行的爱情格言是：因为不了解而走到一起，因为太了解而从此分开。"

何大龙哈哈大笑："这是个悖论，前辈们都说相知才会相爱。好啦，这个莎士比亚都说不清的问题还是留给你这个当事人自己解决吧。我估计商报很快就会改版，我的想法是拿下《青年报》和《大众医生报》，以积极的主动的态度加入到东方市的报业竞争中去。适当的时候，我们也可以改改版，最近看了不少版式，我觉得《华尔街日报》的版式就不错，不愧是百年老店。另外要密切注意'非典'，这个传染病看来不简单，可以先发一点预防知识，估计宣传部会有宣传要求。解决内部问题你有什么意见？"

贾诚实点点头："我看就从发行部开始。"

何大龙点点头："近期我的重点是绞尽脑汁把那两张报纸弄过来，你的重点是抓报纸质量。忙过这一段我也开始当班，我先走了，你辛苦。这美国人就是牛，说打谁就打谁。我看接下来他们该打伊朗了。"

何大龙与贾诚实谈话的时候，在凯莱大酒店的咖啡厅，星儿与陈元也在进行一场既是陌生人之间，又是合作者之间的谈话。

星儿介绍了东方市的行政情况后说："现在全省发行的报纸有六种，跟商报同性质的有《法制日报》《经济导报》《信息时报》……"

陈元接过话头说："我们真正的对手是《东方晚报》。别看它只在东方市的四县五区发行，可东方市是省会城市，全省80%以上的广告都集中在这里。我查了资料，市区加四县有近700万人口，如果8%的人看报，每天应该有约50万份左右的报纸发行量。而晚报对外称已发行18万份，这当然有水分。但我估计晚报的发行已达理论数字50万份的1/3，也就是16万份。剩下的空间则由另外几家瓜分，应该说商报的机会还是很大的。"

星儿点头，对陈元的认识进了一步，他是敬业的人，对东方市的报业竞争态势比自己清楚，而且表述也不拖沓，星儿喜欢跟这样的人打交道。"想必董事长已提到了晚报的何大龙是我姐夫吧。"

陈元知道她说这话的意思，她是要先把关系说清楚，免得以后出了问题她被夹在中间，陈元不知道就是因为她让何大龙把马诚介绍给童瑞东，才促使了瑞东集团进军媒体，为此，何大龙还在生她的气呢。“星儿，我相信我们这些体制外的人要生存，敬业是摆在第一位的。”

星儿看着他，没吱声听他讲。

“我相信你是个非常敬业的人，否则老板不会把这么大摊子交给你。我们和晚报的关系应该总体上是求大同存大异的关系，从发行理论上讲，晚报一般在本地发行，商报则可以全省发行，商报占优势；从广告理论上讲，我们主要将在一个碗里找饭吃。但办报最终还是要看报纸本身的质量，是不是老百姓要的？是不是零售市场上俏的？我正在考虑整体的方案，会随时和你商量。”

星儿觉得陈元还比较大气，也能理解人。她表态道：“董事长叫我配合你，我一定会尽力的。”

陈元端起咖啡说：“我用咖啡敬你，先表示感谢。”

星儿喝了一口咖啡后问：“你抛家不顾，太太不会有意见呀？”

陈元笑笑：“意见肯定有。但我喜欢这个职业，现在有这个机会，对我来讲是一次挑战，不管最终结果如何，我愿意试一试。”

他的话不做作不矫情，星儿感到舒服，便再问：“那把太太也动员来嘛，我们造纸厂那边还缺不少干部呢。”

陈元摇摇头：“她喜欢在特区生活，这之前跟着我搬了几次家，买了房子后，她说再也不走了。我也不好意思强迫她，再说吧。”

星儿点头说：“可以理解。要建立一个稳定的家庭，很不容易。”

陈元换了个话题说：“我现在最想办的事是招人，特别是广告和发行方面的人。据我的调查，商报的广告人员是比较弱的。”

在和陈元短短的谈话中，星儿想起了何大龙的办报理念。拿他们两个相比，陈元来得更实际一些市场化一些，何大龙则在新闻本质上理论上思考多一些。现在他们就要同场竞争了，谁将取得胜利呢？自己又希望谁取得胜利呢？她不知不觉处在了矛盾之中。自那天与何大龙吵了几句后，因为太忙没再去过他家。可如果见了面，又如何避免谈商报谈陈元呢？星儿没有找到好的办法，只有一点她清楚，能不谈工作就尽量不谈才是上策。星儿对何大龙的感情是复杂的，此刻能说清楚的只有亲情一种，自姐姐去世以后，他们之间的亲情有没有向爱情转变？说不清楚。星儿有时会想，怎么就把自己夹在了中间呢？以前有什么事可以跟姐姐商量，现在没人可商量了。

见星儿没有吱声，陈元又换了个话题：“星儿，你对办报有什么想法？”

星儿摇摇头："我不懂办报。"

陈元再问："你平时都看什么报？"

星儿边想边说："新闻基本从网上得到，平时看杂志多看报少。说老实话，因为我姐夫去了晚报，我才对晚报有所注意。"

陈元笑了，说："典型的现代人。我们来做个测试，你在一张纸上写上你认为是经典的热门词组，通过这个我们可以得到一点办报的启示。"他让服务员找了一张白纸和一支笔递给星儿。

"经典的热门词组？我想想。"星儿边想边写："面试、武侠、外遇、丑闻、同居"，她越写越快："减肥、白领、时政、考研、爆笑、情人、时尚、星座、求职、广告、名人、美女"，写到这儿，她想到了何大龙说的"原创"，她停了停，心想，要不要写上？陈元问："还有吗？"她犹犹豫豫地写下"原创"二字。

陈元拿过一看，马上说："想要老百姓要，想要零售市场上俏，商报就必须有你写的这些内容，它就是商报办报方向，特别是最后一个词：原创，很准确地指明了我们应该怎样利用信息资源的问题。好，这我要留着。"

星儿一惊，坏了，把何大龙的东西泄露出去了。她不知该怎么办，赶紧掩饰内心的紧张说："董事长再三强调办报是你的工作。我这只是瞎写，你别当真，它可不是令箭啊。"

陈元很认真地把纸叠好，放进包里说："我这是一次标准的市场调查，类似的问卷我还会去零售市场发放。但我想，不会有比你的问卷更有思想性和代表性的了。"

星儿有点着急了，她愣愣地看着陈元。这时她的电话响了，"喂。"电话里传来小虹儿的声音："小姨，你怎么还不回来呀，我作业都写完了。""好的，小姨马上回来，拜拜。"她挂上电话对陈元说："我的小外甥女，就是何大龙的女儿，要我早点回。"

陈元吃了一惊，她与何大龙住在一起？忍不住问："你在帮他带女儿？"

星儿知道他误会了，解释道："在我妈妈家，她跟我比跟她爸还亲。"陈元若有所思地"哦"了一声。

第四章 本报讯

BENBAOXUN

〖商报讯〗一位患者在市第一医院住院67天，花费近140万元，平均每天花费2万多元，可是，昂贵的医药费还是没能留住病人的生命。更让人惊奇的是，医药单上居然有患者对其严重敏感的药物，而在患者去世后的两天，医院竟然还陆续开出了两张化验单。

患者常辉生前是本市前进中学的离休教师。一年前，74岁的常辉被诊断患上了恶性淋巴瘤。因为化疗引起多脏器功能衰竭，两个月前，他被送进了医院的心外科重症监护室。

患者妻子说，在老伴住进医院重症监护室的两个月时间里，每天早晨七八点，护士长就会打电话来要求家属交钱，差不多每天交2万元。

记者查看了两个月来的每一张收据。67天住院时间，他们共向医院缴纳139.7万多元，平均每天将近2.1万元。

然而，高昂的花费没能挽回老人的生命，一周前常辉因抢救无效病逝。在准备和医院结账时，家属意外发现，在住院收费的明细单上，就在老人去世后的两天里，医院竟还开出了两张化验单，共计收费640元。更不可思议的是，有一天医院给老人用了106瓶盐水，葡萄糖用了20瓶，血则输了1万毫升。

记者采访了该院心外科重症监护室主任吴教授，他说，病人住进ICU的时候，病情十分危重，所以对他治疗护理的强度非常高。但对一天内给老人用了106瓶盐水，输血1万毫升的事，吴教授说自己不清楚，需要问输血科和护士长，而护士长说自己记不清楚了，是根据医嘱来执行的。

据悉，医院根据家属的投诉，专门成立了一个调查组。调查组的负责人、医院党委副书记兼纪检委书记在接受采访时表示，他们对此事已经进行了调查，结论是：医院不但没多收常家的钱，反而因为对他们有所照顾，还少收了不少钱。

人类有个弱点，总是希望别人注意自己，一旦有陌生人特别是陌生的领导讲了解你，你想到的不是加强防范，而是谢谢别人对你的了解，同时对这个了解你的人表示出长时间的好感。钱冰冰见陈元第一面，就是这种情形，只聊了十几分钟，就被他办报的理念和风度征服了。特别是陈元还知道她的绰号叫大圣，而他一句“我们都属马”更是拉近了彼此的距离，原本就准备跳槽的她在陈元邀请她过来出任商报传媒的副总经理时，立刻投降了。奇怪的是当时脑子里一点儿也没考虑到贾诚实会怎么办。果然，这边刚和陈元握完手，那边就和贾诚实吵了起来。

贾诚实堵在东方花园她家门口，见到钱冰冰的第一句话是：“你为什么要这么做？想过我吗？”

钱冰冰本想好好跟贾诚实商量怎么从晚报脱身，一看他兴师问罪的样子便问：“你怎么知道的？”

这件事是何大龙在电话里告诉他的，说得很平淡，开口问他是不是也准备去商报，这让他在莫名其妙中感到害怕，因为事先钱冰冰只说想离开，根本没透露过要去商报的意思。这么大的事她都可以把自己排除在外，可见自己在她心中是什么分量。见她问，便冷冷地回答说：“若要人不知，除非己莫为。”

钱冰冰越发不高兴了，离开晚报的根本原因是她心里不塌实，怕会出事。但贾诚实一直不理解她，这让她心里恨恨的。当从贾诚实嘴里听到商报要换老板，是《南方时报》的陈元来当总编辑后，她果断出击，而且结果很好。可贾诚实不但不理解还堵在家门口，看来他们之间真的是缺乏默契。她语锋尖锐地回答：“我没做什么亏心事，也就不怕人不知。”

贾诚实急急地说：“你这个时候往商报跳，晚报的人会怎么看我？”

钱冰冰看了他一眼，目光中陡然升起一股怨气：“你就知道别人怎么看你，你有没有考虑别人怎么看我？”

贾诚实把何大龙刚才的电话告诉她后说：“听何大龙的口气，他在怀疑我。”

钱冰冰不屑一顾：“怀疑你？好啊，你也跳槽啊。”

贾诚实盯着她说：“我跳槽？为了今天这个位置我容易吗？如果你真要走，我还是那句话：请便。但我们的关系也就到此为止。”

钱冰冰听了这话心里像刀扎一样，这个男人就这样冷漠，自己还有什么值得留恋的。虽然有一丝孤单，但她的脸上没出现悲伤，也没有愤怒，而是笑了起来。“既然如此，我也是两个字：请便。”说完自己打开门进去了。

“咣当”一声，单元大门在贾诚实的背后关上，他没想到会是这样的结果，一时不知怎么办，在门口走来走去。

不远处有几个人走过，是朱香香领着人在保安的陪同下查看物业管理情况。她看见了贾诚实和钱冰冰在吵架，见钱冰冰撇下贾诚实进楼后，便走过去说：“你好呀，贾总编。”

贾诚实一惊，在这儿没人认识他，他也不认识朱香香：“请问你是？”

朱香香笑着说：“我叫朱香香。”

旁边的保安忙介绍说：“这是我们朱总。”

贾诚实猛地想起她是谁了：“哦，你好。”

朱香香说：“钱小姐的房产证已拿到手了吧。真是对不起，我不知道她是晚报的，要不然不会有这场误会的。”

贾诚实没心思跟她讲话，更不愿意别人看见他在这里吵架，而且还被关在门外。他应付道：“哦，我们也给朱总造成了不便。”

朱香香接过话说：“这大概就叫不打不相识。贾总是不是要上楼？保安给贾总开门。”

贾诚实赶紧摆手说：“不用不用，刚才送人回来，不上去了。好，再见。”说着就往外走，心说：真他妈的冤家路窄。他的步姿有点狼狈。

朱香香看着他的背影笑了，笑得有些诡异又意味深长。

何大龙在麦当劳已经等了快10分钟。小虹儿要吃麦当劳，星儿去接她下课，让何大龙先去麦当劳。

钱冰冰去商报应聘何大龙是第一时间知道的。他没感到吃惊，只是分析了贾诚实会不会跟着跳槽，分析的结果是不会动。理由有四：一是他的编制在晚报，要走不容易，宣传部不一定会批准；二是上任常务副总编不久，去商报不一定有这个位子坐；三是钱冰冰去商报都不跟他商量，这说明他与钱冰冰的关系并非铁板一块。要不然在东方花园被投诉这件事上他不会息事宁人，起码会说一说；四是他已觉得遇上我何大龙这样的领导不容易。再加上对晚报有感情等，他不会轻易动。而钱冰冰动贾诚实不动，正中了何大龙的下怀。所以他才会欲擒故纵地给贾诚实打电话。下午朱香香给他打电话讲请他晚上吃饭，因为要陪女儿，婉拒了。从电话中他得知贾诚实与钱冰冰吵了架，这让他高兴，也正证实了贾诚实不会动。为此何大龙出了口大气，他知道，如果贾诚实真要动的话，在东方新闻界会是爆炸性的，对晚报会是不小的心理打击，他也会给别人造成不能容人的印象。

“爸爸。”小虹儿飞快地跑过来扑进何大龙的怀里。何大龙搂着女儿问：“想爸爸吗？”“想。”“哪里想？”“心里想呗。”见星儿过来他故意问：“小姨对你好吗？”小虹儿看了看星儿说：“不好。”

星儿笑着叫道：“没良心的东西，昨天还给你买了新衣服。”

小虹儿翘翘嘴说：“你不带我去爸爸办公室。”

星儿说：“你爸连我的电话都不接，我怎么敢带你去呀。”

小虹儿质问道：“爸爸，你为什么不接小姨的电话？”何大龙拿出100块钱说：“你先自己去选，也给爸爸和小姨选一份。”

小虹儿拿着钱跑到柜台边上去选食物了。

“回答呀，为什么不接我的电话？”星儿也质问。

何大龙解释道：“我忙你不是不知道，每次你来电话我都正开会呢。”

“那为什么不开完会后回过来？”

“真忘了，忙晕了。”

星儿有点失望地说：“你编吧，反正你已是总编了。”

“你别误会。”

“我没误会，童瑞东进入商报的事你对我还有意见，这你不能否认吧。”

见星儿点破了题，何大龙只得点点头说：“这件事你做得不稳妥，太急了。”

星儿问：“如果我说我也是身不由己姐夫你信吗？”

何大龙看着星儿，这位小姨子的快人快语他是欣赏的，但有时他有点招架不住，按照他隐忍与内敛的为官之道，他是不会和星儿这类人较劲的。可星儿不是别人，她不仅是自己的小姨子，更是贺副省长的女儿，那就不可小视了。他斟酌着回答她："我只相信你不会害我。"

星儿一听这话，眼睛不由红了。这句话从何大龙嘴里说出来不容易，至少说明他已不生自己的气了。

何大龙接着说："但在客观上，我们已经是对手了，而且战斗已经打响。"

这回轮到星儿解释了："商报的事我只会在资本上介入，有关办报我是不会过问的。你说什么战斗打响了？"

何大龙叹了口气："陈元总编辑已经把我的广告部副主任钱冰冰挖走了。"他看着星儿说："我声明，我已知道这事与你无关。"

星儿摇摇头："姐夫，你还是不完全相信我。好啦，我们约法三章，一、我尽量不去你的办公室；二、我们见面不再谈工作，但我的新闻纸你已经答应用的，不可以反悔；三、你不要带文件回家，省得说我会偷看。你同不同意？"

何大龙笑了，他早就对星儿的直爽不是欣赏而是喜欢。"都是一家人，只要注意一点就行了，没必要搞什么约法三章。"

星儿认真地说："不行，一定要。这是原则问题。"

小虹儿在柜台那儿叫："小姨、老爸，快来拿吃的。"何大龙就势站起来没回应星儿的问题，去端吃的了。

星儿耸耸肩也站起来追过去说："我师姐朱香香很感谢你，说了一大堆你的好话，她可还没出嫁噢。"

何大龙听了这话突然站住，他看着星儿，目光刚毅，还有些埋怨。星儿突然想起何大龙在虹儿的墓前发誓不再娶的情景，明白了何大龙为何会用这样的眼神看着她，后悔刚才的脱口而出，她伸了一下舌头说："我错了我错了。但朱香香一定要我把你拉出来吃顿饭，你就答应吧，姐夫。"

何大龙无可奈何地说："真拿你没办法。那位朱总我还应该谢谢她，她给了我们50多万元的广告呢，哪天我请她吃饭吧。"

星儿问："那几万元佣金呢？你准备领吗？"

何大龙在柜台上端了一盘给小虹儿："小心。"再端一盘给星儿，自己端起一盘反问："你怎么知道有佣金？你说我该不该拿？"

星儿笑着说："刚约法三章就违反了，最后一次违反。现在中国已经没有做广告不拿佣金的情况了，我的意见是不能拿。”

何大龙故意问：“为什么？我拿也不犯规。”

星儿止住笑容说：“第一，你不缺钱；第二，你要在报社树形象光说不练是不行的；第三，钱来得太容易可能会烫手。”

何大龙满意地点点头：“我没拿，把它作为奖励好新闻线索奖的奖金了。”

星儿笑了：“我说怎么晚报上左一条奖50元，右一条奖100元的。”

小虹儿说：“小姨，快吃，苹果派冷了就不好吃了。”

星儿对小虹儿说：“小机灵鬼，好，我们比赛吃。”她拿起苹果派咬了一大口。

何大龙想，要是虹儿还在，这就是一幅完整的天伦之乐图，可惜她不在了。看着星儿与小虹儿比赛吃苹果派，何大龙并没有感到高兴，他默默地端起可乐喝了一口。

钱冰冰迅速到商报报到，又迅速决定出一趟差。因为她从春酒厂得到消息，那位全省知名的企业家春酒厂王厂长要独自去北京领奖，这是非常难得的机会。

钱冰冰盯春酒厂已快半年了，她搜集了所有能搜集到的关于春酒厂和王厂长的资料。比如他是酒厂厂长，但酒量却不大；特喜欢听新闻背后的故事和领袖轶事；他把春酒看成是自己的生命，不管在哪里，只要看见有人在买或喝春酒必定要上前搭腔。还有，这位王厂长从不坐飞机出差，据说他有次飞北京，两小时的航程却飞了8小时，把他吓得半死，再也不敢坐飞机了。钱冰冰在听到这个段子时几乎是脱口而出：“这位厂长真是头猪。”

春酒厂销售部透出消息，今年厂里要投2000万广告，总的原则还是在电视台和党报上做。为这事钱冰冰头痛不已，多次努力都没结果，那位王厂长太固执了，就连见都不愿意见她这个晚报广告部副主任。当她得知王厂长独自进京领奖的消息后，脑子里形成了一个周密的谁也不知道具体内容的计划。跟陈元谈时，留了一手，只讲可能能弄到广告，但她心里是有数的，这就像是老九进威虎山献联络图一样，如果搞定，从2000万广告费中挖出三四百万来，对自己在商报站稳脚跟大有益处。于是钱冰冰先是找了几本书，还准备了好些新闻背后的故事。摸准了王厂长进京的日子后，她通过火车站的内线，买了两张与王厂长同一包厢的软卧车票。她考虑包厢里人不能多，多了不好说话。但如果只有她和王厂长两个人，那也不行，一男一女会给这位固执的王厂长造成压力。所以包厢里有三个人是最合适的，另外一个乘客是男是女都没关系，有第三者在场，她和王厂长的意外相逢就更真实。

几天后，钱冰冰拎着两瓶春酒，登上了去北京的列车。当她进到12号包厢时，一切都如她所料，1号铺是一身干干净净的王厂长，2号铺是个年轻的男士，这让钱冰冰感到高兴，是男生就更方便了。3号铺4号铺钱冰冰买断了，正好可以面对面与王厂长谈话。进包厢后钱冰冰对王厂长客气地笑笑，然后对2号铺的男士说："劳驾，帮我把行李放在上面行吗？"那位男士利索地帮她放好了行李。钱冰冰甜甜地笑着说："谢谢。"男士赶紧搭话："小姐到哪里？"钱冰冰坐下，把酒往铺下放，她的余光注意到王厂长在看她的酒，她没理会，故意不跟他讲话而是回答男士："北京。你呢？""我到石家庄——小姐是去出差呀？"钱冰冰拿出一双拖鞋穿上说："是去北京开会。"她边说边拿毛巾走出了包厢，这是给王厂长认真看春酒瓶制造机会。

钱冰冰到盥洗室洗脸，边洗脸边好笑，如今做广告都这样弄了，大概国外的广告人知道这么弄会喷血吧。可她清楚在现阶段中国，做广告其实就是做关系，花大钱做广告的企业大多是国有控股企业，他们往往不看广告回报，好像做广告是为了写总结。那么多的外国广告公司败走中国，一是佣金出问题，二是不懂如何拉关系。而这两点，是拉广告的真谛。搞关系没有技巧便是死路，今天自己要走的路子是先欲擒故纵，再从同路人变成酒友，然后再往下走，比如到北京请王厂长吃顿饭，在异乡请客效果又大不一样。

钱冰冰去洗脸的时候，王厂长果然把她放在铺下的酒拎出来看看又放回去。当钱冰冰再进包厢时，王厂长开口了："小姐，你也爱喝酒？"

钱冰冰装着没明白问："什么爱喝酒？"

王厂长指指铺下，钱冰冰恍然大悟的样子，"哦，你说春酒呀。"她从铺下拿出酒放在小餐桌上："这是我妈给我弟弟买的，是我们省最好的酒。"

钱冰冰用眼角注意看王厂长，当她讲"最好的酒"时，王厂长的眼睛里冒出了喜悦的光芒，这是他从陌生人嘴里听到的赞美，是真实的可靠的赞美。"你妈妈还讲了什么？"他不甘心就这么一点，想得到更多。

钱冰冰顺水推舟："我妈妈要我告诉弟弟，喝了家乡的酒不会忘家。"

这话让王厂长不禁热泪盈眶："你妈说得好说得好呀。"

钱冰冰拿出刚才在火车站买的烧鸡说："这也是我妈特意给我买好带在路上吃的。"在说这话时心里默默念到："妈，你可别打喷嚏，我这是善意的谎言，不抬出你来动不了情。"

王厂长唏嘘起来，他也是个孝子，妈妈今年才去世。他有点哽咽地说："世上只有妈妈好呀。可惜我妈妈去世了，要不然她也会给我卤好香喷喷的猪肘子。"

钱冰冰见火候已到，说："来，为了妈妈，我们喝一口。"说着打开了一瓶酒。

王厂长想制止已来不及，不好意思地说："这不是带给你弟弟的酒吗？"

钱冰冰笑笑："碰到了知己就管不了弟弟了。"说完从随身的包里拿出三个纸杯摆在小台桌上，倒满酒，向两个男士让道："二位请！"

那位男士摆摆手，说："我不会喝酒，你们随意。"

王厂长乐了，好开心，一位陌生的美女讲与自己是知己，这大概就是缘分吧，他坦白道："我不瞒你说，我就是春酒厂的厂长。我这儿带着春酒，不会让你弟弟少喝。来，我借酒献佛，祝你妈妈身体健康，干一个。"

钱冰冰心里松了口气，总算与王厂长变成酒友了，她很豪气地喝下，脸上却装出很辣的样子，王厂长看着她哈哈大笑起来。

火车还未开出200公里，他们已经称兄道弟了。王厂长给她详细讲了酿酒术，在介绍了勾兑、酒糟、温度后，又讲了春酒与四川酒和山东酒的不同之处。等王厂长讲累了，钱冰冰告诉了他自己是商报的。王厂长此时已喝得正到位，他问："商报的发行量比晚报大还是小？"

钱冰冰想了想，这是关键时刻不能乱回答。她观察着王厂长的脸色小心地说："现在报纸的发行都有水分。"

王厂长接过话头说："我早就知道有水分，晚报的人来我们厂讲他们发行量达到20万份，鬼才信。"

钱冰冰心里暗笑，就是她派人去春酒厂说的："我们没那么大，关键是读者群不一样，商报追求的是有效发行。"

王厂长问："什么是有效发行？"

钱冰冰侃侃答道："就是确保每一份报纸都落在读者手中。现在有的报纸搞什么多打移动电话送报纸活动，实际上报纸往往到不了读者手，看似发行量大实际看的人不多，我们把这部分叫无效发行。"

王厂长"哦"了一声说："听说晚报就有这种情况。"

钱冰冰奉承道："王厂长对报纸还是很了解的嘛。"

王厂长有点得意："知道我们厂每年要花多少钱在广告上吗？2000万元。"

钱冰冰装着惊讶地问："那么多呀？好像都是投在电视上吧？"

王厂长提议道："我们再喝一口。"两人又碰了杯。"大多数投在电视台，影响大呀。今年我也想在东方市的报纸投一点，毕竟是春酒的老家，要巩固这块阵地，要对得起你妈妈这样的老顾客。"

钱冰冰赶紧说："对呀。不知你是否做过调查，东方市不少酒店里卖的春酒都是重点推荐给客人的酒。我看这次你去北京领奖就值得大宣传，为本土品牌鼓与呼是我们媒体的责任。王厂长要看得起我们商报，我们给你做人物专访，我声明，我们不收钱。"她的这番话说得情到理到，既表现出诚意又恰到好处。

王厂长有点不信："真的，你们那么支持春酒厂？"

钱冰冰一脸严肃斩钉截铁地说："请王厂长相信我们的真诚。"说完端起酒杯一口干了。

王厂长感动了："好，钱小姐爽快。我决定在商报上投广告，你给我什么优惠？"

钱冰冰摇摇头说："王厂长对商报还不了解，建议你的广告还是投给晚报。"

王厂长被她的话再次打动："不！谁说我不了解商报？我了解你钱小姐就是了解商报。说定了，就在商报做广告，我从北京回来就签合同。"

钱冰冰又出了一口大气，她追了一句："王厂长，你没喝多吧？"

王厂长端起酒杯说："多是多了一点，但没醉，放心，不会让你失望的。"他"咕咚咕咚"把杯里的酒也干了。此时包厢里到处弥漫着酒的香气。

市委对何大龙兼并《青年报》和《大众医生报》的想法很支持，李书记做出批示："做大做强《东方晚报》，应该是晚报的一个方向，请有关部门大力支持，如果有可能我们也以打造一个晚报集团。"

李书记的指示在报社传开后，编辑记者们都很兴高采烈，原本有人动了去商报的心思，这事一公布大家都不想走了。何大龙在"西祠胡同"里得到了媒体人的一致好评，但也有人指出他只能在宏观上弄一弄，具体办报比不过陈元。这激起了何大龙办报的雄心，他想，我要让人看看，我是不是会办报，会不会输给这个陈元。打造晚报集团的提法让他顿生豪情，还是领导看得远呀。

从到晚报上班的那天起，何大龙就认为"策划"将成为中国媒体生存状态好坏的一个标志，在实施兼并后，他第一个手笔就是让《青年报》和晚报联动，宣传朱香香的东方商城。朱香香找了一个宣传点，在东方广场连续三天举办大型露天时装秀，这是东方市从未有过的事，惟一支持媒体是《东方晚报》和它的子报《青年报》。何大龙建议，同时将行为艺术活人雕塑引进东方市。

这个创意是在船上聊出来的。那天何大龙请朱香香吃饭，而始作俑者星儿却因为有事没来。吃完饭后朱香香邀请何大龙夜游东方河，这是何大龙从未玩过的项目。每天站在家里看东方河，他想过什么时候也到河中游一番。他答应了朱香香。

“东方星”号缓缓驶出港口。坐船游览东方河两岸是东方市的一个旅游亮点。

何大龙和朱香香在船顶甲板的露天咖啡吧靠河的位子坐下。晚风习习，彩灯闪闪，河水哗哗，三者构成一幅优雅的河中夜景，两岸建筑在灯光映照下非常漂亮。一栋栋房子被光雕塑成一件件艺术品，在夜色中泛着五颜六色，变得浪漫起来。

何大龙喜欢水，每次出差或旅游只要有坐船的机会他总不放过。从南京秦淮河、昆山的周庄到长江三峡，再到渡南海去海口，每次坐船都有新的感受，这也是他答应朱香香来船上聊天的另一个理由。

朱香香听了何大龙讲他喜欢坐船后说:“近水者智，这说明何社长聪明。”

何大龙端起杯子喝了一口茶笑着说:“面对面听一位女生如此夸奖，还真不好意思。”

朱香香也笑着说：“你肯定没有夜游过西湖。”

何大龙用遗憾的口气说:“是，很想看看三潭印月是怎么回事，但一直没有机会。”他反问：“你怎么知道我没夜游过西湖？”

朱香香机灵地答道：“从你刚才的话里得出的判断。”

何大龙赞许地点点头。

朱香香面对夜空向往地说:“有年暑假我没回来，和同学晚上租了船泛舟西湖。皓月当空波光潋滟，我们沿着西湖的风景线划，在月色中欣赏西湖十景，什么平湖秋月、柳浪闻莺、花港观鱼，最后到三潭印月。北宋秦观在《送僧归保宁寺》中写到：‘西湖环岸皆招堤，楼阁晦明如卧披。保宁复在最佳处，水光四合无端倪。车尘不来马足断，时有海月相因依。’西湖的夜色真是比白天更有味道。”

何大龙并没有完全在听朱香香讲话，而是陷入了自己的遐想中，现在的女孩怎么这么厉害。不但是才女，还是财女，难怪都说现在中国已进入了情商时代。自己的小姨子星儿是，从报社跳槽的钱冰冰是，眼前的这位朱老板也是。她们究竟是怎么样的人？她们是靠自己的智慧赚钱吗？何大龙有点怀疑。

朱香香难得这么谈话，开始还很功利，后来慢慢放松了，不由得吟起秦观的诗来。她问："少帅，去过几次杭州？"

何大龙回过神来说："好多次。杭州这个城市就像大花园，杭州人都说他们住在风景里。但我在白堤发现一个有趣的自然现象：白堤两边是高大树木，一边是柳树，枝条往下垂；另一边是不知名的树，树枝往上立。有个朋友讲：这正是杭州的写照，一边雄起，一边阳痿。它的名气像不知名的树，是雄起的挺拔向上的，但生活在这里的人都像柳树，是阳痿的，让人感觉不到一丝斗志。"

朱香香同意这个说法。其实这个说法她早听说过，但此刻要显得没听说过的样子。她说："你观察得真仔细。给你讲个杭州的笑话：杭州有一部家喻户晓的市长投诉电话12345，有个男子半夜打来紧急电话问：我的避孕套破了，我又不想要孩子，该怎么办？人家回答：赶紧吃避孕药。他又问：哪里有卖？弄得接电话的小姑娘啼笑皆非。"

何大龙听完哈哈大笑说："我对杭州人真有这种感觉，他们生活得太舒服了，干什么好像都不着急。可他们有不着急的资本啊，听说西湖边有一处别墅价格是全国最贵的，比在北京长安街买房还贵。"

凉飕飕的夜风轻巧地从他俩的脑门上拂过，像是亲人的抚爱，让他们倍感惬意。至此，两个人都完全放松了。人只要放松，潜能便往往会无限释放。

朱香香的话语一转说："少帅，说到房子，你帮我出出主意，我想在东方商城的广告发布上做点新的东西。"

何大龙随口说："所谓跟别人不一样，就是差异化竞争嘛。你的目标对象是谁？"

朱香香答道："主要是老百姓，家有黄金万两不如拥有店铺一间，让老百姓集中起来开店是我的想法。"

何大龙说："那要做的事一定是应该引起百姓注意的事。你能不能在商城搞个大型露天时装秀？"

朱香香眼睛一亮："对呀，我们预测商城的卖点之一是打造东方女人街，露天时装秀与我们的主题是吻合的。”她想了想说：“要搞就搞大的，放到东方广场去搞。”

何大龙被她的想法吸引：“东方广场很久没有集会了，现在又是非典流行，恐怕你们在那里搞广场管委会不会同意。但以晚报、青年报联合的名义向市政府写报告，估计问题不大。”

朱香香附和道：“还是你考虑得周到。那不如我们两家捆在一起干。”

何大龙问：“怎么捆法？”

朱香香快速地说：“把大型露天时装秀定名为：东方商城奠基预售仪式暨《东方晚报》《青年报》《大众医生报》联合庆典，我们邀请世界级的超级名模和中国名模同台献艺。”

何大龙开始兴奋：“如果我们要捆在一起，排名就要反过来，公家在前，私营在后，才能给老百姓一个合理解释：东方晚报与东方商城有内在联系，这就把晚报的公信力加到了东方商城身上。”

朱香香连声说：“对对对，感谢少帅的支持。”

何大龙来了精神，他自己都不知怎么会对卖商铺感兴趣。向朱香香提出了总的销售诉求：“背靠希望好睡觉。”出发点针对的是全国就业形势越来越严峻，如果老百姓有间铺子，命运就掌握在了自己的手中，铺子就是希望。他还同时想到，这个策划对报纸有不小的帮助，既有面子又有里子，他说：“要做索性再做大，时装秀开始时，我们分别在东方市的各闹市区搞活人雕塑，这绝对是全新东西，将行为艺术与广告结合在一起。完全是花小钱办大事。”

朱香香用一汪湖水般的目光看着何大龙，那里面不仅有感激，还有朦胧的爱慕。她清楚地看到，这个策划不仅有文化内涵，更是与时俱进的。她端起茶杯说：“来，少帅，我们以茶代酒，干一杯。”

何大龙发现朱香香的目光很热烈也很虔诚，便笑着说：“干一杯可以，但你的东方商城千万不能有问题，要不然就坑了我。”

朱香香还沉浸在爱慕之中，她轻轻地说：“我就是害我自己也不会害你。”

何大龙被这句轻轻的话打动了，他举起了茶杯。夜色中，两只茶杯碰在了一起。何大龙笑了，笑得爽；朱香香也笑了，笑得幸福。

陈元已经在商报工作一段时间，许多情况都摸清了。他到商报一周就开始上晚班，他知道，要控制一张报纸，必须在流程的最重要的一个环节“终审环节”加以控制。一个多月的时间里，他基本对记者编辑的个性特点有了印象，下一步便是改版问题。

当晚报、青年报的露天时装秀广告出来后，陈元有点佩服何大龙了。他把三张报纸平放在办公桌上，看一眼又踱几步。陈元的办公室足有50平米大，但房间里显得空空荡荡。进门左边有一排木制沙发，离沙发不远是一张比乒乓球桌小不了多少的像茶几一样的大办公桌。桌上摆了台大屏幕电脑，它可以适时看到机房每台机器的组版情况。大办公桌边是几箱矿泉水，按陈元的话说是在特区喝习惯了，他从不喝茶。四面墙壁大多是空空的，只有面对办公桌的那面墙上挂了一幅书法作品，上面是六个隶书字："梦正长，路尚远。"陈元办公室的门24小时都是开着的，不管谁都可以随时进出。事实上他到商报后除了每天睡7个小时外，其他时间都在办公室，他作了长期上晚班的打算。

此刻他正聚精会神地看桌上的报纸，钱冰冰闯了进来，陈元一瞧就知有好事，因为她的脸上写着喜悦。钱冰冰要开口，他制止了她说："先别说，我猜一猜。"

钱冰冰对陈元很有好感，这来自几个方面，一是陈元像个男人，一来就当晚班，而且说一不二。对报社以前的大锅饭他从工资制度上进行改革，将平均工资从1500元降到600元，而稿费却上不封顶，使得编辑记者们都像开足了的马达；二是他对报纸的理解独特，讲要办离老百姓最近的报纸。要冲破晚报的阵地，让商报另类；三是陈元的工作作风，让报社的人都怕他，但不提防他。他要记者大胆挖掘新闻，出了问题由他兜着，这给了年轻记者机会。为抢零售上摊时间，每天付印前他都会像催命鬼一样，让编辑快一点。

陈元想了想说："春酒厂的合同拿到了。"边说边盯着钱冰冰的脸，看看她对自己的话有什么反应。钱冰冰直视着他，目光中有些辣，她点点头，示意他再说。陈元试着往下猜："拿到了500万的单？"

钱冰冰忍不住笑了起来说："是600万。"

陈元也开心地笑了，这是到商报来后第一次如此舒心。他心里早有一本大账，商报一年的开销约为1800万，钱冰冰一单就拿回了总费用的1/3的广告单，的确令人开心。

钱冰冰高兴地说："那位王厂长已把我看成是忘年交了。我们给春酒厂设计的广告，王厂长非常满意，特别是我用了沈大师写的'春酒'两个字更让王厂长高兴，他说要请我们设计新的包装。还当着我的面对策划部经理说……"钱冰冰学王厂长讲话："看看人家商报的服务，把我们的事当自己的事办，哪家媒体是这么做的？不少广告公司只知道赚钱，却不知为什么能赚到钱。你们把广告计划修改修改，商报作为第一媒体。”

陈元听了钱冰冰学说王厂长的话，很有感慨。他走到办公桌边从矿泉水箱子拿了一瓶水递给钱冰冰：“我觉得那位王厂长的话讲得很好，我们的确应该要知道为什么能赚到钱。大圣，王厂长这个人你一定要交好，春酒厂的广告也一定要拿出最高水平，这样我们才对得起人家对我们的信任。”

钱冰冰点点头后说：“陈掌柜，你别这么语重心长好不好？怪吓人的。”

陈元不解地问：“谁这么快就知道我的绰号了？”

钱冰冰调皮地笑笑：“这是什么年代，发个短信，全世界都知道了。”

陈元摇摇头说：“也不知是谁给我弄这么一个绰号。”

钱冰冰轻松地说：“你比我这个好多了，我一个女孩子被人家叫大圣。”

陈元笑道：“这说明你能力大呀。孙悟空七十二变，没什么可以难倒他。”

钱冰冰看了陈元一眼：“那他也跳不出如来佛的掌心。”

陈元听出她话里有话，但没接她的话，而是说：“看了晚报吗？动作不小。”

钱冰冰见陈元没接话，也就顺着他的话说：“我认识那个朱香香，绝对是个女奸商，她拍何大龙的马屁。”

“不，他们这是在做一次很厉害的策划，如果成功了，对晚报会起快马加鞭的作用。”陈元说出他的想法。

“没那么厉害吧？”钱冰冰不以为然。

陈元继续说自己的想法：“我有个设想，在现阶段我们的广告吸附能力还不够强的情况下，如果发行量越加大就会亏得越多，这是对矛盾。记得报纸发行有一句话：订阅几万不如上摊一万，宁可卖不完收回，也要造成满街都是商报的样子，这就能让广告商青睐。”

“我同意这个观点。广告商发布广告后，要想得到数据，最直接的就是从零售市场上得到，因为他不可能从报纸的订户手上得到。如果我们和晚报拼版数拼发行量，可能会增加我们的压力，还费力不讨好。”

陈元边思考边说：“任何投资，只有在投入产出比合理的情况下，才能赚到钱。集团对商报的投入虽然大，但都是要有回报的。如果商报在短时期内能靠自身的力量运转，那我们就成功了。”

钱冰冰点点头，她想起了另一件事：“陈掌柜，我提醒一件事，我到北京时，正闹非典呢，人心惶惶的，商报怎么也得表示表示呀。”

陈元说:“非典的爆发对媒体是个机会,我们已经发了不少消息和预防知识,但本地新闻却很少,我考虑能不能制造一些新闻。”

钱冰冰不解:“怎么制造新闻?”

陈元说出他的打算:“比如,有没有路过东方市的列车有问题?有没有从北京回来的人有问题?有没有企业愿意赞助抗非典药品用品……”

钱冰冰马上接过话题:“我想起来了,我和昌江药业的总经理很熟,让他们送药进社区不是很好嘛。”

陈元突然想起星儿跟他讲过,社区新闻恐怕是中国在一个时期内最热门的新闻。他还为此想了半天该如何把社区与商报串起来?钱冰冰的话让他顿开茅塞:“对,进社区。在东方市同时选十几个大的社区设立社区记者站。这样我们就能从送药入手,取得长期的效益。”

钱冰冰见自己的意见被采纳很高兴,她说:“那我马上和昌江药业联络。另外,外面议论讲晚报搞的时装秀是一次大型群众性聚会,好像‘非典’时期不提倡搞这样的活动。”

陈元被这话触动了,对呀,可以在商报上用提醒的方式提醒读者和有关部门晚报是在违反规定。虽然老板讲过要悄悄地进村,可也不能任人打压。做新闻就必须是我有人无才会赢。商报改版前也要有作为,不能总让晚报占上风。他本想立刻对商报进行改版,和星儿商量后,觉得还是不要太急,找到合适的机会可能更好。陈元很想知道晚报的情报,钱冰冰是贾诚实的女朋友,能不能让她再打探一点晚报的情报呢?这是不是太下作了,显得自己没能耐。可既然商报的对手是晚报,那来自晚报的信息就很重要。他像是随便问:“大圣,你和你们家大教头现在怎么样了?”

钱冰冰看了看陈元,不知他为什么会提到贾诚实。

见钱冰冰不吱声,陈元笑笑说:“我没别的意思,关心你嘛。“

钱冰冰脸上的高兴已没有了,她没有表情地说:“谢谢领导关心。”

陈元从她的话里听出不对劲,听说他们在闹矛盾,但不知具体情况。他说:“我就问问,没别的意思。”

钱冰冰低声说:“他和我在一起的机会太少了。他太在乎他的工作和何大龙的感觉,是个没什么自我的人。”

听到这儿,陈元知道眼前的这个女人和贾大教头缘分已尽了。他打开一瓶水喝了一口劝道:“每个人有每个人的活法,但在一个屋檐下就要学会妥协。”

钱冰冰冷冷地说:“我们可不可以不讨论私人问题?说说高兴的事吧,什么时候改版式?”

陈元巴不得不说，再往下可能就尴尬了。见她问，忙说:“好，不谈私事。我已经让机房做了几块版式，学英国《太阳报》的，适时推出吧。你的意见呢?”

“我没意见，听你的。”说这话时，她特意看着陈元。陈元也注意到了她的目光，他心里挺高兴的，男人都愿意女人这么说，尤其是听到一个特能干的女人这么说就更是高兴之余还有兴奋。但陈元没敢迎合钱冰冰的目光，他觉得那目光中有他看不透的东西，而是看着桌上的报纸。钱冰冰见陈元没吱声，便说了声:“我先走了。”陈元嘱咐一句:“昌江药业的事别忘了。”钱冰冰头也没回往外边走边说:“放心吧。”

等钱冰冰快要走出门时，陈元才抬起头看着她的背影笑了笑。

何大龙从未想过自己会如此威风。晚上他和朱香香、星儿三个人坐在宾馆宴会厅的正门临时放置的沙发上,46个美女穿着各式时装发布会的时装走着猫步，在他们面前摆了Pose后再一组一组往回走。

朱香香眼睛看着模特身子却靠近何大龙介绍说:“这是世界超级名模,在巴黎拿过奖。”一会儿她又靠近何大龙说:“这两个是中国名模，拿过亚军和季军。”

星儿见朱香香靠近何大龙很亲密的样子，她不高兴了，又不好说什么。便问:“香香，花了多少钱请她们。”

朱香香隔着何大龙对她说:“连人带服装15万，还行吧。”

星儿没有附合她的话，说:“创意不错。”

朱香香笑了:“这要谢谢你姐夫呀。今天应该请几个记者来拍照就好了。”

星儿反驳道:“这是排练，人家让拍嘛?”

朱香香没理星儿，又对何大龙说:“少帅，商报今天的新闻讲北京闹非典不能搞大型户外群众性活动?”

何大龙从公文包里拿出一张商报递给朱香香:“你看看，在二版上。我看是冲我们来的，是别有用心。”他一开口就给商报的报道定了性。“抗击非典是中心任务，但东方没有非典呀，连疑似病例也没有。是要防范，但不是什么工作都不做了。有的人就是唯恐天下不乱。市委已有明确的说法，批评了那些借非典之名倦怠工作的干部，现在东方市的招商引资工作都停下来了。”

星儿听他们提到商报没劲了，面无表情地看看他们，站起身去了洗手间。

朱香香见星儿走开，笑了。在她的心里已形成了一个模糊的东西，这个东西是由她和何大龙、星儿三个人组成。她已完全能感觉到星儿爱何大龙，可她自己居然好像也爱上了何大龙，剩下的便是何大龙的选择。他会选择谁呢？这是使她心里的东西模糊的重要原因。但她愿意当着星儿的面对何大龙表示亲密，也愿意看到星儿为此不高兴，而且她已抓住了星儿的软肋：她尤其怕在何大龙面前提到商报，朱香香为自己的发现而兴奋。她问：“那我们现在怎么办？”

何大龙冷笑：“箭已在弦上，怎么办？按计划办。我向李书记做了汇报，强调了这是三报合一的首次公益活动，是东方市招商引资的一次较重要的经济活动。而且省市卫生厅也大力支持。如果不是这样，这次广场秀真要被商报搞黄了。”

朱香香笑道：“还是少帅你厉害，要不然我这儿都收不了场。但我心里做好了白花钱的准备，大不了就我们自己欣赏呗。”

何大龙看着朱香香自信地笑了，他的笑容里带着胜利的表情，也有看好朱香香的意思。他说：“我不会让你朱香香白花钱的，要不然还当什么社长。”他掷地有声的语气，让朱香香吃了定心丸又吃了蜜丸，心想，这个何大龙真是条汉子。

星儿走过来说：“不谈商报啦？我是履行了承诺，不听你们的秘密。”

何大龙辩解道：“我们有什么秘密？”

朱香香也说：“有秘密也不会瞒着你大小姐呀。”

星儿不满地说：“谁知道你们搞什么。他童端东搞商报，弄得我倒像个贼似的。”

何大龙制止她：“别忘了约法三章，到此为止。”何大龙非常注意自己的形象，决不愿意在有外人的情况下与星儿发生口角，这时时装秀的总监过来说：“何社长、朱总，每人一套服装已经走完了，还要不要再看？”

朱香香征求何大龙的意见。何大龙说：“全部走完多长时间？”

总监算了算说：“大概1小时30分。”

何大龙点点头：“我看模特们都辛苦了，我们就不看了。但你们还是要组合一下，还要熟悉熟悉场地，不至于现场出什么错。”

总监连声说：“不会不会，演出质量一定会得到保证，请各位放心。”

星儿的电话响了，她的铃音是刘欢演唱的《好汉歌》，听起来怪怪的。星儿看来显，是童瑞东来的，她走到一边接电话："喂，董事长好。"

童瑞东严肃地说："这个陈元，我再三嘱咐要低调入市，不要惊动晚报。你看了今天的报纸吗？暗中指责晚报搞时装秀，这有意义吗？"

星儿说："您怎么不直接给陈元电话？"

童瑞东说："他刚来有个适应过程。所以我想通过你过渡，你找他谈比我直接找他效果可能会好一些。"

星儿有点不耐烦："董事长，我这有一大堆事，公事私事。"她看了看不远处的何大龙和朱香香。

童瑞东听出了她的不耐烦："星儿，出什么事了吗？"

星儿意识到自己不应该在公事中掺杂私事，马上说："童叔，没什么。我去找陈元谈谈吧。"

童瑞东慢慢说："星儿，我知道你有点累了，我准备邀请马诚部长去欧洲八国考察，你来陪同吧，顺便休息休息。"

星儿想想说："我再考虑吧。纸厂那边有不少事，招聘培训也是一大摊子。"

童瑞东打断她的话："你这个丫头也变成事务性的干部了。别忘了你是一把手，又是学哲学的出身。好好向你老爸学习吧，学八个字：出好点子，用好干部。"

星儿笑了："好的，我记住了。童叔再见。"

何大龙和朱香香走过来，何大龙问："谁的电话？那么高兴。"

星儿得意地说："不告诉你，这是秘密。"朱香香说："好啦，别掐了。我请客去宵夜吧。"

何大龙对朱香香说："从明天开始卫生部门到东方广场消毒，还是要保证万无一失。活体雕塑的艺人都到了吗？"

"搞行为艺术的人来十个，都有绝活。明天一起去看看吧。"

何大龙说："好。星儿也一起去吧。"

星儿说："白天我忙得脚不沾地，晚上要辅导小虹儿写作业，你们去吧。"

何大龙听她讲到小虹儿，便用感激的目光注视着她说："星儿，真要谢谢你，要不然我玩不转。"

朱香香插嘴道："给小虹儿请个家教吧。"

星儿拒绝说："现在我还行。等纸厂投产后恐怕真没时间。"

朱香香继续讨好地说："没关系，我帮你。"

星儿斜了她一眼，感觉到朱香香对何大龙动了心。这位师姐心气高，她是在男人堆里找食的，真没几个男人在她眼里。她跟星儿讲过与男人周旋的故事，酒桌上该怎么对付官员，歌舞厅里怎么对老板，销售大厅里怎么对付男客户，一套一套的。她还总讲什么样的男人她都见过了，不想结婚了。可自从她认识了何大龙好像性格都变了，事事都是何大龙说了算，是不是她真想嫁给何大龙？一想到这儿，星儿就有点晕头转向，她知道自己对何大龙有亲情，愿意为何大龙做事，但这会不会变为爱情？如果不会，那自己应该高兴地看到朱香香与姐夫好啊，为什么自己反而会对朱香香起嫉妒心呢？星儿自己也不知自己怎么了。

走出宾馆何大龙坐星儿的车。星儿快速将宝马车驶出宾馆的地下停车场，刚到地面，她的手机又唱起了《好汉歌》，是朱香香来的，她预感朱香香是找何大龙。便顺手把电话给何大龙说："接吧，朱香香的，她肯定是找你。"

何大龙半信半疑拿过电话："你怎么知道是找我的？"

星儿冷笑："你就接吧。"

何大龙刚按下接听键就听到朱香香大声说话的声音："疯啦？开那么快。把电话给你姐夫，刚才忘了个事。"

何大龙和星儿对视，星儿得意地一笑。何大龙对着电话说："我是何大龙。"

朱香香的声音马上变柔了："少帅呀，刚才忘了个事。你的《大众医生报》不是想和医院搞合作吗？"

何大龙说："对，省第一附属医院和市人民医院已基本同意和我们合作办报。"

朱香香说："我昨天碰到中医院的院长和第五医院院长，他们也很感兴趣，特别是第五医院，做起广告来疯了一样。"

何大龙高兴地说："好啊，我就是想把《大众医生报》打造成一张既权威又通俗的受家庭欢迎的周报。你能不能约他们，我来做东，谈谈这事。"

朱香香说："没问题，我约他们。再见。"

何大龙把电话还给星儿。星儿眼睛直视前方，她说："姐夫，怎么谢我？"

何大龙没明白："谢你什么？"

星儿有点酸酸地说："谢我介绍朱香香给你认识呀。你还牛B说没时间，现在上杆子了吧。"

何大龙乐了："什么上杆子，合作对双方都有利嘛。你不是说过，合作永远是最佳的利己策略嘛。"

星儿说："你就不想想她为什么找你却打我的手机吗？"她本想说"朱香香恐怕是想跟你合作成立家庭吧？"可话到嘴边又变了，她不想跟何大龙挑明，她心灵深处怕何大龙会破了她的一个飘渺的梦。

何大龙说："我还不明白呢，她又不是没打过我的电话。你说她是为什么？"

星儿转头看了他一眼，又看着车前方说："她就是想让我知道是她在跟你打电话。"

何大龙不解地说："这有关系吗？又不是什么机密。"

星儿再看何大龙一眼，不知道他是真不明白还是装不明白。星儿拿起电话拨号。何大龙说："开车别打电话。"

星儿没理他对着电话说："陈掌柜，明天中午有时间吗？我想找你谈个事。"

电话里传来陈元的声音："我有时间，我请你吃饭吧。"

星儿说："好的，就这样，晚安。"

何大龙听着星儿与陈元通话，他什么也没说。但星儿嗅到了他不高兴的信息，这是星儿想得到的，她偷着乐。何大龙把车窗降下来，清风瞬间灌满了全车。星儿问："热就开空调吧。"何大龙看着窗外，嘴里挤出一句话："好好开车。"

朱香香的车离星儿的车不远。她驾驶一辆韩国酷派，是辆红色的跑车，像是城市的精灵，轻便地穿梭在高楼大厦之间。朱香香喜欢这种小而有个性的车，她有时会独自一人把车开到高速公路上把车窗摇开，放着崔健的摇滚音乐，跑一二百公里。在高速公路上飙车绝对是一种释放，那一刻，耳边除了重金属节奏的撞击外，还夹杂着跑车轰鸣的特殊引擎声，让人兴奋不已。

刚才见星儿快速驶出地下停车场，她就觉得星儿不高兴。本来星儿自姐姐车祸去世后，开车特小心，还再三要自己在市里开车别超过40迈，说那样能一脚刹住车。可刚才却"呼"地像阵风似的走了，是不是自己和何大龙走得太勤她不高兴了？打她的电话让何大龙接就是不想瞒她什么呀，得找时间和她谈谈。不过，爱情本来就是自私的。被人爱是被动的，可怜的，男人说爱你大多是没经过大脑的脱口而出，他们知道海不会枯石不会烂。所以，在爱情中，一般规律是主动者才是胜利者。可自己这是在爱吗？星儿是不是也爱上了她姐夫？如果真是这样，该如何处理呢？唉，还没干什么，就这么乱，接下去会出什么事？管他呢，能爱一场也没什么不好，况且何大龙就是自己想爱的人。想到这儿，她的脸上一阵发烫，脑子里却想到一个段子："脸上通通红，心里想老公。"她脱口而出："该死。"摇下车窗，柔情在夜色中四处奔走，爱的气息扑面而来。

钱冰冰洗完澡，在卫生间里做脸，她是裸体站在大镜子前的。好像是大二的时候，有一天下大雨，她所有的内衣都被淋湿了，只能裸睡。结果从那天起她就喜欢晚上裸睡了，让身体完全与床及被子接触，在她看来是件无比快乐的事。当滚烫的身子和冰凉的被子接触的刹那，有种透心的舒服感油然而生。毕业后她没与别人合租房子，而是有了自己的私密空间，每天回到家第一件事便是脱光衣服，顶多穿件睡袍。在学校时她爱上过一位男孩，两人爱的你死我活，她把自己的一切都给了他，他们憧憬着未来，设想过家庭的喜怒哀乐。钱冰冰利用暑假干雅芳小姐，赚了钱自己舍不得花，给男朋友买这买那，快毕业时还买了一台笔记本电脑作为生日礼物送给他。结果毕业后，男朋友很快就在她的视野里消失了，给她的最后一条短信是："我们的爱就如同沙滩上的脚印，海水过后便无痕迹。你不要恨我。"她回了一条："偏偏我的爱是在心里，海水过不来。怎么办？"他没有回音，从此消失，只听说他回了老家河南郑州。钱冰冰再也没有爱过，直到遇见贾诚实。

钱冰冰在脸上弄了护肤霜晚霜等一堆护肤品后，对着大镜子欣赏自己。皮肤白皙，臀部高耸，这是她穿牛仔裤能穿出与别人不一样的风格的原因。她发现乳房好像又大了一点，喃喃自语："可别变成了珠穆朗玛了。"对着镜子做了几下扩胸运动，圆润的乳房微微颤动，她冲着镜子里的自己做了个鬼脸走到客厅，打开山水音响，音箱中传出平静安祥的颂经音乐。是她拿着佛乐音乐碟去音响商店，一个品牌一个品牌挑选后才决定买这个牌子，因为这款音响播放颂经音乐特别能让人得到心灵安全和放松。尽管白天需要与不同的广告商周旋，甚至讲黄段子。可只要踏进自己的这间屋子，她似乎变成了淑女，这里是她心灵的禁地，几乎没带过人来家里玩，无论是同性还是异性，只有贾诚实在她这里过过夜。

想到贾诚实，钱冰冰拿起电话想打，又叹口气放下。他们好久没在一起了，贾诚实来过电话讲一起吃饭，可几次她都正好没时间。从北京回来就忙着盯住春酒厂的广告和改造商报广告部，又是招人又是进设备。稍有空时给贾诚实打电话，他又在忙《青年报》和《大众医生报》的整合。钱冰冰心里清楚，和贾诚实在一起快变得强颜欢笑了，除了做爱还和谐外，在许多事情上都有分歧。而自己又好强，没有一个更好强的人是很难从心理上压倒她的。可如果就此与贾诚实结束，她又心不甘，两人在一起毕竟快两年的时间。钱冰冰有时会想，自己心里似乎并不爱他，他们也没有过玉石俱焚海枯石烂的激动，这算不算是利用了贾诚实？钱冰冰好想找到贾诚实的缺点，但他除了怕上级想当官外，好像就找不到了，这也不能算缺点呀。可自己就是做不到如渴望熊熊烈火般地爱他，这恐怕只能解释为他不是打开自己的那把钥匙吧。

关于钥匙的问题是她在一本杂志上看到的一篇小科普文章，讲男女之间的心灵及生理上的和谐如同一把钥匙开一把锁，男人是主动的钥匙，女人往往是被动的锁。如果男人的钥匙在开启女人的锁时双方迸发出了无比的热情与智慧，说明他们是真正和谐的可持续的。钱冰冰回想，每次与贾诚实做完爱后，便激情不在，仿佛仅是放纵肉体与理智无关似的。这与他做完爱就走有关？还是两个人真的是因身体需要才在一起？想起这个问题就头痛，她常跟贾诚实说：我离爱很近，离家很远。贾诚实问过这话是什么意思，她从未解释过。

钱冰冰走到落地窗边看着外面，房间里昏暗的灯光不至于让她的裸体曝光。半夜了路上依然是车水马龙，有人讲衡量一个城市是否具有活力，不是看白天，而是看晚上。她已约好昌江药业的吴总谈送“非典”药品进社区的事，准备签个协议。但愿明天能签，陈元很看重这件事。不知怎么搞的，只要一想起陈元脑子就会一阵波动，她很在乎陈元的一举一动。自到商报工作以来，好像没见陈元在干什么，既没开全社大会，也没个别谈话，但钱冰冰却发现商报在悄然发生变化。首先是设备更新，从记者到编辑再到机房，淘汰了旧设备，每名记者都配发了数码相机，而摄影部记者更是花十几万元更换设备；其次他在国际国内新闻，特别体育娱乐新闻的来源上带来了新东西。以前编辑都在网上找稿子，现在经常是北京深圳广州上海等地大媒体给商报供稿，电讯头上也打上“本报某某地方讯”。表面看没什么，实际是解决了一个重大的问题：报纸抄网络的问题。越来越多的新闻是“本报讯”既是对采编人员的激励，也让读者感到了这张报纸有自己的原创；第三是陈元对每个版的主打稿件都亲自修改，他不批评人，而是耐心地跟编辑说记者采访很不容易，要把记者采访到的新闻编到最佳，符合商报读者的口味。他有一句很通俗的话：最坏的事就是最好的新闻。他雷厉风行敢于拍板的作风也让钱冰冰钦佩，说要拿下春酒厂广告，陈元二话没说就批给广告部1万元作为经费，这种果断的信任不是一般人能做到的，那时自己才刚到商报报到，相互都不甚了解。

如果把贾诚实和陈元放在一起比，两人对新闻的热爱和熟悉不相上下，但两个人的作风有天壤之别，贾诚实是将军，陈元却是元帅。钱冰冰当然更喜欢元帅，只是好像元帅不太注意她的情感。有意思的是钱冰冰也不十分清楚自己到底是不是想在陈元身上动感情，她对陈元的好感似乎是从一开始有，这种好感是不是爱她就不知道了。有时一个人躺在床上会突然想：如果陈元要求和自己做爱，自己会同意还是会拒绝。苦思冥想了十多个同意的理由，如陈元长得帅，工作有能力，自己有需要，他是自己的老板等等。也想了十多个不同意的理由：陈元有妻子，这样不道德，还不完全了解他等等。有时竟会想得失眠。虽然陈元好像比贾诚实更优秀，但贾诚实却有陈元所不具备的最大优势：他未婚。难道自己搞来搞去却搞成了第三者吗？不想了，烦！

钱冰冰走到衣柜边拉开橱门，想把明天要穿的衣服找好。衣柜里满满地挂着春夏秋冬四季时装，她的衣服只有两类：一类是职业装，一类是休闲装。所有的衣服都是规规矩矩的品牌货。在她的服装里内衣部分是她最看重的，她认为女人的外衣只要得体就行了，但内衣一定不能马虎。理由是外衣是穿给许多人看的，内衣却往往是穿给一个人看的，而这个人恐怕跟你这辈子的幸福都有关。在内衣中，她最喜欢的品牌还是黛安芬，红色系列黑色系列和白色系列她都有。戴纹胸时，她很在意纹胸与她的乳房是否融为一体，为此试过很多品牌都不太理想，只有黛安芬系列与她的乳房能紧贴在一起，所以她钟爱这个牌子。钱冰冰从衣柜里找了一套宝姿的职业女装，上装是淡灰色的羊毛衫下装是黑色的外裤。还从另一个柜子里找出一只大红色的包，她觉得衣服颜色深一点，手提包的颜色便可以亮一点，这样给别人的印象是：有职业女性的气质，又不失文化人的浪漫。

把明天要办的事想了一遍，包括细节，又翻了翻一本专门记录段子的本子，找了几个段子背下来，这是她经常做的功课，如今商场应酬已离不开段子了。把该做的都做好后她钻进了被子里，好像很久没做爱了，贾诚实在床上还是不错的，不知陈元怎么样？想到陈元，她的脸红了。

星儿陪马诚出国的前一天到了陈元的办公室。她很少直接来报社，平时多是电话沟通，要见面也约在外面。不到陈元的办公室去最主要的原因是她不想给陈元造成压力或其他想法。在东方市她是瑞东集团的最高代表，如果常去报社于公可能会让陈元产生集团不完全信任他的想法，于私怕在报社看到的东西会无意中说给何大龙听造成误会。摆正位置是她在集团做董事会秘书时学到的宝贵经验。

星儿对陈元办公室的摆设挺有好感，她觉得这样的办公室很浪漫，特立独行，可惜自己的办公室不能弄成这样，还是要搞得金碧辉煌，让所有的人都觉得这就是老总的办公室。她带了一大包吃的，有西洋参含片，有早餐饼，还有一大罐牛初乳粉。进办公室她就说："不好意思，中午已经约了人吃饭，推不掉，所以先来你这儿。声明一下，我是奉老板的命令来看你。"

陈元翻看了她带来的东西说："你就不愿意代表自己来看我？"

星儿笑道："愿意。但代表老板说明你牛呀。"

陈元给她拿了瓶水："要怎么批评，说吧。"

星儿看着他笑笑："为什么这么说？"

陈元靠着桌子也看着她："我有直觉。是不是老板对商报有说法。"

星儿点点头："对你间接批评晚报有说法。"

"在我预料之中，老板交代过要悄悄地进村。但晚报在此期间搞这种活动是不是应该批评？"陈元盯着星儿。

星儿止住笑容："这不是我们要讨论的问题，我相信老板也不是要讨论应该还是不应该。你是在办报，我们是在经营，你会说这是一对矛盾，的确是，但这对矛盾有解吗？我相信有，你说呢？"

陈元听了这话软下来，叹了口气说："其实报纸一出我就后悔了。"批评晚报是意气用事了，也估计到童瑞东会有说法，所以星儿今天说来看他就知来意。与晚报竞争是事实，怎么竞争？自己考虑的是战术，而童瑞东考虑的是战略。陈元始终认为战略的成功离不开战术的支持，商报所做的这一切都是为了在改版时一炮而响，但此前惊动了晚报恐怕是会有问题，主要会对集团要在东方市做大做强的战略上产生问题。事实证明，商报对晚报的批评如针落大海，大型时装秀连市领导都决定参加了，何大龙用打经济牌的方式祭起了政治旗。厉害。

见陈元承认了错误，星儿说："老板并没有批评你的意思，只是让我提醒你。做报纸我不懂，可我知道做生意就要在不卑不亢的前提下和气生财。我最近一段很关注你的报纸。"

陈元听到"你的报纸"时，心中一热，这是知识分子典型的反应，只要别人夸奖便愿意肝脑涂地。他衷心地说："谢谢你，星儿。"

星儿笑笑："我在路上看到还有记者在卖报，而且我注意到了你在零售上下功夫。"

陈元见星儿说到了点子上，一方面佩服她的眼力，一方面对她认同自己的发行策略感到高兴："我聘了150个人成立零售队伍，我要让东方市的每个公共汽车站等人群聚集的地方都有商报发行人员的踪迹。让记者去卖报就是要让他们知道我们的读者是谁。"

"我还注意到，你弄的外地新闻本地化。什么毒大米也惊现东方市，东方火车站也有警察与小偷勾结等等。"

陈元笑了，是开心的笑，有人看他的报纸，特别是像星儿这样的人物看他的报纸让他特高兴："谢谢你的阅读，我觉得你已经是个报人了。"

"我怎么就成了报人？"

"你能知道外地新闻本地化，能知道零售的战略意义，那还不是报人呀。"

星儿笑道："别瞎赞美了，你心里不骂我就不错了。"

陈元真诚地说："怎么会骂你呢，谢你还来不及呢。你上次给我说的关于报纸原创的问题让我受益匪浅呀。"

一听"原创"二字，星儿心里咯噔一下。这是她从何大龙那儿听来的，陈元果真用上了，她还始终在想怎么化解这事，现在看来化解不了啦。

见星儿没吱声，陈元不知她在想什么就说："这次你陪马部长跑几个国家？"

星儿脑子迅速回到现实："哦，就是欧洲八国游，跟旅行社去。"

陈元问："不是讲去考察印刷吗？怎么又八国游了？"

星儿看着陈元，觉得他有点天真："你是真不明白呀？是去考察，还是印刷协会邀请的。但具体办是旅行社，安排的项目是八国游。明白了？"

陈元还是有点摸不到头脑。这时钱冰冰进来了，这是她和星儿第一次见面，陈元赶紧介绍。

星儿与钱冰冰握手说："早就听说钱大圣了，很高兴认识你。"

对星儿，钱冰冰也不陌生，她从贾诚实陈元那里听说的，也知道星儿和何大龙的关系密切，所以她讲话小心："你好，贺总。"

星儿没有像往常一样要别人叫她"星儿"："商报有你这样的人才真是有福气，董事长也跟我提到过你，告诫我们不仅要事业留人还要感情留人。"

钱冰冰听到"感情留人"时看了陈元一眼，这细小的动作被星儿捕捉到了，心里一动，因为她是知道钱冰冰与贾诚实的关系的，而且知道何大龙买了朱香香的账导致钱冰冰投奔商报。但这个敏感的话题是谁也不能说出来的。

眼前的两个女人让陈元的心情倍感复杂，他赶紧岔开话题对星儿说：“我们搞了个策划，以抵物的方式向东方市的社区送抗非典的药物。这是钱大圣出的主意。”

星儿高兴地说：“好啊，真是好主意，提高报纸的服务性，肯定是报纸的一个方向。前不久我看到天津的一位报社老总的文章，他讲中国已经开始从媒体经营向经营媒体过渡。我觉得特别有道理，恐怕这个观点是媒体发展的突破性理论。”

陈元说：“我也注意到了，中国的新闻已经进入完全策划的时代。这次打‘非典’牌，就是想突破商报的一些瓶颈。”

星儿说：“可以说现阶段世界上就只剩下两大新闻，一是伊拉克的扑克牌通缉令；第二就是非典了。我们还可以想大一点，比如瑞东集团该不该在此时有所表示？”

钱冰冰接上话说：“对呀，抗非典成为了全民行动，如果商报在这个时候大搞公益活动，对提升我们的形象绝对有好处。关键是怎么样少花钱多办事，商报有没有这个号召力？”

陈元说：“如果把工作做细，号召力是可以策划出来的。昌江药业已经拿下，瑞东集团怎么出面还要考虑周全一点，有了带头的，下面工作就好做多了。”

星儿说：“那就这么定，你们拿出一个方案，我去找老板说。”

钱冰冰说：“如果能请到省市领导进社区就更好了。”她说这话时看着星儿，她知道星儿在省里是可以通天的。

星儿想了想说：“你们先策划着，我也想想办法，看能不能通过马部长做做工作。这件事还是很敏感的。”

陈元表态：“好，那我们就尽快弄个方案。商报的改版工作再往后拖一拖，其实我也想看看晚报怎么动。”

星儿看了看手机上的时间：“我得走了，迟到了不好。”她和陈元、钱冰冰握了手匆匆走了。

第五章 非典新闻

FEIDIANXINWEN

〖晚报讯〗阿强和小伟维持同性恋关系已经有10个年头了。前几天，他们作为特邀嘉宾到东方大学做选修课讲座《同性恋长久伴侣关系》。阿强说他和爱人也非常乐意“现身说法”，让广大学生了解同性恋。

在东方大学人文学院的阶梯教室里座无虚席，连过道都挤满了人。“不排除有很多猎奇的人，但是只有他们真正了解了同性恋，才能真正消除歧视和偏见。”阿强说，“我认为所有问题都可以问，因为没有任何东西是需要隐瞒的。”

很多学生很想知道在日常生活中，阿强和爱人谁扮演男性谁扮演女性。阿强说：“如果我喜欢女人，不如直接找个女朋友，为什么要找个男人来扮女人呢？”他坦诚的回答得到了学生们的认同。在阿强的博客上，很多学生对这次讲座持肯定态度，他们从阿强和小伟身上了解到同性恋也有长期稳定的家庭生活。

阿强说，科学认为，同性恋在普通人群里占4%。但多数同性恋迫于社会压力，羞于承认，或者找个异性结婚来掩饰自己的性取向，但是这样反而造成更多无辜的人不幸福。另外，由于法律法规的空白，同性恋的恋爱关系在财产权、继承权等方面也无法保证，这也使很多同性恋者对长久的伴侣关系望而却步。“其实社会已经逐渐变得宽容，否则我和我爱人也无法走到今天。”阿强说。

讲座结束后有不少大学生对记者表示，对同性恋“真的很好奇”。

马诚、星儿今天走，他们将从上海转机飞欧洲。按惯例何大龙去机场送行，去机场时星儿坐何大龙的车，原本陈元讲送，她没让。车在高速公路上行驶，但速度并不快，原因是马诚对司机有个规矩，在高速公路上车速不能超过100公里，而何大龙的别克车只能跟在他的时代超人后面。

星儿问：“你们晚报就不能给马部长换部车？”

何大龙坐在后排，自从虹儿出事后他坐小车总是愿意坐在后排，而不坐副驾驶的位置，特别是在高速公路上。“机关配车是有规格的，不能乱坐。要不然我就和马部长换车了。”

星儿坐在副驾驶的位置上，她反过头问：“你舍得换？”

何大龙看着窗外飞速向后的景物：“车又不是我私人的，有什么舍不得。这一路你要照顾好马部长。”

星儿听着何大龙口是心非的话冷笑着。

何大龙大概觉得过了，赶紧说：“别忘了给我带礼物。”

星儿又转过头说：“你想要什么礼物？”

何大龙没想过要什么，便说：“带几瓶正宗的依云矿泉水吧。”

星儿哈哈大笑起来：“姐夫，你要累死我呀。依云矿泉水星级酒店到处都有，我给你弄几箱。”

何大龙说：“谁知是不是正宗的？”

星儿心里早就想好了给何大龙买什么礼物：去巴黎香榭丽舍大街买一只路易威登的皮夹；去德国汉堡中央火车站的商业街买一条万宝龙的皮带；去意大利佛罗伦萨买一瓶古姿男士香水。这些东西在中国都能买到，但去它的出产地买意义则超过了商品品质本身。

在候机楼等候换登机牌时，何大龙抓住时机对马诚说：“部长，我准备对晚报的版式做一些调整，想在形式上出点新。”

马诚看了看星儿后对何大龙说：“一个干部到一个新的岗位上，最容易见效的工作就是表面文章，做媒体更是如此。好啊，我支持你。”

何大龙在话出口时就料到马诚会这样回答，因为这个时候是他高兴的时候，也是星儿在身边的时候，他不可能过细地问怎么改，也不可能就此作什么指示，而这正是何大龙需要的。只是没想到马诚会讲他是做表面文章。这时司机已把登机牌换好了，何大龙赶紧服侍马诚进关。在关口，马诚说："大龙，要改就要快，我希望回来就见到晚报的新面貌。另外'非典'的报道要注意把握好宣传原则，现在人心惶惶，说实在的，我这一趟出差心里不踏实。"

何大龙说："放心吧，部长，我们会注意把关的。"

送走马诚和星儿，何大龙往候机楼外走时，他拨通了贾诚实的电话："大教头，马部长已同意了我们的改版方案，准备干吧。"

晚报的改版工作从何大龙到晚报的第一天就开始酝酿，只是未跟任何人说，等到他心里大致有谱了，才跟贾诚实通气。今天是新的版式开始运行的日子，何大龙决定亲自上晚班，他要从战略向战术转移，切入的时机是经过精心选择的：马诚出国，宣传部的哥们儿会网开一面，新版式投入运行和宣传部有要求：非典期间各报老总要亲自上晚班把关。有了这三点，他不上晚班都不行。16点30分何大龙第一次以当班老总的身份参加每天都要进行的编前会。

按老规矩由各版编辑报稿子。二版编辑说："明天头条是《警察粗心，处女接客50人》，是说治安大队抓了个小姐，怀疑她是卖淫女，逼她招供，那个小姐便说和50个男人有过性关系，后来被强制到医院检查有没有性病，结果发现小姐还是处女。"

会议室的人被这条新闻逗得一片笑声。贾诚实说："这不是粗心，而是糊涂。"

高原红说："还不仅是糊涂，更是素质问题。我提议再挖掘挖掘，弄个新闻连载，每期600字，吊住读者的味口。"

贾诚实害怕重演上次上官德的"警察打死大学生"的事件，便说："新闻连载的形式是不错，但我们炒作这件事是不是合适。"他边说边看何大龙，参加会的编辑们也看着何大龙。

何大龙见大家都在准备听他的意见，而关于警察的新闻又是很敏感，这可不能原则性的表态，而是要他拍板。他感觉有点难度，如果枪毙这条新闻，编辑会如何看他？可是做，又会引起什么后果？一拍板可就没退路。

高原红见他没说话，知道他有难处，便说："要不这条稿子做为候选，让少帅想想。接着报稿子。"何大龙用感激的目光看看她，暗自松口气。

二版编辑说:“还有关于文明城市建设的一组稿子，老城区22条路要拓宽，垃圾和余土运送车要加盖，东方大桥亮化工程等。”

高原红看了看何大龙，又看看贾诚实。平时编辑报了稿，值班老总都会提一些要求，见两人都不做声，便让三版编辑报稿子。

三版编辑说:“头条是《孩子究竟是谁的》，讲有个男孩出生后，他父亲发现血型不对，孩子是O型血，父亲是A型血，母亲是B型血。孩子的爸爸便怀疑妻子不忠，可医生解释讲A型血和B型血的结合也可能生出O型血的孩子。”

高原红乐了:“这他妈的争啥，做个DNA不就行了吗。”

三版编辑说:“那个小伙子是准备做DNA。还有一条挺有意思的稿子，有个男的，在海鲜城喝醉了，结果滚下楼梯被撞伤了，他要海鲜城赔钱，但海鲜城不赔，他便去法院告了海鲜城。”

一版编辑插话说:“海鲜城准输。消费者在消费场所应该得到保护，《消法》里有明文规定。”

三版编辑说:“遗憾的是法官对此说了NO，法官认为顾客醉酒后摔伤，与餐厅提供的服务无因果关系，所以海鲜城不承担责任。”

高原红说:“让记者调查那位法官与海鲜城是什么关系？”

三版编辑说:“大侠，你别怀疑一切好不好。”

高原红说:“没有怀疑就没有新闻，我建议记者去调查，社会上有不少衣冠楚楚的权力机关与奸商沆瀣一气，或许可以捞到大的新闻。”

接下来各版编辑报了“的哥为救民工，连闯4个红灯”，“高露洁牙膏反驳致癌论”，“泰国导游强迫游客看人妖表演”，“哑吧报警，急坏110民警”，“七成考生报考重点高中”，“英国王子又闹绯闻”等新闻后，编前会进入尾声，该是何大龙讲话了，他示意贾诚实要不要讲？贾诚实摇摇头。何大龙又问宣传部有没有阅评快报或文件通知，高原红也摇摇头。

何大龙开始讲话，他讲得很慢，因为怕讲错:“今天是我第一天以社长总编辑的身份值晚班。原本还想再向大教头学一段时间再值班，但最近发生的种种情况，使得我提前上岗，所以在此先声明，如果我说了外行话做了外行的事，那也是正常的，欢迎各位批评指正。”这个开场白堵住了众人的口，何大龙不希望有人在背后看他的笑话，他话锋一转说:“这几天我都有个冲动，想写一篇《厕所见闻》。办公室很幽默，在厕所里贴了一张公告，写着‘来也匆匆，去也冲冲’，这是希望大家注意卫生的意思。可大家去厕所看看，有多少人冲了？更有甚者，拿着晚报当大便纸，难道就不怕铅中毒？”

编辑们都笑了，但显然笑得勉强。

何大龙轻叹道：“看着大家辛辛苦苦编出来的报纸被当成大便纸，我心痛，相信每一个爱晚报的人都会心痛。我看过大家的履历表，学历最低的也是大专吧，我们这些文化人，也可以说是生活在主流社会的人，怎么就会做出这没文化的事呢？”

所有的人都不吱声了，不少人低头装着看稿子。

何大龙扫视了一下会场，又换了个话题，他知道此时他讲话大家会注意听了：“新闻要当报纸的家，这是大家的共识。世界已经进入流媒体时代，平面媒体新闻的优势在哪里呢？有人说，新闻已经进入到一种深读时代，在提供新闻的同时，还要提供新闻的背景、细节、分析以及权威的声音，还有本报立场，这才是我们平面媒体与电子媒体可以竞争一把的重要方面……”

贾诚实在听着，觉得何大龙讲到了晚报要改革的本质，他更加觉得何大龙会把晚报带到一个新的高度。

高原红越听越觉得这位少帅才华横溢，他对新闻的认识，尤其是对现在夹在电视广播和多媒体中间的传统平面媒体的认识是深刻的。她听得津津有味。

何大龙喝了口水接着说：“具体到某一条新闻，我看每位编辑都是行家，你们知道什么是卖点，什么是可读性。我看那条处女接客50人的新闻就不错，没什么不可以用。但要记者补充一点材料，必须让市公安局督察大队表态。这件事要不就不搞，要搞就要让那警察脱警服，这才能把晚报的权威性竖立起来。”

编辑们开始被他掷地有声的话震住了。

何大龙开始兴奋：“但一定注意，不能把个别与普遍联系起来，要明确地告知读者，这是个别现象。还有关于孩子的血型问题，我最近看了个材料，说在做DNA检查的人中，20%是有问题的，也就是说20%的男同志被戴了绿帽子。”

大家笑了起来。高原红马上反驳说：“少帅，这话欠妥，让男同志戴绿帽子不能都归罪女同志，你这是典型的性别歧视。”

何大龙承认说过头了：“我道歉，应该是非典型的。但我的本意是如何做活这篇稿子。”

高原红说：“我再插一句话，我同意少帅关于做活新闻的话。这里面实际涉及到对新闻是注水还是放大的问题。”

何大龙饶有兴趣地看着她，这位姑娘不仅有才华，还果敢，没一丝做作，始终充满真诚。就是不太漂亮可也挺有味道。

高原红说：“所谓注水，就是将一条平庸的新闻加入废话套话；而放大却是对这条新闻的每一个细部都进行解读，让读者真正能全面直观地看到这条新闻的各个面。”

何大龙听了这话很高兴，因为高原红的这番话与他的硕士论文中的一些观点不谋而合。他接过高原红的话：“我同意大侠的观点。现在全国媒体都在炒非典新闻，尽管东方市一例也没有，尽管宣传部对此类新闻有严格要求，但我们也不能袖手旁观。商报已经走在我们前面了。”他说着拿起桌上的商报示意给大家看：“抗非典正在行动，送药物情满社区。”他对贾诚实说：“我们不能仅仅报每天的疫情公报，也要主动出击。我建议派上官德去北京，发回一线的新闻。”

贾诚实也很想做“非典”这个选题，这对每个新闻人都是机会，弄好了可一战成名。但一遭被蛇咬，再不敢在他值班时乱动。何大龙没主动说，他也就不主动提出来，现在听何大龙的意思是要做“非典”了，他立刻表示同意：“我赞成少帅的意见，补充一点，要有专门的班子来对付这个事。”

何大龙点点头。要做“非典”新闻他是脱口而出的，究竟怎么做他并没想好，马诚在出国时一再强调要把握好原则，这可是牵一发动全身的大问题。“最后想提醒各位编辑，我们的新版式是模块化版面，废除了穿插式，这实际上是工业化的标准。国外许多报纸都是如此，我的本意是让大家在版式上节约时间，把有效的精力放在改稿子做标题上来。我们新的口号很朴素，就叫‘做一张好看的报纸’，不仅要样子好看，更重要的是内容好看。拜托大家。”

当天最后一版的付印时间是凌晨2点。看版面前何大龙就与高原红约好，他不会仔细看内容，主要看标题和新闻在版面上的摆放。在看国际版时何大龙动了两条简讯，一条是德国和英国两家航空公司合并，重组成欧洲最大的航空公司；另一条是日本两家银行合并，成了世界上第二大银行。这两条合并的经济新闻被编辑处理成了简讯，何大龙把这两条新闻放在倒头条的位置上，取了两个标题：《英德航空公司合并，欧洲诞生空中巨人》，《东瀛两家银行握手，日本出现钱庄霸主》，另外还给几条本埠新闻改了题目。

0点至1点是最忙的时候，高原红在他的办公室里进进出出。“少帅，我弄了个好题目，你看看。”高原红拿着一张大样进来说。

何大龙拿过一看，是街上出现安全套发放机的新闻。高原红的题目是《荡起性爱双桨，开辟现代性生活》。何大龙笑了："你这个题目很机智，但太暴露了。把'性爱'两个字改成'生活'怎么样？"

高原红嘴一翘说："太弱智了，你还是师哥呢。"

看了看高原红，何大龙忽然发现这女孩很耐看，性格更是招人喜欢。"你说的对，不能有两个生活。但你这个题目容易引起非议，也没一步到位。干脆叫《安全套，保安全》，一目了然。"

高原红赞许道："嗯，这还像是师哥起的题目。"

何大龙挺有感触地说："以前没亲手干过，今天这一干还真觉得有意思。报纸编辑的权力真是太大了。"

高原红笑着说："就感慨万千了？"

何大龙站起身伸个懒腰，又扭扭脖子说："确有让人感慨的地方。明天读者要看的东西尽在我们掌握之中，你要他看什么，他就得看什么。我们在这里涂涂划划，可在读者那里却是权威发布，成了可以引用的证据。"

高原红第一次听人这样评价新闻，惊讶地说："少帅，你这么一说让我有点害怕。我们有这么牛B吗？"

何大龙朝她看了看："事实如此，新闻的权力问题是值得我们好好思考的问题。大侠，你觉得这个版式怎么样？"

"说实在的，我早就有想法。做报纸最终是要标准化的。但穿插式的版式毕竟统帅了中国报纸半个多世纪了，不是总编辑要改版式，谁敢说改呀。你也是初生牛犊不怕虎呀。"

何大龙听高原红说自己是牛犊忍不住笑了："你这个女同志，比喻不贴切啊，我可不是什么牛犊。"

高原红连忙说："对不起，对不起。"

何大龙挥挥手："我喜欢你的性格，做报纸的没有性格没有冲劲是不行的。"他又期待地说："明天的报纸是我的处女作，不知读者会如何评价？"

高原红说："恐怕先不要考虑读者是否好评，应该先考虑如此运作是否科学？编辑操作是否能提高效率？读者阅读是否方便？"

何大龙连连点头，说对。他越发觉得高原红才华横溢，她既直来直去看到问题的关键，又不鲁莽，还能体贴人。在机关工作时，从未有下属如此与他对话，与她讲话让人痛快，如同大碗喝酒大快朵颐。现在何大龙还不太适应，但他心里清楚，会很快适应的。他说："要做晚报的事，就要先做晚报的人，考虑问题应该从办报实际出发争取更全面更仔细。你要有个准备，非典的新闻量要加大，商报的策划很好，我们只有在新闻上加大份量，才可能与商报抗衡。”他问：“你对派上官德去北京怎么看？”

高原红脱口而出：“早该派人去了。现在全中国乃至世界最大的新闻就是非典。今天东方市没有发现一例，难保明天不发现。”

何大龙问：“用多大的版面做好呢？”

高原红答：“每天至少两版，才能有气势。猛料有的是，如果上官德再从北京发回报道，那在东方市我们的关于非典的信息来源就是最权威的。”

何大龙被高原红的话弄得亢奋起来，突然有了似乎是与生俱来的激情。他闭着眼睛考虑，希望关于非典的新闻报道推出去时更缜密一些，还需要站在宣传部的高度来看这个问题。关于非典新闻的报道宣传部是有非常具体的要求的，决不能踩红线，只能在红线以外徘徊。该怎么实施，还要与大教头商量。

高原红见何大龙在思考问题，便轻轻说了声：“我先出去了。”

何大龙还闭着眼睛，他点了点头。

陈元没想到与昌江药业的策划会在社区取得如此成功，不但获得宣传部阅评小组的好评，更重要的是商报的品牌效应大幅提升。陈元开始想通过这种方式进入社区，让发行员挨户敲门搞“洗楼式”订报。以前各社区都不让这么干，发行员经常与小区保安发生冲突，即使混进了小区，可单元门都锁着你进不去。自从搞了送药进社区，商报的发行员在数十个社区畅通无阻，一周时间竟订了3000份报纸，这在商报是史无前例的。不仅如此，这一周的零售取得了突破，他组成的150人的流动零售队伍初见成效，平均每天卖了近7000份报纸，加上各摊点的零售，商报每日总零售量达1.5万份。昨天钱冰冰来说与光明集团口头达成协议，将商报与光明牛奶捆绑发行，订1份牛奶送1份报纸。

在陈元的桌上摆着晚报的新报纸，一看就是《纽约时报》的版式，这种经过近百年考验的报纸版式变成中文后还是很经看。虽然晚报是小变，但每一版的内容设置，陈元觉得可操作性很强，这位何大龙，宣传干部出身的社长对报纸居然还有理想。想到这儿，陈元跃跃欲试，像是被一种诱惑所吸引，他想尽快推出商报的改版方案，但他把改版看成是撒手锏，想在下半年大征订前重磅推出，可是面对晚报提前改版，自己要不要也与时俱进呢？

钱冰冰来了，她总是穿着体面。陈元对她身上的香味好像熟悉了，她的味道比星儿的要强烈一些甜一些，陈元问过这是为什么，钱冰冰说她面对的人大多不是文化人，是俗人装雅人，骨子里还是俗人，而自己选用的香水就是符合俗人的审美观的。陈元知道她指的俗人主要是指那些广告客户，如今要拿到广告的合约只靠实力是不够的。

钱冰冰手中拿着一组数据，这是陈元要她做的成本核算，陈元想知道与光明牛奶的合作商报究竟要贴进去多少钱。“陈掌柜，光明奶那边以每份报纸5分钱跟我们结算，可以捆绑发行3万份。”

陈元俯身在大桌子上按动计算器，一份24版的小报光印刷成本就接近6角，如果回收5分钱，3万份报纸每日就要硬亏进去1.6万多，全年要亏600万。他问钱冰冰：“3万份报纸能拿回多少广告？”

发行与广告的产出比钱冰冰是清楚的：“我估算了，如果捆绑3万份，靠广告是能拿回印刷费的。”

陈元有点无奈地说：“那我们就只赚吆喝了。”

“我认为只要把读者固定下来，我们得到的效应是不能用钱衡量的。”

陈元给钱冰冰拿了一瓶水，自己也拿了一瓶：“老板的期望值是发行量12~15万。如果不搞捆绑发行，我们现在是每天发行7万份，离目标还远。看来捆绑发行还是需要的，如果大发行时再努把力，增加三五万份也是有可能的，但要贴进去的钱也不是小数目。这样吧，关于和光明奶的捆绑发行，等星儿回来再商量，先可以草签一个协议。”

钱冰冰脸上不太高兴了，这个捆绑发行的大单来之不易，是她费了多少口舌才争取来的。现在陈元竟说要等星儿回来定夺，她没好气地说：“我看我还是别管这事了，让发行部来接手吧。”

陈元看出了钱冰冰有醋意。女人都这样，哪怕是不相干的两个女人也会相互吃醋。陈元自嘲式地笑笑。

钱冰冰大概也觉得自己有点失态，便说：“你这个总编辑太小气了。”

陈元以为她是说反话：“我可不小气啊。”

钱冰冰用委屈的口气说：“我为商报做的贡献不少吧，你也不请我吃顿饭。”

陈元想，自己是应该请这位小姐吃饭，改善与下属的关系吃饭是重要的手段。“请你吃饭没问题，说吧，想吃什么？”

钱冰冰不过是说笑，见陈元答应请客，心里不觉泛起一阵甜蜜，她说：

"我想吃鱼。"

陈元拿起桌上一份简历说："没问题，我知道东方市有个鱼庄，专门做鱼。但在我请客前你要对这位老记作个评价。"

钱冰冰接过一看，是省报的摄影记者郝歌的简历，她翻了翻，除简历外大多是新闻照片："我听说过这个人，是个怪人，但很敬业，故事不少。"

陈元问："说说，有什么故事？"

钱冰冰在脑子里理了一下说："听说有一次他去拍绑架人质的照片，因为没拍到人质被救与母亲相抱的那一刹那，他急得上火，满嘴生泡。还有一次他去妇女保健院拍试管婴儿分娩，因为强行进产房拍摄，结果与产妇的丈夫打了起来。还听说他个人卫生极差，省报没人愿和他同一间单身宿舍，房间里臭气熏天。"

陈元用欣赏的口吻说："这就是个性。人无完人真说得没错，你有多少优点，就会有多少缺点。对他来商报你有什么看法？"

钱冰冰反应极快说："那好哇，我觉得商报就缺这种顶尖的记者。晚报的上官德就是这样的记者，一方面他文笔犀利剑指腐败，另一方面他可以和一个歌舞厅的坐台小姐谈恋爱。"

陈元看着她说："你赞成他来？"

钱冰冰肯定地点点头。

陈元说："好，那就这么定了。走，吃鱼去。"

两人向门外走去。钱冰冰问："为什么我的意见成了你下决心的意见？"

陈元没看她："你天生是个商人。用商人的目光来看人，角度一定不一样，商人看中的人一定是对他有用的人。"

钱冰冰笑着说："我什么时候成商人了？你别乱下结论。"

"我不会看错人的。你刚才提到上官德，他被何大龙派去北京了，看了他发回的稿子吗？"

钱冰冰摇摇头说："没注意。"

陈元严肃地说："很不错，不但采访深入，角度也很新。看得出是冒了很大风险的。郝歌人没到商报就跟我要求去北京，我正考虑派不派他去。"

钱冰冰问："宣传部有什么说法？"她对宣传部处理晚报的事一直心存余悸，她不愿意看到商报一不小心触动宣传禁区的高压线。

陈元回答："估计宣传部会干涉，关于非典是有具体宣传纪律的。"他看见了牛文广，便叫："老牛，那个网吧人员打上网学生家长的事怎么样了？"

牛文广走过来说："派出所已经把打人的人抓到了，文化部门也查封了那家网吧。但在采访中发现不少网吧在用盗版软件，陈总，我想调查这事。"

在报社，大多数人都已叫陈元"陈掌柜"，只有极少人还叫他陈总，牛文广就是其中之一。叫什么陈元不在意，只是他总觉得这个牛文广好像跟自己隔着一层："可以，打击盗版我完全支持，但别做出官样文章。"

牛文广连连点头恭敬地答道："那是那是。我想让四木跟我一起做。"

陈元没反应过来："四木？哦，就是你那个小师妹林彬啊。不行，我们商报要来一名大牌摄影记者，已经定了四木与他配合做新闻。"

说这话时，陈元并没有计划，只是话到嘴边才这样说的。郝歌来报社还是刚刚才最后定的，在他的下意识里是不希望林彬和牛文广搭配的。当时钱冰冰一头雾水，郝歌还没来，怎么就给配搭档了？

牛文广愣了，这显然出乎他的意料，他不明白为什么一直跟着自己的林彬会突然被陈元调走，会不会是陈元对自己有意见？他用余光偷看了陈元一眼，没看出什么迹象。

陈元见牛文广没回答便问："你不乐意？这是报社考虑采编一盘棋的问题。"

牛文广仿佛醒了，立马说："我没意见，四木的文章是有大的进步，该放单飞了。"

钱冰冰打趣道："老牛，打盗版看看能不能打来广告？我给你高提成。"

牛文广应付地说："没问题，我一定努力。"

钱冰冰对陈元说："坐我的车去吧，看看我的POLO怎么样。"

陈元对牛文广说："一起去吧，我请钱大圣吃饭。"

牛文广赶紧推辞说："不不不，我还有稿子要赶出来。改天我请客，还请两位领导赏光。"

钱冰冰此刻决不愿意再有人插进来和他们一起吃饭，忙说："好啊，说话算数。"

牛文广干笑着："一定算，一定算。"看着二人的背影，牛文广收住笑容，脑子急速转了一圈，又冷笑起来，目光中闪烁着似乎是无法遏制的怒火。

就在马诚从欧洲回来的前一天，东方市到处都在传说有一例非典病人。

有位从北京回来的大学生，下火车后去东方大学校园里的同学那里住了一晚，又去电子游戏室玩了通宵，再搭短途车回自己的老家平乐县。在家住了一天又回市里，入住一家小招待所后开始发烧至39度，他自己给非典预防办公室打电话说他可能得了非典。于是一个小时之内，他住的那家小招待所方圆两公里被警方封锁，东方大学被严查，他去过的电子游戏室被封，东方市如临大敌。

何大龙和陈元几乎同时接到消息，而且都是在床上。急促的电话响起时，何大龙从床上蹦了起来，不知怎么搞的，最近一段时间睡觉总是做梦，也不知梦了些什么，好像就是忙。他自己估计是没这么紧张地上过晚班而造成做梦的。

电话是朱香香打来的，她声音非常紧张，她不是要告诉何大龙发生了这件事，而是询问这件事的真伪。何大龙的第一反应是非典终于来了，晚报应该怎么做？他马上给贾诚实打电话，得知确有这么件事，但是否是非典省卫生厅尚未认定。已经派了三路记者出动采访了，一路在现场，一路死守省卫生厅，一路包围医院。何大龙对贾诚实的安排是满意的，现在要考虑明天的报纸怎么做？宣传部的态度他心中是有数的，但自从来到报社工作，特别是值晚班以来，他不得不考虑报纸的可读性问题，以前坐在办公室指手画脚现在看来真是为难媒体了。此次涉及非典的报道既要慎重又要有可读性，还要体现报道的重要性和晚报的权威性。非典的报道弄不好会造成社会的巨大恐慌，这是决不允许的，必须找到一个平衡点。他给在北京的上官德打电话，要他立刻去卫生部和国家疾病控制中心采访，看看北京对此有没有反应。又给朱香香回了电话，告诉她无需恐慌，还没定是不是非典。

打完一通电话后何大龙又躺下，想再睡一会儿。可睡不着了，在床上翻来覆去，索性爬起来打开床头灯拿过《真理与方法》翻看，这是下意识地看书，他知道此刻看书不可能看进去，但好像除了拿本书在手上看，便没什么可做了。他脑海里一刻也没停止思考明天晚报报什么。

陈元没有像何大龙那样呆在家里，而是一接到电话就起床到了办公室，他认为不在一线做出的判断，很可能会错。到办公室以后，第一件事是立刻找郝歌，此前商报已决定聘他为首席记者，陈元告诉他这次做非典就算是他的热身，希望他和林彬能把这条新闻做大。

事情涉及到平乐县，听说牛文广跟平乐县关系好，于是陈元决定派他去平乐看看能不能挖点猛料。到此陈元的脑子里已基本形成如何做明天的版面了，最少做三个版，这样的本土新闻是非常难碰到的，但必须把握好基调，将正面的东西放大，不能让人抓住把柄，更不能有有意制造恐慌之嫌。他同时决定明天早上全体编辑记者上街卖报，借此机会扩大商报的知名度。

在下午的编前会前，各路记者的消息都反馈到了陈元的办公室，其中最精彩的是郝歌居然拍到了那位自称是得了“非典”的大学生在医院的照片。

郝歌与林彬赶到位于解放东路的阳阳招待所附近时，这里已没什么人，只有几个警察在拉好黄线的外围坐着。林彬问警察后得知，120救护车来时，这里围观的人很多。可一听说是“非典”，围观的人瞬间就不见了，而且家家户户都关门闭窗，整个街区都吓得颤抖不止。郝歌拍了几张照片后与林彬赶到120急救中心，在这里得到了两个惊人的消息，一是那辆去接病人的救护车，居然在接了病人后还去加油站加了油；二是所有参加去接病人的医护人员均未采取防范措施。郝歌听后有点害怕，林彬更是眼泪都快下来了。她问郝歌：“我们还能回报社吗？”他俩对北京等地如何防范非典的措施非常清楚，像他俩这样近距离地接触了有关人员，就必须隔离。郝歌说现在还没完成任务，于是又赶到医院，打听到病房后，采访便止步了，因为所有人都缄口不言。郝歌在病房外围转了几圈后发现在病房的对面有一幢楼，他跑上楼，真是天无绝人之路，在走廊上忽然找到一扇可以俯看病房的窗子，用相机长焦镜头一拉，病房里的情景一目了然：几个医生穿着防护服在和一位年轻人谈话，年轻人表情呆滞，半躺在病床上。郝歌一阵狂拍。林彬向陈元请示能不能回报社，陈元考虑了一下，告诉他们立刻去他租的宿舍，离报社不远又是独门独户，里边文图传输设备都有。

从下午3点郝歌与林彬就躲进陈元的住处开始弄稿子。郝歌拍了近100张照片，有事发现场，120急救车，加油站等。最精彩而且独家的是病房里的情况。林彬写了一条300字的消息和一篇800字的新闻特写，把事情的来龙去脉，以及他们是如何采访的都交代清楚，并特别提出了防非典的漏洞问题。

陈元简单看了照片和稿子后很高兴，郝歌这杆枪是用对了地方，林彬的稿子也扎实客观。他指示总编室配发言论，题目是《防非典大意不得》。本来心情很好的陈元在编前会上得知牛文广居然没有去平乐县采访时大发脾气。

牛文广知道非典的厉害，他没敢去平乐县，而是给县委祖国书记打了个电话，让县委宣传部组织稿件。谁知祖书记在县城实行大隔离，所有上班的人提前下班，警察和民兵上街执勤，弄得平乐县城几小时内就变成了“万户萧疏鬼唱歌”的冰冷的县城。县委宣传部把这当政绩来描写，洋洋几千言，牛文广简单改了改署上自己的名字，就报到编前会了。

陈元把牛文广叫到办公室指着他说："老牛，你还有点新闻良心吗？你可以不去现场，但决不能把你没见到的东西当做你见到的说给读者听。"

牛文广狡辩道："我不是不去，而是临时有事。"

陈元反问："有事为什么不报告？"

牛文广说："我怕你派不出人手，耽误了事。"

"你放屁。"陈元大吼一声。"你是怕死才不敢去，你是推卸责任。你说，你是怎么跟平乐县的同志说这事的？"

牛文广没想到陈元会如此发脾气，他也很想骂陈元，他心里对陈元把林彬调走有气。好汉不吃眼前亏，他压制住了自己的情绪："我没说什么，就讲市里发现了一例非典，这个人到过平乐县。"

陈元不知怒火是怎么冒出来的，他看了稿子后就怀疑是牛文广在与平乐县联系时夸大了事实，果然如此："牛文广同志，你怎么知道这个病人就是非典？你有什么权力制造这种恐慌？现在好，平乐县一片慌乱，那位县委书记的行为可能已让平乐的百姓吓破了胆。你只不过是个记者，你的职业道德是要你拿出你所见所闻的东西，而不是去躲避，更不是去散布流言。"

牛文广反驳道："请别上纲上线，现在是什么时代了，流言往往就是事实。再说工作是你布置的，我充其量承担工作不到位的责任。"

陈元死死地压住心头的火说："好，我们没时间争论。摆在你面前有两条路，一是立刻给祖书记打电话，告诉他一切都还是疑问，病人并没确定是非典；二是写张辞职报告。"

牛文广盯着陈元，他的眼睛里要喷出火来，但那凶恶的目光只是稍纵即逝，他说了一句："我去打电话。"转身要走。陈元叫住了他，"不，就在我这里打。"

牛文广无奈拿起电话拨号码，接通后他说："祖国书记，我是商报的老牛。没什么新消息，那位学生是不是非典还不清楚，市里也没明确，恐怕你那里有点过头了。哪怕就是非典也没必要整个县城戒严，你还是和市卫生局联系吧，他们是最权威的。好的，再见。"

牛文广在打电话时，陈元一直看着他，第一次觉得有点怕眼前的这个人，他打电话前后给人的感觉判若两人，这种言行不一致，善变脸的人是有性格上和心理上的问题，而且很难改变，以后要防着点他。

牛文广刚出去，陈元的手机响了，是老婆打来的，也是问非典的事。陈元奇怪，她怎么就知道了？这件事非同小可传播太快了。向她解释了情况后要她放心。在挂上电话的那一刻，他觉得很温暖，有人惦记是件幸福无比的事。

市卫生局在0点时给各媒体发了一条150字的通稿，将病人称之为“可疑病人”。何大龙拿到稿子后心里嘀咕，怎么是可疑？国家卫生部对非典病人只分两种，一是确诊病人，一是疑似病人，没可疑病人一说。高原红也对此表示疑虑说：“东方市弄出第三种说法会不会出事？”

何大龙给宣传部打电话探听情况，得知这个说法是潘市长拍的板。说既不能叫非典病人，也不能叫疑似病人，又没人敢讲这个病人跟非典无关，于是决定叫可疑病人。何大龙放下电话后对高原红说：“没事，是市长拍的板。我看一版头条标题就叫《东方市昨惊现非典可疑病人》。”

高原红说：“上官的稿子也到了，北京有关方面并未对我们这儿的病人有说法，但指出是非典的可能性还比较大。确诊需要3天时间。”

何大龙站在窗口，看着外面并不宁静的街道，自言自语说：“这3天难熬呀。”

陈元拿到稿子后仔细考虑用什么标题做主打，他在房间里踱来踱去。钱冰冰来了，她是听说陈元要大做非典文章而担心重蹈晚报孙强的覆辙，在报纸付印前来报社的。

陈元奇怪地问她：“你怎么来了？广告有问题？”

钱冰冰摇摇头说：“广告没问题，我怕你有问题。”

陈元不解地看着她。她说：“非典问题是当下老百姓最关注的问题。做好了，你没功劳，因为那是媒体应该尽的责任；做坏了，你逃脱不了干系。几个月前，晚报的孙强就付出了代价。”

陈元心里挺感动，独自一人在东方市打拼，生活上的冷暖难不倒他。工作上的冷暖却时刻困扰他，根本的原因是报社所有的事到他这里就到了顶，他所做的每一个决定都意味着要付出代价。正如钱冰冰所说，对的决定是他应该的，错的决定他却要独自承担责任。这个责任还不仅仅是政治上的，还有经济上的。可任何决定不是对就是错，到底该如何把握呢？不管钱冰冰出于什么目的，她关心自己是肯定的，这种也是一种惦记呀。陈元在那一瞬，想到了下午老婆来的电话。

钱冰冰见陈元没吱声，问：“宣传部有具体通知吗？”

陈元还是摇摇头说：“马部长不在，谁敢有什么意见。只说是按中央有关规定办。”

钱冰冰猜测道：“何大龙估计是能把握得了，他是政客。”她对陈元说：“陈掌柜，你说在中国做媒体的首要价值标准是什么？”

陈元知道这是钱冰冰在转弯抹角地劝他注意，他笑笑说：“大圣，谢谢你。我会注意的，现在我想的问题就是你也在想的问题。如果我的估计不错的话，何大龙一定会用‘惊现’等词汇来说明今天这个病例出现，因为通稿是经市长审定的，只要有人顶着，他何大龙就不会多思考。”

钱冰冰补充说：“这是何大龙在机关工作带来的经验，领导说什么都是对的。”

陈元点点头：“我现在担心的是一旦明天所有报纸都讲东方市有了可疑非典病人，而人们又不会注意什么‘可疑’与‘疑似’的区别，那就会造成连锁反应，这种反应甚至可能会如同原子裂变。此时，商报应该用实事求是的态度告诉读者这一切还是未知数。即使是非典病人，也无需恐慌。”

钱冰冰释然地笑了，她也放心了。陈元的想法是成熟的，可能也是与其他媒体有差异的。

陈元回到大桌子旁，拿起笔写了个题目：《一大学生发烧自称患了非典，有关医院尚未得出结论》，他又将一版的评论标题改为：《无需恐慌》。这个评论与二版的评论《防非典大意不得》，可谓相得益彰，他示意钱冰冰过来看。

钱冰冰看了他写的标题后想：自己对陈元还不够了解，以为他充满血性会义气用事，事实上他是个有新闻头脑又成熟的男人。

陈元看了钱冰冰一眼，在版面大样上签了名，打电话让编辑拿去付印了。

钱冰冰松了口气，像是自己做了重大决定似的，她相信自己与陈元之间一定有什么相互吸引的东西，要不然他们之间不可能有默契也不可能在工作中找到如此多的快感。她想到了臭味相投的成语，并由此想到，她看过的一篇文章。她说：“我前几天看了一篇关于气味的文章很有意思。”

陈元拿了两瓶水递给钱冰冰一瓶，他的脑子此时还未停下来，还在考虑刚才的标题。

“有句成语叫臭味相投，按《成语词典》的解释，是指有坏思想坏作风的人彼此迎合相互结合在一起。其实不对。”

陈元喝了一口水：“怎么不对？”

钱冰冰也喝了一口水：“这句成语实际上应该从生理上解释。每个人身上都有特殊的气味对吧，要不然警犬就发挥不了作用。”

陈元点点头，他还不知她要怎么解释。

“为什么人与人之间有的相见不相识，有的则一见如故一见钟情？哪怕是惊鸿一瞥也终身难忘。”

陈元被她的话题吸引了，这的确是个问题，是每个人都会遇到的问题。他马上想到自己，与钱冰冰似乎就是一见如故，而与星儿则好像是一见钟情。他用目光鼓励钱冰冰往下说。

钱冰冰是注意到了陈元的目光的，只是误以为那是爱的目光，她有点兴奋。“这就是气味的原故。有科学家把气味分为A、B、C、D四大类，每一类又往下延伸，比如A1、A2等。如果两个人的气味都是A，见面就会有好感；如果两个人的气味都是A1，见面就会成朋友。”

陈元打断她的话说：“如果两个人的气味都是A2，那么他们就可能成为恋人，再往下就会成为夫妻。对吗？”

钱冰冰特满意地点点头。

陈元继续说：“我猜你此刻一定是在想我们两个人的例子就足以证明科学家的判断是对的。”

钱冰冰不知用什么词汇来表达此刻自己的心情，陈元说的正是她想的，但她嘴上却说：“鱼非水，怎知水在想什么。”

陈元把目光投向墙上的那幅字，说：“大圣，你说的这个气味问题，我到是真的很有感触。现在没有一个单位不在叫要发扬团队精神的，什么是团队精神，这不仅有和谐的问题，恐怕冥冥之中还有你说的气味的问题。臭味不相投如何能在一起共事？”

钱冰冰愣愣地看着他，有点醺醺然，觉得自己是爱上这个男人了。

陈元没察觉钱冰冰的变化，他回到自己的座位上，点开电脑中的一个文件夹，这是他准备改革商报的方案。钱冰冰走过来看。

陈元移动着鼠标解释道：“商报的改版可以开始了，从差异化的角度看，我想首先让商报变形，将现在的35 × 23的版心改为39 × 24的版心，让长宽比更接黄金分割点。广告词改为：‘报纸长一点，内容多一点’。内容上强调本地化，争取把商报办成离东方市最近的报纸。”

钱冰冰的情绪并没有完全转过来，但说起报纸，她还是有发言权的。“如果纸张能用更好一点的，我的品牌广告量恐怕就会多一些。现在的新闻纸一般大品牌的形象广告商都不愿意做。”

陈元诙谐地说："你呀，三句不离钱，难怪你姓钱。"

钱冰冰从陈元的目光中看到了嘉许和爱慕。"我姓钱有什么不好哇。天天往你口袋里装钱，没钱你可是什么也干不成呀。"她在说到"钱"字时，特意加重了语气，使"钱"字一语双关。

陈元说："我同意你的观点。还要请你注意报社职工的情绪，我准备加强管理，但又不能影响工作。那个牛文广太不像话，自己不敢去平乐县，还吓唬人家县委书记，这种情况就不能在我陈元这里发生，可它就偏偏就真发生了。我准备处理他。"

钱冰冰回了回神说："听说牛文广神通广大，他对你把林彬调开是有意见的。"

陈元反问："他有什么意见？人家小姑娘就不能放单飞，总跟着他当花瓶？"

钱冰冰笑着说："你这人就是不解风情。牛文广好像是很喜欢那个四木。"

陈元"哦"了一声："你说他们在恋爱？"

"那倒不是，好像是老牛单相思。"

陈元换一个话题："不管他。我让郝歌和四木去我那儿隔离了。"

这件事钱冰冰早知道了，并且已经给他们送了吃的。与记者搞好关系是在晚报总结出的经验。她问陈元："那你睡哪儿？"

陈元指指沙发："就睡办公室，也就一两天。"

钱冰冰用暧昧的目光看着陈元："知道我想干什么吗？"

陈元感觉到了钱冰冰想干什么，还是问："想干什么？"

钱冰冰直勾勾地盯着他说："亲你。"

陈元没想到钱冰冰这么大胆，他没作声，只是看着她，但目光中明显带有拒绝的意思。

钱冰冰看懂了陈元目光，哈哈大笑起来："好好，别害怕，我不亲你。你一个人在沙发上做梦吧。"说着走到门口，又回过头说："这个世界真不公平，就像你对我。"说完将陈元那扇从不关的门"砰"地关上走了。

陈元很想做出什么反应，但又做不出来，这个女人怎么说变就变呀。他愣愣地看着已经关上的门。

高原红把付印工作都做完后已是凌晨2点30分了。半小时前她接到上官德的女朋友非非的电话，讲上官德有两天没给她打电话，不知出了什么事。

高原红安慰她，上官德特忙，才没给她打电话，并表示自己会告诉上官德让他与菲菲保持联系。

上官德和一个歌舞厅坐台小姐谈恋爱已经成了晚报的经典段子，几乎所有人谈起来都津津乐道，有说上官超凡脱俗的，也有说是上官德有问题被菲菲抓住了把柄才不得不屈服的。高原红为上官打抱不平，支持上官德，她在总编室公开讲："哪天我要是挺着大肚子来上班，大家一定不要吃惊。没老公可又大了肚子也是生活中非常正常的事。这就叫自由。"

高原红关好门和灯要下楼时，看见走廊那头何大龙的办公室还亮着灯，便走过去敲门。进去一看，何大龙正伏案写作。

高原红笑着问："少帅还在用功呀。"

何大龙见是她，也笑道："没办法，论文要交了，已经误了不少时间。"

人是大自然中最最奇怪的动物，是靠精神来支撑肉体的，精神的好坏可以决定一切事物的好坏。这一段时间以来，高原红觉得精神爽朗，其中最强烈的感觉是安全，而且这种安全是全方位的。她明白这种安全感是何大龙带来的，对何大龙的好感也是油然而生。好多人说爱情要用时间来考验，但在高原红看来，爱情与时间无关，它可以是水到渠成，也可以一触即发。从进门到现在不过几十秒钟，高原红已被何大龙的雄性磁场吸住，她挣扎了，没成功。于是，索性走到何大龙身边说："听说你的论文特牛B。"

何大龙是喜欢高原红的，但喜欢她什么还没搞清楚。那种喜欢有点像长辈喜欢晚辈，又有点像上级喜欢下级。他问："你怎么看新闻？"

高原红没想到他会问这么个问题："你这个题目太大了。"

何大龙一想也觉得问得太突兀。"换个角度，你认为当代新闻是附着在一个什么背景下？"

高原红想想说："我个人认为是附着在一个畸形的而且是低水平的传媒文化背景下。"

何大龙心里一动，这个观点尽管有点偏颇，但也不失为是一种猛击一掌的观点。

高原红也顺着思路往下说："任何特权都是以牺牲规则为代价的，而且任何特权都会服从于更高的特权。少帅，知道你来报社后我们大家的总体感觉是什么吗？"

这个话题正是何大龙感兴趣的，他很想知道报社的同志对他究竟怎么评价。他问："你说真话？"

高原红冷笑："大侠我从不说假话。"

何大龙站起来给高原红倒了一杯水说："好，说吧。"

高原红用清澈的目光跟着他说："大家的感觉是你是个懂新闻的宣传干部。"

何大龙笑着说："这个评价不低。我们确实有很多做新闻工作的人不懂宣传，而做宣传工作的又不懂新闻。"他又问："你对我的感觉呢？"

高原红脱口而出："安全。"

"安全？"何大龙没搞明白。"怎么是安全呢？"

"我感到你来晚报后，我的思想轻松了许多，这就是人有了安全感后的表现，而人的思想一轻松便会产生绚丽的智慧火花。"

何大龙这回笑得很开心："你应该去学哲学。"

"你来了以后，我好像感到无论遇到什么问题，反正有你挡着，我们只管往前就是了。"

何大龙不笑了，开心变成了感动，很长时间没感动了。这种被别人信任而引起的感动沁人肺腑。

没等他开口，高原红又说："刚才上官的女朋友菲菲来电话问上官的情况。我还真羡慕她，可以惦记人，又被人惦记。"

何大龙接腔说："上官和菲菲恋爱是要有勇气的，我佩服他。"

高原红喝了口水，她忽然觉得很渴，心跳也在加速。她问："少帅，你寂寞吗？"

何大龙愣住了，这是他从没想过的问题。虹儿在的时候，好像还会感到寂寞，那是虹儿出差去了。虹儿车祸后，他真的没感到过寂寞。他能感觉到的是时间不够用，无法用太多的时间陪小虹儿，他甚至尽量不出去应酬，有饭局大多请贾诚实替他去。现在高原红冷不丁提出这个问题，让他打了个寒战，猛然想起自己已很长时间没做过爱了。高原红所说的"寂寞"是不是指做爱？想到这儿，他偷偷看看高原红，那一瞬间他们的目光相遇了，并在碰撞后发出奇怪的光芒。高原红又说了一句没头没脑的话："师哥，你的目光比你的思维更勇敢。"

何大龙的心收紧了，他绷着。眼前的高原红变得很美，既矜持又咄咄逼人，她那棕色的皮肤发着光，给人非常健康的感觉。何大龙想起高原红在反击别人说她黑时讲的段子："别看我黑，我放光辉，屁股后面有人追。"而此刻她不叫自己"少帅"，改叫"师哥"，显然是暗示。何大龙突然感到自己有反应了，他立刻在沙发上坐下，有点尴尬，但他的笑容是由衷的，是发自内心的。

高原红渴望地问："笑什么？我有什么问题吗？"

何大龙忙说："没有，你很漂亮。"

高原红觉得脸上红了，不由自主地摸了摸脸。

何大龙没话找话："给我讲个段子吧。"

高原红端着水杯去饮水机旁装了水顺势坐在何大龙的身边："想要我勾引你？"

何大龙觉得脸上发烫，下面的反应更强烈了。"不愿说算了。"

高原红把水杯放在茶几上："好吧，给你说一个，你可别有其他想法啊。说'男女朋友睡一个房间，女的画了条线说：过线的是禽兽。醒来后发现男的真的没有过线，女生狠狠打了男生一巴掌，气呼呼地说：你连禽兽都不如'。"

高原红说段子的时候，挨紧何大龙了，等她说完，两人已经很自然地抱在了一起。何大龙的舌头开始在高原红微微散发着烟草味的口腔里游动，不时与她的松软发烫的舌头短兵相接。当两个人的脸贴在一起时，都感到彼此的温度在脸上急速升起，并开始发烫。高原红在瑟瑟发抖，她努力地用舌头舔何大龙的耳朵。据说人体器官有不少反射区聚集在耳廓周围，而何大龙的耳朵还是块处女地，从来就没有女人用舌头在他的耳朵里工作过，有点痒，但更多的是亢奋。他的手不由自主地在高原红身上游动，开始还紧张，隔着衣服碰到她的乳房都吓得往回缩手。但在高原红的鼓励下，他的胆子大了起来。

在抚摸的过程中，何大龙觉得高原红身上皮肤光滑，肉质紧绷，她的乳房真的很圆润，乳头通红地挺立在乳房中央，如果不用力，都没有肉质的感觉。高原红变得羞怯腼腆，显得更加迷人。当何大龙摸到最敏感的地方时，她已在他怀里扭动起来，而且动作越来越大。她拼命地咬着嘴唇不发出声音，只是偶尔发出轻轻的忍不住的快乐呻吟，她在何大龙的耳边说："你真棒。"这句话让已在激烈运动的何大龙像是又吞了一次兴奋剂越发兴奋，他全身被汗水湿透，但似乎还是有使不完的力气，进攻，再进攻。

等到两人都精疲力尽时，高原红趴在何大龙身上，她用温暖的嘴唇吻干了何大龙脸上的汗水。"你的汗水真咸。"何大龙笑笑，又用力抱紧她，嘴里喃喃地说："谢谢你。"此刻他没有一丝罪恶感，反倒觉得无比的纯洁高尚。

第二天报纸一上街，东方市便炸了窝。所有药店的消毒液、口罩被市民一抢而空，然后是超市里的食醋被抢购，再然后是抢购米和盐，再再然后许多单位都接到职工请假的电话，事发地解放东路的几所中小学校长看了报纸后擅自放假让学生回家。结果市委临时召开紧急会议，李浩书记在会上批评了有关单位行动迟缓，对推波助澜的媒体也点名批评，其中包括晚报。要求电视台迅速播出那位学生已经退烧的消息，同时撤销“可疑病人”的说法，要各部门立即做好本单位职工的安抚解释工作。

马诚回到东方市连时差还没倒过来，便召开紧急会议，落实市委紧急会议的精神，点名要何大龙与陈元参加。在此之前，宣传部的会议何大龙都是让贾诚实去参加，他的考虑是留好后路，无论晚报被表扬还是被批评，只要他不在现场，就有斡旋的余地。马部长还间接地批评他在走孙强的老路。但今天他必须到会。

在会上何大龙与陈元第一次见了面，没人介绍给他们认识，但彼此心照不宣，没说一句话，也没打任何招呼。

省卫生厅严肃批评了东方市乱用名词，对非典防治工作造成混乱，省委宣传部也点名批评了《东方晚报》，讲晚报哗众取宠，被批评的还有另外几家报纸，但《东方商报》获得表扬。其实何大龙上午起床一看到商报，就眼睛一亮，他们真是高晚报一筹，这个陈元不简单。

马诚是愉快地回到北京的，但刚到北京就接到部里的电话，他的高兴立刻不见了。在飞往东方市的飞机上他看到了晚报，对晚报的标题很感冒。他想，这个何大龙还是从宣传部出去的，这才多长时间？就变了。在电话他已知道是何大龙值晚班，也知道了那位学生基本被排除了是非典，很可能仅是上呼吸道感染，而且已经退烧了。而报纸这么一弄，给市里的不少工作造成被动。

马诚在北京就与市委李书记通了话，先报告自己正往回赶，然后是检讨宣传部工作没做好。李书记没说什么，只是说这是个教训，在今后的公共突发事件面前，不仅是媒体，各个分工口子都务必要注意可能出现的后遗症。

“同志们，谣言止于真相。真相是什么？请你们看一看商报，有理有节，还有独家。都说宣传规律与新闻规律有矛盾。”说到这儿时，马诚深有意味地看了看何大龙。“我看这是为做不好工作而辩护。这次对非典的报道，商报就做到了宣传规律与新闻规律高度一致。这是为什么？这说明商报的同志有责任意识和大局意识。我在这里表扬好的，就是批评不好的。我宣布几条纪律：一、各媒体关于非典的报道必须用新华社的稿子，涉及本省本市的必须用省卫生厅的稿子；二、各媒体要加大版面报道针对非典的防预知识，明确一点不涉及事件报道；三、有派记者去外地采访非典新闻的立刻撤回并做好隔离工作。”

何大龙知道这话是针对他来的，全省媒体只有晚报派人去北京采访，马诚没点名就算是给他面子了。虽然心里不服，但会后他还是到马诚的办公室做了口头检讨，他对马诚要他向陈元学习的说法不以为然，心想，别人让你出趟国，也用不着如此上竿子表扬别人呀。我何大龙不是孩子，向谁学习还用得着你教吗？

此时的何大龙并没有从与高原红做爱的事中拔出来，他的脑子依然兴奋，可又有点害怕。高原红会从此缠住自己吗？如果要缠住自己该怎么办？他已经想了好几套方案，比如用钱补偿，反咬她一口等。但无论用什么办法都是会有较大的负面作用的，法律上没问题，道德上却问题很大，这会涉及贺家一帮人。他开始后悔，怎么就立场不坚定呢？前思后想后得出的最佳办法是高原红沉默，可她会沉默吗？何大龙第一次觉得自己的命运在别人手上提着。带着这种情绪到宣传部开会，心情可想而知，本来还觉得商报在这个新闻中比晚报处理得好，特别是他们的照片棒。可被马诚一顿训，他对商报的好感烟消云散了，还把气带回了家。

星儿送上门来受气。她带着小虹儿抱着礼物来何大龙家，一进门就感到有点不对，何大龙不高兴。她装着不知道，给他讲了许多欧洲见闻，但没提起他的精神。对送给他的礼物，何大龙也只是淡淡地说了声谢谢。星儿不高兴了，对小虹儿说：“走，姨带你去玩。”小虹儿摇摇头说：“我不走，我想在这里陪爸爸。”

小虹儿的话让何大龙有所触动，没理由对星儿冷淡嘛。他让小虹儿去房间里玩电脑，然后对星儿说：“别生气，我情绪不好，不是对你的。”

星儿见他软了，关切地问：“怎么啦？工作不顺？”

何大龙简单地把宣传部的会议情况跟她说了。问：“马部长好像出了一趟国就对商报印象特别好了。你们路上谈了什么？”

星儿想了想说：“没谈什么呀。他对商报印象好可以理解，毕竟是我们出钱邀请他出国的嘛。”

何大龙叹了一声：“有钱能使鬼推磨呀，我现在就缺钱。”

星儿没理他的酸劲，问："你缺什么钱，晚报不是盈利的嘛。"

何大龙看看她："你忘了市委让我们把《青年报》和《大众医生报》接过来了。我想对这两张报也改版，但需要钱呐。"

"找银行贷款呗，媒体现在是朝阳产业，多少资本想往里钻呀。"

何大龙摇摇头："不是那么容易的事。好啦，不谈工作。谢谢你给我的礼物，但香水用不着，我一个社长总编整天身上香喷喷的像什么话。"

星儿俏皮地说："听说比尔·盖茨、默多克他们身上都是香喷喷的。"

何大龙也笑着说："我可是共产党的干部。你没倒时差？"

星儿娇嗔地说："想早点看见你呗，还受你的气。这三样礼物可都是我精心挑选并分别在巴黎、汉堡和佛罗伦萨买的。"

何大龙由衷地说："再次谢谢。这样，你去超市买点菜，我开完编前会赶回来，好久没自己做饭了，我来给你们做吃的吧。"

星儿不生气了，她知道何大龙的厨艺不错，每回家里来了客都是他下厨，而且只要到老丈人家，他都会下厨做一两样菜。但自从虹儿不在了，何大龙就没在家里开过火，最多煮碗面条下几个水饺。今天他说要下厨房，说明他的情绪已经调节过来了。但她不知道，她的这位正经的且有政治头脑的姐夫已经出位了。

陈元是双喜临门，一是马诚对商报的表扬童瑞东已知道了，给他来了电话，祝贺他这一仗打得漂亮。他顺势报告了准备改版的事，董事长说他不管这事，与星儿商量，但大主意要陈元自己拿。陈元始终认为没有比信任更宝贵的东西了，他对改版信心十足；二是郝歌在商报已经起到了鲶鱼的作用，商报的摄影水平在省内跨入了甲级队。而且就在隔离的两天时间里，这小子居然向林彬求婚，说猴与羊是天生一对，所有马戏团的动物表演中猴总是与羊一起出场。报社已开始流传郝歌写给林彬的求爱诗："我的心已成熟地挂在你门口的树上，随时等你摘下。"

带着这股高兴劲，他和星儿用MSN在网上进行了一次工作交流。原准备见面谈，但造纸厂的设备到了，她要在厂里盯着，便约定在网上谈。陈元先上网，不一会儿星儿就上来了。

陈元敲动着键盘："欢迎回到东方市。"

"谢谢。也要祝贺你取得了成绩，我为你骄傲。"

见到这一行字，陈元心里如同开了莲花，这种赞扬是所有男人都愿意听到的。“向你汇报商报改版的工作。”

“纠正你，不是汇报，是交流。”

陈元自己对自己笑，又打了一行字：“方案已基本定了，文本我让人给你送过去。先给你看一张版样。”他发过去一张已改了版的细长的版样。

“我只能谈谈原则，供你参考。差异化竞争是市场竞争中能否取胜的关键一环，我很同意你对改版后的商报做的广告词，很朴素又点了题。”

陈元看了看放在桌上的广告词：报纸长一点，内容多一点。“但这样我们将失去中缝广告，听钱冰冰说一年有近百万。”

“对报纸几千万的盘子来讲，这是小数字，我在读报时就反对看中缝。如果商报在去掉中缝后能吸引更多的读者，那花100万恐怕是办不到的。”

陈元心里感激她的理解，他点开图案，给她发了个调皮的头像过去。接着又打了一行字：“谢谢你的支持。”

“唯一要提醒的是预算，异型的新闻纸生产我这边还有些问题，我会及时给集团报告。但改版的预算特别是纸张及印刷费要尽量准确一些。”

“好的，我会让财务再出一个预算，然后报告给集团。”

“你估计要花多少钱？”

“不会超过1000万，这是指一年之内。”

“人才问题恐怕也不能忽视。看来我们真的要找个时间见面聊一聊。”

陈元快速回复：“我同意你的建议，尽快找时间见面聊，还有好多事呢。”

“那位钱大圣工作还愉快吗？”

陈元不知她为何会提这个问题，他回答：“很有成绩，特别是在发行上。关于与光明牛奶合作发行的事我还没最终决定，也想听听你的意见。”

“我已经看过了捆绑发行的方案，这是个好想法。只是要防止报纸到不了读者手中。由于读者没花钱订报纸，即使没收到报他们也不会投诉，这涉及到有效发行的问题。”

陈元觉得星儿太聪明了，她能说出“有效发行”四个字，说明她研究过发行。“你的提醒切中要害，这也正是我担心的，有何良策？”

“暂时没有，我们都想想吧。”

陈元打出一行字：“我期待与你见面。”他送了一枝玫瑰给她。

“我也期待与你见面。谢谢你的玫瑰。”

〖晚报讯〗尽管东方市郊区一小学教师刘某在法庭上为自己百般辩解，然而法院最终认定其犯罪事实成立：由于用淫秽下流手段猥亵3名女学生，这名男教师一审被判5年刑，昨日此判决正式发生了法律效力。

据悉，现年26岁的刘某大专毕业，是东方市郊区某小学教师，目前独身。在一次上自然课时，刘某将学生小丽(化名)叫到讲台前面，让全班同学都趴在桌子上，闭上眼睛。而刘某则公然对小丽猥亵，以达到性刺激目的。此后，刘某竟然几次三番地对小丽施此恶行。不但是小丽，还有女学生小芳、小芸(均化名)也被刘某猥亵过，3名女生均未满10岁。

在庭审中，刘某否认自己有罪，他称被害人及一些证人均未满14周岁，而且孩子父母的证据都是听别人说的，不应采信。法院审理后认为，刘某作为教师本应教书育人，却用淫秽下流的手段猥亵儿童，其行为已构成了猥亵儿童罪。公安机关在询问被害人及证人时，均有其监护人在场，该证据具有合法性，可以作为定案的依据。

据了解，教师猥亵女学生，最终一审被判5年刑，是《刑法》中关于猥亵儿童罪的最高刑期。

星儿果断将一名经理解职了，原因很简单，这位分管设备的经理周一例会迟到了20分钟。

星儿在瑞东纸业东方分公司成立的第一周起就定下了规矩，每周一召开公司“内阁”例会，总结上周工作布置下周工作，解决工作中存在的问题。由于她向全体员工公布了自己的电子信箱，在例会上便多了一项内容，讨论员工提出的对公司发展有益的问题。童瑞东参加过她主持的例会，对这项制度高度评价，并要求集团在全系统内推广。

从欧洲回来后，星儿对企业管理尤其是对企业文化有了一些新的想法。马诚去了不少世界一流的报社参观，星儿也趁机偷师学艺，集团派她到东方市来，就是放她的“单飞”，权力非常大。她知道这中间有父亲的原故，但董事长将这么大一笔钱由她控制决不是仅仅因为她的父亲是副省长。多次跟父亲交谈后发现，国家机器的运行与企业运行完全是两回事，政治经济学与市场经济学在很多状态下是矛盾的甚至是格格不入。从父亲那里她学到了处理问题的一种精神，那就是一旦下了决心就别犹豫。星儿把工作和生活分得很清楚，除非有特别重要的事，一般不在业余时间处理公务。在家里，父亲经常听到她在通电话时说：“明天去办公室谈。”父亲问她为什么一两句就可以解决的问题非要等明天去办公室办？她告诉父亲这就是新型企业家应该具备的工作作风，人不是机器，人是需要有许多空间的，也需要有许多规矩。努力工作享受生活遵章办事才是一个文明人应该做的。父亲告诫她这是在中国，讲究平衡与人情才是有中国特色的真文明。但她听不进去，依旧我行我素。

那天，星儿准时走进会议室时扫了一眼，发现设备经理的位置是空的。围着会议桌放几把椅子也是有规定的，不管开什么会，星儿都要求在每把椅子前摆上席位卡。她说每个人都必须清楚自己在公司的位子，坐到什么位子上就能拿这个位子的薪水。位子的拥有者不固定，只要你有本领坐，就可以坐上来。现在会议室里所有的人都是她亲自招来的，有从人才市场招的，有猎头公司推荐的，有集团内部调整的。那位设备经理就是猎头公司推荐的，原来在华北一家大型造纸厂工作，是那家工厂里最年轻的工程师，星儿很喜欢他。他给人的感觉不像工程师，虎头虎脑的，对人对事都非常热情，对造纸设备更是了如指掌。星儿带他参加了所有购买设备的谈判，他们配合默契，为公司省下了不少钱。有一次厂家偷偷塞给他10万块钱，要他在谈判桌上高抬贵手。他收下钱后马上交到星儿手上，但同时指出给钱单位制造的设备是最好的，星儿对他又产生另一个印象：光明磊落。

星儿坐下后问办公室主任："请假了吗？"主任摇摇头说："我去找他。"星儿没吱声，但她的脸上已不好看，沉沉的没有表情。主任在一旁打完电话后说："他在车间，马上就来。"星儿还是没吱声。只要她不讲开始，例会就开不了。与会的各部门经理都有点慌，不知该怎么办？也没人敢交头接耳，每个人都只盯住自己眼前的笔记本或材料，偶尔有人交换眼色后又迅速分开。

会议室越来越安静，只有墙上电子钟在"嘀答"地响，今天这钟的声音特别大，每一声都敲进了人的心里。房间里令人窒息的气氛越来越浓，有些人的目光已无定力，开始游动，不少人把目光投向墙上的两条规定，一条是会议室禁止吸烟，一条是会议室禁止使用手机。这也是星儿根据实际情况定下的。童瑞东说后一条定得好，集团董事会开会时也要定下这一条，但前一条禁止吸烟做不到。星儿就想试试是不是真做不到，结果没问题，完全能做到。就连童瑞东在这里开会时都两个小时没吸一支烟。星儿笑着说："本性难改，但习惯是可以改的。"

整整等了20分钟，设备经理小金才满头大汗跑进来，脸上还脏兮兮的，领带也没系好。一进来就说："对不起，对不起，迟到了。"

会议室里的气氛好像一下子缓和了，大家不约而同翻开笔记本准备开会。但星儿冷冷的一句话让气氛又紧张起来："请解释为什么迟到？"

小金这才发现平时充满笑声的会议室现在很严肃，星儿的脸上冷冰冰的。在坐的人谁都没经历过开例会有人迟到的事，他们不知会发生什么？小金又看了看其他人，大家脸上都是一片茫然。他意识到问题有点严重，便解释道："制浆机一早就到了，我7点赶到公司，在卸货的时候，吊车出了点问题。我便在现场帮忙搬运。""搬运工去哪里了？"星儿又是一句没有感情的问话。

"搬运工都在，大家都忙着呢。"

星儿冷冷道："这么说，在搬运工都在的情况下，你也去当搬运工了。"

会议室里连空气都紧张起来，经理们发现星儿绝不是仅仅要批评这位设备经理了。

见小金没吱声，星儿开始说出她想了20分钟的决定："我们公司是个年轻的公司，我总是想从一开始就将企业文化贯穿到企业之中。经过半年的实践应该说已经有了一些效果。但今天，问题来了。"她对着小金说："你提前上班，又去当搬运工，似乎是把企业当家了。爱厂如家是国有企业的著名口号，工人都是主人翁嘛。可实际情况并非如此，爱厂如家决不是企业文化。为什么不是？大家可以想一想。”星儿用严肃的目光扫视了全场：“在坐的各位薪水都不低，你们为什么能拿这么高的薪水？不是你们有爱厂如爱家的好心，而是你们有坐在这个位子上的能力。如果你们都去当搬运工了，那搬运工干什么？这种位子的交换导致的结果是破坏了厂里的规距。”她对办公室主任说：“现在作一个决定，扣除小金一个月的奖金，免去设备经理的职务，由副经理代替。具体工作由人力资源部重新考虑。”她又对小金说：“你也可以选择辞职。”小金“唰”地站起来：“我不辞职。”星儿精神放松了，她压根就没有让这位经理辞职的想法：“好了，你可以走了。送给你一句话：一个好的职业人，一定是把工作与生活严格分开的人。角色的互换在企业只会造成等级不分工作不分的混乱。”小金执拗地说了声：“谢谢你的忠告。”扭头走出会议室。

会议室里的其他经理惊呆了，他们想都没想过一个优秀经理就这么简单被解了职。开始有人想劝，但都忍住了。既然星儿如此武断地解除一个经理的职务，必定有她的考虑，这个时候谁去劝都可能碰钉子。但他们领教了星儿的作风，每个人都在心里说：可不能迟到了。尤其是不能因别的工作耽误了自己的工作。也有人想：这么搞不是要经理们事不关己高高挂起吗？

星儿翻开自己的笔记本，看了看大家。她暗自为自己叫好，今天的所作所为是她考虑了好久想做的事。要在这个企业树立自己的绝对权威，让部属对她有敬畏。所有的属下必须干好自己的本职工作，只有每个流程都不出问题的企业才是有竞争力的企业，今天的事让她一箭双雕了。但她心里很清醒，这位设备经理是人才还是要用的，这不是诸葛亮挥泪斩马谡，也不是亡羊补牢。所以她只说“免去”而不说“辞退”。让他去基层锻炼一段时间，想必他也不会失去对自己的忠诚，这又是一箭双雕。想到这儿，星儿脸上闪过一丝笑容，但又迅速收起，还是一副严肃的样子：“我想结合去欧洲考察的情况，再和大家谈谈企业文化问题。然后讨论处理上两周的工作问题。下面开会。”

酷热的气温让东方市这座原本就被称之为“火炉”的城市成了旺火中的蒸笼，整座城市如同一间桑拿干蒸房，热浪滚滚。商报新闻部也如同这高温季节，电话整日响个不停，都是报料的。对这一点陈元觉得特美，他知道，一张报纸有没有生命力就看它是不是有读者，而报料热线是检验读者忠诚度的重要指标。但由于电话长时间响个不停，记者们听电话铃声的敏感退化了。

郝歌就是在一片铃声中整理他的照片。在他的手边是一只大大的摄影包，里边有一套价值10万元的器材，这是他从不离身的东西。

郝歌来自偏远的小县城，大学中文系毕业后回家乡当了一名教师。可他酷爱摄影，拍摄的一组“希望工程”的照片获得了省级摄影大奖。由于他长期给省报投稿，逐渐被报社领导所认识，在经过了当通讯员、当驻地记者等几个环节后，终于进了省报摄影部。他浑身充满才气，很快就成了报社咄咄逼人的快抢手，也引起了老记者们的嫉妒。省报是一份有50多年历史的党报，它的摄影记者通常有几不拍：没领导在场不拍，因为拍了也发不了稿；没车接送不拍，公家的器材在途中损坏了谁赔；突发性事件不拍，党报的办报方向不是报道突发性新闻。可郝歌却不吃这一套，拍回来的照片省报不用他就发到网上，经常被外省媒体采用。摄影部主任多次批评他，他却在背后讲：这是行将就木的老家伙们对新生代的最后反击。

省报记者走到哪里都高人一等，养成了他们根本不把采访对象放在眼里的习惯，对郝歌这样的以贫民记者自居的人是嗤之以鼻的。虽然有八成的人对他的照片表面不以为然心里煞是佩服，但有九成的人对他的邋遢不能忍受。报社边上有一间小屋是给几个单身汉住的，自从他搬进来，里边就不成样子了。满床的臭袜子和脏衣服，被子也没被套直接睡棉胎。因为房间小，又不通风，里边的气味实在令同屋们受不了。最要命的是郝歌经常喜怒无常，明明躺在床上看《红楼梦》，他会突然大哭起来，哭得上气不接下气，哭完后又笑，还反复问自己：“我这是为什么？”大家想睡午觉，他却若无旁人地用家乡话朗诵高尔基的《海燕》：“在苍茫的大海上，狂风卷集着乌云。在乌云和大海之间，海燕像黑色的闪电，在高傲地飞翔。”气得大家异口同声大叫：“郝歌，你去死吧。”有一次采访女职的学生，他认识了几个小太妹，于是领到宿舍来，弄得穿三角短裤在写稿的男记者触电似地跳起来。几个记者告状无门，只好自己凑钱租房搬了出去。郝歌还拼命挽留：“别走，我一个人住害怕，现在孤魂野鬼到处都是，你们走了就等于间接害命。”可大家说：“我们再不走，就都要进神经病医院了。”当他决定到商报后，省报摄影部的头儿高兴极了，连说谢谢郝歌让他们恢复了平静。

执着的铃声让郝歌拿起了电话：“喂，找谁？”

电话里传来急促的声音：“我是报料的，北京路立交桥开裂了。他妈的，这才通车一年，就坏了，也不知是哪个贪官吃了回扣。”

郝歌一惊，尽管办公室开着空调，他还是打了个寒战。北京路的立交桥是东方市政府为了缓解城市交通堵塞的重点工程，也是咽喉工程，听说花了一个多亿人民币呢。通车时郝歌去拍了照片，他有一张获奖照片《我就是人生精华》就是在这个工地拍的。放下电话他对正在写稿的林彬说："四木，走，有料。"两人一前一后冲出办公室。

烈日当空，地上就像是着了火，所有的人都唇干舌燥汗流不止。路上行人很少，阳光越发肆无忌惮。郝歌有一辆"洪都125"摩托车，每次出去采访，林彬都坐在后边搂着他的腰，此刻两人的汗水已流在了一起。林彬没答应和郝歌谈恋爱，但她很喜欢这位忘我工作又才华横溢的记者。自从他向自己求婚后，好像他的衬衫白了一点，汗渍也少了。尽管身上的汗味还是那么浓，林彬可能习惯了已不觉得他臭了。牛文广常在她面前讲郝歌是个混小子，竟敢向她求婚，也不找面镜子照照自己是什么模样。但林彬却有逆反心理，她想，你牛文广也不是什么好东西，虽然你认识不少人，办事能力大，可你不光明也不磊落，你不是在做新闻而是在利用新闻。她心里牛文广的位置逐渐被郝歌所代替，郝歌的勇敢让她惊喜，那天他突然向她求婚时，把她逗得狂笑不已。但有人向自己求婚总是件幸福的事。事实是从那以后，她与郝歌进进出出都是一对。

陈元接到林彬的电话时，郝歌的摩托车离现场只有两公里了，林彬是在摩托车上打电话的。今天是周日，通常周一的报纸都缺稿，大礼拜官员们市民们都在舒舒服服休息，可记者们还得跑。接到电话后，陈元立刻意识到这是明天的头条新闻了，那座桥还是国家级的优质工程，它是怎么评上的？他立刻要求新闻部搜集背景资料，等郝歌他们回来，就决定发几个版。刚布置完宣传部来电话了。"喂，是陈元陈总吗？我是宣传部小陈。"

陈元认识这个与他同姓的姑娘："你好，有什么指示？"

小陈说："北京路立交桥的事知道了吧？"

陈元听了这话刚鼓起的劲泄了："我的记者已经在现场。"

小陈说："叫你的人赶紧撤。市政府通知，由办公厅写通稿，所有媒体一律用这个通稿，记者写的稿子拍的照片一律不用。"

陈元问："通稿在哪里？"

小陈答道："马上会给你传过去。陈总，我是代表宣传部正式通知，千万别打擦边球呀。再见。"

陈元苦笑着放下电话，他已经不知有多次被弄得苦笑。

小陈说的马上，实际上过了一个多小时陈元才看到通稿，标题是《北京路立交桥即日起封道检修》。还没看完稿子，陈元就乐了，他笑了起来，越笑越觉得痛快，以至于郝歌、林彬冲进来时都愣住了。

陈元止住笑后问："怎么样？"

郝歌兴奋地说："我们已采访到了设计院，绝对猛料。"他边说边从摄影包里拿出数码相机走到陈元面前，给他看相机里的照片。

林彬说："设计院的工程师说这种情况估计是水泥标号出了问题，很可能施工单位篡改了设计。"

郝歌边翻照片给陈元看边说："我们已联络了施工单位，他们答应接受采访。"

陈元把目光从相机上收回来，他想如果把竣工通车时的照片与现在的照片对比，肯定能产生震撼的效果。可只兴奋一刹那便叹口气说："你们白跑了一趟，稿子已出来了。"

郝歌一听就大叫："不可能，放眼东方新闻界，还有谁比我手脚快？"

陈元冷冷地说："宣传部。"他说着从桌上把稿子递给林彬。

这是条不到300字的消息，林彬念出声："北京路立交桥从昨日10时起封道检修。据悉，检修原因是因我市持续高温使立交桥150米长的引桥发生轻微移位……"她看看郝歌，不解地说："高温烤化了水泥？"

陈元果断地说："你们的稿子枪毙，但算完成了任务。明天的头条就是它了。"

郝歌还想说什么，林彬用眼神制止了他。郝歌用手抹了一把脸上的汗水说："这太阳真厉害，把我的汗都晒出来了。四木，走吧。"他一转身鞋带断了，他蹲下来系好鞋带后又自嘲地说："看看，太阳把我的鞋带都晒断了，立交桥如何经得起晒哟。"

看着他俩的背影陈元想笑，可笑不出来了。

何大龙越来越感觉到马诚对商报的支持，他仔细考虑过对策，结果是暂时改变不了这种局面。《青年报》和《大众医生报》虽然出版还正常，但改版工作一直没最终落实，问题关键还是没有钱。

为了这两张报纸的改版，他通过各种关系与市人民医院、省第一附属医院还有几家民办医院达成协议，共同办报。一旦改版，几家医院和医疗药品器械厂都会投广告，他估算了最少有500万，这对办一张周报来讲绰绰有余。但改版的前期投入是笔不少的钱，而且晚报自身又扩了八个版，仅这一项大概一年就要近900万，而广告额的增长不可能是同步的。何大龙的算盘是，只要把晚报做大做强，你马诚就必须对我何大龙刮目相看。但如果事与愿违，自己的日子会不会这么好过就不一定了。他有些后悔，如果不把《青年报》和《大众医生报》弄过来，自己恐怕不会这么难。就这么在晚报熬着，只要不出错，升官应该是没什么问题。不作为固然稳，但它的后遗症是平庸，何大龙不甘心。他的新闻理想现在有机会去实现，如果放弃这个机会，即使升了官他也会后悔。现在只欠“钱”这场东风。

本来工作上的事就够烦心的了，可自从与高原红有了肌肤之亲后，生活好像也一团糟。

在何大龙的眼前有三位姑娘，摆在第一位的肯定是星儿。何大龙知道她喜欢自己，可自己对她更多的是亲情。不是有意要压制爱情，而是从内心觉得不能再当贺副省长家的第二任驸马。如何才能让星儿明白又不伤害她呢？烦！第二位是朱香香，她已在行动上表示了爱，而自己对她也的确有朦胧的爱。她知道晚报缺钱后帮着联络了好几家银行，尽管都还没谈成，但她的热心足以说明她关心何大龙的一切。与医院联办《大众医生报》她也有功。和她结婚会是什么样的结果？何大龙现在还没一点底，他想，家庭应该没问题。社会呢？贺家会怎么想？烦！！第三位是高原红，这是最不可能结婚的，可她偏偏是三个女人中最早与自己做爱的。真要命，那晚的情景常历历在目。尽管第二天他们见面就像啥事也没发生过似的，但何大龙的心里是慌的。不知道高原红下一步会怎么办？也不知道如果高原红提出要和他结婚又该怎办？快两个月过去了，他们没有再越轨。机会有很多，何大龙也做好了再和高原红做爱的准备，但没发生过。何大龙想：这是不是就是网上说的一夜情？烦！！！

下午朱香香来电话讲已约了招商银行一位主管贷款的副行长晚上一起吃饭，要何大龙参加，说很可能能弄到贷款。何大龙答应了，他发现自到报社工作以来，酒量见长了。

晚上朱香香做东在半岛酒店的总统包房里，招商银行郭副行长与何大龙见面了，一阵寒暄后，郭副行长一个劲儿地夸朱香香的东方商城的宣传做得好，请模特走秀引进行为艺术是两大绝招。朱香香笑着说都是何社长的策划。郭副行长热情地邀请何大龙帮他们搞个策划，把招行的形象做得更好。

宴会就在这种客气的气氛中进行。按何大龙的性格，是不愿参加这种没有实质内容的宴会的，可为了贷款，他忍住了。郭副行长答应研究晚报贷款的项目，但对于无抵押物的贷款银行是慎之又慎的。相反，他重复了几次说对东方商城感兴趣，对这样的项目银行是全力支持的。何大龙心里叹了口气，又为朱香香做了嫁衣裳。朱香香却与他对下眼色，意思要他别着急，他淡淡地笑笑。

宴会结束后，朱香香没让何大龙叫车来接，用自己的酷派跑车送他。

清风朗月之下，朱香香驾驶着跑车在东方市新修好的高架路上用时速80公里的速度前进。何大龙欣赏地看着朱香香开车。朱香香问："你的车技怎么样？"

他不好意思地说："不怎么样。驾照拿了几年，车没摸过几下。"

朱香香又问："对开车有兴趣吗？"

何大龙看着车窗外迅速倒退的景物说："这不是兴趣问题，而是一个现代人应不应该掌握开车这门技能的问题。"

朱香香笑笑，她觉得何大龙讲话总脱不了官腔。可又觉得他讲的有道理，一个大男人就应该时刻有理智才对。她又问："你认为开车最难的是什么？"

何大龙脱口而出："不出车祸是最难的。"他之所以脱口而出，是因为虹儿的车祸在他的脑子里根深蒂固了。

朱香香听后心里一动，明白了何大龙为什么会这么说。她很同情也很理解他，她用眼角的余光看了看何大龙，见他一脸严肃地看着车窗外，不知在想什么。从车窗外透进的月光在何大龙的脸上勾勒出性感的光影。朱香香想，如果能得到他的爱，恐怕会像是阿斯巴甜，既达到甜的目的，又不增加血液和心脏的负担。此时朱香香已经能感觉到何大龙血冷心热的性格。

何大龙的思绪回到现实，他转过头看看朱香香。在车窗外流动的光线照射下，朱香香的脸时而成剪影时而又变为彩色，朦胧间，表现出一种独特的美。继而，他的目光在她的脸上放大，被朱香香成剪影时的鼻梁所吸引，高高的很挺拔。这鼻梁该不会是假的吧？见朱香香一直没吱声，估计这个人精一定知道自己是想起虹儿才这会提到车祸的，他想缓和气氛，便说："目测路的宽窄，准确判断自己的车能不能通过，也是很难的。"

朱香香见何大龙如此说，知道他缓过来了："这很好办，你只要知道车轮在哪里就OK了。"

何大龙不解："坐在车里怎么能知道车轮在哪里？"

朱香香得意地笑笑：“非常简单。这是一个老司机教给我的窍门。”她把车开下高架路，在一条划有行车道的路上停下，打开车门走下来，并示意何大龙也下车。两个人站在车头，朱香香指着车轮说：“将轮子压住车道线，然后再在驾驶员位子上找到与车道线为同一点的地方为参照物，这样你就知道车轮在哪里了。”

见何大龙还没明白，她说：“我来压这条车道线，你看看我压住没有。”她上车把车慢慢往前开，何大龙示意她压住车道线了。她停下车让何大龙坐在驾驶员位子上。朱香香说：“与车道成直线的地方在前挡风玻璃靠左边大约10公分的地方。”何大龙看了看，那里有个记号已和车道线在一条直线上。“这就是你车轮的位置。知道了这个位置后，通过窄路心里就有数了。”朱香香说着从车的另一边坐进了副驾驶的位子。

何大龙问：“你什么意思？”

朱香香怂恿地说：“你开呀。”

何大龙心里是想开的，嘴上却说：“你不怕我把你的车撞了？”

“不怕，走吧。”

见朱香香说得干脆，何大龙挂挡松刹，酷派跑车慢慢向前滑动。他左打方向，车进入行驶车道。朱香香说：“刚才你忘了打左转灯。并道时一定要先打方向灯，要不然容易被追尾。”

何大龙双手紧紧握住方向盘，手心好像在微微出汗。听朱香香说打转向灯的事，他连声说：“对对对。”跑车在加速。

朱香香见他有点紧张，便想缓解他的紧张：“开车其实是很简单的事。”

何大龙目不转睛地盯住前方说：“真理往往都出自简单。”

朱香香笑了，她喜欢听何大龙的官腔，在他的官腔里往往能找到与众不同的很有智慧的东西。

“嘀铃铃……”何大龙的电话响了，是星儿来的。朱香香看着何大龙，意思是问他接不接电话。何大龙还是盯着前方说：“不接，开车最好不打电话。”

朱香香说：“哪天我请小虹儿吃麦当劳吧，听说她很喜欢麦当劳。”

何大龙没在意随口道：“好啊，我都一周没见到她了。这两天她天天吵着要回家。”

“女孩子都亲爸爸，你长时间把她放在外婆家也不是办法。”

何大龙叹了口气：“家家都有难念的经。我现在一个人很难带好她，加上她外婆、小姨都离不开她了，我也不好怎么多想。是星儿帮我渡过了难关。”

朱香香很在意何大龙提到星儿时的表情，她敏感地发现，何大龙并没有表现出喜悦开心的样子，只是感激。这正是自己所期待的。从第一次见面他就给自己留下了极深刻的印象，到联合举办大型模特秀获得成功后，发现自己与他很默契，再到现在心甘情愿为他找钱，似乎他们之间的关系正在从偶然走向必然。

酷派跑车发出低频率的轰鸣，速度越来越快。星光似乎也越来越灿烂。

高原红用试纸发现自己怀孕了，马上去医院检查，阳性。她没有半点犹豫立刻与医生约定了做人工流产的时间。

高原红没想过要爱何大龙，更没想过要嫁给他。她反复自问为什么会和他有一夜情？想了无数理由，但没有一条能说服自己，这大概是没有理由就是最好的理由吧。奇怪的是与何大龙做爱后，高原红居然没有一点尴尬，他们依然每天见面，依然每天谈工作，也有机会做爱，可她再也没有冲动。并不是她有意要压制，而是真的没有冲动。何大龙倒是有点尴尬，特别是头几天，说话都不怎么流利，他的眼神中显示过想再和高原红在一起的信息，他还讲过几次对不起。这都让高原红觉得好笑。在她心里，何大龙是个安全的人是个可以倾诉的人，但不是可以做情人或者做老公的人。高原红想列出一二三四来证明，可想来想去想得头痛，干脆不想。和他做爱，就算是一次本能吧。

可现在玩大了，怎么就他妈的怀孕了呢？要不要告诉何大龙？他是孩子的父亲，他有权知道真相。可结果呢？本来已经平静的湖水，一定会“风乍起，吹皱一池春水”。何大龙愿意这样吗？他肯定不愿意，无论从公从私他都不会愿意。高原红摸着自己的肚子喃喃地自言自语：“孩子，你爸爸是不会希望你来到这个世界的。妈妈找不到其他的办法，只能选择放弃你，你别怪妈妈。”一想到自己居然是妈妈了，高原红的眼泪无声而丰饶地流过她的脸颊。

在做手术的头天晚上，高原红在网上又遇到网名为庄子的网友。他们之间聊的不多，但只要聊起来就常常聊很长时间。高原红通常是在下了班以后上网，最早是凌晨2点，可她和庄子能聊到早上7点。不知庄子真实身份只是在聊天的过程中感觉到他是男性，对中国古代哲学有点研究，他们在网上争论过关于“春秋笔法”和“笔法春秋”的问题。有时为了争论是庄子的贡献大还是荀子的贡献大时，两人会你一言我一语，谁也说服不了谁。但高原红在心里还是蛮佩服庄子的，他很机敏，也很善解人意，每次争论结束时，他都会说：意见不同才是自然的，才是符合人的意志的。

高原红的网名也叫大侠，她刚上来庄子就和她打招呼，一个调皮的头像。高原红打了一行字："庄子我遇到了困难。"

庄子："可以说得具体一点吗？"

大侠："我不小心怀孕了，可他并不知道，我也不想让他知道。"

庄子："看来是个曲折的故事，需要我的帮助吗？"

大侠："不，不需要。只想和你聊聊。"

庄子沉默。

大侠："第一次见他，就觉得很安全，很亲切。"

庄子："你们会结婚吗？"

大侠："永远不会。他不是我理想中的丈夫。"

庄子："恕我冒昧，你们是一夜情？"

大侠沉默。

庄子："对不起，如果我说错了，向你道歉。"

大侠："我们是一夜情，但没有一点陌生感。"

庄子："前世今生？"

大侠："可能是吧。只是没想到一次就怀上了。"

庄子："如果我没猜错，你已经做出了决定。"

大侠："对。明天去医院，但我心里很内疚，毕竟是一条生命，孩子并没有错。"

庄子："我能理解。真心祝你好运。"

大侠："谢谢。我是不是多情了？"

庄子："多情正是女人心。"

大侠："用错了情就很惨。"

庄子："只要记住你和他只是在做一个成人游戏就错不了。"

大侠："成人游戏？这个词不错。尽管我们天天都见面，但再也没发生过什么。"

庄子："掌握好游戏规则是关键。"

大侠："我来电话了。知道是谁的吧？是他。"

庄子："88，不耽误你。去医院自己一定要小心。"

高原红在看最后一行字时，接通了何大龙的电话："喂，少帅。"

何大龙迟疑地说："哦，忘了告诉你一件事，新闻出版总署有个总编室主任培训班，在海口培训，我和教头商量了，派你去参加。”

高原红知道这是照顾她，以往类似的培训班报社基本上不会派人去：“谢谢，但我去不了。”

电话里传来何大龙惊讶的声音：“为什么？出什么事啦？”

高原红感觉得到何大龙的敏感：“没什么事，我有些私事要处理。我想请半个月的假。”

何大龙很真诚地说：“大侠，我能帮到你吗？你别客气。”听了这话，高原红的泪水又流出了眼眶，她没吱声，拿着电话，还在看屏幕上的那行字。

何大龙有点着急：“大侠，你在听我说话吗？”

高原红调整了情绪：“我在听。”

“我同意你请假。但你可以告诉我是为什么吗？”

“不能。是我的私事。”高原红拒绝得没一点余地，她不能让何大龙产生联想。

“好吧，既然你执意不肯，我不勉强你。你记住，任何时候你有需要我帮忙的事，都给我打电话，好吗？”

高原红点点头，嘴里说：“谢谢。”

在高原红请假的那半个月里，何大龙一直忐忑不安。他不知道这是为什么，但很清楚一定跟高原红有关。再给高原红打电话，她关机了，一连好多天都是如此。她又没有其他的联络方式，这让何大龙发现了报社的一个大问题。报社的编辑记者90%都是招聘的，他们与报社的联系除了一张身份证就是一个电话号码，大多数人又不是东方市人，如果出了什么事都不知道该怎么联络他们的亲人。事实是只要他们一关手机，这个人就算是失踪了。何大龙马上让办公室做件事：报社全体成员都必须有两个以上的有效联络方式，必须告知他们父母亲人的电话号码。何大龙知道，这绝对是防患于未然。

这几天，他还被投诉电话弄得很恼火。有个读者讲因为看晚报的邮市行情结果被套了3万元。邮市行情是何大龙到报社后提议开设的，他的主观愿望是要加强晚报的服务性。东方市是江南几省的邮品集散地，与市集邮协会联合办的行情版出来后很受读者的欢迎，已被集邮爱好者们当成必备的工具了。可为什么会出现投诉呢？而且投诉的不止一个人，说明有问题。办公室调查的结果让他大吃一惊。市邮协为了办好这个栏目专门派了一位姓高的同志来协助，他不仅写文章推荐好票，还负责整理行情表。他是专家，编辑们都很相信他，报社也按千字80元给他稿费。谁知这位老高在邮市街也有间做邮票买卖的铺子，自从他在晚报协助编邮市行情，他的铺子就异常热闹，没多长时间又开了一间新铺子。显然他有猫腻。

何大龙知道上当了，又找不到处理的办法，除了不让此人再染指邮市行情，便没有法子了，这事还不能公开。只要一公开，就会越描越黑，受损失的就只能是晚报和自己了。这让何大龙如梗在喉，他指派一个维权记者盯住老高的铺子，看看他有没有违法的事，只要抓住一小点就对他不客气。

何大龙正生气呢，星儿却让他更生气，他甚至觉得被污辱了。

那天星儿找到他说可以帮晚报融到资。他很高兴，问："哪家银行？"

星儿说是童瑞东介绍的，具体的她也不很清楚，只说童瑞东来东方了要请他吃饭，为了能融到资，他没想什么便和星儿一起去赴宴。

何大龙已经对童瑞东有戒心，但他知道应酬第一要素就是忍耐，应酬应酬，就是应付"仇人"。宴会就四个人参加，除了他们三个还有一个是新上任的瑞东集团董事会秘书，是接替星儿的。童瑞东从进门的那一刻起就词不达意地向何大龙表示感谢，同时又表示歉意。感谢是讲瑞东集团在东方的发展得到了他的支持，歉意是讲商报曾对晚报有微词。对这些场面上的话，何大龙也打着哈哈讲"童老板的魄力让他佩服"等。

星儿很机灵地将一切都看在眼里，心想，这两个男人又在打什么主意？童瑞东提议请何大龙吃饭的决定是听星儿讲晚报资金遇到困难后作出的。而星儿会同意让何大龙与童瑞东见面的原因是她发现朱香香与何大龙的关系发展迅速，最近一段时间以来，不仅是何大龙常在她面前提到朱香香，而且朱香香也常在她面前提到何大龙。星儿以一个女人的敏感，觉得其中一定有问题，她必须捍卫自己的利益，她不能坐视不管。何大龙是她的姐夫，不是朱香香的姐夫。她喜欢何大龙，而且已经在当他一半的家，朱香香可以与何大龙合作，但不能喜欢他。可这事儿又不能打开天窗说亮话，因为还没搞清楚这到底是不是三角恋。但有件事是可以急办的，帮何大龙找钱。她知道朱香香就是用"找钱"作为突破口与何大龙攀上的，于是她问童瑞东能不能找家银行。

童瑞东得知何大龙缺钱后有了新想法，晚报已是一主二副三报在手。如果将商报并入晚报，那么东方市诞生一个报业集团没一点问题。只要这个集团能立起来，那它便是东方市报业的绝对老大，保守一点说这个市80%的平面广告将被它收入囊中，更重要的是瑞东集团不仅可以将产业链进一步扩大并焊牢，还可以大幅提升企业品牌形象，为进军其他城市的传媒业筑好了一座坚实的桥头堡。现在晚报与商报还是敌人，但商场上从来就没有永远的敌人，有的仅仅是利益。童瑞东心里的底线是请何大龙做将来报业集团的董事长总经理，无论从政治前途看，还是从人个人利益看，何大龙都没有理由拒绝。

笑谈间，一瓶加州红酒已喝完了。童瑞东试探性地问道："大龙，星儿要我给你介绍一家银行，这很容易，我跟商业银行的关系都很好。但我有一个想法，瑞东集团自己就有投资的能力，我们为什么要舍近求远呢？"

何大龙一听他说"我们"两个字，警觉起来，晚报是"我"何大龙的，不是"我们"的。但嘴上说："理论上说舍近求远往往是一种有效的方法。"

童瑞东见他没接话，继续说："你就没想过要成立报业集团？"

何大龙装糊涂："成立什么集团呀。我现在已后悔不该把《青年报》和《大众医生报》接过来。"他心想，你这只老狐狸凭一顿饭就想套出我的秘密？没门儿。中国的媒体要想产业化就必须走集团作战这条路。放眼世界，哪张有竞争力的报纸不是集团化的？从到报社那天起，他就有成立报业集团的愿望，要不然把那两家报纸弄过来干吗。但这个愿望目前只能在心里藏着，跟任何人都不能讲。

童瑞东未看出何大龙讲的话是真是假，但他知道与这位驸马爷打交道要小心，他不会轻易被个人的利益所打动。童瑞东不经意地看了看星儿。

童瑞东一开口星儿就知道是他自己的资本想进入晚报。星儿暗自叫苦，何大龙不可能让别人染指晚报，为这事他们还争辩过。他讲后悔将《青年报》和《大众医生报》放到晚报办是真的，但他又的确想干点事，目前他遇到的最大矛盾其实是干与不干的矛盾，钱的问题仅是这对矛盾中的一小块。见童瑞东示意自己，便硬着头皮说："姐夫，董事长的意思是瑞东集团可以投资晚报。"星儿觉得只有捅破这层纸自己才能在这两个男人之间找到平衡。

何大龙端起酒杯与童瑞东碰了碰打着哈哈说："谢谢董事长的关心。投资晚报你会吃亏的。"

童瑞东豪爽一笑："中国人的古话说得好，吃亏是福呀。为了大龙你的事业，瑞东集团愿意吃这个亏。"

何大龙心里不悦："为了我的事业？这个奸商真不要脸。"

童瑞东可能是高兴竟然没看出何大龙心里不悦继续说："我还衷心期待大龙你与我们星儿小姐传出佳音。"

听了这话，何大龙与星儿的脸上都变了色。一个是被触动了“驸马”这根弦而变色，一个是因为这层纸被捅破而变色。何大龙的脸色由红变白，而星儿则是越来越红。

星儿觉得不妙，马上说：“童叔是不是喝醉了。姐夫，别听童叔的醉话。”她想让何大龙把童瑞东归类到长辈上来，即使长辈说错了，也可以原谅。

何大龙极不自然地笑了：“董事长是关心我们。只是现在不是说私事的时候，董事长也不应该将公事私事掺杂在一起谈。公私不分就一定会出大问题。”他斜了童瑞东一眼又强调道：“一定会出大问题。”

从何大龙陡然变了的口气中童瑞东发现了不对，马上自己圆场：“喝醉了，说错了，我自罚一杯。”他端起酒杯一饮而尽。

何大龙平静地说：“董事长，我声明，可能星儿没弄懂我的意思。晚报缺钱是事实，但我们要寻找的是融资，而不是投资。千万别差之毫厘失之千里呀。我陪一杯。”他也端起酒杯一饮而尽。

星儿没劲儿了，她预感到今晚何大龙会与她吵架，这事办砸了。童瑞东的心太大，又不了解何大龙，而自己的好心肯定不会得到好报。她心想，再也不能这样草率了，这是把何大龙硬往朱香香怀里推呀。

果然不出星儿所料，何大龙真的生气了，只是他一反常态没和星儿争执，而是沉默不作声，这让星儿感到害怕。

何大龙是坐星儿的车回家的，上车时他和童瑞东热烈握手，讲一定找机会合作。可一上车他的笑脸就变得铁青，直到进家门他都没说一句话。星儿忍不住说：“我错了，行了吧，你别装哑巴呀。”

何大龙给星儿倒了杯水，板着脸递给她。“你要我说什么？是说感谢童董事长吞并晚报？还是说赞成瑞东集团称霸东方市？”说这话时，何大龙没有大声，甚至没有讥讽的声调，非常平静，像是在说别人的事。

星儿着急地说：“姐夫，我是好心，这没错吧。”

何大龙肯定地点点头：“我相信你是好心，可你的好心有没有……”他话说一半打住了。

星儿猜到他想说什么，可不知道他心里究竟是怎么想的，他真愿意放弃我吗？真的不愿意让我当小虹儿的妈妈？想到这儿，星儿有点伤心，站起来走向门口。何大龙没什么表示。星儿在门口站住，用何大龙听得见的声音木木地说：“好心总是不会有好报的。”说完开门走了。

何大龙本来想挽留她，但又忍住了。这样也好，省得星儿总往其他地方想。自己是喜欢星儿的，也爱她，但不是爱情的爱。对这个小姨子的为人和水平何大龙心中是有数的，仔细分析，她急着帮自己找钱肯定是为自己好，当然也可能是为了说明她比朱香香更热心更有本事。她们为什么都对自己好呢？何大龙每当想到这儿就想不下去，头痛。

“嘀铃铃……”手机响了，他拿起来看看，是朱香香的。他不想接，就让它一直响着。何大龙走进书房，无意识地翻着伽达默尔的《真理与方法》。电话铃停了，可马上又响了，再一看是高原红的，他马上拿起电话接听：“喂，是大侠吗？”

高原红的声音有点弱：“师哥，是我。”

听见高原红喊自己师哥，何大龙立刻有了莫名的激动：“你在哪里？打几次电话都关机。”

高原红迟疑着说：“我在办件私事，不便接电话。师哥你别怪我呀。”

何大龙马上说：“不怪你。事情办完了？”

高原红应了声说：“嗯，办好了，我明天上班，行吗？”

“行行。听你的声音好像病了。”何大龙问。

“胃有点不舒服，没关系的。”

“一个人在外，最容易生的病就是胃病。一日三餐不准时。要注意呀，身体可是自己的。如果还不能上班就别勉强。”何大龙自己没感觉到他此刻的声音如此有魅力。

高原红听得心里暖呼呼的：“谢谢师哥关心，我会注意的。”

“那明天见。”放下电话，何大龙呼出一口大气。他隐约觉得高原红这次请假跟他有关，现在她要上班了，一切都过去了。

林彬自己觉得找到了恋爱的感觉。不久前她过22岁生日，郝歌送她一大捧红玫瑰，贺卡上就写着一句话：“我爱你！”无论是聪明的女人还是笨女人，对这句话都很受用。她哭了，喜极而泣。这是她第一次收到向她表达爱慕的红玫瑰。她又一次不由自主地将郝歌与牛文广对比。对牛文广她是羡慕，觉得做记者真好，无冕之王见官大三级。认识了郝歌后才知道原来新闻太崇高神圣了，它是要拿生命去交换，它的精神是不朽的。牛文广的做法不过是种浅薄的炫耀，郝歌却是把新闻当生命。女人特别是有文化的女人往往更爱事业型的男人，郝歌的不拘小节，郝歌的邋遢，郝歌的自我等缺点在林彬的眼里现在成了优点，连他身上的汗臭味都让林彬陶醉。她的同学听了她介绍郝歌后斜着眼说：“总算明白‘情人眼里出西施’这句话的现实意义。”

郝歌讲当过一个学期的小学老师，他把孩子们带到水里上了一堂生动的语文课，课文是刘白羽的《长江三日》，结果让孩子们对水的澎湃智慧产生了浓厚的兴趣。他自己却因标新立异，扰乱了教学秩序而被停了课。林彬据此拉他到南海浴场游泳，她怎么也不会想到他只会狗刨式的凫水。林彬的蛙泳是不错的，在大学时还得过第一名，她在泳池里潇洒地游了一个来回，发现郝歌还没下水，而是坐在池边样子很迟疑。林彬说：“你干吗？快下来呀，你不是说见了水就不要命吗。快呀。”

郝歌慢慢站起来，心里连连叫惨。自从离开了家乡就没下过水了，更别说是到泳池玩水，今天是林彬逼他来的。刚开始还想着舍命陪君子，可看到林彬在水中如鱼儿般欢快，他后悔自己牛皮吹大了。让林彬看见他的狗刨式不知会引起什么后果，好不容易快把她追到了手，可别为这事搞糟了。见林彬一个劲地催他下水，他只得两眼一闭若无旁人地蹦起来往水里跳。他完全不得要领，跃起时两手高举，双腿乱蹬，在身体与水接触的一刹那，他想：大丈夫死都不怕，还怕这小小的池水。

林彬看到郝歌跳水的姿式差点没笑背过气去，这个人太……她竟一时找不到合适的词来形容他。等到郝歌试探了几次才在她身边站稳时，她问：“嗨，你跟我讲带学生在水里讲刘白羽的《长江三日》是在什么水里？”

郝歌抹了一把脸上的水，还有点惊魂未定：“怎么想到问这个问题？”

林彬坏笑着说：“看见你的动作就突然想问你。”

郝歌故作镇定地说：“你知道窥一斑见全豹的成语吗？黄河之水天上来奔流到海不复回。不管哪里的水，最终总是要流进大海的，这叫殊途同归。所以，不管在什么水里，都可以讲关于水的课。”

林彬逼他：“别绕弯子。我只想知道你究竟是在什么水里讲的课。”

郝歌无奈地说：“记者就爱打破沙锅问到底，特别是女记者。我坦白了你可别追究我吹牛。”林彬期待地等他往下说。“讲课的水就是我们小学门前的小水沟，宽不过一米……”

他话音未落，“哈……”林彬便爆笑起来。这个郝歌太有趣了，他那么有才华又那么纯真。谁知她笑声未停，郝歌在她面前翻了个跟头，结果又呛了水，他拼命地咳，眼泪和池水在脸上横流。林彬止住笑，赶紧给郝歌拍背，想让他顺过气来。

郝歌顺势握住了林彬的左手。林彬的心一颤，没有缩回手，正给郝歌拍背的右手也慢了下来。她感到郝歌的手紧了，有股电流瞬间从她手指直奔心脏，心跳猛地加快了，她自己都能听到心在“怦怦”地跳，池水也好像被她的心跳弄得荡起了涟漪。郝歌转过身来，林彬发现他的皮肤很白很光滑，透着健康，她的右手情不自禁地搂住郝歌的脖子。郝歌的手在水下也悄悄地搂住了林彬的腰肢，那非常自然的线条，凹凸有序的各个面都让郝歌心里麻酥酥的，特别是他的手搂上去时感觉到林彬在颤抖。

林彬轻轻地问：“你怎么会在一条水沟里讲长江呢？”

郝歌的目光直冒火花，他想熔化林彬：“海南有一条很有名的河叫万泉河，听说也是一条水沟。”

林彬不依不饶：“你还是没回答我的问题。”

郝歌手上的力度加大了，他的胸已和林彬的乳房遭遇，郝歌被胸前两座肉峰的柔软和挺拔陶醉了。他愿意就这么顶着，林彬却有点喘不过气，呼吸变粗了，有种美妙的感觉从大脑向全身弥漫，她微微张开了双唇。

郝歌发现她的身体在变化的同时，自己的身体也在变化。可他不敢在大庭广众之下接吻。见郝歌没反应，林彬迫不及待地一口吻向郝歌。两颗心同时相互撞击。

“哗……”游泳池竟响起了掌声，两人吓得赶紧分开。池边几个少男少女正看着他俩鼓掌。林彬的脸红了，红得很好看。郝歌边对着鼓掌的人说：“谢谢，谢谢。”边体味着刚才从林彬嘴里流出的体香，那么纯，那么沁人心肺。他们没有也不可能发现在游泳池边上的一个角落里，牛文广正嫉妒地看着他俩。

当牛文广在南海浴场看见郝歌与林彬在游泳池中嬉戏时，气不打一处来，他不仅恨郝歌，更恨陈元。

与郝歌第一次冲突是在非典后的一次编前会之前，牛文广拿着一张照片在走廊里遇见正要去开编前会的郝歌。他本不想与这个被陈元任命为首席记者的人搭腔，他与自己有夺女朋友之恨。但他明白，要整人首先要了解人，只有了解了才能找出破绽一举将其击倒。要了解郝歌最佳办法便是聊照片。一般说报社文字记者是不拍新闻照片的，但陈元的办报思路是将新闻做成快餐，只要面到点到，不求精雕细琢。所以每个记者都可以既拿起笔又拿起相机，只是专题策划或重大新闻还是文字与摄影搭配。

牛文广笑里藏刀地将照片递给郝歌说：“郝首席，给取个题目。”他说这话是经过策划的。郝歌拍照片行，但取题目可是文字活，他肯定不行，可以出出他的洋相。

郝歌对牛文广也没什么好感，他在追林彬，也知道牛文广对林彬有想法。从林彬的嘴里他知道了不少牛文广的神通，在他看来那都是牛文广的心术有问题，这样的记者在郝歌这里是不齿的，但他从未在涉世不深的小女孩林彬面前破坏牛文广的形象。接过照片瞄了一眼，画面上是一男一女两个人的背影，中间是一条宠物狗。他问："为什么拍这样的片子？"

牛文广说："陈总不是讲《羊城晚报》的那张蝴蝶在城市中飞翔的照片体现了现代都市的动感，很能拨动读者的心弦嘛。"

郝歌觉得好笑，手中的这张片子根本无法与《羊城晚报》的那张主题是环保的获奖照片比，无论从立意到拍摄角度和难度都仅是拙劣的鹦鹉学舌。"你这是什么意思呢？是和谐？"

牛文广笑着说："你真理解我，我还真是想表现人与人，人与动物之间的和谐。而和谐不正是现在主题宣传的重点嘛。"

郝歌不愿和他多说，他的理由完全是强词夺理。便把照片还给他说："把男的女的和狗放在一起就是很好的题目。"边说边往会议室走。

牛文广跟在后面，没听懂郝歌的意思："太长了吧？"

郝歌回过头说："你要简单就三个字：狗男女。"说完走进会议室。

牛文广站在那里愣住了，半天才气得骂了一句："王八蛋。"

对陈元的恨理由更简单，一是不服，二是拆散他和林彬。经过他仔细观察，发现陈元和钱冰冰关系暧昧。还听说贺副省长的千金小姐也牵扯进来，他们之间本是工作关系，但似乎发生了变化，正在超越工作关系。他们才是狗男女呢。

牛文广其实对自己的要求并不高，找个称心的对象，弄一笔钱买套住宅买辆车，日子过得潇洒一些。再用投诉的稿子套住一些干部，自己办事方便一些，能弄个一官半职就锦上添花。原本这些都可能在自己的精心策划下慢慢实现，谁知陈元上任后一切都他妈的变了，现在等于是在跟私人打工。这种质的变化，使得计划不但慢了下来，还可能会完全停顿。目前自己还仅仅处于办事方便一点的阶段，离其他目标相差很远。那位钱冰冰在广告上精明过人，要从她身上弄钱太难了，加上她好像对陈元死心塌地，这对自己浑水摸鱼极为不利，不小心还可能栽跟头。怎么样才能利己损他呢？牛文广在暗中窥视着等待机会。

他跟南海浴场的老板熟，来这里游泳健身不花钱。以前带林彬来过几次，在水里抱住女记者的感觉很好，可眼前抱着她的却是郝歌这个傻B。真不明白，林彬怎么会喜欢这么个邋遢鬼，就会拍几张照片其他什么都不会。在牛文广眼里任何女孩如果与郝歌结婚都是不可思议的。

电话响了，他接电话，是独一处酒店孙老板来的："孙老板生意兴隆呀。"他一开口就是句恭维的话，这也是经过长时期的摸索得出的经验，礼多人不怪嘛。孙老板急促地说："牛记者，有两个顾客在我这儿的菜里吃到了苍蝇，正在闹呢，来了好几个记者，怎么办？"牛文广乐了，处理这样的事他得心应手，他好像突然忘了刚才的不开心："好办，先安排记者们吃饭，搞清他们都是哪家媒体的。剩下的我来处理，保证不会见报，红包准备好啊。"开口要红包已司空见惯，这年头没钱怎么办事。孙老板再问："那两个顾客怎么办？"牛文广觉得好笑，这样的小事都处理不好，还开什么大酒店？他教训道："只要摆平了记者，顾客你想怎么办就怎么办。别打人就行。"孙老板感激地说："好好，我明白了。红包我让人准备好给你送过去。""就这样。"牛文广关了手机，今天又可进账几百块。

星儿约陈元晚上在上岛咖啡见面。自从童瑞东那次在饭桌上捅破她和何大龙的关系后，她已有快两周没与何大龙见面。她很想知道何大龙是怎么想的，也很想接到他的电话，可只是例行公事地联络过几次，主要还是谈小虹儿的事。星儿觉得好压抑。工作上倒是都顺，那位被她贬到车间去的设备经理小金干得很好，为整个设备安装调试起了关键作用。是金子在哪里都发光，她准备再把他提起来。她感到压抑的是生活，说到底是因为何大龙。

妈妈已经感觉到她过分关注何大龙了，旁敲侧击地提醒她要注意，并露出家里不会同意她与何大龙好。还托人给她介绍了几个对象，有省武警司令员的孩子还有大学校长的公子，她见都没去见。她还是喜欢何大龙，要等何大龙的最后裁决。唉！如果没有朱香香，估计自己和姐夫就顺理成章了。现在多了一个朱香香，可以肯定她在追何大龙。本想让童瑞东帮何大龙，谁知童瑞东得寸进尺，如果从经济利益上考虑，不是坏事。但她知道何大龙更关注的是政治利益，让她尴尬的是童瑞东讲期待她与何大龙传佳音，弄得现在她和姐夫的关系都僵住了。这难道就是死心塌地？论学历、论工作、论长相、论善良自己哪点差？况且还有当副省长的父亲。对了，可能就是这个原因成了自己和姐夫之间的障碍。她观察过何大龙，发现他对"驸马"这个词很敏感，特别不愿意看关于陈世美的任何东西。他肯定不愿再当副省长的女婿，但对家庭的选择也不是我星儿自己能定的呀。烦，真烦。这些烦心事还不能对妈妈说，也不能对朱香香说。

陈元是20点30分到的，他们约定的时间是20点。星儿很讨厌别人迟到，她自己也从不迟到。

陈元一坐下就连声说“对不起”，并解释了原因。两周前商报上的列车时刻表错了。去北京的列车由18点20分开改为了17点20分开，商报没及时更改，结果耽误了一个旅行团的上车时间，使得这个团要在东方市多住一晚。旅行社找商报索赔，但商报认为时刻表错了可以道歉，但旅行社依据商报的时刻表出发显然不对。双方争吵起来，旅行社指出如果商报不赔就要去法院告他们。陈元本不想理这事，愿告就告去，商报败诉的可能性极小。但从另一方面想，商报出错是事实，事情闹大了对商报正在进行的品牌建设会有负面影响。他算了一笔账，旅行社只要商报赔旅行团一个晚上的住宿费，30个人的团，15间房，三星级要求，费用不会超过4000元。他决定赔，同时决定扣除当班编辑当月奖金1000元。

听了陈元的解释后，星儿叹口气说：“办报真是无小事。”

陈元依然是要了水果茶。星儿问他不喝点别的，并介绍这里的蓝山咖啡不错，陈元摇摇头。星儿自己要了蓝山咖啡，又要了酥饼、牛肉干等小吃。

星儿问：“晚上吃了什么？”

陈元随口说：“快餐呗。”

星儿再问：“天天都快餐？”

陈元摇摇头：“一周大概有三天是快餐。我会注意营养搭配的，每周都会去西餐厅吃块大牛肉，还会去凯莱吃自助。”

星儿笑了：“还蛮丰富的嘛。建议你再订份牛奶，这对中年人有好处。”

“不会吧，我就到中年啦？我还把自己当青年呢。”陈元笑着说。

“还青年呀，你比我大一轮还多。现在的青年指的是80年代。”

陈元有点感慨：“时间过得真快，我有时觉得才刚刚大学毕业。”

星儿喝着咖啡：“你走到今天不是一般大学生能轻易做到的。”

陈元点点头，拿了一粒牛肉干放进嘴里。

星儿像是在回忆什么：“恐怕我们和其他大学生比并不优秀到哪里去，但我们运气比很多人都要好。”

“我同意你的观点。上次董事长来，我还跟他讲遇上他是我的运气。”

星儿突然问："你说，爱情也有运气吗？"

陈元不知星儿为什么会提这个问题。是暗示什么还是她遇到了问题？此时的陈元对星儿有了种朦胧的情感，具体表现是愿意和她讨论问题，也愿意听她的意见。他觉得星儿有20世纪60年代人的成熟，又有80年代人的锋芒。她的家庭背景在她的工作面前显得微不足道了。据陈元了解，瑞东纸业东方分公司还没有谁知道她是省长的千金。

"为什么不回答？"星儿追问。

陈元边想边说："爱情是有运气的，而所谓的运气，说玄又一点也不玄，它就是一种在没有发生的时候我们不知道的已经存在的物质。"

"别跟我说哲学，我烦哲学。"

陈元认真地说："这说明你悟到了哲学。把清醒的人弄糊涂弄烦就是哲学要干的工作。"

"讨厌，你这骂我还是夸我？"星儿乐了。

陈元有点得意，与星儿谈话能夺得主动权是不容易的："不过爱情是说不清楚的一件事，对爱情下定义一万个人就有一万个定义。它因人而异，因运气而异，运气来了，则乘风破浪山崩地裂，谁也挡不住。"

星儿若有所思地说："我的条件算不错的吧，可为什么爱神不光顾我呢？"

"你着急了？"陈元看着她问。

星儿被他问得不好意思脸红了："谁着急了。我还愁嫁不出去？"

陈元慢慢地说："爱情是酒，婚姻是醋。你可能喝几个月的酒，却要喝几十年的醋。"

星儿没听明白："什么意思？是结婚不好？还是你的婚姻像醋？"

陈元批评道："不要对号入座。我们现在是在讨论爱情问题，这是个既浪漫又实际的人生最大最麻烦的问题。"

星儿被他逗笑了："你这掌柜的，不是卖酒就是卖醋。"她又认真地说："我相信爱情是有运气的。"

陈元知道她今天突然提到爱情是为什么，肯定跟她的姐夫有关，钱冰冰跟他讲过星儿与何大龙的事。在他这个外人看，星儿是爱她姐夫的，如果成功还真是段佳话。她来找我陈元谈这个话题，至少说明她把我当成是可以谈这个话题的朋友。坦率地讲，星儿是容易吸引男人追的女人，但她所处的位置太高，迫使一般男人望而却步。但我陈元不是一般男人。可这又怎样？离婚去追她？不现实，如果是追钱冰冰或许还有希望。但喜欢一个人难道非要弄到手才罢休？就不能既两情相悦又相敬如宾？如此相爱才是爱情的最高境界嘛。

“你在想什么？”星儿问。

陈元说：“我在想商报能不能走另外一条路，把采编和经营彻底分开。”

星儿莫名其妙，刚才还在说爱情，怎么就说到报纸了。陈元也不知自己怎么会说出这个话题来，可能是刚才钱冰冰的名字在脑子里闪过的原故。既然说了，就接着往下说：“我有个想法，将商报广告部的业务员全部撤掉，然后把广告分成几大类，由广告公司代理，我们要做的工作就是服务好代理公司。这样的话，商报的广告业务员就会翻倍地增长，也免去了佣金提成做假账的麻烦。”

星儿的思想被他的话带得转向工作。她自己都觉得奇怪，一谈工作脑子就兴奋：“媒体代理制在国外早就实行了，北京广东上海的一些成熟媒体也这么做了。这是企业管理中的重要环节，每个人都做自己会做应该做的事。”

陈元看看她：“嘿嘿，刚才说烦哲学，这一开口就是管理哲学呀。”

星儿已经从刚才的情绪中转出来了，她拿着块酥饼吃。“说正经的，商报还要挖人，可以从法制日报、经济晚报、信息时报挖人。你引进的那个郝歌就很棒。”

听到星儿表扬，陈元很开心：“你还不知道，郝歌正和他的搭档谈恋爱呢。”

“他这么快就在商报找到爱情了？这还是有运气。”星儿自嘲地说：“唉，你看高山在吻着碧空，波浪也相互拥抱；阳光紧紧拥抱大地，月光在吻着海波；但这些接吻又有何益，要是你不肯吻我？”

陈元听她说出第一句，便知是英国诗人雪莱的《爱的哲学》。“你喜欢雪莱？”

星儿见陈元听出她是在朗诵雪莱的诗很高兴：“爱情在雪莱的眼里，是天性中流露出来的善的美的具体化，超越一般世俗的男女之情。你也喜欢雪莱？”她问。

陈元摇摇头：“在大学的时候，雪莱时髦过一阵，你刚才朗诵的《爱的哲学》有不少手抄本，所以我记得，但我不喜欢。我为新闻而生，我更愿意像战士那样用生命去圆新闻梦想。”

星儿被他说得热气腾腾的，她问：“这就是所谓的新闻精神？掌柜的，我今天是不是有点像怨妇？”

陈元立刻否认道：“不，你今天很理智。”

星儿耸了耸肩说：“是吗？我们喝点酒吧，喝了酒大概就不理智了，而不理智的时候，才是最自然的状态。”

陈元没反对，他愿意听她的。

星儿把服务员叫来，“给我们来瓶红酒。”

服务员说：“我们正在搞活动，买长城干红赠礼品。”

星儿问：“什么礼品？”

服务员说：“一只豪华打火机。”

星儿与陈元都笑了。星儿说：“就来加州红。我爱喝美国酒。”服务员点头走了。

星儿感慨地说：“看看，卖瓶酒都搞活动。看来搞活动真是吸引人的行之有效的招。你们搞的送药进社区就非常棒，晚报的时装秀也很不错。陈掌柜，要不断地搞活动才能生意兴隆呀。”

陈元佩服星儿举一反三的能力，报纸如果能不断地策划活动，无论对读者对记者对报纸都能相互促进。“我同意你的观点。”

服务员过来开酒倒酒。

星儿看着服务员做事说：“广告代理制的工作要说服钱冰冰，相信她能做好。但她可能会提报酬问题，我认为可以和她签个责任状，有奖有罚，用合同的形式固定她的收入，这对谁都好。”星儿端起酒杯：“另外，陈掌柜，你可别再挖晚报的人，要不然我的日子不好过。算我求你。”

陈元也端起了酒杯，听星儿说最后一句话时有点心灰，还是姐夫亲呐。不过陈元也没想过再从晚报挖人。“我答应你，商报的大门从此对晚报的人关上。干！”他一饮而尽。

星儿看着他喝完，甜甜地笑着也一口喝干。

第七章 改版

GAIBAN

〖商报讯〗一对乞丐母女被陌生人多次强暴，昨天，她们勇敢地走进本报，要记者替她们做主。

在采访中，记者惊奇地发现这对苦命的母女长期受到性侵害，母亲已被迫生了两个孩子，女儿也生了一个。与记者见面时，女儿还怀有4个月的身孕。

为了证实这对母女所述说的真实性，记者来到她们常常乞讨的百货大楼边采访。百货大楼两侧的居民和在路边商店上班的人几乎都认识乞丐母女。一个自称非常了解乞丐母女情况的无业男子对记者说："她们的收入比我还高。她们生孩子也不是别人强奸的，是自愿的。她们以前住过的两个地方我都知道，我几次亲眼看到她们和另外几个叫花子一起走进一间平房，她们就是职业要饭的。""她们会偷别人的东西吗？"记者问。"不会，她们从来不偷东西，就是职业要饭。"边上一个擦鞋的妇女小声地对记者说："不要理他，他自己就欺负过人家孤儿寡母。"

在一家小商场里的五六个女营业员告诉记者，她们也经常看到乞丐母女在门前讨钱。一位30来岁的女营业员说："她们经常捡垃圾，连几分钱一个的矿泉水瓶都积攒起来，可见不是那种不想做事专门要饭的人。”另一位20来岁的女营业员说：“小姑娘刚刚生下孩子的时候，我还逗她，‘这么小就生了孩子呀，哪一个是你的？’当时小姑娘还哭了。她说：‘我是被人害的，你可不可以不把他当成我的孩子’”。

雨后的街头，袭来阵阵寒意，繁华的街道变得格外冷清。但愿这种冷清不会是社会对弱势群体的冷漠……

马诚决定找何大龙谈一次话，谈话前他考虑了很久。总体看何大龙到晚报成绩还是有，但问题也不少，最近听说他在四处谈投资，资本进入媒体是趋势，而且商报就已基本成功。但晚报与商报的情况不同，晚报是优良资产，是国有的，宣传部有权力也有义务提醒何大龙注意。还有，找何大龙谈的根本原因是他不太听话了，这不是个好兆头。

谈话是在马诚的办公室里进行的。从何大龙进来的那一刻起，马诚就感觉到以前毕恭毕敬的何大龙不见了，对马诚亲自给他泡茶也没有诚惶诚恐。

马诚打着官腔说：“大龙啊，去晚报快200天了吧，感觉怎么样？”

何大龙不知马诚今天找他谈话的目的是什么。宣传部通知的时候他还打听了谈话的题目，可新闻处的人都讲不清楚。何大龙心里感觉不会是什么好事。见马诚问便回答说：“如履薄冰，如临深渊。”

“哈哈……”马诚笑了，他是下意识地笑，就连他自己也不知道为什么笑，只是在这个时候需要这么一笑罢了。“有这个感觉是好事。一张报纸办了364天都没问题，第365天出问题就完了，前功尽弃。为什么我们不提倡文人办报商人办报，而要求政治家办报，答案就一个：新闻无小事。”

何大龙在他开口讲话时就已翻开了笔记本做记录，这个在机关养成的作风是不会忘的。

“有关部门通报了一个事，解放军在东山群岛搞了一次例行演习。有家媒体大势炒作，造成一种要打台湾的态势，据说造成美国加紧向台湾出售武器，还以此要求欧盟推迟向中国军售。问题严重呀同志。”

何大龙没吱声，只是低着头记。

“我看编辑们必须养成一个良好习惯，遇到自己不明白的，有疑问的，而又一时无法核实，就两个字：不发。”

何大龙觉得这句话还算有道理，接茬道：“这是经验之谈，我回去马上传达部长的指示。”

马诚摆摆手说：“不是什么指示，就像你说的是一点经验。大龙啊，”马诚话锋一转：“听说你在找资金呀。”

何大龙一惊，别是童瑞东托马诚找他？如果部长要把晚报送给瑞东集团完全是没问题的，不能让这种事发生。“部长，主要是《青年报》和《大众医生报》改版还缺钱。”他没把晚报扯进来，为的就是不让马诚认为是晚报缺钱。

马诚“哦”了一声后说：“不少人找了你吧？都以为媒体是块肥肉。”

何大龙放下笔说：“不是别人找我，而是我找别人，就像你说的，媒体不是个香饽饽。”他还想淡化这件事。

马诚看出何大龙不想谈这件事，有些不快。何大龙找资金没向他汇报，而这件事是没有可能绕过他这一关的。他冷冷地说：“找资金我没意见，但在定下来之前必须报宣传部批准。”

何大龙心想，坏了，部长要关门。忙说：“那是一定的。我们实际上是想融点资，而不是找投资。”

马诚点点头，说：“不瞒你说，也有人找过我。”说这话时他看着何大龙，就想看看他有什么表情。

何大龙迎着他的目光，装着很热情的样子问：“真的？是哪家银行？”心里却在说：肯定是童瑞东。

马诚在办公室踱了个来回。童瑞东来东方时拜会了他，表示出了对晚报的兴趣。马诚表面上感谢瑞东集团对东方市的厚爱，心里却不以为然，他是决不会同意童瑞东再染指东方市其他媒体的，更别说是晚报了，这有个制衡的问题。现在用商报来与晚报抗衡，并对东方市的媒体起促进作用，宣传部在掌握平衡上还是有把握的，鲶鱼效应也出现了。如果瑞东集团扩大地盘，就可能会使东方市的媒体失衡，宣传部可能就会主动变被动，那是决不允许的。但因为星儿，何大龙是可能会与瑞东集团合作的。现在看来何大龙也不愿这么干，所以自己不能在这位驸马爷面前露出什么。“我表个态，宣传部不会干涉你的经济工作。你是晚报的法人，你负全责。不管什么银行到我这里来，我都一概挡回。”

何大龙感激地说：“谢谢部长的支持。都说资本青睐媒体，都讲媒体是21世纪最后的暴利项目，我实际操作后感觉并非真的如此。”

“这个观点我同意。我去国外转了一圈，考察了一些国外著名媒体，有个深深的体会是媒体经济是热点，但绝不是人们想像的那么容易赚钱。有竞争力的媒体是印钞机，但媒体如果没有竞争力，那就是架彻头彻尾的烧钱机。弄不好就花票子、丢面子、砸牌子。况且我们始终是把社会效益放在首位的，你记住这是不能动摇的。”

何大龙觉得马诚的这段话讲到了媒体投资的要害，赶紧往本子上记。

“晚报办时装秀打了擦边球，派记者去北京采访非典是踩了红线。小毛病也不断，这都需要引起晚报的领导班子高度重视。你在晚报当班长我这个部长当然要支持你的工作，但如果一而再，再而三地出问题，那我可要做铁面包公。”

何大龙心里不快，心想：你马诚花人家的钱出国就帮人家说话。看来有必要晚报也像童瑞东一样搞定他，多请示多汇报估计他便会对自己网开一面。从刚才的谈话中，可以断定他也不同意童瑞东插手晚报，只是不明白是为什么？

何大龙的手机响了，是贾诚实来的：“少帅，刚才有个自称亡命徒的来电话，讲要马部长亲自到电视台和报纸上公开亮相，向他道歉。”何大龙一头雾水，什么乱七八糟的，他看看马诚，对着话筒说：“怎么回事？”贾诚实的声音很急促：“那个亡命徒讲他老婆吃了报纸上登的广告中一种治肝病的药死了。”“你等等，我就在马部长办公室。我请马部长亲自接电话吧。”何大龙说完又对马诚说：“部长，出了点事，可能是有则假药品广告害死了一个病人，家属要求与你对话。是贾诚实的电话。”他把电话给马诚。

马诚已从电话里听到了他的名字，警惕起来。接过电话他说：“我是马诚。”贾诚实又把刚才的话重复了一遍后说：“这个亡命徒讲如果明天你不在电视台和报纸上公开道歉，他就炸东方市百货大楼。”马诚铁青着脸问：“其他媒体也接到了同样的电话？”“据我了解电视台和我们几家平面媒体都接到了。”“好，我知道了。”他说完把电话还给何大龙。不知道亡命徒为什么会涉及到他，这事的社会影响是极坏的，报纸出了问题难道要宣传部长来负责？正想着，桌上的电话响了，他拿起来听，是电视台王台长来的，王台长也是急促的声音：“部长，我是电视台老王，刚才有个自称是亡命徒的人来电话讲一定要你在电视上露面……”没等他讲完，马诚打断道：“我已知道了，你们等通知再决定怎么办。”没容对方回答便挂了电话。

何大龙觉得自己不能在旋涡中心呆下去了，他站起来说：“部长，如果没什么事，我马上回去布置，不能让这个亡命徒的阴谋得逞。”

马诚点点头：“好，记住，把好关，别擅自作主。”

何大龙快速离开，他还挺感谢那位亡命徒，要不是这个威胁电话，今天的谈话还不知怎样结束。好啊，这烂事弄到他马部长身上去了，打电话的这小子还真懂得一点告状的技巧。马诚是肯定不会露面的，这事不能开头，要不然就没个完。那他会如何处理呢？何大龙想象着马诚会怎么处理。但不管他如何处理，对他都是个麻烦。晚报本周应该把所有的药品广告都撤销，避避风头。马诚肯定会借此事拿广告开刀。

何大龙走后，马诚做了三件事，一是和市公安局丁局长通报这事。丁局表态说马上成立专案组全力侦破。马诚提醒丁局要注意百货大楼，万一那个亡命徒炸了这个地方，那可就震惊世界了。马诚在提醒这事时，他自己的汗也下来了，突然感到紧张；二是要新闻处立刻研究怎么办，在下午下班前务必将研究的办法通知各媒体。马诚说了两条，一是各媒体一律不刊登有关新闻；二是所有与肝病有关的医院和药品广告一律停止刊登，同时会同市工商局全面清查医疗广告的问题，彻底规范这类广告的市场；三是给市委李书记报告。李书记听了他已采取的两项措施后表示同意，但强调百货大楼必须万无一失，可以考虑明天停业一天，并说他会亲自过问这事，要马诚把好媒体的关。

签发通知后马诚手心一直在出汗。媒体好说，他都能搞定。问题是那个亡命徒还没抓到，他会干出什么事来谁也无法预料。虽然这事确实和自己无关，但亡命徒毕竟是冲着自己来的。

下班后回到家里，他又给何大龙等人打电话问亡命徒是否还来过电话？得到的回答是没有。这更让他紧张，对手不见了才最可怕。给丁局打电话问情况，丁局告诉他已通知百货大楼提前打烊，而且已查到了亡命徒打过的公用电话。马诚稍稍松了口气，还是不停地喝水。直到23点，家里的电话刺耳地响起，他迅速拿起电话，里面传来丁局兴奋的声音：“马部长，人抓住了，是个外地人。他的情况基本属实，但要炸百货大楼是假的，他交代那是吓唬政府的，我们搜查了他的住处没发现任何爆炸物。”“谢谢，谢谢。”马诚一连串的谢谢说完后，长出了一口气。这时他才想，究竟是哪家媒体的广告让人家上了当？要好好查一查，现在报纸要钱不要命了。必须立个规矩，凡唯利是图不管人死活的媒体要严厉查处，决不姑息。好饿呀，马诚这才想起晚饭也没吃。

陈元刚到办公室就听钱冰冰讲马诚吓得够戗，是她从公安局听来的消息，市工商局也沸沸扬扬。经过演绎，事情越说越玄乎，有说马部长吓得住院的，有说马部长写了辞职报告的，更有人讲那位亡命徒在马部长家也放了炸药。陈元无奈地对钱冰冰说："真相捂得越严实，谎言就越盛行。我问了宣传部的小陈，马部长在部里上班好得很呢。"

"这就是人言可畏呗。听工商局的人说，药品广告要遭殃了。现在有几个药品广告是真的呀。"钱冰冰笑着说。

陈元想起广告代理的事："大圣，上次跟你讲的广告代理制的事，你怎么想的？"

钱冰冰没有想到陈元会提出广告代理制。现在各媒体都是靠自己的广告业务员拉广告的，这种体制有利有弊。有利的是一切都在掌握中，客户跟报社打交道放心，广告价格也可以控制；不利的是因业务员少，与客户接触的面小，没与国际通行做法接轨，广告价格政策不灵活，服务不够到位等。钱冰冰到商报后除了提高自己的业务能力外，重点抓了广告管理，理顺了流程。比如从下单到见报每道工序都有专门的人盯着；再比如记者拉广告提成比业务员高，制止业务员相互抢客户，佣金不及时返给客户等。现在基本走向正规了，可陈元又要变。想到这儿，钱冰冰说："你是掌柜的，要怎么变你拿主意。如果问我的想法，我不同意这么快变。"

"为什么？说说你的想法。"

"目前省内其他媒体都没走代理的路子，我们广告部的工作也没影响报社的发展进程，一切都按部就班。如果要动我怕影响广告创收。"

陈元知道钱冰冰其实是担心她自己，干脆逼她一逼："大圣，你说影响创收最大的极限是多少？"

钱冰冰不知陈元心里在想什么，她也认为代理制是发展趋势，但从她这里开始总是不舒服。"因为客户都在业务员手上，如果解散业务员，他们手上的业务肯定会损失不少，我估计会超过总量的50%。"

陈元笑笑，这个数字显然夸大了。目前商报广告部有16个业务员，他们的广告额占总数的70%，其中钱冰冰一个人占30%，剩下的是零散上门广告。如果解散业务员，他们在商报的广告合同不会变，这大概有一半。即使他们离开商报，也大多是去广告公司，那么广告依然会流向商报。如此一算真正流失的广告不会超过总量的10%。

见陈元不相信地笑，钱冰冰口气不太友好地问："你不相信？"

陈元不笑了："我信，但损失不会那么大，对吧？"钱冰冰没吱声。"大圣，媒体广告代理制肯定是大势所趋。这你是清楚的。正因为别人还没动，我们才要先动。如果说你个人会因为代理制而减少收入的话，那我们来算笔账。”说着陈元在办公桌上拿起计算器。

钱冰冰反对搞代理制，自己可能会受损也是重要原因。把到手的广告客户让出去她心有不甘，这些客户可以说就是她的生命，是她用诚心智慧和汗水换来的，多不容易啊。

陈元按动计算器：“按照你现在的业绩，一年你的收入在120万左右。如果实行代理制，报社将与你签一个责任状，总收入的5%归你支配，你可以估算你的收入是不是减少了？”

这笔账钱冰冰已经算了好多遍。如果她在广告部经理的位置上，她的收入是不会少的，而且很安全。但报社一旦辞退她，她可能就什么也没了。如果客户始终在自己的手里就什么也不怕，大不了再跳槽。

陈元继续说：“你担心一旦手里没了客户便会被报社制约。我请问，广告客户是跟着媒体走，还是跟着业务员走？”

“不一定，要看具体情况。”钱冰冰心里的想法被陈元说出来了，但她觉得陈元说得有道理。

陈元笑笑：“我看90%的广告客户会跟媒体走的。有一点你放心，我陈元是负责任的，我考虑先和你签5年合同。再加上你肯定不会把手上的客户免费拱手相让，对不对？”

钱冰冰不好意思地笑了，反问道：“天下有免费的晚餐吗？”

陈元继续敲击计算器：“这样，5年下来，你最少已经有这个数的收入，你还怕什么？”他把计算器给她看。

钱冰冰叫道：“没这么多吧，你怎么算出来的？太夸张了。”

陈元把计算器放回办公桌：“你不信可以自己算算。我只拿董事会给我的年薪，当然你做得好，我也会有一点奖金。但我的收入决高不过你，我也决不会眼红你的收入。”

女人是爱钱的动物，尽管她们有时会被感情所迷惑干出惊天动地的事来，但她们骨子里是爱钱财的。钱冰冰被陈元的一番计算打动了，心想，这个男人能处处为我着想，话也讲得透彻。有了这笔收入我后半生就是什么也不干也能活得不错，除了缺老公缺孩子，我什么都不缺了。想到这儿，她脸红了，有点微微发烫，人也显得有些羸弱，她知道她要投降了。

陈元喝了一口水，见钱冰冰有点扭捏的样子，不知她在想什么，便说：

“想通了就拿个方案，争取尽快向广告公司招商。人员的安排也要注意稳定，手上客户多的业务员尽量挽留，转岗做客户服务工作。”

钱冰冰的脸红迅速退下去了。她决定贯彻陈元的想法，但没说出来，而是转身往外走。

“你同意啦？”陈元对着她的背影问。

已走到门口的钱冰冰转过身来反问：“是那位贺大小姐的主意吧？”说完走了。

陈元摇摇头，女人就是敏感，该敏感不该敏感的她们都敏感。但她们也有优点，你一旦说服她，她便会努力地按你的想法去做。陈元很高兴钱冰冰被他说服，也相信她会干好。给星儿挂电话通报了说服钱冰冰的情况后，他决定找一个吉日实施将报纸变长的策划。

何大龙偶然从省看守所所长那里听说安远县出了一个假的副县长，此人靠几封假的领导推荐信居然当上了副县长。被发现后，安远县的老百姓却一致说这个副县长好，是个为百姓办实事的好官。何大龙决定挖掘这个敏感的新闻，他把上官德、贾诚实、高原红三人叫到办公室，商量如何做。他把一叠材料递给贾诚实后说：“一个骗子居然会连闯六关使常委会通过安排他出任副县长，真要点本事，也给我们的吏制提出了严峻的挑战。这肯定是一篇轰动全国的新闻，也可能上BBC和CNN的头条。现在关键看我们怎么做？教头说说看法。”

贾诚实已经把材料分给了上官德与高原红看。“我看可以尝试新的新闻体裁样式，做新闻连载。”

何大龙摇头。对敏感新闻的处理他是有经验的，如果不一步到位，而是分开来一天做一篇，很可能第二天就会被喊停。但如果稿子见了报，对晚报的品牌塑造有极大的好处，或许在全国都能打响知名度。

高原红见何大龙摇头，便说：“大教头，做成新闻连载可以吊住读者的胃口，是好事。但这个新闻政治性太强，是对体制问题的曝光，必定会涉及不少人的利益，如果我们冷水拔鸡毛，可能拔不了两根，就有人站出来不让我们拔了。”

贾诚实赞同地点点头说：“我没想到这层。但这个案子是要审判的，我们按法律程序走，应该不会卷进政治斗争里去吧。”

何大龙看看贾诚实，又看看高原红。他们两个讲得都有道理，但要想一举定乾坤，就不能冷水拔鸡毛，而是要用沸腾的热水，将鸡毛一捋而下。听高原红说话，他有点走神。隐约听说高原红是因为在妇女保健医院住院请的假，她为什么去妇保，难道她怀孕了？好多次想问问她，可总是话到嘴边又忍住。他还发现了高原红的一些变化，比如说话不那么刻薄了，风风火火的性格也有收敛，指出编辑的问题时也好像更耐心了。特别是与何大龙讲话时，不会再咄咄逼人地看着他，而是尽量避开他的目光，私下里叫“师哥”的时候多，叫“少帅”的时候少。这些变化让何大龙对高原红也产生了一股柔情，只要一见她，心情就会平静，目光也变得温柔。不知道这是不是爱，但他知道如果这是爱，恐怕也有点畸形。

上官德把手上的材料放到何大龙的办公桌上后说：“我关心的是如何能采访到这位假的副县长？法院什么时候开庭？估计不会公开审理，我们怎样才能进到法庭？还有县委组织部以及县委一班人能不能采访到？”

何大龙已经有了方案，说：“我说说看法。这条新闻见报后会出什么轰动大家心里都清楚，但如果在见报后被要求停下来，那我们就偷鸡不成蚀把米了。因此，我同意大侠的意见，一天干完，握紧拳头拿出三到四个版来做。要让商报看看什么叫新闻。”这话是脱口而出的，在何大龙的心里，商报一直是个结，童瑞东星儿钱冰冰都是帮陈元的，而自己似乎是在孤军作战，但他并不怕，相信自己有能力与他们一拼到底。

贾诚实等人不知他为何突然提到商报，他们对视着。何大龙感觉自己走了题，马上说：“关于如何采访，我已作了安排。上官和律师一起去省看守所，我和看守所的领导打了招呼，他是我的朋友。上官可以和骗子谈话，但不能暴露身份。法院那边我也打了招呼，你可以参加庭审，但不能录音不能记录，主审法官也不会接受采访，主要是庭审目击。县委宣传部我有朋友，估计他们不敢多说，这没关系。你要深入到这位骗子县长走过的村镇去采访，看看老百姓和基层官员是怎么看这事的。”

高原红仰慕地看着何大龙。这个男人让她在失去孩子的那几天里魂牵梦绕，自己对他的判断一点也没错，他考虑问题总是很周到，让你觉得跟他在一起很安全。眼前的这个新闻尽管会引起轰动，但采访难，发稿难，风险大，可这些在他看来却是闲庭信步。如果他成了自己的丈夫……他会成为自己的丈夫吗？这不可能。

何大龙没注意其他人的反应，他还在自己的思绪中。“这条新闻最终目的是打伤县委组织部。”说这话时，他的语气斩钉截铁。

贾诚实也佩服地点点头说："我同意少帅的意见。另外，安排写评论，矛头可以指向县委主要领导，他们不开口，组织部门是没这么大胆子的。"

何大龙笑了，贾诚实看到了本质上的东西，他对上官说："你来组织采访，要抓住机会。我说打伤县委组织部就是指打死替罪羊，因为这件事终归要有人来承担责任。那么谁来承担？我们不知道，可能是县委书记，但我猜测极可能是将组织部长拉来当替罪羊。这是我的分析，大侠觉得呢？"

高原红与何大龙的目光一碰又旋即分开，但彼此已知道心里所想。"少帅的分析有道理。我们要打一个县委书记很困难，但要打一个县组织部长却容易得多。我建议，总体的基调要放在如何揭穿和识别骗子上。晚报还是要点觉悟。"说到这儿，她又解释道："我可不是在打官腔呀。"

屋里的几个人都乐了，他们极少能听到总是义愤填膺的大侠会这么说话。贾诚实笑道："大侠长大了。"何大龙纠正说："不是长大，是成熟。"

高原红脸红了，没反驳他们的讲话。

何大龙的目光变得爱怜。"大侠的话不无道理。我们是喉舌，在批评监督的问题上，要有分寸，目的是要引发思考。"

贾诚实讲："还要强调一点，接下来我们要做的事必须悄悄地行动，新闻见报前，绝对保密。"

何大龙补充道："教头说得对。这事就我们几个知道，到此为止，打死也不说。"他有点激动。这篇稿子的连锁反应会是什么样子谁也不知道，但他预感会轰动，他希望历史的目光能在他领导晚报的阶段停顿。

一周后。何大龙接到上官德从安远县打来的电话，说采访一切顺利，但写不了稿。何大龙问为什么？上官德说："这个假的副县长，除了欺骗组织这一条外，上任后干的都是好事，当地老百姓对他的反映非常好。"上官德在电话里跟何大龙说了一大堆假副县长的政绩，什么帮民工讨工钱呀，什么阻止不合理的拆迁呀，什么资助贫困孩子上学呀等等。这个骗子知道自己被揭露后，没逃跑，而是去了县城的一座关帝庙，在庙前长跪不起……何大龙要求上官德在采访时可以感性一些，但在写稿时一定要理性，要回答骗子为什么能连闯六关，提拔干部的考察公示等手段为什么成了摆设？千万不能把落脚点放在骗子上任后的工作上。如果那样就肯定会出问题。

又过了三天，1.2万字的稿子《荒唐：骗子当上副县长》传到了何大龙的电脑里。骗子已在周四被判6年有期徒刑，判决书并不复杂，上官德的稿子与判决书的主题异曲同工。

周四下午的判决结束后，上官德干了一个通宵，周五清晨把稿子发到何大的邮箱，但何大龙没有签字发稿。他考虑，如果周日见报，效果不会太好，大多数政府官员周日通常不会看报，他们的报纸都在办公室。将稿件压后一天，这条新闻就可能成为周一的热门话题。对这样的新闻，一般读者的反应不重要，只有政府部门的反应才是实质性的反应。

周六下午，何大龙在家中电脑前疏理上官德的稿子，小虹儿跑进来说："爸爸，小姨来了。"话没说完，星儿就急匆匆进来，何大龙赶紧把电脑上的窗口关闭，他不想让星儿知道这事。

星儿见何大龙关闭电脑窗口，冷笑道："不用保密了，你正在看安远县假县长的稿子吧？"

何大龙纳闷："你怎么知道的？"

星儿口气一紧说："我是替我爸来找你的。"

何大龙一惊，难道假县长案子涉及自己的老丈人？他立刻对小虹儿说："去你房间玩，爸爸和小姨谈工作。"

星儿也对小虹儿说："我和你爸谈完后带你去玩。"

见小虹儿出去了，何大龙问："怎么回事？"

"老爸听说你在搞这条新闻很生气，讲你急功近利不懂政治。"

何大龙的脑子在迅速地转动，他想找到一个合适的切入点来与星儿对话。

星儿没容他回答又说："姐夫，你怎么会想到弄这样的丑闻呢？"

何大龙看着她，心里并不服气："难道这不是条新闻吗？这样的丑闻难道不应该揭露引起人们的重视吗？"

星儿本来不知道稿件的来龙去脉。中午贺副省长把她叫回家说这事，发了脾气，认为何大龙在机关多年，政治分辨力还这么差。假副县长的事涉及到了一个省级干部和省委组织部，多少跟贺副省长还有点关系。事情发生后，他们都已在有关会上做了检查，也要求法院从快判决。但此事如公开见报，等于把丑闻重新炒一遍，社会影响和政治影响都会走向负面，等于打了几级党委的耳光，导向也会出问题。省直媒体已接到通知一律闭嘴，没想到晚报要捅出这件事。

那位省领导为此亲自给贺副省长打电话，指出：从公说晚报的行为是错误的，是违反了宣传纪律的，对维护稳定局面没有益处；从私说这事如果捅到全国，有关当事人恐怕都干净不了，包括贺副省长。如果真这样，不少人都不会罢休。还是应该遵循内紧外松的游戏规则，绝不能让稿子出笼。

可何大龙不知道内幕，还以为是老丈人以权压他。

星儿见何大龙这么看，生气了：“那你就发吧，算我什么也没说。”

何大龙站起身来去客厅给星儿倒了杯水，“别生气，你不知道这条新闻我们准备得多辛苦，记者写得也非常棒。”

星儿又叹了口气说：“姐夫，你千万别认为我是因为商报的原因才来的。真的是老爸中午把我叫回去专门谈这个事的。”她把具体情况给何大龙说了一遍后说：“姐夫，老爸和老妈都很关心你，你的前程对他们来讲好像比我还重要。老爸不想你在这个位置上出原则性的差错。”

何大龙全身像触电似的麻了一下，只觉得一腔热血冲到头顶，他感动了，原来是这么回事。其实从星儿进门说这件事时，他就知道发不出去了，只是在嘴上争一争。这个稿子的分量他很清楚，但他决不会明知这篇稿子影响到老丈人还一意孤行。没有星儿一家哪会有我何大龙的今天。而且如果稿子见报，自己头上的乌纱恐怕也会很快被打掉。他感到背上出了冷汗，此前决定冒险的念头这会儿无影无踪了，尽管有点憋屈。他说：“谢谢你的提醒。告诉爸爸在这条新闻的处理上我幼稚了，改天我去给他道歉。”

星儿想，姐夫还是懂道理的：“姐夫，可能我爸他们考虑问题比我们要复杂一些。如果是我，我也会把它当重要稿件来处理的。”

何大龙微微一笑。星儿看出他笑得不自然：“姐夫，别想那么多了。一起带小虹儿出去转转吧？”

何大龙摇摇头：“还是你带她去玩吧，我对稿子做些善后处理。还要想个说法说服报社其他同志。”

星儿点点头，关心地问：“融资的事怎么样了？”

“唉，还是没具体落实，总是在谈。不过，我还是要谢谢你，你是真的关心我。”

听何大龙这么说，星儿完全软了下来，之前的郁闷和不快一扫而光，连她自己也觉得好笑，女人就这么容易被征服，这么容易原谅她喜欢的男人。

星儿带着小虹儿刚走，朱香香就来电话，讲有一家信托投资公司对晚报感兴趣，愿意谈一谈。何大龙没心思听朱香香说，但却有了急于见到朱香香的愿望，他想找个人倾诉心里烦闷。

半小时后，两个人坐进了名典咖啡的卡座中。“有烟吗？”何大龙问。

朱香香从进门看见何大龙时就觉得他有情绪，一副不爽的样子。何大龙不说，她只能装不知。在她的包里是有一包烟的，这是预防万一客户没烟了她好及时补救，而且在烦心时，她也会一个人坐在车里打开车窗抽一支。她从包里拿出一包软包装的中华烟。

何大龙自问自答："这么好的烟呀。"

朱香香抽出一支递给他，并打着火机给他点上。点烟时，朱香香看着火，何大龙却看着她，目光中传递着一种柔和的谢意。

名典咖啡馆中飘着《初春》的钢琴曲，悠美恬静。何大龙抽了一口烟马上吐出，然后又抽了一口，这次是慢慢地吐出，仿佛在享受香烟的醇厚。

朱香香也想抽一支，可又不愿让何大龙看见她抽烟的样子："通常不抽烟的人突然要抽烟都是为了掩饰什么。"朱香香眼睛直勾勾地盯着何大龙。

现在的女人一个比一个厉害。何大龙冒出一句："人和动物的本质区别是，人有感情。"

朱香香没听明白他这话的意思，以为他和星儿闹矛盾了。

何大龙没理会别人是否听懂了他的话，又冒出一句："我想喝一杯葡萄酒。"

朱香香招来服务员，要了一支红酒。

何大龙端起酒杯放到鼻子下闻闻酒香，然后浅浅地喝了一口说："这喝红酒呀，就得慢慢来，只有浓浓的酒香，涌入鼻腔进入脑中时，才能到达惬意的状态，那是种说不出来的快感。这种快感会让你产生再喝一口的愿望。当这种愿望愈来愈强烈时，你可以小喝一口，沁人心肺的感觉就油然而生了。这才叫喝酒。"

面对他朱香香已习惯把喜怒哀乐都放到脸上，不隐瞒自己是件很爽的事。学着何大龙的样子她把酒杯放到鼻子底下闻闻。

何大龙继续说，可他不是对着朱香香说，而是对着桌上漂在水中的蜡烛光说："做事就如同喝酒，一急就可能出错。"

朱香香眼睛看着他，浅浅地喝了一口酒，等着他往下说。她知道此时自己开口不见得何大龙会听，他今天显然是想倾诉而不是听别人说。

何大龙的目光从烛光中抬起来，看着朱香香。"半小时前我让报社撤下了一条我们精心准备、想以此树立晚报权威的新闻。三个版的新闻说撤就撤了，我突然感到自己不是在做新闻人，而是在做一条狗。"

朱香香惊讶，一向稳重的何大龙为何会说出这种话来。

"你知道当驸马的滋味吗？"他由狗想到了驸马，便问朱香香。

朱香香摇摇头，心里大概明白了今天的事跟贺家有关，但她没问，也不便问。

何大龙继续慢慢地说，他沉浸在自己漂泊的思绪里："1912年4月15日凌晨2点20分，泰坦尼克号在夜黑风高的大西洋中沉没。这条船上许多人是在冰冷的海水里冻死的。电影中那位买不起船票的小伙子杰克就是为了救他的情人露丝在冰海里冻死的……"

朱香香目光变得惊愕，脑子在飞速转动。难道他觉得自己是生活在冰海里？他对虹儿的那份情难道是假的？他究竟是什么人？今天他为什么要这样？

何大龙大概看出了朱香香的惊讶，解释道："我并不是不爱虹儿。我爱她，至死不渝。但事实是我娶了虹儿后就生活在不平等的家庭中，尽管虹儿非常非常注意这事，家里什么都我说了算，星儿也对我非常尊重。但我自己知道，我和她们是不平等的。"他端起酒杯喝了一口，这次是一大口："有人在背后说我是吃软饭的，我自己知道我不是。可有什么用，谁听你的？晚报现在也是内忧外患，我到报社后制定了40条禁令，就是有40种情况是绝不能报道的。可还是提心吊胆，每天早上10点钟以前没接到宣传部电话我才放心松口气，否则就要赶快派人去宣传部检讨解释。我想改版，可资金又匮乏。唉。"

朱香香眼波流转，不觉中有了母爱的成分，这是女人被打动后的典型表现。"没想到你这么难。"

何大龙端起杯子看杯中琥珀色的酒："更难的是如何办好报纸，现在对媒体有两种说法，一是把我们看成是党、国家和法律外的第四种权力，另一种说法是要防火防盗防记者。评价来自两个极端，使得我们左右为难。有的记者动不动就敲诈，打着维权的旗号四处捞钱。假新闻满天飞，可我能处理得干净吗？水清则无鱼呀。"

朱香香被眼前这位弄得有点迷糊，表面上看，他那么严肃那么官僚，可他骨子里却有这么多卧薪尝胆的东西。他能够隐蔽得那么好，既让人折服又让人害怕。如果自己和他成为夫妻，他会是个好丈夫吗？综合看，他的确是个优秀的男人，而且可以肯定，他不愿再当驸马了。但星儿显然是爱她这个姐夫的，该如何让星儿明白并退出这场爱情的竞争呢？还是主动出击吧，跟她挑明，就说自己爱何大龙，让星儿不好意思。这对三个人都好，免去了何大龙再当驸马的尴尬；星儿也不会知道何大龙的真实心思，还以为是把姐夫让给了师姐；自己则进可攻退可守。朱香香被自己的想法弄笑了。

何大龙见朱香香笑了，不知为何，但他心里似乎顺畅多了，人也就恢复到正常的状态，严肃而正经。他没问朱香香为什么笑，而是问："你在电话里说有家信托公司愿意给我们融资？"

朱香香听了这话，又看了看何大龙，哦，这位何社长正常了。"是东方信托有限公司。我和他们董事长谈到你，他很想和媒体合作。"

何大龙小喝一口酒说："好啊，什么时候？"

朱香香笑道："刚才还讲急事缓办。我不知你少帅愿不愿见人家，怎么敢替你约？"

何大龙完全回到了现实状态，这个女人善解人意，不错。今天找她聊是找对了："你约吧，我来做东。不管成不成，都要谢谢你，谢谢你这么关心我。"几乎一样的话他也对星儿说过。

朱香香回报了他一个甜甜的笑容："你不是也关心我嘛。"

何大龙眨眨眼想笑但没笑出来。"我有不少缺点呀。如果考虑问题再仔细一点，多想想战略层面上的问题，急事缓办可能就会把缺点改正到最少。"说这话时，他想的是假县长的新闻，事先如果向贺副省长通报，就不会弄得骑虎难下。幸好纠正了，真要是见了报，不知后果会是什么，也可能会落得与孙强一样的下场。马诚难道不知此事？如果知道，为什么不提要求？他想要我落入陷阱？

朱香香当然不会知道他在想什么，但他所说的话很有道理。"星儿最近好吧？我好久没见到她了。"

何大龙回过神来说："哦，下午她领小虹儿玩去了。其实她很忙，可还抽出时间陪小虹儿，这份人情我恐怕一辈子也还不清啊。"他的话是由衷的，如果星儿不是贺副省长的女儿，他会毫不犹豫地爱她的。

朱香香喜欢的正是何大龙善良的这一面。"我说了几次带小虹儿去吃麦当劳，你总是不安排。"

"好，下个周末吧。"

陈元考虑成熟后决定改版，按他自己的话说这是次革命。改版头一天是周日，商报各个部门都弥漫着浓浓的火药味，焦灼而热烈。有打电话要稿子的，有在争执一个标题该怎么做的，还有版样刚排好又要拆版插广告的。

林彬到晚上9点时已连续干了十几个小时，中午只吃了个盒饭，她自己也觉得奇怪怎么一点也不累。自从与郝歌好上后，她忽然觉得自己成熟了，看问题找线索理性了。明天是改版的第一期，主打稿子是她的一篇4000字的大稿，陈元已把它作为一版的重要导读。

这条关注下层社会的稿子是她自己弄到的采访线索。那天她去民政局采访，路过中山路时看见一个中年女乞丐和一个20岁左右的女乞丐在街边乞讨，身边还有三个孩子，最小的被抱在手上。她去民政局采访的选题是关于救助站的事儿，看见乞丐后便多个心眼，先采访需要救助的人，谁知让她捞到一条“大鱼”。中年女乞丐叫桂莲，是被丈夫遗弃的村妇，边上的女乞丐是她的女儿小莲，今年19岁。那三个孩子有两个是桂莲生的，抱在手上的是小莲生的。

林彬觉得奇怪，母女俩整天要饭，如何能生小孩？采访后她大吃一惊。原来桂莲带着小莲乞讨，晚上常被人强奸，为了保护小莲，她经常让男人强奸自己，还生了两个孩子。可女儿小莲终究没有躲过厄运，被人强奸后也生下了孩子，而且现在小莲肚子里还怀有孩子。林彬震惊了，她决定不去民政局，先把这对母女的事搞清楚。打电话叫来了郝歌，拍了不少照片。林彬问她们是否知道强奸她们的男人是谁，桂莲摇头说不知道，可能是民工，也可能是街头流氓。有年轻的也有年纪大的。因为小莲长得还蛮漂亮，所以被强奸的次数很多。她们也不知采取避孕措施。

为了核实，林彬和郝歌又到了桂莲每天住的地方，是一幢烂尾楼的底层，用破垫布围了一下，地上有张旧的席梦思床垫。林彬采访了周围的居民，有几个老太太讲经常在夜里听到母女俩的叫声，又不像是被人打的惨叫声。

回到报社向陈元汇报后，他拍板将这条新闻做大，说不仅可读性强，揭露了社会的丑恶现象，还提出了一个严肃的问题：如何看待和对待社会弱者，政府应该干什么？陈元说：“这件事可以炒下去，究竟是谁强奸了这对母女？如果是民工，就涉及到一个时下火爆的话题：民工性生活问题。还有社会治安问题，生了几个孩子，起码是几年时间，难道从未有人管？这对母女今后的出路是什么？她们有没有性病？四木这个新闻抓得好，为改版成功加了一块重重的砝码。要奖励。”

林彬得意地说：“谢谢陈掌柜。”

郝歌说：“我建议搞一次义卖，把义卖所得捐给乞丐母女。”

陈元眼睛一亮说：“这个主意棒，就这么定。请钱大圣来组织。”

郝歌与林彬对视着笑了。

林彬这会儿拿着版样，边校对边做点小修改。对每一个记者来说，新闻就如同自己的孩子，尤其是遇到大稿子，他们甚至不放心编辑。

林彬长得挺漂亮的，高挑的个头，五官匀称，走起路来两腿生风。现在皮肤比较黑，她自己讲没来报社前挺白的，因为长期在外采访晒黑了。她说话节奏快，穿衣服也前卫，会穿露脐装去采访。身上让人觉得女人味很足的地方是她爱斜挎着包，挎包带总是从她双乳中间穿过。包里的东西越多，包带贴身就越紧，本来就发育很好的双乳就越发突出了。她还自豪地说，就咱这身材，不电死那些采访对象才怪呢。放句大话在这里，没有我弄不来的新闻。跟郝歌一个腔调了。

她正改着，追她的人郝歌端着两个快餐盒进来了，“四木，吃饺子。”

林彬放下版样愣愣地说：“你怎么知道我想吃饺子？”

郝歌边打开餐盒边说：“我厉害吧，女孩的心思我一猜就中。”

正说着，牛文广拿着一只塑料碗进来说：“四木，你吃不吃醋？”

林彬看了他一眼又看看郝歌，笑着说：“我吃谁的醋？你才吃醋呢。”

牛文广有点尴尬：“我是说吃饺子蘸醋。”

郝歌像是想起什么似的说：“对对对，吃饺子不蘸醋不如吃抹布。”

林彬“扑哧”笑了：“老牛你也不说清楚。谢谢啊。”

牛文广见他两人亲密的样子，只得放下塑料碗走了。

见牛文广出去了，林彬马上问郝歌：“他怎么知道我们吃饺子？”

郝歌嘿嘿地笑着坦白：“报社统一发的。”

林彬嚷道：“好啊，你骗我，不跟你玩了。”

郝歌说：“快吃吧，凉了不好吃。”

林彬往嘴里放了一个水饺，边嚼边问：“尸体的事怎么样了？”

郝歌用手抓了个水饺放到嘴里：“现在他妈的什么人都有，运尸车居然会弄丢了尸体，而捡到尸体的人还不肯还。妈妈的。”

林彬喝了口水：“后来呢？”

“我们赶过去后，帮着协商，家属给了拾到尸体的农民2000块钱才领回了尸体。我给你看照片。”郝歌说着从腰间拿出数码相机给林彬看照片。

林彬边看边说：“太恶心了，要追究殡仪馆的责任。”

郝歌边翻照片边说：“家属说等安葬好亲人后再找殡仪馆算账。乞丐母女的用了几张照片？”

林彬指指桌上的版样：“版面上用了两张，陈掌柜讲封面用一张大的，就是那张母女俩目光无神地看着镜头的那张。”

郝歌收起相机说：“那张角度神态都还行。”

0点的时候，32个版的版样都放在了陈元的大办公桌上。办公室里只有他一个人，他眼睛盯着桌上的版样，在屋里来回踱步。

一版的报头弱化了“东方”两个字，强调了“商报”二字，“商”字套大红。陈元考虑要与东方晚报差异化竞争首先就要在地域上差异化，突出“商报”二字，不仅是美化版面的需要，更是要告诉读者商报的疆域是很广的，是可以延伸到更远的地方去的。在报头边上有一行字，这是商报新的广告词：“报纸长一点，内容多一点。”星儿曾赞扬说：这句广告与雀巢咖啡的广告词异曲同工，雀巢的广告是“味道好极了”。非常朴素，诉求又非常准确。

他把乞丐母女的新闻放在一版做导读，题目改成“夜幕下的丑恶”，副题是“一对乞丐母女在东方市的遭遇”。照片很醒目，让人震惊。在一版他还亲自操刀，写了一篇改刊词《整理激情》，提出理性办报的问题。

本地新闻有《游泳池能否对客流限定》，讲东方市的泳池数奇缺，多数泳池都是“下饺子”式的接待游客；有《天气炎热无偿献血人数大降》；还有国家级风景区内建坟墓等等。商报记者在家电市场发现有大量针孔摄像头出售，台湾性爱光碟事件使大众对针孔摄像有了新认识，便采写了一篇专访《针孔摄像头拍你没商量》，这是典型的外地新闻本地化，会引起读者关注。

陈元考虑负面报道和正面报道的比例要合适，不能让宣传部认为商报的导向有问题。因此，他让总编室做个策划，以“路”为题全面报道了东方市今年以来修路的情况。这一组稿子被编辑做得很漂亮，分“大路朝天”“中路通畅”“小路方便”三大块，对东方市东西环干道和市内几条动脉道路，以及街道内的小路进行了详尽的报道。并用图表方式列出了已修好的186条路。还配了一条关于路的重要性的评论，版面大气，可读性强。陈元对着这两块版面沾沾自喜地说：“这马屁拍到了点子上。”

国内新闻重点做公务员考试和汽油涨价。国际新闻重点做恐怖爆炸，西方首脑会议开幕当天就四处爆炸。他改了个标题，内容是讲黑手党首领的儿子被判刑的，《畜生的儿子还是畜生》；体育做米卢和他的中国情人；娱乐做120名明星电话被公布。陈元要求体育和娱乐版的编辑大胆炒作，将可读性摆在第一位。为了可读性，他特地在22版开设了情感版，每天一个情感故事，以此来替代传统的小说连载。因为故事发生在身边，又猎奇，又是男女问题，这个版会赢得读者的。明天的情感版上是讲一个当了30年二奶的女人的心声。

陈元正看着，电话铃响了，是星儿来的："陈掌柜，现在特兴奋吧？"

陈元喜欢星儿叫他"陈掌柜"，"我正在看全部的版样。明天我准备亲自上街义卖。"

星儿没听明白："义卖？什么义卖？"

陈元把乞丐母女的新闻简单说了。星儿没听完就连声说好。"这个主意好，大概这就是所谓的社会效益吧。让读者认可我们的行动，是统一读者思想的重要环节。"

陈元笑道："还没到那个高度。但这个时候义卖，对提升商报的品牌知名度是有好处的。怎么样？明天陪我们的记者一起上街？"

"不行，我明天有事。我也不能不栽树就摘桃子，但我在心里为你们祝福，祝你们成功。"

陈元有点动情，他没说话。

星儿说："这一段时间来，我觉得办报真不容易。"

陈元拿起放在桌上的一瓶水打开喝了一口："谢谢你的理解，报纸的改版有你的功劳。记得你给我写的经典热门词组吗？你提到的'原创'是这次改版的核心。"

星儿不吱声了，陈元说到了她的软门。

陈元继续说："我一直觉得你会是一个好报人。真的。"正说着钱冰冰进来了，他示意她拿水喝。

星儿回避这个话题说："你明天真亲自上街？"

陈元看着钱冰冰说："对，活动由我们钱大圣亲自组织。"

"向她问好。早点睡吧，明天要起早。"

"今天不能睡觉，等一会儿我去印刷厂，我想看着第一张报纸从印刷机上出来。你没闻过那种墨香味，太棒了。"

星儿笑着说："好吧，你才是个真正的报人呢。不打扰了，再见。"

陈元放下电话，对钱冰冰说："看来我们大功告成了。"

钱冰冰眨眨眼问："是贺大小姐来的电话？挺关心你呀。"

陈元拿起红色水笔开始在版样上签字付印："她是关心报纸。"

钱冰冰轻轻"哼"了一声。

陈元没看她，边签字边问："明天都安排好了？广告部立了功。改版第一天，品牌广告就有6个，还都是整版，好。"

钱冰冰说："不都是你逼出来的。"

陈元在签广告版，这是商报广告实行代理制向社会招商的广告。他拿起来看："你等着吧，代理制如果能成功，便是商报对东方市报业经营的一大贡献，是可以写进新闻发展史的。"

钱冰冰笑笑，但不知为什么笑得勉强："但愿能成功。"

陈元满意地签上大名："成功了，功劳属于你。失败了，我来担责任。"

钱冰冰的目光很复杂："好啦，快点签，我请你宵夜。"

陈元抬起头说："不，今天我请你。"陈元快速签完其他的版面后，让机房开始给印刷厂传版。

凌晨4点，陈元在印刷机旁拿到了第一份印好的《东方商报》，他几次深深地嗅着墨香后满脸笑容地对钱冰冰说："你摸摸，还是热的。"

钱冰冰也把报纸放在鼻子上嗅了嗅说："真香。你请我吃宵夜，我请你吃早餐吧。"

"哈哈哈，好。"陈元看着报纸发出了爽朗的笑声。真是好久没这么笑了，笑声中透着自信，也透着傲视。

中午12点刚过，地处东方闹市区的上岛咖啡二楼靠窗边的位子上，面对面坐着两位小姐。左边是一身休闲打扮的朱香香，她化着淡妆，直挺挺地坐着，很精神。右边是一身职业装打扮的星儿，她脸上的妆比朱香香的更浓一些，浑身上下透着贵族气，样子蛮疲惫。

邀请星儿单独吃饭是朱香香长时间考虑后做出的决定。她想以攻为守，向星儿摊牌，看看星儿会是什么反应。如果星儿的反应很强烈，那自己与这个师妹的关系是维持还是决裂就不知道了。但朱香香绝不会轻易地"若为爱情故，什么都可抛"。她会将得失计算得清清楚楚。她知道，她的商业房地产公司要想在东方市乃至全省混得好，离开了贺副省长这条线是不行的。按理说她不该打何大龙的主意，可这位少帅对她的吸引太大了。自从遇上何大龙，精神面貌都焕然一新，公司的同事居然不约而同地说她漂亮了。难道爱情真是女人最好的化妆品？恐怕是爱情让她的雌性荷尔蒙大增吧。星儿坐下后就从包里拿出一张报纸递给她，打开看是商报改版号，翻了几个版，她把目光停在了情感版上。

星儿高兴地问："怎么样？还行吧？"

朱香香抬起头来："什么还行？"

星儿指指报纸："报纸呀。这是商报改版号，没发现报纸变长了。"

朱香香"哦"了一声看着报纸说："是长了。难怪刚才隔壁两个男的在讲什么日本人的五张脸，对上级点头哈腰的脸，对下级耀武扬威的脸，对老婆大丈夫的脸，对孩子严厉有余的脸，喝醉了表现真我的脸。原来是商报上的。"

星儿又指指窗外，说："看看，今天商报在义卖，从总编辑到记者都上街了。"

朱香香这才发现，尽管星儿显得疲惫，但她从进来到现在都处在兴奋之中。"你好像很亢奋。"

星儿笑了："商报毕竟是瑞东集团在这里的投资嘛。看到它有起色，我当然高兴。"

朱香香感觉到星儿不仅是为报纸高兴，问道："你可能还为某些人高兴吧？"

星儿脸上倏地红了。她并没有想过要为谁高兴，但内心深处还是有陈元的一块地方，也不知道是什么时候在心里为他腾出了地方，也许是从童瑞东介绍他们认识的那一刹那吧。昨晚和陈元通过话后，她也一直睡不着，她设想着陈元是如何决定版面的，设想着在印刷厂陈元拿起第一张报纸的情景。她还有去报社体验改版的喜悦和辛苦的冲动，可仔细想想，还是不能干扰陈元的。陈元或许是欢迎她去的，但报社其他人呢？她去了会不会给大家压力？在床上翻来覆去睡不着。7点被闹钟叫醒，小虹儿吵着要她送上学她都没答应，而是直接开车上街找商报，找到后买了10份。到公司给办公室的人都发一份，说这有收藏价值。接到朱香香约她中午吃饭的电话，她满口答应。

朱香香捕捉到了星儿的脸上的变化，说："那位叫陈元的总编辑帅吗？"

星儿有些陶醉地说："他帅不帅跟我有什么关系。严格地说我还是他的上级呢。"

朱香香用手点点她说："没说真话吧，我不会跟你抢。"

"别胡说。还师姐呢，没正经。"她招来服务员说："给我一个青椒牛柳饭，卡布其诺咖啡餐后上。你呢？"

朱香香见星儿不接话而是点餐，便用眼睛瞪她一眼说："我想吃牛肉，来西冷扒七成熟，加个罗宋汤，餐后上蓝山咖啡。"等服务员走后，又问："那位陈元与你姐夫比怎么样？"

朱香香是哪壶不开提哪壶，她的话一出口，星儿脸上高兴便没了。朱香香装着没看见，继续说："看到商报这么有钱，真替你姐夫着急。"

星儿用冷冷的声音说："你不是在为他找钱嘛。"

朱香香看了看星儿说："我还不是为了你才可怜他。"

星儿反问道："你可怜他怎么是为了我呀？"

朱香香不紧不慢地解释："他不是你姐夫嘛。你又在帮童瑞东做事，与商报有千丝万缕的关系，而晚报与商报又是竞争对手。所以，只好由我帮你可怜他喽。"

星儿有点糊涂了，明明是朱香香喜欢何大龙，还口口声声讲是替我可怜他，得好还卖乖。这位师姐到底要干什么？星儿强迫自己把思绪从商报改版上拉回来对付朱香香。

朱香香见星儿没吱声，便说："不过，你要盯紧商报的那个钱冰冰。那个女人太厉害了，听你姐夫说她早和晚报的贾诚实分手了。"

朱香香左一个"你姐夫"，右一个"你姐夫"，让星儿有点六神无主。她知道自己爱何大龙，也感觉到朱香香爱何大龙。本来她是想等何大龙自己选择，况且何大龙说过一辈子不再娶了。现在朱香香是不是着急了？想到这儿，她脱口而出："商报的运作由陈元负责，你着什么急呀？"

朱香香没想到星儿会突然来这么一句。她不断地在提商报，就想让星儿有歉疚感；又不断提"你姐夫"，让星儿与何大龙有距离感；提到钱冰冰是想让星儿有嫉妒感。谁知她软硬不吃。正尴尬，饭和牛肉都端上来了。两个人都没讲话，各自用餐。

星儿的电话响了，是陈元来的。她接通电话："喂，是我。"陈元在电话中兴奋地说："告诉你一个好消息，报纸临时加印两万份，共6万份的零售全卖光了。另外关于广告招商，钱冰冰的电话快被打爆了。"陈元的声音很大，星儿用余光看朱香香，发现她边切牛肉边在注意听陈元讲话。星儿暗自得意："祝贺你，董事长的电话来了吧？"陈元说："我已给他发过去电子版，又把这边的情况报告了，他很高兴。"星儿说："我也很高兴呀，这个月奖金可以高一点吧。找个时间我请你吃饭，为你庆祝。"陈元高兴地连声说好。

星儿刚收线，朱香香的电话就响了，她放下刀叉拿出电话。是何大龙来的。她对星儿说："你姐夫的。"接听后何大龙的第一句话是："你看了今天的商报吗？"朱香香对着星儿小声说："问商报的事。"她对着话筒说："看了，感觉很不错。乞丐母女的报道很抢眼。"何大龙问："你也为他们义卖做贡献了？"朱香香脱口而出："没有，是星儿刚给我的。她现在和我在一起。"电话里没声了。朱香香"喂"了两声，接着电话便传来"嘟嘟"的忙音。朱香香对星儿说：“他挂了。”

不管朱香香是有意的还是无意的，星儿都认为她是在火上浇油。她明知何大龙对我与商报的关系感冒，可她还要说报纸是我给的。但她没说错，又不能指责她。星儿委屈地叹了口气，何大龙对她的成见好像是越来越大了。

朱香香很高兴，何大龙的电话来的真是时候。他怎么早不来晚不来，偏偏现在来呢？这难道不就是缘分？是心有灵犀？她根本不在意何大龙不打招呼就挂了电话，恰恰是挂了电话才表明了他对星儿的态度。朱香香切了肉放进嘴里，见星儿目光有些散，便说：“星儿，我真有件事想请你帮忙。”

星儿看着她，手里的勺在例汤中无目的地搅动。

朱香香觉得时机到了，此时如果不说，机会便会稍纵即逝。她说：“我爱上了一个人。”

星儿一点儿也不在意看着她，只是手里的勺停了。

朱香香刚要说出何大龙的名字，星儿用食指放在嘴唇上“嘘”了一下：“别说出来，我知道他是谁。”

朱香香看着她，眼中充满了祈盼，希望她能说出何大龙的名字。

星儿叹了口气，手里的勺子又在搅动，她慢慢地说：“是我姐夫。”

朱香香点点头。“你能帮我吗？”

星儿心如刀绞，就这么一会儿功夫，她的心情从一个极端走向了另一个极端。她说出“是我姐夫”时，希望看到朱香香摇摇头。可她不是摇头而是点头，我能回答她说我也爱何大龙吗？如果说了，第一个对不住的是自己的姐姐虹儿。可我又能对朱香香讲帮她得到何大龙吗？如果说帮，则对不住自己。怎么办？聪明的星儿竟一时想不出什么话来回答朱香香。她的醋意逐渐变成了愤懑。

朱香香并不需要星儿回答什么，她的目的已经达到了。她在开口说爱何大龙的这个环节上已经赢了。

星儿端起装汤的小瓷碗喝了一口：“你知道我姐夫有个誓言吗？”

朱香香明白星儿是讲何大龙在虹儿墓前发过誓讲不结婚。她切了一块牛肉放在嘴里说：“我知道。但我并不要求和他结婚。商报今天不是有个女人做了 30 年二奶的故事嘛。只要他爱我，结不结婚我无所谓。”

“可是……”星儿想说“可是地下的虹儿有所谓。”但她忍住了，何大龙是说过不再结婚，可他没讲过不再恋爱呀。按他的年龄，要他一辈子一个人过也太残酷，但这一天来得太快了。“可是，我姐夫愿意吗？”她说了个自己也不太自信的理由。

朱香香喝口罗宋汤说："我想他会愿意的。只是我不敢捅破这层纸。"

星儿嘲笑地说："爱本来是疯狂的，你怎么变得胆小了？"

朱香香心想，我何尝不想疯狂，但对何大龙这样的人，如果疯狂可能就会适得其反，更何况他总说星儿好。尽管他表过态讲不会将星儿当恋人，但那是他的真心话吗？如果贺副省长和星儿的妈妈出面，何大龙还会讲不要星儿吗？只有星儿知道了我朱香香的想法后，死了爱何大龙的心，最好她能爱上陈元，那一切就迎刃而解了。

星儿已经从刚才的迷糊中缓过来，反正朱香香表明了态度，如果何大龙愿意要她，自己也没办法，随她去吧。"师姐，你这个忙我可帮不了，原因嘛，我想你清楚。如果我姐夫真爱上了你，我不会反对的。这你放心了吧。"星儿结束了对峙，她觉得这是自己最大度的表态。

星儿的话让朱香香比较满意，她并不希望星儿什么帮忙，男女之间的事越帮就会越忙，但还是接着星儿的话说："谢谢你。"

星儿拿出电话拨号，接通后说："我是星儿，今天晚上有没有空？就约今晚吧。关于商报的工作我还有点建议。晚上见。"星儿放下电话开始大口吃饭，一副轻松的样子。

朱香香暗自乐着，她用勺子喝起汤来。罗宋汤又酸又甜又香的味道正是此刻这两个女人的心情写照。

陈元没想到改版的第一期会这么成功，6万份的零售全部卖光。除了零售摊点外，义卖了3万份，1.5万元钱当场送给了桂莲母女。更好的消息是有位好心人在乡下有栋闲置房愿意提供给乞丐母女住，还有人愿意帮忙给她们办最低生活保障。办公室一天接到有关乞丐母女的电话600多个，这让林彬和郝歌高兴坏了。他俩决定当天晚上请桂莲母女吃饭。而陈元在接到星儿打来的电话约他晚上吃饭时，他认为是庆功宴，他认定星儿一定是受董事长的委托请他的。

钱冰冰也没想到，广告招商会有这么好的效果，就一天的时间，竟然有20多家广告公司的老总给她打电话。更有意思的是还有上海和广东的广告公司来电话表示愿意合作。看来陈元的决策是对的。为了这个招商，钱冰冰费了好多心思，怎样才能让广告公司既做大商报，又不至于相互烂价搞乱市场？如何在这个过程中保护好自己个人的利益？她思前想后，把广告分成了房地产、汽车、通讯、旅游、美容美发、家电、美食、分类和外省等九大块，前八块拿出来招商，广告部保留做外省产品的上门广告。钱冰冰算了一笔账，八大块招商总额能达到2500万，按5%给广告部提成，是125万。实行代理制后广告部定员才8个人，多舒服。这还不包括外省的产品上门广告，那2500万的广告里还有自己的份，比如春酒广告，以前是自己做，现在给广告公司做，但提成佣金还是自己的。谁中标谁不中标，钱冰冰是有权建议的，这让她一切尽在掌握中。她只是没想到会这么火爆，选择的余地会这么大。此时，她对陈元的佩服更深了，对他的爱慕也更强烈了。

人们更没想到的是市长潘智雄在商报上签了意见，要求民政和公安部门全力侦破强奸乞丐母女案，安抚弱势群众。可没过几天，商报被告知，乞丐母女彻头彻尾都是假新闻，在周四的宣传部阅评快报上商报被严厉批评，陈元懵了。

第八章 失实报道

〖晚报讯〗本报从今日起与体育彩票发行管理中心联姻，全市彩民读者可在第一时间，获取最新的对投注获奖有帮助的彩票信息和开奖公告。

据体育彩票发行管理中心主任透露，近期电脑彩票的玩法将做较大调整，中奖更容易。本报作为彩票中心的唯一纸质媒体合作单位，我们将尽最大努力为彩民服务。

据悉，体彩中心今年提出了“让彩民更方便，让彩民更实惠”的服务口号，为的是进一步强调坚持以人为本的理念，以更加人性化、更加周到的服务来吸引彩民。为了把为彩民服务的口号落到实处，他们决定举办“东方市首届体育彩票彩民运动会”。本报将全面报道运动会的盛况。

周三下午马诚刚到办公室，市公安局丁局长就来了。

马诚一见他便知肯定有棘手的事，要不然这位掌握着东方市治安大权的官员不会来宣传部的。见丁局拿出了商报改版第一期，马诚猜到了公安局长找他的原因。

商报关于乞丐母女的报道经过网上传播后，全国不少媒体要商报提供更深入的连续报道稿子，有的媒体还派记者来了东方市。新华社将此新闻上了国内动态清样，加上潘市长在商报上签了意见。一时间商报在东方市乃至全国都炙手可热。马诚看了潘市长的签字后当时就觉得这件事够公安局喝一壶的，全市乞丐民工少说也有六七十万，怎么才能找到强奸犯？简直就是大海捞针，也无处下手，除非瞎猫遇到了死老鼠。

马诚给丁局倒了水后说："遇到麻烦了。肯定是关于乞丐母女的事，对不对？"

丁局苦笑着又从包里拿出一份文件说："领导，我很想抓到那个该死的强奸犯，可无从下手哇，上哪儿去找强奸女乞丐的人呀？我们把那对母女乞丐找来一问，全他妈是假的，那个叫桂莲的女乞丐承认是她骗了商报记者。你看看。"他把手里的文件递给马诚。

马诚在伸手接文件时，就心中叫绝。这位丁局真绝，让这条新闻变成假新闻，一切都可以解释，各有关单位也可以过关了。他翻着文件，是市公安局正式向市政府报告的文件，还有呈报宣传部的字样。

报告称：市公安局在接到潘市长指示后，迅速采取了有力措施，对桂莲母女活动的区域进行了大规模的调查和蹲守，但没有发现异常也未发现有人骚扰桂莲母女。而后，公安局请桂莲母女到局里协助调查。在调查中发现这对母女说话有漏洞，经过多次与母女谈话，结果出人意料，几个孩子都是她们拣来的，并非亲生。小莲肚子里的孩子，是她与自己男朋友的。公安局不排除桂莲有利用孩子骗取人们同情的可能，甚至这些孩子是否是被拐卖的还不清楚。此案还在调查中，但可以肯定的是商报的报道在一定程度上失实，混淆了是非，并造成了不好的社会影响。

马诚看到这儿，心里掂量，自己该怎么处理这件事？支持市局意见打压商报？还是替商报据理力争？稍有一点宣传经验的人都可以看出商报的改版是很成功的，乞丐母女的报道无论从什么角度看，都是动人心魄的。那几个孩子是不是亲生的，验一验DNA就一清二楚，这对公安局来讲太容易。可他们为什么不把容易的事做好再做决定呢？显然他们是不愿介入太深，因为要抓住强奸犯几乎不可能。即使抓住了，谁又能确定桂莲母女是被强奸而不是通奸呢？要打压商报，于心不忍。可自己又欠着丁局一个大人情，上次那个亡命徒扬言炸百货大楼，多亏丁局重视迅速破案。这次轮到我马诚帮他了。

马诚装着继续看报告走到窗口。外面正在下着暴雨，今年第六号台风"英娜”正在袭击东方市。“台风来了，你们也忙吧。”马诚冒出一句。

丁局不知他是什么意思，说：“到处都涨水，东方市都漂起来了，交警全部上街，派出所和各分局机关的干警也都出动了。李浩书记专门给我打电话，指示不能因为台风而死人。”

马诚走到丁局边上的沙发上坐下：“丁局，你个人认为商报的这篇新闻怎么样？”

丁局直来直去地说：“在你领导这里，我想怎么说就怎么说啊。我个人认为这个叫林彬的记者厉害，稿子写得生动。更厉害的是摄影记者，我拿到报纸后也被乞丐母女的样子感动了。只是遗憾，恐怕记者太年轻，社会经验不足。据我们调查有80%以上的乞丐是靠骗人来讨到钱物的，他们编的故事往往能打动过路的人。这也很不简单。”

马诚满意地点点头，这位丁局长是聪明人呀，他不说商报有问题，只讲记者年轻受骗，显然是不想搞坏关系。但记者的确在详尽的采访上还有欠缺，毕竟只是听了乞丐母女一方的声音，由不得别人不钻空子。不管怎么说，既然公安局以文件的形式向市长报告，局长又亲自到宣传部来，我得有个态度。想到这儿，他把带倾向性的意见不露声色地说出来：“丁局，很感谢你没兴师问罪呀。这条新闻，从新闻敏感和动机上来看，是不错的，写作技法和照片的拍摄也很好，我认为充满了人文关怀，这也是我们各级部门应该注意和要做的工作。但我同意你刚才的意见，新闻来不得半点虚假，很可能是记者被骗了。这同样是提醒我们的新闻工作者，绝不能在新闻采访中偏听偏信，更不能在新闻的写作中用自己想象的语言替代新闻事实。丁局，我表个态，一、宣传部会找商报有关领导谈话，让他们停止对这个新闻的报道；二、在这一期的阅评快报中，我们会对商报提出批评。要求东方市所有媒体举一反三。你看行不行。”

丁局听完后立马站起来，笑眯眯地说：“你是领导，你说了算。我个人非常感谢领导对我们公安局的支持。我这是窗口行业，老百姓的眼睛盯住我们，一刻也不敢放松呀。我还得到处转转，听说被台风吹倒了几块广告牌，幸好没砸到人。明天的新闻肯定又是这些东西。我听局里的宣传干事讲这叫什么‘民生新闻’，就是鸡毛蒜皮嘛。我走了。”

马诚笑着说：“丁局，你还是要重视新闻，它的作用一点也不比你抓人小。上次那个亡命徒的事，多亏你大力支持。虽然是虚惊一场，可真够玄的。”

丁局和马诚握手：“只要你老兄有事，我们公安局一定全力以赴。我也一定争取和新闻界搞好关系。”说完，他开门走了。

马诚回到办公桌前，在名片盒里找名片。他找出了童瑞东的名片，拿起电话拨打。“喂，童董事长吗？你听出来了，对，我是马诚。给你通报一个情况……”他简单地把将要对商报的处理说了后说：“这主要是宣传部表示个态度，不会对商报造成实质伤害。凭良心说，我们这么武断不应该，但为了大局，有时候还必须武断，希望童董事长能谅解。老实说，我对商报的改版还是很满意的，你在东方市的两个干将还是很得力的。听说贺副省长的女儿很能干呀，造纸厂的投产时间也提前了。好，先这样，再见。”

马诚放下电话，又踱到窗前。如注的大雨，把外面的一切都变得灰蒙蒙的。环境可以灰蒙蒙，生活可不能灰蒙蒙呀。马诚触景生情。从现在的情况看，引进瑞东集团来办商报，同时阻止瑞东集团进晚报是成功的，商报正在与晚报抗衡。这两家报纸平衡了，宣传部的作用将会更大，管理的砝码无论放在哪一边，另一边都会失衡。晚报独领风骚的日子越来越少了，何大龙必须以我马首是瞻。看来是推出心中酝酿已久的方案的时候了。

马诚在国外旅游走马观花地考察了各国媒体状态，回国后又利用开会的机会到不少省市考察。渐渐心里有了设想，在东方市建一座“新闻大厦”，把所有的媒体都集中到一起，从形式上看，有气势有看头，就像伦敦的舰队街；从内容上看，媒体集中在一座楼里办公，有许多便捷之处，无论是开新闻发布会，还是各媒体之间的交流行动都方便。更重要的是我要把这座“新闻大厦”建成东方市的标志性建筑。此事如果办成，就是我马诚为东方市留下的大作品。关于资金问题，他早想好了，市里给一点，主要靠各媒体出钱。十几家媒体现在的地址都是东方市的黄金地段，通过对这些地方的拆迁转让，不仅有钱建“新闻大厦”，还可以为东方市招商引资，一举两得的好事，相信市委会支持。但关键是首先各媒体要买账。马诚知道，晚报的何大龙电视台的王台长都有背景，能不能说服他们？马诚坚信，只要东方市的媒体平衡由我掌握，各媒体就得听我的。

想到这儿，他走到办公桌前拿起电话：“喂，小陈吗？通知商报的陈元总编辑，明天上午9点来宣传部，我找他谈话。”

周四晚上，陈元和钱冰冰在一家叫“王老五”的大排档里喝酒，到9点多时，他俩已喝了两箱啤酒。钱冰冰喝得多一些，但醉态没陈元重。陈元心里异常清楚，只是头晕四肢无力，心脏怦怦地跳。

上午马诚找陈元谈话。陈元听得出马部长是在用表扬的口气批评商报。陈元据理力争，要求给桂莲的孩子做DNA，并表示由商报出钱做。马诚脸上立刻收起了笑容，他严肃地说："做DNA容易，如果是桂莲的孩子，市公安局必然会被潘市长批评，注意，仅仅是批评。公安局可以立案，至于破案，那就等着吧；如果孩子不是桂莲的，商报就走上了绝路。那就不是现在这样的批评了，而是要严肃处理，甚至停刊整顿。"

马诚的话，让陈元无话可说，心里虽然憋屈，可还没法发泄。大概是陈元的态度不太好，下午收到的"阅评快报"对商报的批评严厉了许多，认为商报这条新闻失实的原因有必然的因素。要求对有关记者严肃批评。钱冰冰知道后，晚上硬拉他出来吃饭。

点了好多菜，可两个人都没怎么吃，光喝酒了。开始两人还面带笑容，说没什么了不起，反正已经出报了，反正在全国都有影响了，我们赢了，不做后续也没什么。说着说着，两个人都不笑了，什么也不说了，就你一杯我一杯地喝。

钱冰冰有很多话想说，她见过孙强是怎么下台的，经历过贾诚实差一点倒霉，她越发理解办报"一天到晚，提心吊胆"的滋味。真的不想陈元重蹈覆辙，但她作不了主，她无力阻止这类事情的发生。看着陈元晃晃悠悠又去了卫生间，她想流泪，可不敢，怕影响到陈元。这个男人是她爱的男人，是没有一点私心的爱。他不可能不知道自己爱他，但他从未表白过。他有妻儿，他没资格再喜欢别的女人，但这并不妨碍我钱冰冰爱他。她还不知道下午陈元和老婆在电话里吵了架。他老婆想来东方玩一玩看看他，他不让。怕老婆担心，没把宣传部批评的事告诉她。谁知越发让老婆产生怀疑，加上陈元心情不好，就吵了起来。

门外依然狂风大作。天气真的与人心是相通的，以前看小说电影只要主人翁有烦心事，天就下雨，就刮风。现在看来天随人愿是有道理。钱冰冰端起酒杯又喝了一杯。就在她"咕咚咕咚"喝酒时，陈元放在桌上的手机响了。她没理会，只是看着门外瓢泼大雨。可铃声坚持不断，她拿过电话一看，是星儿来的。手机屏上显示"星儿"，而不是"贺星"。钱冰冰翘了翘嘴，又泛起醋意，在陈元的手机上她的号码是显"钱冰冰"而不是"大圣"。她按下通话键："喂，贺总好，我是钱冰冰。"

星儿有点迟疑，她不知为何是钱冰冰接电话。"哦，我是星儿，大圣，掌柜的在吗？"星儿有意叫钱冰冰的绰号，想拉近她们之间的距离。

钱冰冰已经被酒弄得满脸通红，心跳也很快。但她没醉，只是说话有点慢：“陈元去洗手间了。你知道商报出假新闻的事了吧？”

星儿说：“我知道，董事长也来电话了。你们是不是在喝酒？”星儿觉得钱冰冰说话声音有点儿不对劲。

钱冰冰乐着说：“是，陈元心里不痛快，我陪他喝了一点。”

星儿说：“我知道他心里不痛快。你转告他，在这次所谓的假新闻风波中，商报是第一大赢家。”

钱冰冰没听明白：“什么？你说我们赢了？”

“对！”星儿肯定地说。“宣传部的批评是内部的，公安局的报告也是内部的，老百姓读者并不知道这些，外地的媒体也不知道这些。大家看了新闻，有了反映，网上好评如潮，商报出了名，你的广告代理招商也成功了。这不都是赢吗？我看，报纸赢得了读者就是大赢。”

钱冰冰这下明白了，哎呀，我们怎么就不往这一层想呢？宣传部的批评很正常，不被批评反倒不正常了。还是这位贺大小姐聪明。想到这儿，她情不自禁地说：“星儿，谢谢你的提醒，我马上告诉陈掌柜。”

星儿放心了，她知道已经说服了钱冰冰：“你们千万少喝点，还要上晚班呢。下次喝酒记得叫上我，再见。”

夏季的台风丝毫也不逊色于冬天的寒风。它似乎有权力在此刻让大地颤抖，让天上的乌云惊慌失措。它呼啸着，像是幽灵在城市上空盘旋。风和雨总是结伴而行的，开始豆大的雨点飞泻而下，继而演变成滂沱大雨。雨下成了帘，被风吹动着，一会儿往东一会儿往西。人在街上，无论你的伞有多大，都无法挡住无常的风雨，根本就是一瞬间你便会被淋成落汤鸡。就在陈元与钱冰冰一起喝酒的时候，林彬像只落汤鸡冲进了郝歌的宿舍。

郝歌发烧躺在床上。两天前他听说公安局把桂莲母女带走了，便瞒着林彬四处打听消息。得到的消息是刑侦大队的人威胁桂莲母女，要她们承认孩子是拣来的，小莲肚子里的孩子是她卖淫造成的。郝歌急了，得知母女被放后，便骑着摩托车四处寻找，在大风大雨中淋了四五个小时，回来就发高烧病倒了。

林彬是在报社局域网上看了“阅评快报”后才知道事情的严重性，便也冒着雨四处寻找乞丐母女。该去的地方都去了，可这对母女像是人间蒸发。问别的乞丐，都讲几天没见到她们了。林彬怎么也不相信桂莲母女会骗她，看上去她们是那么善良，那么像受惊的小鹿，她们需要保护需要帮助。她们为什么要骗人呢？林彬给郝歌打电话，郝歌说正在拍摄台风的新闻。可报社的人告诉她，郝歌是病了，不想告诉她。

一看到郝歌有气无力的样子，林彬“哇”地哭了。郝歌想挣扎着起来，可没力气，只得轻轻说：“四木，你别哭。”

林彬没停止哭，她走到郝歌的床边抱着他：“为什么不告诉我你病了？”

郝歌也抱着她湿漉漉的身子：“怕你担心。你衣服都湿了，快去换件衣服。”

林彬在他的怀里扭动不肯去。林彬哭道：“凭什么要我们写检查？我们错了吗？”

“我们没错，一定是出了什么问题。”

“陈掌柜是老报人，他也分不清是非吗？”

郝歌没回答她的话，而是轻声用带着家乡口音的普通话朗诵起高尔基的《海燕》来：“在苍茫的大海上，狂风卷集着乌云。在乌云和大海之间，海燕像黑色的闪电，在高傲地飞翔……”

林彬是第一次听郝歌朗诵，被他的夹生普通话和表情逗得“扑哧”笑了。

郝歌勉强笑笑：“四木，我朗诵诗歌的时候，大多数只有一种结果。”

林彬问：“什么结果？”

“被人打出来。今天出现了第二种结果，有人笑了。”

林彬擦了一把眼泪说：“我是被你的普通话逗笑了。你有干衣服吗？”

郝歌指指床脚的箱子：“有几件T恤你可以穿。”

林彬走过去打开箱子，拿出一件T恤，是件广告衫，放在鼻子下闻了闻。“好臭，根本没洗干净。”

郝歌笑着说：“臭即是香，香即是臭。T恤上的味道是我郝歌雄性激素的具体体现。”

林彬看着他，用命令的口气说：“转过脸去。”

郝歌依然笑着转过脸。

林彬脱下自己的湿衣服，又把胸罩摘下。她的皮肤很有弹性和光泽。郝歌偷偷转过头来，看着头发湿湿的林彬光着身子站在自己的面前，他心旌摇动，也不知哪来的力气，起身抱住了林彬。

林彬没有挣扎平静地在床上等着郝歌的进入，她觉得肌肉不受自己控制了，在发抖，心也一阵紧似一阵。郝歌把头埋在她双乳中间，舌头在她的乳沟中游动。林彬用手紧紧抱住郝歌的头，享受着这份让她激动的做爱，刚才的气愤已无影无踪。她突然想起屋外正刮着的台风，难怪气象界要用女人的名字命名台风，原来台风真的像女人的脾气一样善变，让人捉摸不透。

郝歌一身大汗躺在林彬身边，他用手指指书桌。林彬爬起来到书桌边，看见一张纸上写着几句诗，题目是：致四木。林彬轻轻地念起来："我爱你，可是我不敢说。我怕说了，我马上会死去。我不怕死，我怕我死了，再没有人像我一样爱你。"念到这儿，林彬的眼泪夺眶而出，她抽泣着，哭得好甜蜜好甜蜜。

郝歌也爬起来走到林彬的身后，抱住了她的腰，亲吻着她的脖子。林彬转过头用舌头舔着郝歌的耳朵，她靠在郝歌的身上，反手抱着他。她的眼里发出迷人的光芒，嘴里突然嚷道："操他妈的公安局，我还要。"

何大龙针对商报的假新闻在编前会上发了一番感慨，这是他由衷的话。在他看来商报的改版是成功的，被宣传部批评的乞丐母女的新闻也是成功的。他说："同志们，商报的这一仗最后是胜利还是失败我们不知道，但它的改版是毫无疑问地成功了。晚报就缺这样的既敏锐又有深度还有可读性稿子呀。"

"我看这一段晚报有退步。今天又有一篇小姐不愿卖身奋而跳楼的新闻，记者是不是动了情？我早就说过，跳一次楼是新闻，跳两次楼就不是了。我们决不能从这种新闻中获得快感。我听教头说，原稿中居然还披露了细节，什么乳房颤动，做爱姿势……"

听到这儿，编辑们都笑了。何大龙也笑了，他是苦笑，如何提高晚报记者的素质已让何大龙头痛不已。很多记者刚进新闻界就沾染了一身的坏毛病。

"新闻要当报纸的家，没有新闻就没有报纸。可什么是新闻？举个例子，国家禁止砍伐天然林，这是条宏观新闻。接下来，进口木材会不会涨价？如果木材涨价直接涉及老百姓的可能就是家具涨、地板涨、甚至房价涨等等。对一般读者来说，后面的这些涨价才是他们想要的微观新闻。凡新闻者，只有做到发现线索一追到底，才是做新闻的精神。可我们呢？有的记者大笔一挥骂个痛快，报纸快成了骂街的泼妇。"说到这儿，他对贾诚实说："我看晚报该给记者们补补课了。一是要补新闻理论课，不能忘了晚报是谁的报纸，更不能忘了晚报的品牌是如何树立起来的；二是补忆苦思甜课，我说的忆苦思甜是大家不能忘了我们的广告发行人员的苦。报纸三驾马车，离开了广告和发行我们寸步难行。"他又对大家说："如何补，社委会还要商量，这里先给大家打个招呼。”

何大龙一直在为晚报的改版以及拉动《青年报》和《大众医生报》作准备。苦于手中的钱不够，朱香香帮着联络的东方信托投资公司已有意向，双方谈得来，很可能成功。但自己的手头上还是要有点儿钱，同时队伍建设也要与改版同步。他算了一笔账，报纸每年用于工资，600万不到，而每年报社的各种消费券有两百万。平时这些券就随便花了，如果将这些券打五折当工资发给职工，至少可省出100万现金来。还有红包问题，据说有的记者每月的红包能拿到一两千，特别是维权部的记者，打着维权的旗帜，别人只好花钱消灾，造成了各部门的记者收入不均衡。按照宣传部的要求，晚报应该实行轮岗制，一来让大家都有机会，二来总是可以减少一些新闻敲诈。再就是要在报社揪个典型，狠刹不良风气。而这一切都是要回到办报上来，晚报不能输给商报，我何大龙也输不起。

自从对星儿表露了自己爱何大龙后，朱香香心中的负疚感一扫而光，轻松极了，再也无需在星儿面前遮遮掩掩冤家路窄了。她在寻找和等待向何大龙直接表白的机会。让她高兴的是，心情好工作也顺。东方商城销售工作紧锣密鼓，通过大型露天时装秀和街头行为艺术展示以及“背靠希望好睡觉”的广告宣传等炒作，商城在东方市的知名度大震，不少人把商城称为“希望城”，已有人排队拿号买铺了。朱香香悄悄地私下用买来的民工身份证给自己买了15间铺子，每间100平方米，花了900万。然后开始散布消息讲东方商城已基本售完了。

上午朱香香来到销售部。这是她每天必做的功课，她就是从这里成长发家的，她清楚这个部门有什么机会又有猫腻。一进门就发现大厅里有好多外地人，销售部的孙莉经理亲自在接待。悄悄问一个售楼小姐，得知是温州来的。她一惊，莫不是大名鼎鼎的温州炒房团来了？她让售楼小姐去把这些温州人的头儿请到办公室来。

不一会儿，一个50多岁的先生被售楼小姐带进办公室。朱香香满脸笑容地递上自己的名片，对方一看名片就大声说：“你就是朱老板，久闻大名。”说着给了朱香香一张名片，对方居然姓温，是温州天马旅行社的总经理。

朱香香证实了这些温州人确实是炒房团。他们就是借旅游的名义到全国各地炒房，把房价炒起来后，再一抛收钱走人。朱香香脸上依然露着职业的笑容说：“温总，我们不必兜圈子了吧。说说看，我有什么可以帮忙的？”

温总心领神会地笑了:“我带团来过东方市多次,也多次听别的楼盘的人说起朱老板，都说你是女中豪杰呀。今天一见，果然爽快。”

朱香香不卑不亢地笑着:“东方商城的铺面销售火爆,你不会以为我是在作秀吧?”

温总摇摇头:“我调查过,你这个楼盘的确不错,而且东方晚报还是你们的合作伙伴。这样的楼盘我们是不会放过的。”

朱香香的笑容变得发自内心了，因为在这短短的几分钟，她已想到一个绝妙的主意。原来就想过，但总觉得不够严密，现在加上温州炒房团和晚报两个环节，这个主意就严丝合缝了。她手上的15间铺子不仅可大赚一笔，还可能不花一分钱便拥有这15间铺子。“温总是行家，您认为我这东方商城值多少一平米?”

温总笑笑说:“我不知道,我只知道来旅行的温州客人如果投资没有较大的回报，他们是不会冒险的。”

朱香香递给温总一支烟，她自己也抽了一支。吐了口烟后说:“如果这个盘子卖完了,我敢肯定不出三月,价格就要翻番，老百姓总是愿意买涨不买跌。”

“这就需要东方市的媒体一起来炒，让东方市的人每天都有东方商城的消息。”

朱香香暗想,这个人也明白媒体的厉害。“看来温总你是有备而来呀。好,我可以安排晚报对你做专访，从旅游的角度看东方市的变化，将温州人乐意来东方投资的信息夹在中间。”

温总拍着手说:“好，妙。”

何大龙正需要这样的题材,东方市的招商引资工作已成为城市崛起的重中之重,现在有温州商人谈来东方市投资,而且朱香香将为此在晚报投入近百万的广告，何乐而不为。

晚报发表了专访温总的长篇专访后两周,东方商业地产在全市媒体连做三天广告，祝贺东方商城铺面销罄，感谢业主们的厚爱。

而在此期间朱香香去工商局以别人的名义突击注册了10家公司,并由这10家公司与朱香香签定了购买她那15间铺面的二手房购房合同。按合同规定，由她负责到银行办理买房贷款。于是，她在三家银行帮忙给这10家买铺面的公司贷款。因为东方商城实际是新房，所以拿到了银行贷给购买二手房的最高贷款额70%，共计1260万。除去几个月前她买房花进去的900万，轻轻松松进了360万。而且房子名义上是那10家公司的，实际上是她自己的。她已打好了算盘，交10个月的贷款利息，然后拖到第12个月，不去工商局年检执照，让它作废。等银行去工商局查这事，公司早被注销，连身份证上的人也是假的。如果银行发现早，就让他们没收铺子。如果银行发现得晚，那么这15间铺子的租金还是自己的，只要拖上一年，那就有小100万的租金。凭自己和银行的关系，拖一年应该问题不大。唉！朱香香大大地欣赏了自己一把道："赚钱怎么这么容易呀。"尤其是得知国家又给商业银行注资300亿美元以消除烂账时，她为自己的聪明高兴得哈哈大笑。

更让朱香香高兴的是何大龙主动约她一起带小虹儿去博物馆玩，这是她约了好多次都没有约成的事。她问星儿去不去，何大龙讲星儿忙得连家都没回，她的造纸厂就要投产了。朱香香想，是不是自己与星儿摊了牌，她主动撤出了。不管怎么样，要抓住一切机会与何大龙在一起，并争取他的女儿站在自己一边。

周六中午朱香香开车接何大龙和小虹儿先一起去麦当劳吃饭，然后去省博物馆。这家花了两亿人民币，刚剪彩不久的充满现代气息的博物馆，号称从外观设计到内部装修都达到了国内一流。

在停车场他们就感到了人流带来的热浪，小虹儿兴奋地跑来跑去。何大龙在售票窗口排队买票，朱香香则给小虹儿买冰淇淋买气球等。何大龙刚买到票，朱香香的电话就响了，是东方信托投资公司的宋辉董事长来的。

"喂，宋董事长您好，我是香香。"朱香香在接重要电话时总是用这句话开始，一开口就报出对方的姓氏职务常让对方感动，这种感动又往往会带来一些不太容易得到的微妙东西。

"香香老总，我们刚开完董事会，决定向《东方晚报》授信6000万，我希望马上能和何大龙社长见面。因为是你一直在为这事帮忙，所以还是请你通知何社长。"

朱香香没听完就喜形于色了，这比她自己赚了几百万还高兴。她对着电话连声说好，并告诉对方何社长就在她身边，他们马上去东方信托。收线后她对小虹儿说："快快快，有好消息告诉爸爸。"

何大龙见朱香香领着小虹儿兴冲冲跑过来，他意识到有事："好像有喜事？"

朱香香先把宋董事长的电话告诉他后说："估计还有细节要商量，我们马上过去吧。”

何大龙有点犹豫，他看看小虹儿。

小虹儿眨眨眼睛问：“爸爸，你是不是有重要的事？”

何大龙点点头说：“很重要的事。”

小虹儿说：“那你们去吧，把票给我，我自己进去参观。等会儿你们来接我。”

朱香香立刻反对：“不行，没大人在身边不安全。”

小虹儿对着朱香香说：“不会有事的，我不乱跑。”

何大龙笑着说：“要不我们下周来看。走吧，先送你去外婆家。”

小虹儿不做声了，她翘着嘴巴上了朱香香的车。

“酷派”刚出停车场，何大龙就叫停车，他看见高原红向博物馆走来。

车停后何大龙打开车门和高原红打招呼。

朱香香没下车，坐在车里打量着这位穿着牛仔短裤老头衫背着双肩包的女孩，年龄似乎与自己差不多，皮肤很黑看上去很阳光。她是谁？何大龙为何要突然停车和她说话。朱香香从他们说话表情上看出，他们之间一定很熟悉。女孩见了何大龙一副很亲切又很尊敬的样子，她看了看酷派车，连连点头。

何大龙走回车边拉开车门先对朱香香说：“那是我们总编室的主任高原红，她正好来看展览。我请她带小虹儿参观。”又对小虹儿说：“要听高阿姨的话，爸爸办完事来接你。”他的话音未落，小虹儿已推开前排的坐椅从何大龙怀中钻了出去。

何大龙把票递给高原红，笑着叮嘱小虹儿。高原红又一次看酷派车，这次她是在看坐在驾驶席上的朱香香。

朱香香见高原红看她，便用微笑回应。

何大龙回到车上，摇下车窗说：“大侠，谢谢啊。”

小虹儿对着车说：“爸爸再见，阿姨再见。”

酷派车发出低频率的轰鸣声开走了。

高原红并不是想来参观，而是事出有因。前两天她与新闻部的一个叫半仙的记者叫了几句，是为一篇教育口的稿子。那个半仙去参加新闻发布会，内容主要是教育一费制，明明可以一篇稿子说清楚，可半仙却写了三篇，目的是多赚稿费。高原红不知就里，便将三篇稿合并成一篇，3000字拧干水分后变成了700字。编辑和记者本来就是一对矛盾，可半仙在总编室叫道：编辑只会剪刀加浆糊。激怒了高原红，记者想钻报社管理上的空子她管不着，但绝不允许他们看不起编辑。她发狠地说："你半仙别牛B，下次再看到你像注水牛肉一样的破稿子，我照删不误，说不定打回去让你重写。不信你就试试。"事后她想，要让记者看看我们编辑的新闻敏感和写作能力。正好听人讲新开幕的博物馆问题很多，便来看看，谁知遇到了何大龙。当何大龙请她帮忙带小虹儿时，她想都没想就答应了。牵着小虹儿的手进博物馆时不仅感到亲切，竟然顿生一丝母爱。

但一进入博物馆，职业敏感立刻弥漫全身，良知告诉她必须向社会揭露这里的一切。

出现在高原红面前的博物馆像个马戏团的帐篷。到处都挂着禁止吸烟的牌子，可工作人员却叼着烟四处晃悠。小虹儿要上厕所，高原红发现里面污水横流，水龙头全是坏的。更可恶的是自然馆竟然变成了"恐龙世界"，里边放了一些仿真恐龙，有声光电效果。小虹儿先是胆怯，躲在高原红身后不断窥视，等发现一切都是假的时，她雀跃起来，这边摸摸那边动动。有项活动叫"恐龙下蛋"，很多孩子花20元钱排队买"恐龙蛋"，其实就是一个蛋型的糖果盒。

带着小虹儿又转了几个馆后，高原红发现这里到处都是商业气息，像是一场弊脚的"嘉年华"。而科学性知识性权威性严肃性等博物馆应有的属性一点踪影也不见，原本的凝重反思变成了人声鼎沸的庙会。采访中得知这里不少馆被承包出去，难怪叫卖声此起彼伏。将这一切与博物馆的牌子挂上钩，就会误导观众，特别是误导孩子。她想，必须制止在充满学术性和科学性的殿堂里卖狗皮膏药。

参观没结束，高原红就有了强烈的写稿冲动。给何大龙打电话问小虹儿怎么办，何大龙说谈判正紧张，要她带小虹儿去外婆家。她问小虹儿去不去？小虹儿说不去，还想在外面玩。她又问小虹儿去不去她家？小虹儿说去。于是两个人到了高原红租的屋子。

屋子里很零乱，到处是书，一张席梦思床垫就放在地下。几面墙上都挂着大幅的抽象画。小虹儿很稀奇地问："阿姨，画上画的是什么呀？"高原红熟练地打开IBM笔记本电脑，见小虹儿问便说："我也看不懂。"小虹儿又问："看不懂为什么要挂起来？"高原红笑着说："人家说这叫抽象画，看不懂就是看懂了。"小虹儿似懂非懂地自己点点头。

高原红在电脑上迅速敲进一行字：《省博物馆：挂羊头卖狗肉》。她边打字边问："美女，饿吗？看看冰箱有什么吃的？"

听有人叫她美女，小虹儿甜滋滋的，她嘴上说不饿，可还是开了冰箱。里面大多是方便面和红肠。"哎呀，阿姨你有这么多方便面呀。我外婆说方便面没营养。"

高原红在题目下写了一行副题："硬件名不副实，软件更值商榷。"她回答小虹儿的话："所以阿姨还买了红肠呀。"

"我可以吃一碗方便面吗？"小虹儿被方便面吸引了，她很少吃这种东西，忍不住想试试。

高原红在思考怎么写稿，嘴上却在回答小虹儿："当然可以。方便面还能干吃呢，就像吃饼干。你现在随便干什么都可以，就是不能吵阿姨，行吗？"

"行！"听到自己可以随便干什么，小虹儿高兴了。她拿出一个碗面，撕开后取出面块咬了一口，边嚼边说："真香。"

高原红看了看小虹儿特温柔地笑笑说"小美女真乖"，便埋头写稿。她想到手到，打字速度飞快。从博物馆的公益性到博物馆的权威性；从内容设置不合理到门票标价过高；从孩子的反应到大人的思考，字里行间充满了忧虑和愤怒，不知不觉写了3000多字。等写完后才发觉天已黑了，再看看小虹儿竟在床垫上睡着了。她拿毯子给小虹儿盖上，然后给贾诚实挂电话说写了篇稿子，贾诚实要她马上传过去。她将稿子作为附件E-mail给了贾诚实，然后给何大龙发了一条信息："师哥，小虹儿在我这儿睡着了，明天早上我送她去她外婆家。"

20分钟后电脑上MSN有人叫她，是贾诚实。高原红点开对话框，"我一口气看完，有深度，说理透彻，能看出一个记者的愤怒，更能感觉一个记者的担忧。建议配一篇评论，题目可以是《别让斯文扫地》。另外再将国内外的一些著名博物馆做链接。"

高原红放心了，能过教头这一关，说明文章不错。她回答："谢谢，按大教头指示办。"

贾诚实回过一句："稿子定周一焦点新闻版发。"

高原红回答："再次谢谢。好久不写新闻，手有点生，但我会努力。"

手机响了，是何大龙回的信息："谢谢。告诉你一个好消息，晚报有钱了，明天我们研究改版工作。"

高原红没太明白。此时，何大龙与朱香香正在本色酒吧兴奋地喝酒蹦迪。

何大龙是真高兴，他近期所有工作上的困惑随着6000万的到来都不见了，这种感觉太爽了。授信仪式定在明天上午，马诚答应参加。明天下午就研究改版的事，力争国庆后全面推出晚报的新形象。谈判结束后他爽快地答应朱香香一起来本色酒吧玩。

在令人亢奋的音乐中，何大龙不知不觉喝了5支七喜啤酒，脸上开始发烫。他对朱香香说："我给你讲个段子，从网上看来的。"

朱香香的的确确感觉到了何大龙的高兴，不露声色的他好像变了，变得外向起来，还有些疯狂了。刚才在舞池中很自我地拼命地扭动，现在又要说段子。她饶有兴趣地等他往下说。

"有个记者采访坐台小姐。记者问：听说你们还成立了一个协会，叫妓协。小姐点点头说：对呀，你们记者不是也有个叫记协的协会，对吧？记者说：你们怎么能和我们一样呢？不可能一样。小姐说：我给你举个例子，你就知道两个协会的相同之处了：记者欢迎来稿，我们也欢迎来搞，但我们的搞是搞事的'搞'。记者的稿长短都可以，我们也不管来搞长短。记者是按稿计酬，我们也是来搞一次付多少钱……"

何大龙没讲完朱香香已笑得喘不过气来，打死她也想不到何大龙会讲如此黄色的段子。她放肆地笑着掏出手机翻页找到一个段子说："我也念一个给你听。女人有两个优点，但有一个漏洞，男人虽然没有优点，却有一个长处。所以男人善于抓住女人的两个优点，并经常用自己的长处弥补女人的漏洞。知道是什么吗？"

没容何大龙回答，她接着说："这就是生活。"

何大龙喝了一大口啤酒，盯着朱香香看。她脸色红红的，厚厚的嘴唇透着无限的性感，她眼睛微微闭着似乎在等待着什么。

在混浊的空气中，依然能闻到朱香香身上的香味，他不由自主地深呼吸心怦怦跳着，不时有抱一抱朱香香的冲动。在朱香香的眼里，何大龙现在的目光能勾魂摄魄。她想屏住呼吸，可胸脯却不听话地一阵接一阵地高耸，她的心放纵起来。

DJ正在播放摇滚版的《爱情诺曼底》，全场都在扭动，何大龙一把拉着朱香香进入到舞池中。朱香香虽有醉意，但动作依然优美，她摆动着胯部前后扭动着腰部，并在何大龙眼前晃动着肩部，每一个动作都充满诱惑。何大龙不知是醉了还是被情景所感染，他直视着朱香香，奋力地扭动。朱香香突然小声说："少帅，你的稿是长还是短呀？"何大龙忽然感觉到大动脉的血如喷射一般，他勃起了。因为两个人是挨着跳，脸也几乎是贴着的，何大龙没有回答她的问题，而是顺理成章地吻了她。

这一吻，让朱香香陶醉，猛然间到达飘渺的境域。她设想过好多与何大龙接吻的方案，唯独没有这一种。看来真正的爱情是不能靠设计的，它的到来常常是在不经意间，它不以人的意志为决定因素。当何大龙的舌头伸进她的嘴里时，她感到了一股力量在进攻，她只能努力地迎合，并不断引导。

何大龙吻着朱香香，他的手依然随着音乐的节奏在摆动，而朱香香的手却抱住了他，还不时地碰一碰他勃起的地方。朱香香脑子此时不仅没乱，而且还很清楚，基本可以肯定，何大龙已经是她的了。一个词蹦进了她的脑海："终于搞定！"

马诚接到何大龙请他参加授信仪式的电话后也很兴奋。他兴奋不是因为晚报有了资金，而是觉得自己一直在琢磨的东方新闻大厦该出台了。既然有投资者愿意将资本投入媒体，那就一定可以让媒体拿出钱来做新闻大厦。他决定先与何大龙谈，广播电视那边问题不大，电视台王台长早有建电视大楼的想法。做晚报的工作底线是只要他们不反对就行了。而在此之前，何大龙最充分的反对理由一定是缺钱。

对何大龙，马诚觉得越来越看不懂了。他聪明，有理智，能受委屈。但去晚报后，听说很霸道。最近他做的两件事引起报社记者们的反感，已经有告状信寄到宣传部了。

一件事是他搞了个"灭口行动"。媒体的记者都需要分口子，比如公安口、卫生口、商业口等等，为的是不漏新闻。口子好的记者常能拿到红包，这已是公开的秘密。甚至有记者扬言我不要工资，只要个名儿就行了，他们有办法弄到钱。何大龙的"灭口行动"让所有的记者通通轮岗，重新分配口子。这一招打得记者们措手不及。从不好的口子到好口子的记者说少帅真牛，从好口子到不好口子的记者便给宣传部写告状信，历数"灭口行动"的不利，并指出是何大龙的私心所至，是他要将报社记者玩于股掌之中。

第二件事是何大龙将报社的各种冲抵广告的消费券按六折当工资发给职工。有美容的、吃饭的、超市的、泡脚的、唱歌的等等。免费使用这些券人人都高兴，可一但这玩意儿变为了工资后，没一个人支持。一时间怨声载道，都在背后骂，有人扬言要起义，有人扬言要罢工。但都是扬言，只有到了宣传部的告状信是真的。

不能讲这两件事何大龙错了，但肯定有不妥。听说晚报近来就漏稿不少。大稿子如省发改委关于汽油价格调整的稿子和市房产局的关于调整房价的稿子都漏了；小稿子如因修路公交改道的稿子也漏了。而这些新闻在商报都做得很好。第二件事则带来更负面的东西，有的记者拿着消费券在酒店吃饭，本来消费券上标明不能用此券消费香烟，但记者是当工资用。于是引发冲突，记者便以曝光要挟，影响很不好。

如何控制何大龙进而控制晚报是马诚头痛的问题。何大龙去晚报，表面上是马诚推荐的，可他自己心里清楚，自己不是何大龙的伯乐，背后还有人，是市委李书记拍了板。但不管怎样，何大龙是部里出去的人，也算是自己人。这位年轻的处级干部有与别人不一样的背景。正因为这样，马诚在对待晚报的所有问题上都需要慎重，而对其他媒体他却潇洒得多。

马上要开党代会了，宣传部的任务是在会前会中会后三个阶段做好宣传。会前宣传主要是一年来东方市的变化，无非是“春播夏种秋收冬修”四季歌。今年要搞点创新，他决定搞“五个十活动”，10个工业园，10个外资企业，10个民营企业，10个国有改制企业，10个农业产业化企业。只要浓墨重彩宣传好了这“五个十”，那就完成了宣传任务；会中主要是党代会的动态宣传，这好办，将书记的报告宣传好，把代表的讨论弄一弄就行了；会后是贯彻落实党代会精神，市委要求搞一次歌咏比赛庆祝党代会召开。这些工作都已开始布置。他想得最多的还是新闻大厦，能不能在党代会上提一提？能不能争取到李书记的同意？如果在党代会上能够将新闻大厦的事提到议程上，项目上马便可一锤定音。这件事还要取得分管金融文教口的贺副省长的支持，市里搞这么大的项目，没有省里分管领导支持是搞不成的。要取得贺副省长的支持，通过何大龙是条捷径。想到这儿，马诚决定让何大龙任项目组副组长，逼他上马。明天趁他高兴跟他提一提大厦的事，算是先吹吹风。

马诚戴上老花镜，在书桌前坐下，开始修改“五个十”的报道方案。哪些单位可以进入“五个十”的采访名单呢？这可是宣传部做好人的机会，没有哪个单位不希望在党代会前露脸的。首先要考虑关系户，平乐县算一个。马诚是平乐县人，照顾家乡是应该的，他听到一些风声，说县委书记祖国正在活动，想进常委呢，如果能从舆论上帮一把，祖国书记应该能明白我马诚的良苦用心。上周他还帮了祖国一个忙。有家保险公司在平乐县拉保险，请了好多局长夫人周末爬山旅游。谁知车子超载30%，从山路上翻进80米的悬崖，死了20多个。祖国给他来电话讲能不能把新闻压住，这对他来说是小菜一碟。结果这件事就像没有发生一样无声无息了。马诚在稿纸上列了一串名单，都是这次主题宣传活动必须要采访的单位。

高原红没想到何大龙事先没打招呼就在报社讨论改版会上突然推荐她出任《青年报》的主编。高原红既激动又彷徨。她知道何大龙在做出这个决定时心里一定想到了那次做爱，他觉得欠自己的。但在这个做决定的天平上，她自己的能力也是一块重重的砝码。何大龙不是胆大妄为的人，他不会拿情感去赌事业。

在坐的所有人都看着高原红，等她表态。她已经与何大龙对视了几次，从他信任的目光中她看到的除了鼓励就是坚决。她脑子突然闪过另一个念头，能读懂一个人的目光本身就是件很幸运的事，这不是人人都会有的幸运。她刚要开口讲话，会议室里响起了手机铃声，是何大龙的。

何大龙按下接听键："喂，我是何大龙。"会议室的人都看着这位少帅笑着接电话，零零碎碎听他讲："本来想通个气，可又怕发不出来。""不用谢，对不住的地方还请包涵。""我们一定大力宣传整改后的博物馆。""是，是。对下一代的教育问题确实是涉及民族问题的大事。""好，好，好。再见。"

放下电话，何大龙的目光又一次与高原红的目光相遇。高原红在听他说"博物馆"三个字后，就把目光停留在他的脸上，她知道又是为她的《省博物馆：挂羊头卖狗肉》新闻稿来的。今天一天报社和新闻热线都为这篇稿子忙个不停，有家长来电，专家来电，老师来电等，也有威胁的来电，讲记者让他们活不成，他们也要让记者活不了。新闻在社会上的反响出乎意料，贾诚实要高原红接着写后续，何大龙也高度评价。

何大龙的目光从高原红那里离开，扫视了全场后说："是省文化厅龚厅长，他感谢我们的舆论监督，厅党委已决定马上整改。我建议为大侠鼓掌。""哗……"会议室响起了掌声。

高原红很高兴，一抹红霞飞上脸庞，黑里透着红。

何大龙笑着说："我看是不是请高主编讲讲。"大家又鼓起掌来。

高原红知道，何大龙这是一锤定音，不再让别人有反对她当主编的机会。她甚至想，刚才龚厅长锦上添花似的来电是不是何大龙安排的。略一思考后她说："谢谢少帅和大教头的栽培。博物馆的稿子纯粹是瞎猫碰到死耗子。如果是上官碰到了也一定不会放过。"面对突然的角色变化，使得高原红讲话斟字酌句了。"关于《大众医生报》的改版，我同意大家的意见。尤其与儿家医院联办，不仅能抓住读者，还能使报纸的权威性得到保障，现在提倡的专家办报恰巧与我们的想法是一致的。至于《青年报》，如果一定要我做主编的话，那就要按照我的思路办报。”她说这话时先看看贾诚实，又看看何大龙。

贾诚实插话说：“有一句俗话，说报纸的面孔就是总编辑的面孔。你去办《青年报》，不按你的思路走，那就没法弄。”贾诚实也没想到何大龙会提名高原红出任《青年报》主编，但他事先对报社的中层干部筛了一遍，高原红算是合适的人选之一。所以何大龙一提名，他就投了关键的赞成票。

何大龙笑着说：“教头说得对。既然社委会决定将担子给大侠挑，那就表明了一个态度，责任和权力是对等的。挑担子可是有学问的，至于究竟该怎么挑？我想大侠既然出山，就必须考虑一剑封喉的问题。”

高原红没接他的话：“天津有位新闻前辈讲，平面媒体已经进入了一种深读时代。我们给读者不仅提供新闻背景、细节、分析，还提供权威的声音。这是和电子媒体竞争的一个重要方面。”她换了口气。“其实在我们拿下《青年报》时我就想，为什么几年前在《北京青年报》大火了一把的绝对隐私到现在依然火爆呢？关键一点是人这种动物有天生的偷窥欲。读者既想看到‘真’的东西又想看到有故事情节的隐私，一方面满足自己的欲望，一方面是一种消遣。商报已走在我们前面，但我不怕，我是集中优势兵力跟它干，以多胜少。新闻就是在日益满足一切中左右一切。”说到这里时，她突然想到了何大龙论文中的一句话，脱口而出：“我们的新闻必须要想办法使自己成为符号，因为凡成为符号的新闻都有权制造社会道德标准。”

何大龙会心地笑了，之前，他将论文给高原红看过，征求她的意见。高原红将他论文中的话放在这里讲很贴切。他已大致听明白了高原红要干什么，他刚要讲话，上官德先说了：“大侠你的意思把《青年报》弄成口述实录？这个想法好。东方市乃至全省都缺一张这样类型的报纸，看起来定位窄，实际上它会拥有各阶层的读者。只要媒体坚持了自己的立场，剩下的就是市场问题。我们恐怕都要记住，《青年报》不是党报。”

贾诚实接话说：“我想到办报究竟是要个性还是要共性的问题。毫无疑问，没有个性就没有思想，但报纸是大众媒体，你如果不能符合大众的口味，就是大侠前面说的满足一切，那根本谈不上去制造成什么社会道德标准。所以，《青年报》的改版，首先考虑定位，如果以做口述实录为定位，我以为与《青年报》的内容是贴切的。”

会前何大龙就断定今天的会议就改版问题不会有什么结果，这需要等班子配齐后出了具体实施方案才会有结果，现在不过是务务虚。但有时务虚也很重要，比如，推出大侠，就是把务虚变成了务实。现在的情况让他满意，几位的发言也精道。接下来他要谈另外的问题，资金解决后，工作也应随之发生变化。

他喝口水说："我赞成以上同志的发言，也感谢大侠能出山担当重任。现在做一条决定：经社委会研究批准，决定聘任高原红同志为《青年报》主编，责成高原红同志尽快配齐工作班子并拿出改版方案。"他向贾诚实示意有无补充，贾诚实摇摇头，他又示意了另外几个班子成员，大家都摇摇头。

"好，完成了一项。下面我想说另外一件事。报社搞的所谓的'灭口'行动和消费券冲抵工资反应还蛮强烈。有记者给宣传部写信告我的状。"他早知道宣传部收到了告状信，内容无非是他霸道，没实质的东西。在机关工作时间长了，他明白，没抓住他个人的把柄，只在工作上找抓手，那是告不倒他的。告状信据他所知到了马诚那里，可马部长并未找他谈话，就像没这回事。他看了看会场，大家都没吱声。"我希望被同志们监督，更希望对话，可至今也没人找我谈。到此刻，我还是认为轮岗制没错。虽然漏了一些新闻，现在不是都正常了嘛。各类新闻线索从记者个人手上拿出来，回归到了报社手中，这肯定是媒体管理的方向，必须坚持。至于餐券当工资的事，怪我没向大家解释清楚。"他从文件夹中取出一张报表说："我们一共将节约100万块钱，我的本意是想给全体编辑记者买保险。我注意到，报社几乎是全员聘用，劳动保障制度是不完善的。而记者又是高危行业，我真不愿意弟兄们孤单上路。"给记者买保险是他拿到了6000万的授信后产生的平息民愤的想法，但说到这儿，他自然动了情。

会议室里的人在小声议论，显然是支持他的。

"如果社委会其他同志没什么意见的话，那也做一条决定。"何大龙又向社委会成员示意，大家还是没意见。"经社委会研究决定，即日起，给报社工作人员购买商业保险，记者和编辑分不同档次。具体实施方案，责成财务部尽快拿出意见。"

贾诚实带头，大家都鼓起掌来。何大龙松口气，他又过了一关。

这两天东方市的天气状况很怪，天并不是很蓝，可整座城市出奇地清晰。平日根本无法看到的远处的山，现在不但清清楚楚地显现，而且还能看到从山脚飘上来的袅袅炊烟。星儿从来就没看清过与东方河隔河相望的那座四星级酒店，刚才路过滨河大道时，她偶然看了一眼左边的窗外，吓得她差点踩刹车。她清楚地看到了酒店一扇扇的窗户以及窗户里的窗帘在飘动，就像是在眼睛前放了高倍望远镜。她将宝马车靠边停住，走下车。

站在河边，星儿四外张望，哇塞，没想到这么好看。她脑子没闲着，边看边想怎么会这样？不好，太清晰了不好。这不仅是“水清无鱼”，而是环境会有问题。就如同经商，有50%的把握进入和有80%的把握进入得到的回报完全不同。做官也一样，所谓的清官，决不是清清楚楚的官。她的脑子里形成了一个悖论：越清晰，则越胆小。如果在一条山间公路上，司机能够清晰地看到万丈深渊，他保证不敢开车了。

星儿想到了她和师姐朱香香。原本两人都是相互猜测对方是否在爱何大龙，现在清楚了，反到使得两人的关系模糊了。她不知道往下发展会是什么样？她也不知道何大龙已经吻了朱香香。星儿在心里做了一个决定，绝不在何大龙面前说朱香香的坏话，也绝不告诉他朱香香与自己之间的谈话。要自己做他们之间爱的信使自己肯定办不到。如果老天真的把他们联在了一起，那就祝福他们吧，不管怎样，何大龙是自己的姐夫，这是谁也改变不了的。唉。人真的只有在清与不清之中，才是最如鱼得水的。由此看来，办报也是需要朦胧的。

下午她与陈元交流，童瑞东知道东方市要召开党代会，他想为瑞东集团在东方市加分，便指示陈元动脑筋做足会前会中会后的宣传。陈元也知道按惯例宣传部会有专门的宣传方案下来，但既然老板发了话，就不能简单地作秀了。因心里没太大的底，请星儿出出主意。

星儿坚持不去报社，她讲不入侵陈掌柜领地，便约在一家咖啡厅见面。星儿依旧是一杯蓝山，陈元则要了一壶水果茶。

陈元喝着酸酸的水果茶说：“这届党代会不是换届，像我们这种市民报走走形式就行了。但老板恐怕有更多想法。”

星儿看着陈元，感觉他瘦了：“掌柜的，你好像瘦了。”

陈元疲惫地说：“都是改版闹的。本来都好，可偏偏宣传部讲乞丐母女的新闻是假的，弄得我们有点被动。”

星儿打趣道：“你都不知赢了多少分了，听说西祠里对商报改版一片赞扬，还不满足？董事长要给你特别奖励，你可别小气，一定要请我吃大餐。”

陈元又喝了口茶：“如果奖我，分你一半。”

“我才不要分你的果实呢。做党代会宣传有什么绝招？”

陈元摇摇头："哪有什么绝招，我考虑的是，怎样把严肃的政治新闻，用充满人情味的方式来表达……"

星儿打断他："好，这个思路很符合商报的定位。用平民的思想宏大叙事，一定很有趣。"

陈元为难地说："好是好，但找不到切入点，很痛苦。"

星儿问："商报在报道手段上，最强的是哪个工种？"

陈元想了想说："郝歌的视觉新闻算是最强的之一。"

星儿自言自语："图片？视觉新闻？冲击力？"

"我想过出一个特刊，展示城市形象。但又觉得太一般化了，视角太平了。"

星儿眼睛一亮："视角太平？那就换个视角，上天，航拍东方市。"

听了这话，陈元的神经立刻绷紧了，藏在他骨子里特有的新闻敏感喷发出来："我知道角度是新闻照片的命门，可我就没想到我们可以航拍。对呀，还可以找一些过去的照片进行对比，不仅让读者看到他们既熟悉又陌生的城市，同时也是一次新旧对比大作秀。好，好好。"他连声说好。

陈元的手机响了，是郝歌来的："陈掌柜，我提个建议，党代会的报道我们能不能租一架飞机……"听到这儿陈元"哈哈"大笑起来。"掌柜的，你笑什么？"陈元对着电话说："你他娘的真会赶时候，我刚决定航拍，你就说租飞机。"郝歌愣了："你已经想到了？"陈元眼睛看着星儿对着话筒得意地说："就你聪明，我们就想不出这样的高招？告诉你，准备好器材，待命上天。"放下电话他对星儿讲："我不信无巧不成书。可有时候，还真是巧。"说着伸出右手："来，为我们的想法击掌祝贺。"星儿也伸出右手，两人笑着击掌。

欣赏清晰的城市风貌的同时，星儿想到了她熟悉的两个男人，何大龙与陈元。他俩就像是眼前的城市清晰地出现在她面前，可恍惚间，她又觉得这两个男人是那么模糊。本来自己到东方市工作与何大龙的事应该是顺理成章，尽管家里会反对自己做小虹儿的后妈，但只要坚持，问题不会太大。可现在朱香香挑明爱何大龙，而且还帮他弄来了巨额授信。这个时候我是勇敢地迎头而上，还是果断撤退？把何大龙让给朱香香自己心甘吗？纵观古今中外的爱情，真是很难找到果断撤退的，儿女情长啊。再仔细想想，自己与何大龙除了很亲外，好像没来过"电"，是不是同情大过爱情？星儿知道，要两个女人分享一个男人的心是不可能的，更何况英雄气短。可陈元也不是该爱的人，他有家室，只是他的魅力自己挥之不去。星儿设想，如果和陈元恋爱，他会抛妻撇子吗？对了，他身边还有个钱冰冰。我怎么这么倒霉，事业得意情场失意。她又为自己的理智而烦恼，恋爱只能是忽而悲歌忽而狂欢，惟独不能理智，可偏偏自己学的是哲学。

星儿把车停在何大龙的楼底下，是何大龙约她，讲有要紧的事。上楼掏出钥匙开门，何大龙正在厨房包饺子。每当何大龙包饺子星儿就笑他，因为他不会包，皮儿是买来的，包是用工具，只是自己和一下馅。

星儿走进厨房洗洗手与何大龙一起包："姐夫，你什么时候才能不用这个工具呀。"

何大龙笑笑说："为什么不用工具？人类掌握世界就是因为人类在所有的动物中最先使用工具。"

星儿包好一个饺子，放在何大龙包的饺子边上："看看，人工包的就比你用工具包的好看。说吧。找我什么事？总不是你弄到了6000万请我吃饭吧。"

何大龙摇摇头说："找你是请教个投资问题。"

星儿停住手，没想到何大龙要谈投资问题。那一刹那，星儿的脑子里转了好多圈，难道他要用6000万投资？还是报社有了新项目？星儿看着何大龙示意他往下说。

何大龙把饺子皮放到包饺器上，又放上馅，然后合拢捏紧，一只带荷叶边的饺子就做好了。他边做边说："马部长给我透了个风，说宣传部想牵头在东方市建一座标志性建筑——新闻大厦，把所有媒体都弄到一起办公。"

星儿心里动了，这不是个坏主意，"谁出钱？"

何大龙心想，不愧是搞了几年经济工作的人，一语中的，"马部长说让各媒体出钱。"

星儿问："他说的是真的？还是说说而已。"

何大龙继续包饺子："像是酝酿已久，以我对他的了解，他不会轻易抛出自己的观点的。如果能得到我和电视台王台长的支持的话，我猜他一定会在这次党代会上拿出方案来。"

星儿再问："你怎么想？"

何大龙说："先烧水，今天我是突然想吃饺子。"

星儿在锅子里放上水，点火："还没回答我的问题呢。"

何大龙若有所思的样子："马部长是不是看中了我的6000万授信？星儿，你说这种投资我能干吗？"

星儿拿了一只碗，开始做调料："这不是一两句话的事。建新闻大厦，几个亿总要吧，还不包括设备。但我觉得这不是坏事，你分析分析，如果新闻大厦建起来了，谁是最大的赢家？”

何大龙不假思索地答道：“当然是马诚。”

星儿摇摇头：“我不这么认为。最大的赢家应该是东方市，这也是拉动GDP的重要做法。”

何大龙停下手，他没想到这一层。对呀，新闻大厦的综合功能对东方市的形象及政务的提升是有好处的，上海的东方明珠塔就是将功能性观光性融为一体的例子，看来自己看问题还不够宏观。但马诚在这件事上也是有天大的好处的，这让何大龙不服。“马诚跟我提到想得到老爷子的支持。我看他还是没底。”

星儿理解地说：“东方市做这么大的项目，不过老爷子那一关是不行的。所以他马诚要先和你通气。”

何大龙包完最后一个饺子说：“交给你了。”说完走出厨房到客厅里坐下，喝了口水又走到阳台上，他和星儿看到了同样清晰的景致。看来是脱不了驸马爷的干系了，如果我不是贺副省长的女婿，马诚还会主动找我谈项目吗？自己的身份和这景色一样，在别人的眼里是清清楚楚呀。星儿说得也对，从宏观上说，建新闻大厦利大于弊。但要媒体出钱给马诚做政绩，我何大龙头一个心不甘。马诚吹风的意思很明白，要我支持他。他开了口，我能不支持他吗？肯定不能，那怎办？

“吃饺子喽。”星儿把饺子盛好端到餐桌上了。见何大龙从阳台进来便说：“发现了到处都特清楚吗？我都吓一大跳。”

何大龙坐下：“就一种自然现象，你吓什么。”

“我从来就没看过这么清楚的东方市。”她夹了只饺子放进嘴里：“嗯，咸淡正合适。”

何大龙也吃了一只：“那是你从来就没注意，光想赚钱当女老板了。”

“嘿嘿。”星儿笑了，“你那位女老板可劳苦功高哇，给你弄了6000万。”

何大龙看了星儿一眼：“什么我那位女老板？就是朱香香嘛。”

“怎么样？她还好吧？”星儿故作神秘。

“什么怎么样？你什么意思？”何大龙想回避。

“我是说人家朱香香对你好，你别辜负了人家。”

何大龙脸红了，星儿是要挑明呀。何大龙心里承认越来越喜欢朱香香了，原因是复杂的。这种喜欢究竟是不是爱情还不太清楚，但不管是不是，对星儿都是伤害，这是何大龙不愿干的事。可又怎么办呢？最好的办法是沉默。何大龙不吱声，一只一只吃着饺子。

星儿是懂何大龙心情的，见他不回答就没追问，而是换了个话题："小虹儿又惹老妈生气了。"

"她又干坏事了？"何大龙没在意地问。

"她天天吵着要干吃方便面。"

"什么干吃方便面？"何大龙不解地问。

"说是在你们报社一阿姨家里吃过，特好吃。"

何大龙想到了高原红，小虹儿在她家住过一晚。

"老妈说吃方便面不营养，小虹儿讲阿姨天天都吃。结果两个人就吵起来了。准备怎么用那6000万？"

何大龙对星儿跳跃式的问题习惯了，他自己也常常跳跃式思维。"主要用于改版。现在能刺激读者神经的东西太少了，要想办法。我请晚报总编室的高原红出任《青年报》主编，小虹儿就是在她家住过一晚。让一个女人来办报，不知会办成什么样子。"

"我注意到了高原红写的博物馆的稿子，文笔很好，那篇评论也有思想，女人办报会更细腻。说了不谈工作，怎么又谈了。建新闻大厦的事，要不要我先和老爷子吹吹风。"

何大龙赶紧摇手："千万别，八字没一撇。等党代会结束后看情况再说。如果市委同意，我这里也就顺水推舟，如果市委意见不一，我们只能装聋作哑。"

星儿笑笑："还是姐夫想得周到。我问你一个问题，你从天上看过东方市吗？"星儿是想从何大龙这里论证航拍的可行性。

"没看过，但那肯定是一个陌生的角度。"说到这儿，何大龙脑子电光一闪，用陌生的角度正是刺激人们神经的好方法。星儿为什么会问这个问题？莫非商报要航拍？对呀，党代会前，空中看东方市变化，这个点子太好了。他差点喜形于色，拼命忍住了。不能露出来，无论商报是否策划这事，我都不能露出我看好这个点子。

星儿话一出口就后悔了，心想，坏了坏了。何大龙这么聪明的人肯定会猜到商报要航拍。怎么弥补？她马上说："童瑞东想拍点资料，还让我打听租架飞机要多少钱呢。"说这话时，她自己都觉得假。

何大龙站起身来走向厨房："好哇，瑞东集团财大气粗。"他心想，丫头，就别此处无银三百两了。明天我就落实航拍的事，抢在你商报前面。他心中窃喜，到厨房盛了两碗煮饺子的汤，走出来对星儿说："原饺就原汤，吃得精精光。"

星儿边喝边后悔。

何大龙边喝边考虑航拍的细节。

第九章 特别策划

TEBIECEHUA

〖商报讯〗记者近日发现，在东方市的许多公共场所，都刷上了漂亮的油漆。原来这是迎接“创卫生城市”检查团的到来而做的准备。

但随之而来的却是市民的大量投诉。在电脑公司上班的王小姐说，昨天上班在公交车上被未干的油漆弄得非常尴尬；经常在公园里休闲的李大爷打来电话投诉说，他去公园在椅上坐下后，才发现油漆未干，结果弄得身上全是油漆。

昨天上午9时，滨江区综合执法大队对城区农副产品市场占道经营摊点进行清理。得知要来检查，有的店家干脆关门，应付了事。

记者在采访中还发现，在街心花园周边的几个自行车停放点，按理说是方便老百姓来街心花园商业街购物所用，但是现在却用来收费。有市民就说，买菜才2元，而停车费却要1元，想起来，心里就觉得不舒服。据市民反映，街心花园周边共7个收费点，每个点平均每天不少于100辆，也就是说至少有100元，7个点就是700元，一个月就是21000元。可是街心花园的卫生却没有明显的改善。

以上情况在不少城区都能见到，有人说每年的卫生大检查，都是一次猫和老鼠的“捉迷藏”。如果这是一场从上到下的联合为“创卫”作秀，那么这不但是对卫生城市这一称号的愚弄，也是对市民的不负责任。

陈元生气了，而且还没法出气，狂怒中差点失去理智。他在办公室里走过来走过去，脑子里一团浆糊。怎么会发生这种事？难道真有英雄所见略同一说？我不信，打死也不信。他拿出一瓶水“咕咚咕咚”喝了半瓶。走到大办公桌前，拿起晚报看了看，突然将报纸反过来铺在桌上，又在房间里走来走去。

被他铺在桌上的那一版是晚报的特别策划“空中看东方”。图片拍得虽然不怎么样，但它抢在了商报之前。今天是周五，商报预订的飞机周日起飞，郝歌已制定了详细的航拍计划。可晚报这一弄，商报的新闻变成旧闻了。操，是谁透露出去了消息？想到这儿，陈元猛地打了个寒噤，此事难道与她有关？莫非她为了姐夫又把点子透露给了何大龙？不可能。陈元脑子里矛盾交织着，他的愤怒慢慢转向了痛苦。她真会置事业和职业道德不顾？如果她明说让晚报去做，那商报可以不做嘛。可商报航拍的飞机都是她出面订的，她会和自己开这么大的玩笑？事情已经发生了，现在怎么办？跟她打电话？那恐怕会撕破脸，绝对不行。不做了？订好的飞机怎么办？唉，烦死了。

郝歌拿着晚报冲进来：“掌柜的，完蛋了。”

陈元没说话，只是用手指指桌子。郝歌一看，知道陈元已看了晚报。“怎么办？”

陈元看看他，无奈摇摇头。

郝歌气呼呼地说：“是他妈的谁向晚报告密？”

陈元还是摇摇头。

郝歌问：“我们不做了？”

陈元回到办公桌后的坐椅上，两眼直愣愣地看着郝歌说：“你说呢？”

郝歌泄气地说：“新闻是易碎品。我们再跟进，人家会说我们是跟屁虫。”

陈元极其矛盾。从拿到晚报看到他们的特别策划的那一刻起，他就在想怎么办？继续干，读者会认为商报没自己的思想；忍气吞声偃旗息鼓，最多浪费掉租飞机的定金，就当此事没发生过。但这两种办法都不是好办法。

郝歌看着晚报说：“唉，可惜了这个策划，拍成这样，连房子都是歪的，晚报也不嫌丢人。”

郝歌的话触动了陈元，他又拿起晚报看。片子是拍得不好，还有聚焦不准的图片。郝歌上天肯定能拍到比这好的多的片子。“唉。”他也轻轻叹了口气。

“陈掌柜。”有人叫陈元，他抬头一看，是星儿，就是刚才心里念叨的那个她。

陈元对郝歌挥挥手，郝歌出去了。陈元没有站起来迎接星儿，而是没动窝地说了声：“你来了。”

星儿走到办公桌前说：“我是来赔罪的。”

陈元心里“咯噔”一下，被自己猜对了。他不愿意自己猜的是真的。

星儿继续说：“我是想论证航拍的可能性，谁知他这么敏感。”

陈元吐出口气，这是一口在他胸腔里徘徊了好几个小时的浊气，呼出来后，他觉得有种谜底揭晓的畅快。既然星儿已把话说出来了，也就没什么藏掖了。“何大龙虽办报时间不长，但他多年从事宣传工作，他的新闻敏感不是一般人能比的，尤其是时政新闻。他心里肯定在思考如何做好党代会的前期宣传，你跟他论证航拍的可能性，那还不是把羊送进了狼嘴里。”

星儿连连点头说：“这说明我没经验呀。向你道歉。”

陈元这才起身给星儿拿瓶水：“现在的问题是怎么办？是继续干，还是撤？如果继续干怎么干？”

陈元抛出的问题，也是星儿思考的问题。上午她一看晚报就傻眼了，接着就后悔。给何大龙打电话，刚说到航拍，何大龙就一个劲地表示感谢，说感谢她帮忙出了个好主意，还讲要请她吃饭。她有苦说不出，气得骂自己。真是要接受教训，不能在无意中犯大错误。放下电话，想给陈元打，又怕电话里说不清反而产生更大的误会，所以赶到报社来。现在陈元要她想办法，干还是不干呢？“刚才出去的是谁呀？”她边想干还是不干的问题，边下意识地问陈元。

陈元不明白星儿为何要问，机械地答道：“他就是郝歌。”

星儿听到“郝歌”二字，马上想到了陈元曾讲过视觉新闻是商报的强项。如果商报比晚报拍得好，能不能弥补慢一步的缺陷？晚报快，商报就精、甚至精到精心印刷，她想到了上周造纸厂开始生产的轻涂纸。对，用轻涂纸印。想到这儿，星儿脱口而出：“干！而且要干得漂亮。”她把用轻涂纸的想法告诉陈元。

陈元如获释重地笑了，这个女人总是在困难的时候能脱颖而出。“我顺着你的思路，我们甚至可以再做大，单独做一叠，弄成纪念版，争取在党代会期间给每个代表的房间里放一份。”

星儿也笑了，这不是天作之合嘛。“好，我同意。只要我们说服了马部长，纪念版就能进代表们的房间。”

陈元想到了一个问题，犹豫了：“只是如此一弄，成本大增呀。”他在桌上拿过计算器，一番按键后说：“费用恐怕比原来的要翻一番呀。”

星儿摇摇头：“错。轻涂纸是我们正在推广的纸，东方分公司在找客户试用，我可以免费给你5吨，只需要你给我一份详细的试用报告就行了。”

陈元一听，大笑起来：“星儿，真想拥抱你。”

星儿鼓励地说：“来吧。”

他俩真的在办公室拥抱起来。星儿觉得陈元的手臂很有力，她愿意被有力的臂膀抱着。陈元则是第一次在这么近的距离闻到星儿身上兰蔻香水的味道，这种香味极具诱惑力。

恐怕他俩抱在一起还没5秒钟。就在这5秒钟里，有两个人看见了他俩的拥抱。一个是牛文广，他在门口一闪而过，心想，这才是狗男女呢。另一个是钱冰冰，她有事找陈元。看见两个老总抱在一起她不仅尴尬，还醋意翻滚。陈元笑着说：“我们想到了一个好主意，所以拥抱庆贺。”

钱冰冰的脸在不经意中闪过一阵红潮，听陈元解释后，她笑着说：“好啊，以后我要有好主意也要拥抱你们。”虽然她嘴里讲“你们”眼睛却是看着陈元的。

星儿早就感觉出这位钱小姐爱上了她的“掌柜”。可刚才和陈元拥抱的确是性情使然，没有私情，是钱小姐吃醋了。她没点破，只是笑着说：“看到钱小姐，我又想到一个主意。”

陈元忙问：“什么主意？”

星儿看着钱冰冰说：“在纪念版里，除了一版和封底，其他版面全部留1/4的广告位，征集祝贺党代会召开的广告。”

陈元连声说好。他简单跟钱冰冰解释了纪念版后说：“要秀就秀到底，纪念版的广告词就叫‘鹏程万里，日出东方’。怎么样？”

钱冰冰听到“广告”二字就兴奋，脑子里已经涌现出了许多品牌：“我认为纪念版上，所有广告必须是品牌的，奥迪、别克、联想、长虹、TCL、康佳，还有航空公司、烟厂、酒厂……”

“哈哈……”陈元和星儿笑了起来。

钱冰冰说：“怎么？你们不想有品牌意识？千万不能上脚气、性病和痔疮的广告。”

钱冰冰对星儿说：“我这个主意怎么样？”

星儿竖起大拇指：“好主意。”

钱冰冰转过身对陈元说：“贺总讲是好主意。来，我们拥抱。”她话没说完便一把抱住陈元。

星儿只得笑着说：“你们拥抱吧，我走了。”

陈元说：“我送你。”他想挣脱钱冰冰。可钱冰冰对着他的耳朵轻声又严厉地说：“别动。”

陈元只好眼睁睁看着星儿走出办公室。在办公室门口，星儿还转过身对陈元做了怪相。

陈元见星儿走了，他的手自然地抱住了钱冰冰说：“行了，别人看见。”

钱冰冰放开陈元说：“彩票管理公司和我们的广告代理公司签了在商报发布电脑彩票中奖公告的合同，但要有个附加条件。”

陈元走到墙边给钱冰冰拿了瓶水，他恢复了原状：“什么条件？”

“每周在商报上发一篇软文。”

“可以呀，这是你职权范围的事，你定就行了。”

“他们是想当新闻稿发。”

陈元想都没想说：“行，只要有新闻性就当新闻稿发。但绝不能把假的中奖信息当新闻稿发。”

“那就约定，由商报记者采访的稿子才能发。”

“行，就这么定。你刚才说的那些品牌广告不是吹牛的吧。”

钱冰冰眼睛一瞪：“我钱大圣什么时候吹过牛？那些品牌都是我们的代理公司手上的品牌，本来就要发布的。我们以祝贺的名义在价格上降10个百分点，他们还不疯跑着来。”

钱冰冰是天生的商人，太精了，陈元脑子里显现出了阿庆嫂的形象，这个女人不寻常。

钱冰冰见陈元不吱声，说：“你还不信？”

陈元忙摇头：“不不，我信。我只是觉得你当副总经理委屈了。”

钱冰冰歪歪头认真地说：“那你提拔我呀。”

陈元笑着说：“不要伸手要官。”他说着拿起电话拨号：“喂，郝歌，你来，航拍的事我们继续干。你别兴奋，还要仔细地研究方案，确保万无一失。”

钱冰冰说：“你忙吧，我走了。你身上的味道很好闻。”说完她快步走了。

陈元没反应过来她说的话是什么意思，他自己闻了闻自己身上，自言自语道：“没什么味道呀。”

晚上7点，何大龙从贺副省长家出来，他在这里吃了晚饭，星儿送他。

星儿问：“吃饱了吗？我看你在我家还是受拘束。”

何大龙不自然地笑笑：“在你家吃饭，吃饱的时候还真不多。”

星儿说：“你活该，我老爹老妈又不是老虎。”

“我是法门寺的和尚，站惯了。听说你免费给了商报5吨轻涂纸呀。我也是你的客户，这种优惠我怎么就没有呀？”

星儿站住脚看着何大龙：“你还得理不饶人呀，航拍的事儿……”

何大龙做个停止的手势打断了她的话：“到此为止，不谈工作，行吗？”

星儿很欣赏何大龙能心照不宣，这也是他成熟的标志。她耸了耸肩：“姐夫，你诚心想要，我也可以给你一点。”

何大龙刚要说话，电话响了，是贺家的电话，于是边接听边对星儿说：“你家的。喂，小虹儿呀别闹。”

小虹儿在电话里说：“爸爸，回过头。”

何大龙回过头去，见小虹儿站在窗边朝他挥手：“小虹儿，写作业去，听话。”

小虹儿生气地说：“你除了说这两句，就不会说别的啦？你叫小姨回来陪我。”

“好好好，我让你小姨回去。”他挂了电话对星儿说：“你回去吧，小虹儿找你呢。看来我这个爸太不称职。”

星儿一直想问问他与朱香香的事，但没机会。刚才想问，小虹儿又来了电话，算了，不问了，让它糊涂着吧。只是这个男人太幸福了吧？我和朱香香这么优秀，什么男人找不到呀，为什么都喜欢他呢？唉，说不清。她用委屈的口气说：“我这个高级保姆也不知什么时候能得到你的薪水。”

何大龙赶紧说：“你的工资比我高那么多，真是越有钱越小气。”

星儿嘎嘎地笑：“真不要我送你？”

何大龙摆摆手：“不用，我走走。好久没走路了。”

与星儿分手后，何大龙从解放路边走边思考溜达着回家。下午宣传部开了例会，晚报和商报都得了表扬，也挨了批评。表扬是讲空中看东方做得好，晚报被表扬抓得及时；商报被表扬做得大气精致有收藏价值。马诚表示要将商报纪念版放到每个党代会代表的房间。批评的是晚报与商报为了在所谓的可读性上做文章，大搞低级庸俗的新闻。马诚气得在会上大声吼道："现在的报纸太不卫生，要带着手套看。"

在用严厉的目光扫视了会场后，他接着说："你们办报我看有四气，第一是意气，只管自己不顾大局，胡搞乱搞意气用事；第二是斗气，整天看不惯这个看不惯那个，你们究竟要跟谁斗气；第三是赌气，记者们就像个赌徒，只顾痛快不顾生死；最后是怨气，不让你们搞，就说报纸没可读性没卖点。对宣传工作出工不出力……"

何大龙在台下窃笑，他偷偷地看陈元，发现他头都没抬，只是一个劲儿地做记录。

报纸的可读性问题，决不是简单的问题，它是系统工程。没到报社工作前，何大龙根本体会不到报纸的可读性对报纸来讲多么重要，而马诚就缺少这一环，所以他只能简单地看待可读性。唉，如果报纸的可读性真像马部长说的那样就好办喽，社会新闻每天在网上总有几十万条，"谣言越来越像新闻"。可综合性的市民报不做这个，又能做什么呢？上个月，有位县委书记上任伊始打绿化牌，讲要在三年之内绿化全县所有荒山。他以身作则去种树，但下面为了让书记有政绩，居然把县道两边的树砍了一千米，等书记在这里种完树后，这一片被命名为"书记林"。有人举报，记者去采访，谁知记者还没回报社，上边就有令说是不能报。老同事告诉他别打听了。他心想，不管你商报怎么做，我的晚报总是占了先，充其量这个回合打成平手。

一想到占先，何大龙就想笑。天下就有这么巧的事，星儿跟他讲航拍的第二天，他便得到省电视台协助 CCTV 拍一组东方市的全景需要航拍的消息，他找到电视台专题部的哥们儿，硬是在已满员的安二双翼飞机上塞进去一个晚报的摄影记者。这就难怪图片质量一般，可这就是新闻。别说我的晚报领先你商报近一周，就是领先一分钟我也是领先。老美打伊拉克新闻，新华社就比别人早了几秒便夺得世界第一。做新闻真是让人其乐无穷。

何大龙走在老城区的状元桥路上，这是闹市区，居民很多。路的两边是各色餐馆，有四川的、东北的、湖南的。除了餐馆就是小卖铺、茶馆、服装店等。何大龙很少有机会光顾这样的地方，从这里路过是觉得好奇。在这里生活的市民都应该是晚报的目标读者，如何能打动他们呢？不外乎就是两条，一是帮他们维权，让他们觉得晚报是信得过的仲裁者，有问题找晚报；二是传播信息，把大道消息小道消息弄得好看有可读性。想到这儿，他一直在思考的改版广告词慢慢在脑子里清晰起来，“不看东方晚报，有事你不知道”。这种倒装句，正话反说往往能吸引人，不搞卖弄只提醒。有人告诉他，报社的广告词，必须要为广告商服务，要用什么“发行量第一”呀，“高端读者阅读”呀，等等。可何大龙的观点是不能离开读者，保证了读者的利益，广告问题将会自然解决。想到这儿，何大龙有点兴奋，步子也变得轻快起来。他边走边无意识地看两边，当“菲菲彩票吧”几个字映入眼帘时，他站住了脚。“菲菲彩票吧？”他轻轻念道。只看过酒吧、茶吧、咖啡吧，怎么有个彩票吧？这个菲菲是不是上官德的女朋友？去看看。

何大龙走到近前，见彩票吧里聚集着几个人，他们在听一个长得挺漂亮的女孩讲解。墙上贴满了彩票走势图，靠门边是一台电脑彩票的打票机，何大龙一眼就看到了挂在彩票机边上的东方晚报，这里还卖晚报？何大龙一下子和这个小小的彩票吧拉近了距离，他甚至感到了一丝亲切。这大概是报人的一种特殊心境，只要看见别人读你的报纸，你就会对这个人好。

他刚走到门口的灯下，一声“你是何社长吧”把他吓一跳，怎么会有人认识他？定睛一看，是那个女孩在问他。

何大龙迟疑地点点头，问：“你是菲菲？”

菲菲手里正拿着一支烟和打火机，她笑着点头说：“我是菲菲，何社长你抽烟啵？”

何大龙边摇头边追问一句：“你就是上官德的女朋友菲菲？”

菲菲灿烂地笑着说：“如假包换。”

何大龙还是不解：“你怎么认识我？”

“我们家上官可佩服你了。我见过你好几次，只是你不认识我。”

“哦，哦哦，不好意思。我听说上官的女朋友在卖电脑彩票，就是这儿啊。”他说着四处张望。

“嗯呐，何社长坐。难怪我们家上官叫你少帅，你真年轻。”

何大龙笑了，笑得很真：“菲菲，你怎么还卖晚报呢？”

菲菲指着挂在那儿的晚报说：“虽然我和上官还没结婚，但早晚不都是晚报的媳妇儿。卖晚报我觉得亲切，跟卖自家的报似的。”

菲菲朴素的话让何大龙差点没哽咽起来。真想不到菲菲是这么一个性情中人，太难得了，上官这小子有福气。“谢谢你。菲菲，你这个小店一天能卖多少份晚报呀？”

“我能叫你少帅啵？”菲菲调皮地说。何大龙捣蒜似的连连点头：“能，能。”菲菲笑了：“少帅，在我的小店里能碰见你让我太高兴了。告诉你，我这儿一天能卖100份晚报，仅这一项我一个月能赚近800块。”

何大龙是知道东方市歌舞厅行情的，小姐坐台一晚赚200元，轻轻松松一个月最少5000多。现在，她赚800就这么开心。是不是爱情的力量让她改变了？

菲菲抽了一口烟：“如果晚报能开一个彩票专版，我就更好卖了。彩民都拿着商报来我这里打票，我都不让把商报带进来。”

何大龙听了菲菲的话豁然开朗醍醐灌顶。在市区近300万人口中，约有1/5的人买电脑彩票。股民要看股市报，彩民也需要看彩市报。何大龙激动地站起来说：“菲菲，谢谢你。我要向你道歉呀，报社对员工的家属朋友照顾是非常有限的，但我没想到你们对报社这么好。关于彩票版，我现在就答应你，晚报马上改版，会有彩票专版。另外，如果你愿意，由报社出面请你办一个晚报发行站，增加一点收入。”

菲菲没想到自己随口说说的事何大龙却当真了。她高兴坏了，赶忙跑到边上给何大龙买矿泉水。

在菲菲去买矿泉水时，何大龙的电话响了，是朱香香来的，讲有急事找他。何大龙让她来状元桥路“菲菲彩票吧”接他。

喝着菲菲买来的矿泉水，何大龙突然想到了朱香香的东方商城，能不能在那里给菲菲弄个晚报发行站呢？做示范站，兼卖彩票。不仅对菲菲有好处，对报社也有好处。就这么个小地方每天能卖100份，足以说明菲菲有经营头脑，为什么不为我用。如果真能搞成，上官德也会成为报社最忠诚的记者。想到这儿，他说：“菲菲，如果报社出钱，让你去一个商业社区建一个发行站，也兼卖彩票，你敢去吗？”

菲菲眨眨眼说：“那中咋不敢呢。只要少帅你相信我，我就敢。”

何大龙肯定地说：“我相信你，我们一言为定。先跟上官保密。”

菲菲不解，但还是点点头。

“轰……”一阵低沉的轰鸣声在“菲菲彩票吧”门口停下来，朱香香走出酷派跑车。

何大龙悄悄对菲菲说：“来了个女老板。”

朱香香对何大龙说：“我到处找你。”

何大龙笑着说：“别急，来，我给你们介绍。这位是东方商城的老总朱总。这位是菲菲彩票吧的老总菲菲，也是我们报社首席记者上官德的女朋友。”

两个女人握手。菲菲有点不好意思，朱香香显然不想在这里停留，她示意何大龙快走。

何大龙不紧不慢地说："香香，我想在你的东方商城做一个晚报发行站。"

朱香香想都没想就说："好哇，我的售楼部马上改成物业部，可以划出一间来给你，没问题。"

何大龙指了指菲菲："是给她。"

朱香香没明白，此刻她的心思不在这里，而在另一件事上。她刚得到宣传部要在东方市建新闻大厦的消息，立刻想见何大龙。

何大龙还是笑着说："我决定聘请菲菲为东方商城发行站的站长。"

朱香香明白了："好，没问题，我答应你。"

上官德来了，他每天这个时候来接菲菲。见何大龙与朱香香在店里，他糊涂了，不知出了什么事。

何大龙笑着走过去拍拍上官德："你小子想金屋藏娇，我让你藏不成。"他轻声对上官说："她聪明勤奋，你可不能亏待她。"又对菲菲伸出手："菲菲，再见，我们的约定你不能反悔。"

等何大龙朱香香上车后，菲菲兴奋地抱住上官德大声说："哎哟妈呀，老公，我要当站长了。"上官德依然稀里糊涂。

何大龙一上车就问："什么事？这么急。"

朱香香注视着前方："听说宣传部要建新闻大厦？"

"有这个事。你怎么知道。"

朱香香不高兴了，这事何大龙应该在第一时间告诉她的。"你明明知道我是干什么的。为什么不跟我透露？"

何大龙不以为然地说："透露什么？八字没一撇呢，是马部长个人的意思。"

"马部长的意思不就是宣传部的意思。"朱香香还是有气。

何大龙沉浸在刚才与菲菲对话的兴奋之中，开彩票版建发行站两件事都这么容易地解决了，他没感觉到朱香香的不快："你干吗关心新闻大厦？"

朱香香哭笑不得："我干吗关心？我是做房地产的，我不关心谁关心。"

"新闻大厦又不是商业楼，跟你的工作搭不上嘛。"

朱香香不知何大龙是真不明白还是装糊涂，她不作声了，能从他嘴里证实有这件事就行了。

何大龙见朱香香不作声，问道："难道你想做新闻大厦？"

“报告少帅，朱香香想做新闻大厦，请你帮忙。”朱香香学着士兵口气说。

何大龙摇摇头：“别瞎想了。没这回事，马诚的意思是要在党代会上摸底，看看能不能成。但我看成的可能性不到50%。”

朱香香急促地说：“对商人来说有50%的把握就是100%。”

“不会吧。”何大龙否定，“当然，如果李书记同意，那就可能真成了。但我帮不上你的忙呀，我又不在宣传部。”

朱香香没好气地看了何大龙一眼说：“我希望能认识马诚部长，这个忙你总帮得上吧。”

何大龙苦笑，他想到了帮童瑞东认识马诚的事：“我成拉皮条的了。好吧，我找机会。”

朱香香紧追：“找什么机会啊，你不是要在我的商城弄发行站吗，请马部长来视察呀，然后我请他吃饭，不就认识了。”

何大龙心里叹了口气，这女人真不是省油的灯。他的手机响了，是短信，高原红来的：“师哥，《青年报》的策划方案我已发到你的邮箱里。请查收阅示。大侠。”何大龙有点无所适从了，一个晚上三个女人都出现了，这是怎么回事？

跑车在何大龙家楼下停住。朱香香主动吻何大龙，两人在车里抱着。“我想去你家。”朱香香说。“不行，我总觉得虹儿在家，她的遗像在看着我呢。”除了星儿，何大龙没带过任何成年女性回家，不是不敢，而是心里有障碍，他不能在和虹儿一起睡过的床上和别的女人睡，决不能。

朱香香已经气喘嘘嘘了，她轻声说：“去我那儿。”何大龙点点头。

酷派跑车一溜烟地开走了。

为了搞好歌咏比赛，争取夺得名次，马诚决定成立新闻界合唱团，从各媒体共抽调了100人，每周六下午练歌。为表示重视，马诚要求各媒体领导人都参加。合唱分两步走，第一步把合唱歌曲《黄河大合唱》的曲谱给参加的人员，各单位自己练，第二步是合练。经过推荐林彬成了指挥，因为她在大学就是校合唱团的指挥。

下午3点各媒体的人陆续到达电视台的演播厅，许多人是天天见到名字却不常见面，于是聚在一起交流。在人群中有郝歌、钱冰冰、高原红、上官德等人。一商报女编辑问一晚报女编辑：“还在做东方新闻？”“在呀，烦死了，天天都是些垃圾新闻，稿子还来得N晚。你还在编社会新闻嘛？”商报女编辑说："昨天编抢银行，今天编杀人，明天可能是强奸，没什么啦，习惯了。"晚报女编辑问："会不会把自己弄麻木了？"商报女编辑笑着说："我现在杀人都不用别人教了。"

郝歌与上官德握手。上官德说："你的日出东方拍得很有冲击力。"郝歌谦虚地说："本想拍新闻照片，一不留神变成资料和艺术照片了。你们那位少帅厉害。"在东方市有个地下通讯社，是各报跑口记者自发的，谁都怕漏新闻。开始只是通通气传递新闻线索，后来干脆你写的稿子传给我，我写的稿子传给你。通讯社全靠自律，运行得很好。但真正能做大的独家新闻，没谁舍得贡献出来。上官德问郝歌："你们那位牛大记者据说又放了人家的鸽子，毒气车在高速公路翻车的稿子他就没给其他记者。"郝歌不屑地说："操，这个老牛可不能信他，他只考虑自己不管别人。"

钱冰冰挺长时间没见高原红了，两人热烈握手。钱冰冰笑着说："祝贺你呀大侠，当主编了。"高原红也笑着说："我看到商报的广告就看到了你。什么时候教教我怎么拉广告。"钱冰冰答道："好啊，不过你不用学，我帮你拉就行了嘛。"高原红认真地说："那一言为定哦。"钱冰冰点点头后问："什么时候改版？""快了吧。""那你还来唱歌？""文武之道一张一弛嘛。大圣，你和教头的事怎么样了？"钱冰冰无奈地耸耸肩："我都不知道怎么样了。"高原红再问："那也要有个说法嘛，总不能就这样。"钱冰冰叹口气说："顺其自然。都好久不见面了，真的。"高原红说："有什么我能帮的吗？我可以帮你们传话呀。"钱冰冰摇摇头："谢谢你。我们就这么吊着说明缘分未尽，如果缘分尽了自然就分开了。不过我觉得和教头做个朋友也挺好的，省得这么累。"

有人在召集排队唱歌，热烈的掌声中林彬出场，她一点也不怯场。可在唱"风在吼，马在叫，黄河在咆哮……"的轮唱时，队伍怎么也配合不好，不是女声慢了，就是男声抢了，要不就是音不准。每错一次大家就哈哈大笑一次，林彬着急了，都不敢起调了。

郝歌站在第三排最左边，开始也跟着大家闹，当他发现林彬在用目光向他求救时，顿时豪气万丈，从队伍中冲了出来："喂，大家严肃点。今天是第一次合练，有个磨合的过程，很正常。但大家一定要认真，我总结刚才的问题，女的音部太高了，放低一点，男的插进去时太快了，要慢一点……"

100多人都被他弄傻了，大家把他说的"音部"听成了"阴部"。林彬第一个忍不住小声笑了起来，接着全场爆发出轰然大笑。钱冰冰笑得直不起腰了，高原红一个劲地喊“哎哟”。

郝歌莫名其妙，他不知道自己说错了什么。林彬对着他的耳朵解释后才恍然大悟，大叫：“错了错了，不是音部是音调。”

“哈哈哈……”他话音未落全场又是一片畅快的欢笑。

《商报》又被批评，而且是市委李书记的点名批评。陈元没有惶惶然，但心里很不痛快。昨晚报纸付印完后他一个人在办公室喝闷酒，竟将一瓶五粮液喝掉了一大半，结果醉成一摊泥，躺在办公室的沙发上睡着了。

李书记的批评是因为《商报》在全国卫生检查团来东方市时发了一组关于东方市在创全国卫生城市的过程中出现的问题。比如市民吃早餐找不到地方，因为早餐摊子全被要求停业两周；不少市民在公园和公交车上粘了一身油漆，原因是这些窗口单位突击刷漆，漆没干也不告示；还发现市创卫办人员化装跟踪检查团的情况，记者在检查团下榻的湖滨宾馆外发现，在这里停留的出租车全部是经过挑选的，他们的任务之一是监视检查团。还有不少拿对讲机的人，只要看见检查团的人出来，就通报并跟踪。

检查团到东方市是声明了要暗访的，自己住自己吃自己行，不要地方任何接待。可他们一行10人刚进入东方市就被有关部门暗中牢牢控制住了，而且一言一行都被记录在案。最刺激的是居然有老百姓知道他们来了，还打电话举报东方市的卫生死角，可等检查团赶过去时，那里已经干干净净。原因是检查团的电话被窃听，有关部门赶在他们到达之前就把卫生死角干掉了。

陈元觉得这样的应付有悖实事求是，尽管走形式是政府必不可少的，但总得合理一点吧。令人可气的是检查团一离开，一切都恢复原样，有的竟变本加厉了，说是要把损失夺回来。气得市民写了一个讽刺段子：“检查团来了怎么办？稍事休息就开饭；开饭以后怎么办？市容市貌看一看；看完以后怎么办？特色酒店再开饭；吃完以后怎么办？歌舞厅里转一转；转完以后怎么办？桑拿浴室涮一涮；涮完以后怎么办？请个小姐按一按；按完以后怎么办？他们想怎么办就怎么办。”

陈元让记者分检查前和检查后两个时空对东方市的创卫作了采访，为防止有人干扰发表，他用了报纸的跨版形式一次推出，并将老百姓写的段子也刊登出来。见报后反响强烈，工商城管交警等部门开始补课，杀回马枪。但李书记的批评让陈元不知所措了，他听说李书记还指示晚报对创卫工作做一次正面的全方位报道，以消除商报的影响。马诚部长也批评了商报，但他的批评多是指商报的舆论监督方法不对，类似情况应该以内参形式发表。

陈元开始做梦。

除夕夜，到处流光溢彩，大红的灯笼在夜色中分外耀眼。焰火不时把空中染得缤纷绚丽，爆竹声此起彼伏。在远离家乡的地方工作，春节也回不去。陈元一个人在街上走着，突然一双明亮的眸子在他面前一闪，定睛一看，是个七八岁的小女孩站在一栋破旧的平房门口微笑着看他。陈元愣住了，这女孩真漂亮。“小妹妹，你在等人呀？”女孩点点头。夜色中，她那对眼睛扑闪着光芒，陈元从她的眼里看到了漫天烟花。他忽然有点莫名的冲动，继而感到口渴，渴得厉害。“小妹妹，可以给我喝点水吗？”女孩特警惕地看了他一眼，大概是瞧他不像坏人，便把他带进家门。

家徒四壁，什么也没有。“你爸爸呢？”女孩找了只不怎么干净的瓷碗正给他倒水：“还没回来。”“你妈妈呢？”女孩明亮的眼睛黯了下来：“我没有妈妈。”

陈元喝着水，走到煤气灶旁，打开灶上那已烧得变了形的钢精锅，里面是半锅水和两个秤砣蛋。女孩警觉地跟过来说：“别动。那是我和爸爸的年夜饭。”一听“年夜饭”三个字，陈元鼻子酸了，他的思绪在刹那间回到了父母身边，家的感觉变得无限大。他猛地拿起放在锅内的勺子，用快得连自己都不敢相信的速度，捞起一个鸡蛋塞进嘴里，接着蹿出房门，女孩在他的身后一声尖叫：“赔我的鸡蛋！”

陈元没命地往前跑。跑着跑着冲进了一家豪华无比的宾馆，他什么也不顾跑进了电梯。喘着气的他在电梯门快关上时，看见了女孩跑进宾馆，她明亮的眼睛充满了愤怒。

电梯在上升，陈元周身的血液也在狂奔，是女孩如利剑般的目光逼迫他落荒而逃。“当”的一声，电梯到了顶层。门开后走进一对外国男女。高鼻子的男子用蹩脚的普通话笑眯眯地对陈元说：“给你拜年。”陈元咧了咧嘴，不知是哭还是笑，汗水从头顶往下流。外国人好像看出点什么，友善的目光变得有点怀疑了。

陈元心里特想抓住这样的机会练练外语，可此刻他的心思连他自己也不知在哪里。电梯开始往下降，每到一层电梯开门时，陈元都心惊肉跳，他不知女孩会在哪一层门口等他。脑子里开始想退路，一旦看见女孩就主动出击一拳打倒她。他的手不由自主地握紧了拳头。电梯里的老外见他握拳也开始紧张，男老外自然地做出了保护女老外的姿势。

早就有人告诫，遇到紧急情况切不可坐电梯。可自己就偏偏进了电梯，还傻B地从上往下。如果是走安全楼梯，那主动权就会大得多。这时，电梯在2层停下，门一开，陈元就看见有个女孩一闪而过。他全身汗毛“刷”地竖了起来，手便情不自禁地去按关门键。老外以为他要动手了，紧紧抱在一起。“当”地一声，一楼到了，那对老外像是脚底装了发动机似的蹿出电梯。接着，陈元便看见女孩站在电梯口守株待兔般地看着他。

“当当当……”新年的钟声响了，陈元的魂从他心灵深处被敲了出来，他“咣”地跪在地上，对着女孩嚎叫：“我赔你，赔你100个鸡蛋，可以了吧？”

陈元被自己的嚎叫声惊醒了，汗水浸湿了脊背，连打几个寒战。怎么会做这样的梦？奇怪，梦中的情景清晰地印在脑海里。以前做梦只要一醒就忘，可这个梦怎么这么清晰？莫非真预示着什么？

他从沙发上爬起来，去卫生间用凉水冲了脸，人才觉得清醒了。他想，可能是李书记的批评让自己胡思乱想了。没什么，在任何一个社会中，不受批评的媒体肯定不是好媒体。看来要认真考虑新闻监督的策略问题，这可是个原则性的问题。

牛文广这几天好高兴，凭他灵敏的嗅觉，认为该在陈元的伤口上撒一把盐了。市委李书记在宣传部的“报纸阅评快报”上批示，批评了商报，说东方市的形象需要媒体共同维护。不能轻易让东方市出丑，更不能扼杀东方市全体市民对创卫的高涨热情，对不顾大局，站在一边看笑话的行为，值得宣传部门深思。

牛文广还得知李书记亲自给晚报的何社长打电话，要晚报正面报道创卫。这一切都说明陈元问题不小，自己小心翼翼搜集到的陈元在不同场合的言论，此时抛出，绝对会对陈元大大不利，要让宣传部知道陈元不听话是有思想根源的。牛文广边整理边暗自得意，打死陈元，他也不知是我牛文广在干这件事。谁叫你得罪我，记者是什么？记者就是个无比功利的职业。嘿嘿嘿……

陈元言论一：宣传部要求各媒体在创卫期间大力宣传东方市的创卫行动。同时，适当控制东方市的负面报道。陈元在编前会上说：“要卖假药、做婚托、骗学生、坑民工的动作要快呀，这一段时间没人监督了。”在报社走廊上，陈元大声对编辑说：“宣传部的人都是半桶水在晃荡，他们懂个屁。”

陈元言论二：宣传部按市委市政府的要求安排媒体集中报道典型。例如

“五个十”的宣传活动等；陈元在编前会上坚定地说：“《东方商报》不是东方市的黑板报。”

陈元言论三：东方市与台商搞经贸合作洽谈会，要求一律不提“招商引资”，说是已有台商到大陆投资被台湾当局干涉打击。陈元说“不提招商引资是傻B才干的事。”

陈元言论四：宣传部开例会时，有新华社的同志提到“新闻总是在矛盾中前进”的观点。陈元在背后讲：“这是脱了裤子放屁。新闻的生死问题是宁鸣而生，不默而死。”

……

牛文广整理了十多条陈元言论后又反过来作修改，不能让宣传部看出有他牛文广的痕迹，要让人们认为这些言论就是陈元的自然流露，只有更真，力量就更大。对了，还要从道德品质上打倒他，陈元和那个贺总在办公室里公开拥抱，这是什么性质的问题？他陈元是有老婆的人，吃着碗里的还看着锅里的。他们肯定有问题，虽然如今不正当的男女关系不是大不了的事，但利用得好，就会变成大事。新闻界有句行话：是新闻还是旧闻，取决于你的发布方式。把陈元的言论和道德问题放在一起曝光，效果勿庸置疑。牛文广考虑，这个材料是直接寄给马诚部长？还是先给新闻处？听说马部长曾接受过瑞东集团的邀请去欧洲八国游，他如果存私心就可能压下材料。寄给新闻处，他们决没胆子压下，一定会报告给马部长。这样一来，即使马诚要压下材料，宣传部其他人也知道了。只要主管部门知道这事，对牛文广来讲就是胜利，他为自己这么有智慧而高兴。

《两只蝴蝶》的歌声响起，是手机响了。牛文广边嘴里哼着：“亲爱的，你慢慢飞，小心前面带刺的玫瑰。”边看是谁来的电话，一看是陈元的电话，忙停住哼歌，毕恭毕敬地接听电话：“你好，陈总。”

陈元在电话里说：“老牛，党代会的报道就你去。我这里有几份材料……”

一听“材料”二字，他不由自主地看了一眼桌上那份整理陈元的材料，一阵哆嗦。

“你来我这里拿去看看。考虑考虑能不能做活一点，这是今年东方市的重头新闻。”陈元继续说。

牛文广答应道：“好好，我马上去您那儿，我也觉得党代会的报道千篇一律了，没意思。”

陈元说：“但有人不这么考虑。我这儿还有给商报的题目，是要求我们在党代会新闻发布会上提问时的问题。

牛文广答应着，心想，陈元啊陈元，明枪易躲暗箭难防呀。

晚报明日正式改版，《青年报》和《大众医生报》也同日改版。三报合一新鲜上市对晚报来讲是非同小可的大事。上官德忙得脚不沾地，他不仅自己动手写了几篇大稿，还根据市委李书记的意见组织了四个版的创卫新闻，内容客观翔实。因为创卫，东方市的街道真的干净了，交通秩序真的大有好转，多年未解决的路灯问题也解决了，随地吐痰的现象少多了。对在创卫过程中出现的问题从大局看瑕不掩瑜。上官德亲自写了篇评论《干净的东方》。

18点菲菲来电话，讲在报社门口等他，带他去吃饭。直到上了出租车，上官德才确切知道菲菲在何大龙的帮助下做了件大事：东方商城“东方晚报发行站”“菲菲彩票沙龙”明日同时开张。上官德不知这是几喜临门了。

“这么大的事你竟敢瞒着我。我说你怎么神神秘秘，该怎么惩罚你？”

菲菲甜甜地笑着，她依偎在上官德的身上，仰着头看着他。

“又勾引我？”上官德笑着说。

菲菲反过身一把抱住上官德就亲。两人在出租车上热吻起来。

司机悄悄在后视镜中看他俩。菲菲对司机说：“别看，开你的车。”司机咧着嘴笑了。

上官德对着菲菲的耳朵说：“晚上大干300回合。”

菲菲把头埋在上官德的怀里：“谁怕谁呀，我奉陪到底。”

此刻东方市所有大街都挂着同样内容的过街横幅广告，广告词是“不看东方晚报，有事你不知道”，“东方晚报明日改版上市”。这些横幅成了一道城市风景线。

出租车在锦豪大酒店门口停下。菲菲下车时整理了衣服和头发，和上官德走进去。

自助餐厅里，何大龙、朱香香已经在等他们。

何大龙给大家相互介绍，他指着朱香香说：“朱总是晚报的大功臣。”他的话让朱香香很受用。

何大龙问上官德：“街上的标语广告看到了？”

上官德点点头：“一片红啊。只是我刚知道菲菲的事，谢谢少帅。”

何大龙和菲菲开心地笑着。何大龙对菲菲说：“走，拿东西吃。”他俩走向摆菜的桌子。

朱香香看着他们的背影对上官德说："你这个女朋友真不错，很有经营头脑。"

上官德笑笑说："她哪有什么经营头脑，瞎折腾。我说我的工资足够两个人生活了，她不肯，硬要自己干。"

朱香香说："她是对的。你自认为你靠得住，但女人不一定这样想。我是女人，我知道靠自己的重要性。"

上官德说："朱总在报社都快成传说了。"

"怎么？你们少帅贬我了吧？"朱香香很想知道何大龙在背后是怎么评价她的，这种好奇心每个女人都与生俱来。

"他多次提到你的经营才能和对晚报的热心支持，还有你的美丽。"后一句是上官德临时加的。

朱香香笑得很甜也很妩媚，看来何大龙真被自己搞定了。"你们少帅抬举我了。我们也去拿东西吃吧。"

正在拿水果的菲菲对何大龙说："上官说不知怎么感谢你。"

何大龙用筷子夹了10片三文鱼："明天开始，晚报就有了彩票专版，我想了一句广告词：'财富是可以摸出来的'，怎么样？"

菲菲笑着说："好啊，好啊。两块钱买一注，如果中了500万，可不就'财富是可以摸出来'嘛。咱晚报有了彩票专版，再不用和彩民拿着商报来讨论电彩的走势了。"

何大龙很喜欢听菲菲说"咱晚报"，真乃不是一家人不进一家门呀。为了做彩票专版，何大龙细算了笔账，在香港，"马经"是深受赌马的市民欢迎的报纸。六合彩也是如此，一张油印的六合彩投注走势图都要卖两块港币。从办报的角度看，彩民属于主动读者群，而主动读者群是媒体经营者决不可放过的群体。何大龙一边让贾诚实在新的版面设计时加入彩票内容，不能和商报重样，要干就干大的，拿出一个版来干。另一边，他通过省民政厅与福利彩票发行中心接洽，免费给他们提供专版，由彩票中心供稿报社终审。彩票中心很感谢何大龙的支持，答应每年给晚报20万的编辑费。中心同志还透露了商报小气，发一篇广告软文还要批。

等四个人都坐到桌上时，朱香香提议喝点酒。何大龙询问菲菲喝不喝。

菲菲看看上官德，说："我忌酒了。"自从与上官德在一起后，她改变了自己的全部生活方式，从穿衣到化妆到饮食。衣服只穿休闲服，头发不再染色，每天只用一点唇膏，其他化妆品都不用，酒也忌了。只是烟还忌不了，但已减少到两天一包。上官德没有要求她改变，是她自愿的。她发现改变后快活多了，人也精神多了。她戒烟，是为怀孕做准备，她不希望她和上官的孩子因为她抽烟而不健康。

朱香香见何大龙征求菲菲的意见便说："菲菲肯定能喝。"

上官德做主道："喝点红酒吧。"

何大龙让服务员过来，要了红酒。

菲菲与朱香香心照不宣。在歌舞厅做小姐，喝酒是第一基本功，它比唱歌都重要，不会唱歌客人不会怪，没几个客人自己会唱歌的。不会喝酒，就带不住客人。她不怪朱香香，自己事实就是小姐嘛。

何大龙问菲菲："你觉得三份报纸，哪份最好卖？"

"明天三张报纸同时上市，我感觉最好卖的肯定是晚报。因为它变厚了嘛，老百姓觉得厚厚一叠不吃亏。但《青年报》就恐怕难卖一点了。"

何大龙又问："为什么？"

朱香香和上官德都看着菲菲。

菲菲说："《青年报》对东方市的读者来讲还蛮陌生，新来的人肯定要吃亏的。如果晚报能带着它走，可能它会被市场接受快一点。"

朱香香问："你是说买一送一？"

菲菲点点头。

何大龙的脑子已转了好几个弯。买一送一对《青年报》无疑是迅速让读者认知的捷径，但费用能承担得了吗？

朱香香看着何大龙说："这是个好主意。只是不知印一份《青年报》要多少钱？加在零售上要增加多少成本？"

何大龙说："报社讨论改版时我们考虑过《青年报》随晚报零售，等打开市场认知度后再独立。但成本是个问题。如果买一份晚报送一份《青年报》，而单价不涨，以零售5万份算每月将补贴大约12万元左右，一年要140万。而从理论上说，周报的收入大头应该来源于报纸本身的销售而不是广告。"

服务员过来给他们开瓶倒酒。

一直在思考的菲菲突然说："如果换个角度想，或许成本问题不是问题。"

上官德笑了："你才卖几天报纸。报纸的发行可是大学问。"

菲菲盯他一眼说："哥，别小看人，你会写文章，可你卖报纸卖彩票绝对卖不过我，你服不服？"

何大龙对上官德说："别打岔，听菲菲说。我正为这事头痛呢。"

朱香香接过话说:“我知道菲菲要说什么。将40个版的晚报减成32个版,对吧?”

菲菲点头道:“朱总真不愧是做经营的,我就是这样想的。我还有个想法,凡是订晚报的买一送一,而零售还保证《青年报》独立的品牌。如果每周七天的晚报每天减8个版,七八五十六,而《青年报》是24版,56减24,这样晚报每周还能省下32个版的成本。《青年报》等于没花钱就印出来了。”

何大龙边想边说:“把零售的买一送一改为订阅买一送一,不仅《青年报》的社会影响力能迅速扩张,还能同时提升晚报自身号召力。”

上官德补充说:“40版的报纸和32版的报纸其实在新闻量上区别不大。我算过自采稿,每天约16个版,如果做40个版,就有24个版的广告和网稿,做32个版,自采稿与网稿就一半一半。况且我们32个版和商报改版后是一样的。”

朱香香笑着说:“我看报就主要看本地新闻,就是上官说的自采稿吧。”

上官德点点头说:“所谓的厚报其实是伪厚报,没有多少是自己的东西。”

何大龙这会儿想清楚了,菲菲的办法是好办法,无论从报纸的品牌宣传还是成本核算,将40版减为32版都是具有可操作性的。他说:“我想超过商报,从24版一气扩到40版。让商报丧失在版数上再超我们的勇气,让读者对晚报有全新的认识,看来我是好大喜功了,没将投入与产出做更科学的分析。菲菲的一席话令我茅塞顿开呀。按菲菲的算法,我们的扩版改版预算可将《青年报》忽略不计,按每年50周算,还能节约近400万。我同意上官德的看法,厚报大多是伪厚报,晚报与商报要拼的是本地新闻,而不是网稿。来,为菲菲的好主意干杯。”

四个人笑着端起酒杯。

菲菲不好意思地说:“我对《大众医生报》还有想法。”

上官德踢了她一脚说:“你没完了?”

菲菲认真地说:“我是晚报的媳妇儿,对咱家的事当然要多寻思。”何大龙高兴地说:“菲菲你说你说,我洗耳恭听。”

朱香香看着他,很少见何大龙这么愿意听别人的意见。何大龙高兴,她也高兴。估计明天的改版会顺利,现在要考虑怎样与马诚认识,并深入接触,然后将新闻大厦的工程挖出一块来。

菲菲问何大龙:“少帅知道东方市有多少张病床吗?”

何大龙被问住了："你指省属和市属以及民营医院的总和吗？"

菲菲点点头。

"我只知道东方市二三级医院，包括三甲医院三乙医院不到30所，但有多少病床就不知道了。"

菲菲说："有个省卫生厅的干部常来我这里买彩票，他告诉我市区的医院病床总数约18000个。就算有1/5的空闲，那也有近15000个床位有病人住。每张床位每年约有15个病人住，那每年住院的病人就25万多，按每个病人住4周，他们又都看《大众医生报》，只在他们的住院费中增加两块钱就可以了。"

朱香香差点叫起来："那《大众医生报》根本就不需要走出住院部就能发到25万份。好多医院不都加盟了《大众医生报》吗，让他们向病人赠送报纸不就行了。"她激动地对菲菲说："你别做什么报纸发行站，到我公司里来吧，绝不亏待你。"

何大龙哈哈大笑起来："好你个朱香香，要挖我的墙脚呀。"

朱香香对何大龙说："菲菲在你那里干埋没了她，她干得再好，也是帮公家赚钱。到我的公司就不一样了。"

何大龙突然严肃地说："你别打菲菲的主意了，她是不会去你那里的。菲菲，对吧。"

菲菲说："少帅，我能抽支烟吗？"

"我有。"朱香香马上从包里拿出一包软中华，抽出一支递给菲菲，她自己也叼了一支。何大龙见状也伸手要烟，朱香香笑眯眯地给了他一支。三个人都抽起了烟，只有上官德一个人没抽，他看看大家，说了句："我拿吃的去。"起身走了。

菲菲看着上官德的背影，轻轻吐了口烟，然后两眼直直地看着何大龙说："上官跟我说过，少帅祝他和我幸福。和少帅以前虽然没见过面，可我觉得和你好亲好亲。我以前的工作对大多数人来说会觉得不光彩，可少帅没有看不起我，还祝福我。这让我终身难忘。那天少帅到我的摊位上去，我其实没认出，只是感觉到你就是少帅。"她吸了口烟，对朱香香说："朱总，真对不起，我不能去你的公司，我不能背叛《东方晚报》。没有这张报纸我可能就碰不到上官，没有这张报纸，我可能还在歌舞厅陪酒陪歌。"她有点哽咽。

朱香香忙说："没关系，没关系。我开个玩笑，我哪敢挖何少帅的人呀，那他还不拿刀砍了我。"她说着瞟了一眼何大龙。

何大龙并没有注意朱香香的表情，而是被菲菲的话所感动。按老话讲，菲菲就是个风尘女子，她能说出这样的话，让人佩服。我有没有魄力大胆提拔这个有经营头脑的女人呢？他脑子里想着，嘴里却说出了《罗密欧与朱丽叶》中的一句经典台词：“要是不该相识，那又何必要相逢。”他端起酒杯对菲菲说：“来，我敬你，谢谢你对晚报的信任。等会儿我就找报社相关人员研究你的想法。我认为它是有可行性的。”

上官德端着一盘菜和一杯冰激凌走过来，他把冰激凌递给菲菲说：“给，你最爱吃的香草冰激凌。”菲菲笑着接过来。上官德又对何大龙说：“少帅，我要先走，还有版面要调整呢。”

何大龙点点头说：“我也得走，幸好我们没有把扩成40版宣传出去，要不然你们家菲菲提出的思路还不好弄。”

上官德被“你们家菲菲”说得不好意思。

朱香香问菲菲：“明天开张都准备好了？”

菲菲感谢地说：“多亏商城物业帮忙，要不然我哪有时间坐在这儿吃饭呀。”

何大龙端着酒杯对朱香香说：“香香，也谢谢你的大力支持。”

朱香香笑道：“你真客气。别光说谢，吃点东西，今天恐怕要通宵吧？”

何大龙喝了一口酒：“听说商报改版的时候，他们陈总就在印刷机旁等第一份报纸出来。他给资本家打工能做到这样，我更应该做到，而且要做得比他更好。”

朱香香知道何大龙是在说笑，可这也真体现了他这个媒体官员的想法。朱香香喜欢他咄咄逼人的竞争气势，以及他身上体现出的那种政府官员的沉稳和不服输的精神，而且她发现何大龙将这两种不同的处世风格发挥的越来越自如了。

星儿上午接到马诚给她的电话。说市委李书记批评了商报，宣传部又接到一封关于陈元的匿名信，怕给陈元造成太大的压力，所以找他谈话。给星儿打电话，希望她在适当的时候提醒陈元当心祸起萧墙。

星儿听完了马部长说的匿名信的大致内容后，觉得匿名信中提到的陈元的言论很可能都是真的。马部长说当心祸起萧墙，说明他也相信是真的。虽然那些言论并不致命，但如果有人要利用那些言论来打倒你，你完全没有理由去反驳。看来，陈元在官场上还不够成熟，太意气用事了，这可能是记者们的共性吧。而何大龙却能在绝大多数的公开场合讲话滴水不漏，这不是他天生有这个能耐，而是被训练出来的。这件事该不该报告童瑞东？放下马部长的电话，星儿考虑如何办。

中午星儿把没睡醒的陈元约到了他们第一次见面谈话的凯莱大酒店咖啡厅。

陈元一见面就问："什么事？这么急？"

星儿指着外面的街道说："商报改版怎么就没想到弄过街横幅。"

陈元委屈地说："钱冰冰想到了，可市容办不批呀。"

星儿叹口气说："唉，还是亲娘的孩子得宠啊，晚报这一招事半功倍。"

陈元喝口水说："就为晚报改版的事？"

星儿摇摇头："不仅为了这个。你最近在报社是不是说过一些过头的话？"

陈元莫名其妙："什么过头话？天天说那么多，不记得了。"

星儿决定直截了当，她问："有封关于你的匿名信，说你批评宣传部不懂新闻；说商报不是市委的黑板报；商报要宁鸣而生，不默而死……"

"等等。"陈元打断星儿的话。他在回想，依稀记得好像说过上述的话，但肯定不是为了要达到什么目的说的。"寄给董事长的？"

星儿看着他："是寄给宣传部。这是对商报雪上加霜呀。"

陈元难过地低着头，他想不出是谁会写这样的匿名信。但信中的言论很可能真是自己在报社内部说的。我陈元为了商报不说呕心沥血，起码是废寝忘食。是谁要这么害我呢？他想不出。

星儿安慰他说："匿名信问题倒不是达摩克利斯剑。这封信不过是让你警醒，注意在公开场合的言语。恐怕商报的公关工作应该做好才是真正要注意的问题。"

陈元听了这话后把思绪调整到与星儿一致上来："你指的达摩克利斯剑是阅评快报？"

星儿点头说："李书记是看了阅评快报后才对商报发脾气的。作为他这一级的领导不会太注意商报，他们只对《人民日报》感兴趣，因为那是中央的精神。但据说每一期的阅评快报李书记都会看，所以商报应该想办法和阅评小组的人搞好关系。"

陈元连声说："有道理。"他说："恐怕我们真是小看了阅评快报，只顾低头拉车不顾抬头看路就很可能会摔跤。这样吧，我尽快和他们接触，请他们来给报社的编辑记者上上课。"

“我听说阅评小组大多数是老师，不是党校的就是社科院的。请他们讲课固然重要，但请他们吃饭也很重要啊，中国人的酒桌可是大乾坤。”

陈元由衷地说：“谢谢你的提醒。做报纸我内行，搞关系确实不行，这一课要补上。星儿，你说报社谁可能写匿名信呢？”

星儿打断他的话：“陈掌柜，匿名信的事到此为此，我也不会跟董事长报告，建议你尽快忘掉这封信。如果不忘掉，你就会戴上有色眼镜去看周围的人，这样很容易犯更大的错误。匿名信带给我们的只是个提醒，在公开场合不要意气用事，就算你意气用事也改变不了什么。从另一方面说，我们还应该感谢这位写匿名信的人，是他提醒我们时刻注意自己的一言一行，毕竟我们是一路诸侯，掌握着生杀大权。”

陈元的电话响了，是钱冰冰来的，他接电话。“看了今天的晚报吗？”陈元答道：“我还没看呢。怎么啦？”钱冰冰气乎乎地说：“他们真不要脸，彩票版被克隆过去了，做了整版，版面广告词是什么‘财富是可以摸出来的’，怎么办呀？”

陈元看了看星儿对着电话说：“没什么了不起，天下文章一大抄嘛。”钱冰冰说：“可是他们为了跟我们竞争，居然是免费给彩票中心做。”陈元没接话，想了想说：“这样，你再摸摸情况，我们见面再商量，先这样，再见。”

陈元收线后对星儿说：“又出现克隆的情况，同城媒体真是难兄难弟。”

星儿已经从电话里听到了钱冰冰大声说话的内容，知道陈元是在顾及自己的面子，不说何大龙的坏话。她没吱声，只用感谢的目光看着陈元。

结束谈话当他俩走到凯莱门口时，陈元发现宾馆商场有花卖，他让星儿等等，跑过去买了一大捧红玫瑰递给星儿。

星儿接过花时两眼放光，那是一种渴望爱的光芒。

两个人什么话也没说。

第十章 炒作

CHAOZUO

〖晚报讯〗华东地区“青春大使”选美比赛季军黄珊小姐在东方市竟无法找到工作，昨天本报记者专访了黄珊小姐。

黄小姐告诉记者，她是一名小学的教师，从18岁高中毕业后就开始参加选美大赛了，一直到23岁。5年间，参加了10多次，有“环球”的、“洲际”的、“世界”的，还有国内其他大赛。但遗憾的是，一直也没有取得特别满意的成绩。

在获得“青春大使”选美季军后有不少外省企业邀请她加盟。但黄小姐说自己是东方人，想为家乡做点事。可没想到她因提出每月5000元的薪水遭到几个企业的拒绝，黄小姐很伤心，因为有人以月薪万元请她去外省工作她都没去。记者发现，黄小姐在提到自己恐怕是“梦断故乡”时流下了眼泪。

在找工作困难的今天，人们已不知道企业需要什么样的人才？记者曾采访过不少企业领导，他们都为企业缺少人才而痛苦。可当真正的人才出现在他们面前时，他们又犹豫了。黄小姐说，如果实在不行，背井离乡。黄小姐的遗遇在我市是有代表性的，我们将跟踪黄小姐找工作的过程，并做连续报道。

星儿坐在浴缸前一片一片地将玫瑰花瓣放进已注满水的浴缸里，脑中交叉出现何大龙与陈元的形象。

花瓣在水中飘浮着，浴缸里的水像清晨的露珠一样滴在花瓣上，它漂浮着，散发着淡淡清香，尤其是剥到接近花蕊时，那股清香浓烈起来。花在任何一个女人手上都会产生远远超出花的自身价值的幻想，有人讲只有当女人手上捧着花时，她才是真正的女人。

星儿慢慢地将身子浸入水中，花瓣覆盖了浴缸。玫瑰花是爱情的象征，今天陈元送她花是要表达爱情吗？显然不是，他非有备而来，而是临时动议。可就是这种临时动议，何大龙也没送过花给她。凭女人的直觉，他很可能被朱香香揽入了怀抱，还有可能让他回到自己身边吗？原本以为小虹儿是块砝码，现在看来即使是也分量太轻了。

玫瑰花呵护着水中的星儿，给她脱去凡烬洗去疲惫。星儿在许多历史书上看到过女人用玫瑰花洗浴的故事，那位倾国倾城的杨贵妃，她能一直保持肌肤鲜嫩光泽的最大秘诀是在中国最大的洗澡盆——华清池里长期泡玫瑰花浴，享受着天然的美容护肤佳品。还有那位迷倒罗马元帅的埃及艳后，也是用玫瑰浴来滋养自己美貌的。玫瑰花真是好东西，它的属性里有两层含义，一层是它在女人的精神世界里掌控喜与悲，另一层它又在女人的物质世界里承担着重任。难怪是女人就爱它，也恨它。爱它的时候，它是天使；恨它的时候，它则是恶魔。而无论是爱还是恨，都仅仅是借花说事。星儿想，还是我好；轻松享受玫瑰花的实用价值，这种享受是对玫瑰利用的最大化。何大龙也好，陈元也罢，随他去吧。现在要考虑的是另外一个问题。

星儿已经得到消息，马诚的新闻大厦计划获得市委李书记和潘市长的同意，只差走程序正式立项了。何大龙专门找她商量过，好像他持反对意见，但他的意见不起作用。今天晚饭时老爷子也说了这事，已经有了选址的方案，政府工程就是动作快。此事该不该向童瑞东报告呢？星儿有些犹豫。瑞东集团虽然不做房地产，但作为投资集团，有投资机会就不应该放过。可童瑞东进来做这个项目，何大龙会怎么看我？该死，为什么要那么在乎他何大龙怎么看自己呢？星儿深吸一口气沉入浴缸水下，就在憋着气的瞬间，她的血液流动变慢了，脑子异常清醒。她决定明天一早就把有关新闻大厦的事报告给童瑞东，并且建议瑞东集团竞争这个项目。

在星儿躺在玫瑰浴缸里思考的同时，朱香香喝醉了，是高兴地醉了。她给星儿挂电话，关机了。这丫头的手机从来都是24小时不关机的，今天怎么关机了？她摇摇晃晃走到了一间酒吧，决定再喝一点，有个酒鬼告诉她喝醉时再喝一点酒，反而会起到解酒的作用。

不管晚报改版是否成功，在东方商城晚报发行站的成立剪彩办得非常成功。那位菲菲小姐也真的厉害，居然在开张的第一天就让商城里70%的业主订了东方晚报。朱香香向物业打听她是怎么订到的，得到的结果是菲菲祭出了“维权”大旗，讲只要订了晚报，以后遇到要媒体维权的事，都可以找她。这招很灵，现今的社会中骗人与被人骗的事每天都在发生，什么孩子上学多交钱呀，买双鞋是伪劣产品呀，城管野蛮执法呀，物业与业主的纠纷呀等等，许多事够不上去法院上诉，通常经过媒体的曝光来引起相关单位的重视并基本得到解决。商城的经营户难免不被投诉，订一份报纸钱不多，但多了一份保障。这丫头真有做生意的天赋，在晚报干埋没了她，还是要找个机会把她挖到东方商业地产来。

马诚高度评价了东方商城对晚报的支持。朱香香请他晚上在天鹅会大酒店聚聚，他爽快地答应了。何大龙死活不去，讲从公从私都不合适，朱香香只好一个人陪马部长吃饭。

为了这顿饭，朱香香费了不少精力。首先是吃饭的地点，她偶然从何大龙那里听到马诚喜欢去豪华的酒店吃饭，而且多次在东方市最好的酒店天鹅会请客。于是朱香香买通了天鹅会的一个领班，搞清楚了马诚最喜欢喝一种叫“四特”的15年陈酿，460元一瓶，据说他能喝六七两。海鲜里他喜欢吃鲍鱼，而且是喜欢五至六头的，同时他还爱吃辣。他是地道的东方人，与湖南人一样无辣不吃饭。今天的菜谱是一份五头鲍鱼，一条清蒸鲈鱼，一盘豆豉辣椒，一碗水煮猪肝，一盘鸡汁娃娃菜，加上一盅西湖莼菜汤，主食是鲍汁拌饭。最重要的是为他准备的一份礼物，一幅清末八大山人的册页画。这是朱香香得知马诚喜欢古玩字画后，特意为他弄来的。

马诚一走进天鹅会的包厢，朱香香就让服务生给他看已点好的菜单。他只看了一眼就笑容满面，菜品既豪华又不浪费，既有营养又好吃，这位年轻的朱总真会办事。在等上菜时，朱香香拿出了八大山人的画。她说：“马部长，有件小礼物送给你。”

马诚打开，两眼发出光芒，他一眼就看出这是八大山人在南昌青云谱隐居后期的作品。画面上的残荷苍劲有力，墨色厚重凝练，构图风格独特。他爱不释手了，但嘴上说："不可以，小朱同志，不可以呀。太贵重了。"

朱香香笑嘻嘻说："一看您的样子，就知这画遇到了明主。红粉赠佳人，宝剑就应该赠武士。我只是不知道这个画家干吗要叫八大山人呀？别扭。"

马诚小心摩挲着册页说："他原本叫朱耷，是明朝的一个皇子，大明垮台后，辗转到了江西南昌郊区的一个叫青云谱的道观。他是从天上掉到了地下，自然满腹委屈，甚至有些颠狂，号称自己是八大山人。而他的签名却给人感觉是哭之笑之。你来看。"

朱香香凑近马诚，他用手指着册页上的落款说："像不像是哭之笑之？"

朱香香连连点头说："像，真像。"

马诚认真地说："这款签名，实际上是点破了艺术的真谛。"

朱香香问："怎么讲？"

马诚钦佩地说："艺术的真谛就是哭之笑之，正所谓愈喜愈悲愈悲则愈喜。充满个性，回避共性。"

朱香香对画对艺术并不感兴趣，但此刻她必须要表现出对马诚的话感兴趣："部长的话已上升到哲学层面了。我在读大学时，读过德国哲学大家伽达默尔的著作，他说过：当我们进入到艺术作品的世界之中时，我们就能通过艺术作品理解我们自己和我们的世界。"

"好，说得好。通过艺术作品来理解我们自己和我们的世界。这就说明，艺术是有真理的。"马诚有些兴奋。

朱香香赞叹道："不得了，马部长的话与伽达默尔的观点一致呀。他就指出艺术属于一种超出方法论指导的特有的真理。这是他反驳康德等人的观点，他们讲艺术不能满足科学的严格标准，所以艺术只是主观的东西，没有真理。"朱香香的马屁拍得又准又到位，她暗自为自己读了几本哲学书而自豪。跟什么人讲什么话，是朱香香这几年在商战中总结出来的经验。但要讲好"什么话"却不简单，不但要博学，还要不断将正在发生的新闻补充进来。有时候觉得好累好累，可她舍弃不了舒适豪华奢侈的生活。

马诚果然另眼看眼前的这位女老总了。看了她点的菜，感觉到她聪明，现在却觉得她智慧了。

桌上已摆好了酒菜，烹制鲍鱼的师傅也在现场制作。

马诚端起酒杯说："我就不叫你朱总了，就叫小朱同志吧。"

朱香香也端起酒杯甜甜地说："叫我小朱我已满足了，还加上同志，那我就增值了。说明部长把我当自己人。"

“哈哈哈……”马诚开怀大笑，他觉得非常舒服：“来，为我们是自己人干一个。”

喝了一杯后，朱香香又返敬了一杯。等三杯酒下肚，马诚突然说：“说吧，小朱同志，找我吃饭是为了什么事？”

朱香香被他的率真吓了一跳，她原本只想先探探路，时机成熟时再提新闻大厦的事。没想到马部长要她现在说。“马部长，没什么事。”她边措词边说，“真的，就想认识你。”

马诚放下酒杯：“都说无商不奸，但我看你不像。刚才你说到哲学，我也说一说哲学。人所做的一切，其实是在模仿。有个哲学家说：感觉模仿自然，理性模仿艺术。你今天送我画，又点了一桌好菜。这是你在不知不觉中模仿艺术，说明你请我吃饭不是一时性起，而是你的理性所决定的。因此，你一定有事要找我办。对不对？”

朱香香脸红了，有种被揭穿的感觉。既然马诚已说到这个份上，就直入主题吧，她故作轻松地说：“部长，真不好意思，我这点伎俩跳不出你的法眼。”

马诚得意地笑笑，他夹了一筷子豆豉辣椒放进嘴里。

“部长，听说你要建东方市的标志性建筑新闻大厦。”

马诚没有收住笑容，在他的心里，新闻大厦已不是秘密：“你也听说了？告诉你，市委李书记认为这是件好事，省里也原则同意立项。宣传部在起草正式报告，可以说这件事已是铁板定钉。”

朱香香端起酒杯与马诚碰杯：“恭喜恭喜。我听说各媒体都很支持这件事。”她随口说了句瞎话，她根本就不知媒体在想什么。谁知马诚很敏感。他想，这个女人似乎跟何大龙的关系密切，未必她不知道媒体的想法，便追问：“你都听到什么？说说看。”

朱香香心想，坏了，赶紧圆场吧：“部长，我也是道听途说。他们讲如果东方市的新闻大厦能顺利建成，对各家媒体都有好处，无论是新闻线索还是广告经营都能起到迅速便捷的效果。只是有一点不好。”

马诚容不得别人讲新闻大厦半点不好，他脸一沉赶紧问：“哪点不好？”

朱香香是为圆场而欲擒故纵，她说：“就是宣传部管理媒体也更方便了。大家可不愿被你管。”

马诚再次开怀大笑。媒体和宣传部从来就是一对矛盾，没有一家媒体的老总会发自内心讲宣传部管理就是好。“来，小朱同志，为宣传部的管理方便干一杯。”

等到他们分手时，已喝了一瓶半“四特”15年陈酿。朱香香强打着精神送马诚上车。马诚在车边对朱香香说：“小朱同志，如果你的公司对新闻大厦感兴趣，我支持你。但是，这画我不能收，我这不是醉话，我没醉。”

朱香香今晚的目的就是要马诚的这句话，此刻尽管头疼得厉害，但心里非常清楚，她知道马诚讲不要画是客气。于是把他扶上车后，将画交给了司机。

在酒吧里喝了一瓶啤酒后，朱香香觉得好多了，她点了一支烟大口吸着。手机响了，是何大龙来的：“喂，你还没睡？”

何大龙在电话里说：“给你家打了电话，你不在。怎么样？”

朱香香醉意还末退，何大龙现在来电话，让她觉得好幸福好开心，说明他在乎我关心我，这就够了。“大龙，喝死我了。”

一声“大龙”拉近了她与何大龙的距离，而何大龙也没一点觉得不舒服。在场面上除了官比他大的，再也没有谁叫他“大龙”了：“香香，要不要我来接你，你在哪里？”

朱香香听了这句话眼泪不听地话顺着她的笑脸流下来。不知这是高兴还是感动，她把这当作是爱的表达。

“喂，香香，说话，你在哪里？”

朱香香又吸了口烟说：“我在酒吧，在谈个事。你快睡吧，明天还要上班。”她不愿意让他看见自己的醉态。

“那好吧。你真是，刚喝了酒又去酒吧，少喝点，会伤身体的。”

“好的，我会注意。晚安。”她的内心是希望与何大龙分享她与马诚见面的成果，但又矛盾。何大龙显然不相信马诚能搞成新闻大厦，他肯定不愿牵扯到这里边来。如果自己要强拉他进来，可能会出问题。朱香香决定关于新闻大厦的事不让何大龙掺合，这件事要自己来干。该怎么干呢？这可是好几个亿的工程，部里不会只给一家做。如果我能拿下一个亿的工程，能赚多少呢？一千万总有吧。如此大的工程，市委肯定是要公开招标的，要赶紧摸清楚有哪些公司来竞标。恐怕目前最重要的是准备好保证金，标书当然也是关键，但如果有内幕消息，做标书应该没问题。朱香香突然想起了星儿，以她的董事长童瑞东对东方市的野心，他们会参加竞标吗？瑞东集团如果进来，优势肯定比我的东方商业地产大。该怎么抗衡？办法只有一个，四两拨千斤。这个四两必须落在马诚头上，必须！要注意的是，绝不能让何大龙知道我有行贿的举动，那会害人害己。

朱香香忽然异常清醒，清楚地看见了前面的每一条路。

童瑞东知道新闻大厦的事后，第一时间赶到了东方市，直接去了星儿的办公室。在飞机上他就在盘算需要调动多少资金才能拿下这个工程，但最重要的是如何疏通关系。在中国要想拿下项目，没有幕后的运作是很难成功的，瑞东集团仅这一块就占总成本的5%。童瑞东越来越感觉到做生意其实是浑然天成的事，比如在东方市投资，最主要的原因是因为有贺副省长牵线搭桥，可偏偏又让他遇上了星儿这么个聪明有背景的女孩儿。商报的成功与纸厂的投产使瑞东集团在东方市站住了脚，正当他在思考如何进一步扩张时，新闻大厦这条大鱼出现了，是不是真应了"放长线钓大鱼"的老话。童瑞东很兴奋，大有志在必得的雄心。

星儿只用了很短的时间就把新闻大厦的有关情况摸清楚了，省市方面都同意了立项，并决定投资一个亿，余款由宣传部自筹。地址选在东方河的北岸已倒闭了的东方造船厂。项目分建筑设计、景观设计、建筑施工、装修设计施工、设备安装、物业管理等标段，向全国招标。宣传部的计划是建一栋广电大楼，一栋报业大楼和一座演播厅，一个喷水广场。与之配套的还有几栋住宅楼和大型地下停车场。宣传部要求全部市管媒体必须进入，费用分摊。

在用幻灯向童瑞东介绍了新闻大厦的情况后星儿说："已经有不少公司在活动，我的师姐朱香香也在活动，她还要我帮忙疏通我老爸。从她的谈话中可以看出她和马诚好像有某种默契。"

童瑞东喝了口茶，在思考消化星儿刚才的汇报。"我可以抽支烟吗？"

星儿笑了笑，摇摇头。童瑞东无奈地也摇摇头，但他还是从烟盒里拿出一支烟放在鼻子下嗅一嗅。"你这里有那个朱香香的照片吗？"

星儿没明白，问："你的意思是……"

童瑞东慢慢地说："我实际上多次听到过朱香香这个名字。这位朱香香已经掌握了商场的一个重要的游戏规则，她让对方敢拿她的好处，而且能拿到她的好处。很不容易呀，很不容易。"

星儿在电脑里找朱香香的照片，有一张是她在东方商城奠基时的照片，是星儿用数码相机拍的，照片被放到幻灯银幕上。朱香香笑着看着前方，很优雅也很阳光。

童瑞东靠在椅子上凝视着朱香香的照片，从她优雅阳光的神态中看出她的精明，同时也看出她虽然自信，但不够从容，这一点她不如星儿。星儿估计是出生在高级干部家庭，有天生的从容。

星儿问：“童叔，看出了什么？”

童瑞东没有直接回答她的话，而是说了题外话：“给你讲个故事：有次我碰到一个拆字的先生，他让我写个字，我便写了个朋友的‘朋’字。然后他告诉我，朋友为双月互照，月光下的一切虽然清高雅致，但孤独有余，阳气不足。你只有把两个月字重叠起来，才能渡过难关。两个‘月’字重叠就是‘用’字，他讲有用则是朋友。我听了这话，当时心里有点发毛。在我心底，我把朋友看得很重，所以才会随手写个‘朋’字。现在他告诉我有用才是朋友，换句话说没用就不是朋友了。这很危险呀。”

星儿是人精，她听明白了故事，但不明白童瑞东为何要讲这个故事。

“可商场又是将利益作为最终的价值取向。如此一来利益与朋友就成为了一对矛盾，而这对矛盾往往会弄得两败俱伤。怎么解决它呢？”童瑞东说完看着星儿。

星儿突然灵光一闪，童瑞东的这番话是针对朱香香的。刚才跟他讲了朱香香已可能与马诚有默契，如果瑞东集团跟东方商业地产斗，可能就会两败俱伤。只有两条路可以避免，一是退出竞争，这是消极的做法，不符合瑞东集团的性格；二就是合作。想到这儿沾沾自喜地说：“童叔叔你可难不倒我。”她在电脑上打了两个字，放到幻灯银幕上，是两个大大的宋体字：“合作。”

童瑞东放下手中的烟鼓起掌来：“星儿，你长大了。记住，我们无论在哪个行业，都别想包打天下，只有故事中才找得到包打天下的人。任何一次成功都是由多种因素组成的，这当然包括他人的因素。要想利己就必须利人，哪怕你不是诚心诚意，也要将合作摆在首位。因此，合作才是永远绝佳的利己策略。”

星儿由衷地说：“这段话可以成为MBA的教材。我一定记住。”

童瑞东问：“眼下我们恐怕要合作的对象就是这个朱香香。哦，差点忘了，董事会同意你将那个设备经理升为造纸厂的厂长。”

星儿说：“经过这段时间的自我反思，他进步了许多，很多工人干部都讲他好。我想，对这种情商高的人集团应该大力培养。我把他叫来吧。”

童瑞东点点头说：“你姐夫情况怎么样？他对建新闻大厦的态度是什么？”

星儿边拨电话边说：“开始反对建新闻大厦，他心里一直想建晚报大厦。喂，小金呀，你过来一趟，董事长要见你。”放下电话后又说：“等他听说省市领导都支持后，马上表示支持。”

童瑞东笑了：“识时务者为俊杰，我是很看好他的。”

小金敲门进来，星儿给他介绍童瑞东。两人握了手后童瑞东称赞道：“你的故事我在董事会上专门讲过，一个年轻的有才能的设备经理，就因为例会迟到了20分钟被厉害的贺总给撤了，还差点辞退。但你却能在哪里跌倒又在哪里爬起来，好样的。”

小金看看星儿真诚地说：“我不怪贺总。在企业中，凡是成了规矩的东西就是不需要重复的东西，是我错了。现在我知道，干好自己的事就是对企业最大的忠诚。”

童瑞东赞扬地点头：“好哇，相信你在瑞东集团会干得更好，但你的不重复规矩的说法值得商榷。”他对星儿说：“德国巴斯夫化工集团为了把安全生产的理念深入人心，惟一的办法是培训培训再培训。正因为不断地重复，才使得身为化工集团的巴斯夫未出过一次大的火灾事故。”

星儿说：“看来，复杂的事也可以用简单的方法来办到。关键看处理什么事。”

童瑞东对小金说：“见招拆招才是武林的最高境界，企业管理也是如此。董事会已经通过了对你的厂长任命，真心期待你有更大的作为。”他又对星儿说：“我们去看看那个造船厂旧址，然后请陈元来，商量怎么迈出第一步。”

商报连续两天刊登了平乐县和谐创业的新闻，还配发了评论《创业的目的是为了和谐》。稿件由金牌搭档林彬和郝歌完成。采访之前陈元把他俩叫到办公室明白地指出这是次作秀的行为，但他希望按新闻规律办，所有的文章都不许摘文件抄资料，必须深入采访拿到第一手的东西。

林彬和牛文广去过平乐县采访，情况熟悉，和县委宣传部联络后，对方非常重视。在平乐县足足跑了四天，分“百姓创家业”、“能人创企业”、“干部创事业”三大部分全景式地展示平乐县的和谐创业工作。县委书记祖国宴请了两位记者，只提出了一个要求，必须要将李浩书记到平乐调研的照片放到版面上。郝歌看了照片，是李书记在一家养猪场的照片，考虑到这张照片能给新闻增色，就用了。

在商报只有陈元一个人知道为什么要做这组报道，它就是童瑞东要走的第一步。宣传部长马诚是平乐人，而且他向来对家乡很关注。平乐县有好事，他会要求媒体去采访，平乐县有坏事，他会让媒体不发稿。基于这些，童瑞东决定新闻大厦招标前的第一步从对马诚投其所好开始。虽然对拿下项目帮不了大忙，但这个姿态很重要，表明瑞东集团愿意与宣传部精诚合作。

陈元说在宣传部搞“五个十”的宣传时已对平乐县做了报道。童瑞东指出，宣传部布置的工作是全市性的，而商报再对平乐报道是局部的。主动和被动得出的结果是不同的，商报只许做好，不许做坏。

果然，见报的第二天晚上，祖国就在天鹅会大酒店宴请了童瑞东、星儿、陈元，还特意请马诚作陪。星儿觉得好笑，祖国害怕媒体，可他又是马诚的父母官，一物降一物。

酒桌上祖国高度赞美了商报，说这是落实党代会精神的重重一笔。

马诚笑着问：“祖书记，那张李浩书记去养猪场调研的照片是谁拍的？”

祖国咧着嘴笑着说：“看出问题来了？我怕那些农民乱讲话，就安排县饲料公司经理和畜牧站的站长带几个人化装成农民，这样回答李书记的问题更专业了。嘿嘿……”

陈元听了这话像是吃了只苍蝇，他觉得自己正被这位县委书记愚弄污侮，起身去了洗手间。

星儿看在眼里，她对祖国说：“祖书记，你造假，可连累了我们商报呀。”

祖国按捺住得意马上说：“真对不起，自罚一杯。”他端起一杯白酒喝了下去。“但我保证，这次商报记者下去采访我没干预，他们的采访非常扎实，总结出来的‘百姓创家业、能人创企业、干部创事业’非常到位，记者厉害呀。童董事长，听说是你亲自安排的，我敬你一杯。”两人碰杯喝下。

童瑞东用交换意见的口气说：“祖书记，现在可不能只顾低头干活，不抬头看路呀。不是商报做得好，而是你祖书记干得好哇。看了报道我们瑞东集团都想去你那里投资呀。”

祖国听到投资更来劲了：“我那是小地方，只要董事长愿意来，我双手欢迎。要地要人要政策，你愿意干什么就干什么，我绝对支持。”他话一转说：“眼前就有一桩大买卖，你们不知道哇？”他看看童瑞东，又看看星儿，再看看刚从洗手间出来的陈元，然后笑着指指马诚说：“马部长要干一票大的，做东方新闻大厦，几个亿的大项目呀。”

马诚微微笑着。他期待这事弄得越大越好，只有弄大了，才可能钓到大鱼，新闻大厦才能顺利建成。市委李书记已要求他在招标前出去考察一次，到北京上海广东等地看看别人是怎么干的。但他心里清楚，他的这个方案在全国独一份，没有哪个地方是将广播电视报纸弄在一块的。可既然书记说了，就一定要去。已经有北京的开发商闻风而动了，李书记和潘市长都表了态，决不插手工程招标。这对马诚来说权力大了，风险也大了。他已决定成立一个招标领导小组，他自任组长，晚报的何大龙和电视台的周台长都是小组成员，副组长请市设计院的院长担任。只要内外都能将工作做到位，就不会出问题。

童瑞东见马诚在笑，便说："怎么样？马部长干一杯？"

马诚欣然与他碰杯："好，干一杯。"把酒喝了以后，他说："童董事长是醉翁之意不在酒啊。"

童瑞东坦诚地笑了，他的笑意酒桌上的五个人中只有祖国不知其中的含义。

马诚看了看星儿说："宣传部这么大的动作，星儿想必都知道。告诉你一个最新消息，我们弄了个招标领导小组，你姐夫何大龙也是成员之一。"

星儿说："马部长是要晚报出钱吧？"

马诚哈哈一笑："你这个丫头鬼精得很。新闻大厦的投资方就是市属的几家媒体，谁也跑不掉。"

童瑞东对马诚说："部长没有给我们商报留几层？我们也希望进大厦呀。"

马诚听后认真地说："我真没考虑这个问题。如果商报也能入驻，那是好事呀，我求之不得。但只怕童董事长胃口不止这些吧。"

童瑞东又笑了，还是笑得很真："马部长一语中的，不知马部长是不是信任瑞东集团。"

马诚端起酒杯："来，喝一个。公事另找时间谈，今天是祖书记请客，不喝白不喝。"

祖国也叫道："喝喝。"

马诚特意跟陈元碰杯："来，陈总，干一杯。"陈元感激地说："部长，匿名信的事多亏马部长。"马诚摆摆手："没什么。我也想用刚才董事长的话提醒提醒你，不仅要低头拉车，还要抬头看路。路上的风景各式各样，路上的人也是各式各样呀。"

陈元明白了他的话，的确是忠告。"部长，你随意，我干了。"他一口喝了杯中酒后说："我一定记住你的话。"

马诚满意地笑了，在笑声中他也喝干了杯中酒。

贾诚实和钱冰冰彻底分手了，表面看是为了一条关于选美比赛的新闻。

实际上，半年来他们之间的来往极少，在一起做过几次爱，但彼此发现没激情了。两个人都知道这段感情到头了，但谁也没主动提分手的事。

华东地区“青年大使”选美比赛已经是个品牌了，可今年却爆出季军黄珊小姐在东方市找不到工作的新闻。贾诚实觉得这是条可以炒作有可读性的新闻，他立刻让跑娱乐的记者把黄珊请到报社。

经过与黄珊商谈，决定分几个阶段来炒作。第一个阶段：美女为比赛而辞职。采访身为小学教师的她为何要不顾一切，参加选美？她的同事怎么评价她？她的父母是否支持她？此事在她所在的城市有何反应？第二阶段：参加比赛的艰辛，从没钱买化妆品到拒绝不怀好意的老板；训练时受伤，坚持比赛；选美比赛的台前幕后；与不理解她的男朋友分手。第三阶段：找工作为何这么难？美女要回去当老师；要聘用美女的公司蜂拥而至；美女的选择；美女最后选中大集团……

贾诚实认为，美女经济已成为这个社会人人皆喜欢的经济，有钱的捧钱场，没钱的捧人场。如果这三个阶段都能顺利实施的话，是很棒的连续报道，对提升报纸的可读性极有好处。他把这个方案给何大龙看，何大龙拍案叫绝。晚报决定先找好一家大集团，由他们暗中录用黄珊。然后再敞开大门让最少10个企业给她挑选，每天一篇干它半个月。按何大龙的话讲，这件事是四性合一：新闻性、故事性、可读性、关注性。而且何大龙立刻找了省服装集团，对方马上答应聘用黄珊，并要立刻签约。何大龙笑眯眯地对贾诚实说：“教头呀，这条新闻我建议先煸炒，再翻炒，最后爆炒。”

贾诚实召集了三个记者一个编辑专门对付这个选题。将黄珊的文字和图片建了资料库，要求记者在采访写作时用创新方法，比如记者手记、链接、调查等等，还让美术编辑做了有视觉冲击力的版式。贾诚实在布置工作时考虑到了明年的新闻奖，这个选题必须要有精品意识。

经过各个部门的努力，从见报的第一天，黄珊就成了人们的关注焦点。东方市到处在议论这个美女，说什么的都有。从零售市场反馈来的消息说，原本每天要到下午6点才能卖完的晚报，现在中午就可售罄，还要求加印。菲菲打电话给何大龙讲自己要报少了，不够卖。何大龙在编前会上表扬了记者编辑，说要重奖。贾诚实琢磨如何收笔，要想成为“豹尾”，还要下一番功夫。

第一阶段和第二阶段都进行得很顺利，全国有60多个网站转载了这条新闻。来电话来函的企业每天都有二三十个，黄珊的挑选余地已经很大了，晚报的那间会客厅也是热闹得要命，招聘单位排着队在等黄珊接见。

可到第七天时，她突然失踪了，电话关机，连父母也不知她去哪里了，还问晚报要人。这个黄珊虽然原籍是东方人，实际上家不在，她是“飘”在东方市的，除了一部手机，没有其他的联络方法。这些天她每天上午准时到报社，可现在她无影无踪了。在与不在对她来讲都不损害什么，可对报社来说就惨了，收不了场了。贾诚实紧张得不知如何是好，百思不得其解，她为什么要失踪？是玩我们？还是被人绑架？还是做老板的情人去了？还是……他都不敢往下想。

连续三天没有黄珊的消息，晚报处于非常尴尬的境地。何大龙劝贾诚实别急，可看得出他也急。何大龙说：“如果我们让她住进宾馆，派人陪她，可能就不会出这事了。还是想得不够周到呀。”贾诚实只有点头的份儿，他能感觉到报社有人窃窃私语等着看笑话。

在报社工作了这么长的时间，还没出过这样的事。郁闷呀。他仔细回想这件事在操作中的每一个细节，似乎都没有纰漏。问题会出在哪里呢？黄珊不愿意进行下去的原因是什么呢？七天来的炒作很成功，已经接近爆炒的火候了，他妈的，她这不是釜底抽薪嘛。这个坏女人，婊子养的。贾诚实忍不住骂出声来。

高原红来找他，她听说这事后觉得不是简单的失踪：“教头，这位黄美女是不是自己有问题，不敢面对了？”

贾诚实痛苦地摇摇头：“天知道怎么回事。不会有问题呀，我给选美比赛组委会的头儿打过电话，他们也觉得奇怪，怎么会这样。”

高原红猜测说：“会不会是其他媒体在搞名堂？”

贾诚实看着她说：“搞什么名堂？把这个美女接过去炒？炒剩饭？”

高原红说：“剩饭也能炒出香味来呀。我们炒黄美女的目的是什么？是为了最后端上她找到了工作的这盘菜。如果有个媒体去掉枝叶直取树干不失为好办法，在很多人的眼里跑最后一棒的人往往是最优秀的人。”

贾诚实觉得有理：“站在巨人的肩膀上更容易成功。但什么媒体要接过去呢？最有可能的报纸是谁？”

两个人对视了一眼异口同声道：“商报。”

就在贾诚实难过的这三天里，钱冰冰也处于矛盾之中。东方春酒厂的王厂长得知黄珊的信息之后，要她无论如何要想办法请到黄珊做春酒厂的形象代言人。钱冰冰想，真是无商不奸。如果黄珊答应做春酒的广告，利用晚报炒作出来的知名度，春酒厂可省一大笔广告费。经过讨价还价，春酒厂答应投200万广告，一半放商报一半放电视台，全部广告由钱冰冰代理。她心里默算了算，这一单下来最少可赚20万，她决定动手。

本来以为很简单，去选美组委会就能知道黄珊的电话。谁知人家说比赛结束后她就换了号码，要找她只有去晚报。钱冰冰知道是贾诚实在操作这个选题，这是最让她矛盾的地方。跟贾诚实明说介绍黄珊去春酒厂工作，他肯定不会同意。即使他同意，何大龙也不会同意。他们不会让商报摘果子的。但如果巧取，不是没可能，而是无疑就伤害了贾诚实。

钱冰冰翻来覆去想了几天，和教头在一起的情景历历在目。除了为人有点蔫，私心官瘾较重外，他好像没缺点，要不然大伙儿怎么叫他教头。这么长时间了，两个人居然谁也不提分手的事，隔一两个月还会凑在一起做爱。都从恋爱变成一夜情了，这也没什么不好。只是每次做爱后一段时间她都必须压抑自己的性欲望，做爱对她来讲就像打开了潘多拉的盒子，可贾诚实却无法在时间上满足她。他们如此相处唯一的好处是：她被一种无形的道德所约束，时刻提醒自己，贾诚实是自己的男朋友，不能在肉体上做对不起他的事。正因为这样，她牢牢地控制自己别去搞一夜情。

自从与陈元相遇后，无论从情感上和工作上钱冰冰都发生了巨大的变化。她知道自己爱陈元，甚至在心里谴责自己的这种龌龊，但她没放弃保住底线。可她明白，从贾诚实手中抢走黄珊，对他的伤害比强行让他在亢奋中将阳具从自己的身体里抽出造成的伤害更为严重，恐怕他俩所谓的爱情便从此终结了。她很矛盾，决定找陈元谈谈。

当钱冰冰把春酒厂王厂长的想法跟陈元一说，他立刻兴奋起来。陈元并不知钱冰冰因贾诚实而产生的顾虑，只是从新闻本身出发，认为这是绝好的打击晚报的机会。他从未放弃过和晚报竞争，在前面的竞争中有胜有败。但航拍东方的事让他一直耿耿于怀，君子报仇十年不晚。没想到机会来的这么快。如果能将黄珊弄过来，那晚报的这锅汤就永远不可能沸腾，一锅夹生饭看他们怎么吃？

陈元把自己的想法跟钱冰冰说了，要求她一定把黄珊现在的手机号码弄到手，力争让晚报有苦说不出。陈元激动地说着："我们可以用这样的题目，引题是'选美季军从未说过找不到工作，省城某媒体骗了她'，主题是'黄珊来本报哭诉'。这个题目好不好？"

钱冰冰机械地点着头，心思却已不在这里。眼前的这个男人并不知自己的苦衷，他完全站在报社的立场看问题。唉，罢了，既然与贾诚实的关系迟早是要出问题的，晚来不如早来。想到这儿，她说："我试试看，不一定能行。这件事最好先不和星儿讲。"

陈元会意地说："我知道。她与何大龙的关系。"

钱冰冰说："有时候亲情会战胜一切。"她看着陈元，说这话是为了自己，也是为了报社。

陈元显然听懂了她说什么，说："如果黄珊肯合作，一定要派人看好她。晚报不会轻意罢休的。"

解决了思想问题，钱冰冰只用了一分钟，就得到了黄珊的电话号码。她约贾诚实去她家，做完爱后贾诚实去浴室洗澡，她看了一眼他手机里的去电显示，黄珊的号码多次显示，看来他们是热线联络。

拿到号码后她迟疑了一天，还在矛盾。陈元倒是没催，春酒厂的王厂长却是一天几个电话。于是在晚报刊发黄珊新闻的第六天晚上，给她打了电话。当晚，王厂长用箱子装了100万现金与黄珊签下了3年的合约。约定春酒厂可在3年时间里使用黄珊肖像，黄珊的义务是为春酒厂代言，拍摄5部电视广告和10个平面媒体广告，出席每年两次的订货会等。

从未见过如此多钱的黄美女，100万现金让她晕了头。等签完字后，她才问钱冰冰："冰姐，晚报那边我怎么交代？"

钱冰冰一直在等她这句话，现在给她出主意心安一点了，因为自己不是主动的，而是应黄美女的邀请出主意的，教头你也不能全怪我。钱冰冰拿出了一块手机卡说："珊珊，从现在起你换个手号码，这个号码十天内任何人都不能告诉。我已安排了宾馆，你住下后别跟人联络，先失踪三天。余下的事我们帮你办。"

王厂长在边上说："黄小姐，你的事交给钱小姐办一百个放心。她是好人，很职业。"

黄珊看了看装钱的箱子，又看看王厂长，然后对钱冰冰点点头。

第十天，商报头版头条刊登了黄珊的新闻。只是在最后付印的时刻，陈元把"省城某媒体骗她"七个字删掉了，怕这七个字会激化与晚报的矛盾，还可能激化他与星儿的矛盾。

贾诚实看了商报后如笼中狮子威风凛凛却无可奈何。一定有内奸，凭那个黄珊的智商是不可能玩转两家媒体的。谁是内奸？贾诚实扳着手指数，三个记者一个编辑都没可能。那是谁？难道是我自己？想到这儿，他吓了一跳。是钱冰冰？这期间与商报的人接触只有钱冰冰一个。难道真是她？正想着，钱冰冰来电话了。

贾诚实第一句话是：“是你干的？”

钱冰冰在电话里沉默了，说：“对不起，是我。”

这时贾诚实反倒平静了：“为什么？你为什么这么干？”

钱冰冰说：“我再怎么解释都是多余的，但这件事是我干的。那位美女经不住100万的诱惑。”

贾诚实像只斗败了的公鸡，叹口气：“好吧，我去向何大龙解释。再见，不，我们到此结束。”说出这句话时，有种说不出的很难过。他不知道该说什么，但他知道，钱冰冰既然如此，就没必要维系什么关系了。

钱冰冰轻轻地说：“好吧。我对不起你。你好自为之吧。”她本来想说再见的，可一想，已无必要了。

放下电话，贾诚实又拿起手机，打开电话簿翻到钱冰冰的名字和号码，然后按下删除键。他用这种方式把钱冰冰从心里删除了。

何大龙直到高原红拿着商报来找他才知道黄珊已在商报出现了。高原红气愤地说：“不知是商报不要脸还是这位黄珊不要脸。”

何大龙翻了一翻商报气愤地说：“都不要脸。教头被人骗了，人善有人欺呀。”

高原红同情地说：“师哥，你找教头谈谈吧？他胆小。”

何大龙摇摇头：“不，要谈也要等教头来找我。他如果不找我，这件事就到此为止。我们不是也截过商报的情报嘛，礼尚往来，只是商报这一手阴毒了一点。”

高原红说：“教头肯定很难过。”

何大龙给高原红倒了一杯水，他们之间似乎已淡忘了那次做爱，但彼此多了一份牵挂一份亲情。“你不是专门为商报的事找我吧？”

高原红喝了口水说：“《青年报》的广告太多了，16个版居然9个版有广告，有的版面虽然不是整版广告，但也快淹到脖子了。”她拿起一张《青年报》翻给何大龙看。

何大龙笑眯眯地看着她翻：“广告多是好事呀，说明《青年报》在短短的时间里受到广告商的青睐。”

高原红辩道："可是师哥，物极必反，水满则溢呀。"

何大龙说："《青年报》能这么快在零售市场火爆，说明你的办报思路是对的，定位准确。但可别忘了菲菲的功劳，你的发行跟晚报走的思路是她提出来的。"

高原红笑着说："上官也不知是前世积了什么德，找了这么能干的老婆。"

"我准备提拔菲菲到发行部干个副主任，那个汪洋走后，他们缺人手。你看怎么样？"

高原红装着忧虑地说："听说那位朱香香想挖走菲菲。"

何大龙脱口而出："她敢。"

听了这话，高原红心想师哥一定和朱香香好上了。从他的口气中可以听出，他貌似严厉，实际是自信。他凭什么自信？一定是朱香香听他的他才会显示出自信来。想到这儿，心头飘过一丝醋意，但马上回过神来，何大龙不可能属于她，她也没有把他当丈夫的想法。"菲菲干发行部副主任当之无愧。"

何大龙说："好，就这么定。《青年报》广告的事儿我让广告部调整，确保每期有10个版的稿子，1/3的广告行了吧？"

高原红说："以前干总编室工作，巴不得广告多一点，我们可以少干一点。"

何大龙颇有同感地说："不当家不知柴米贵。我看要改变那种干一行才爱一行的思想。"

高原红反驳道："你这是妄想。不干这行却爱这行的人大多是妄想。只有干一行才爱一行是现实的，各人自扫门前雪才是和谐的。"

何大龙点点头："有道理。"

两人正说着，贾诚实满脸忧郁地进来了，进门就说："是钱冰冰挖走了黄珊。"

何大龙没想到是钱冰冰下的手，还一直以为是陈元在报复他。

高原红一听火了："她为什么呀？她不还是你的女朋友吗？"

何大龙朝高原红摆摆手示意她别说了。

贾诚实向高原红伸出手说："给我支烟。"

高原红略一迟疑，从包里拿出香烟抽出一支递给贾诚实。何大龙也伸手要。高原红笑道："操，都抽呀。"

办公室里三个人都点了烟抽着。

何大龙抽了两口把烟往烟缸里一按说："黄珊的事到此为止。但要传个话，如果黄珊有毁谤晚报的行为，那我们就不客气，公布她接受我们采访的全部录音。关于钱冰冰，教头你也不要太怎么。没什么，她肯定有她的原因。只是明知这个新闻是你抓的，她还这样，不应该。以后还怎么见面？”

贾诚实猛抽一口烟说：“见什么见，我和她结束了。”

高原红马上劝说：“别冲动，抢新闻的事又不是什么大不了的事，哪家媒体都会遇到。”

贾诚实叹了口气：“早该结束了，如果不结束还不知会出什么事。”

高原红怜悯地看着他不知说什么好。

何大龙给贾诚实倒了杯水说：“结束了也好。这是你的私事，你自己作主。但教训我们都要记住。”他停了一下接着说：“我看对春酒厂要睁大眼睛，他们很可能是始作俑者。要是能找到它的问题就狠狠地打。”

星儿知道“黄珊新闻”后给何大龙打了电话，她已经放平了心态，觉得陈元做这件事没什么不对，竞争就是如此。她也没觉得商报事先没向她通报有什么不对。但在电话里听何大龙讲是钱冰冰搞了名堂后，她马上对何大龙说了对不起。同时告诉他，瑞东集团决定参加新闻大厦的竞标，希望他关照。

放下电话，星儿打听到陈元完全不知道钱冰冰是通过什么办法找到黄珊的。她决定不告诉陈元真实的情况，不能让商报班子出现不团结，况且钱冰冰对陈元有好感。如果陈元知道真相后会不会与钱冰冰产生隔阂星儿拿不准，但这件事对商报来讲，是个胜利。她决定推动“黄珊新闻”的走向。目前黄珊只是拿到了100万的形象代言人的报酬，找工作的事并未解决。而原先众多要招聘她的单位包括服装集团被她这么一闹，都缩回去了，大家不知这位美女要干吗？实际上商报是接下了一个烫山芋。商报在此役中赢得了人气，也弄来了广告。可同行知道了内幕后会怎么看商报呢？要使这件事圆满解决，最关键的一环是给黄珊找到一份称心如意的工作。只有这样，商报才会赢到最后。

她给陈元打电话，请他征求黄珊的意见，愿不愿意加盟瑞东集团？

答案是肯定的，商报第二天便在头条发了黄珊签约瑞东集团的消息。老百姓不知商报是瑞东集团的，所以反映很好，讲商报做了好事，无形中还给瑞东集团做了广告。星儿去西祠网站看了看，在新闻论坛里，表扬商报这一仗打得漂亮的占多数，这是圈内的评论，并没谁知道是钱冰冰搞的鬼。到这时，星儿才松了一口气，但对钱冰冰多了一份戒备心。

这段时间星儿淡出了造纸厂的日常管理，全心做新闻大厦的竞标准备工作。在她的电脑里已经有新闻大厦大部分的数据。大厦总占地80亩，总建筑面积7万平方米，其中广电大楼26层，建筑高度加上发射塔118米；报业大楼18层，建筑高度68米；演播厅是7000平方米；在喷水广场四周有300个停车位，还有一座能放100辆车的地下车库。总施工期是18个月，总投资4亿人民币。

童瑞东要星儿考虑如何与朱香香联合，星儿则在寻找合作的可能性和切入点。她估计朱香香肯定愿意合作，瑞东集团的财力和背景摆在这里。只是不知道朱香香胃口有多大？星儿设计了一条底线，两家合作拿下一半多的工程，约4万平方米，也就是拿下广电大楼和演播厅以及一些附属设施，约2.6亿元人民币，给朱香香1亿？还是6000万？这要看朱香香在这个项目中有多大的贡献和实力。星儿决定和这位师姐谈一次。

18点55分，一辆宝马车和一辆酷派车一前一后停在清风轩门口，星儿与朱香香分别走下自己的座驾，一看到对方，便不约而同地看了看表，然后笑了，她们约19点在清风轩茶馆见面。星儿问："为什么约我到这里？"朱香香指指店面两边的对联说："这里的对联有我的名字，所以我愿意来这里。"

星儿顺着她的目光看去，上联是"风香屋香齿香原是茗香。"下联是："大道小道味道出自茶道。"星儿笑着说："好大的口气。"两人走进茶馆。

茶馆很小，只有六个小包厢和三张桌子的散座。所有包厢都没门而是用竹帘隔好，没人坐时，竹帘卷起，让空间扩大，桌子和凳子上垫着锦丝垫子。在一面大墙边是只大博古架，上面没放古玩而是各色茶具。茶馆里灯光暗淡，大多数灯都用纱罩罩住，光线柔和。背景音乐是不知什么名字的丝竹乐，很清脆也很温柔。音乐在小小的茶馆荡漾，说话时感觉不到它的存在，可在泡茶时它却在耳边徘徊。

朱香香显然是熟客，一进来就径自走进一间可以坐四个人的包厢，她把竹帘放下对星儿说："怎么样？不俗吧？"

星儿刚进包厢就被墙上的一块匾吸引，上面用隶书写着五个字"和气生万福"。她立刻想到了今天见朱香香的目的，心里默默地念到"阿弥陀佛，此地今日能助谈判也。"见朱香香问，忙说："很好，你怎么找到这里的？"

朱香香笑道："有人推荐我学茶艺，说女人应该学学茶艺插花什么的。一学还觉得挺好玩的。"

茶艺师把茶具茶叶和电热壶拿进来。朱香香说："我们自己来。"她又对星儿说："试试我的手艺。献丑了。"

朱香香打开茶叶罐自己先闻闻，又递到星儿鼻子底下说："这是特级乌龙，发酵后的香味很醇厚。"星儿闻后笑着说："只知道酒有醇厚一说，原来茶也有啊。"

朱香香用木勺子将茶叶放入已烫好的朱砂壶内，然后加热水，盖上盖后又将热水浇在壶的外面。她边做边说："茶文化原本就比酒文化深刻得多。我这不是表演纯粹是朋友在一起好玩，但也要注意程式和动作，要让人养眼。"她将泡好的茶水倒掉，又加入热水，再浇壶。

星儿问："干吗把泡好的茶倒掉？"

朱香香边操作边说："四川人泡茶馆全国有名，他们说喝茶是：一道渣，就是有尘土，泡出来味不正；二道茶，清香，茶味刚出来；三道四道是精华，指的就是醇厚了。"她将闻香杯递给星儿："闻一闻。闻香是喝茶前奏。"

星儿接过闻了，只觉一股特殊的清香沁入鼻中，不由得深吸起来。

朱香香用红木茶托托着一杯茶递过来："喝吧。"

星儿接过一口喝下。朱香香教育她："你那是牛饮。来这里就要品，所谓品就是将茶汤慢慢入口，并让它在舌齿之间流动，然后徐徐咽下。门口对联上的齿香二字就这么来的。"

看着朱香香虔诚的样子，星儿笑了："再来一杯。我看这喝茶的形式大于内容了。"

朱香香给星儿斟茶说："形式美其实是我们每个人都需要的。它所产生的共鸣，能引发无限的想象。爱因斯坦就说过：想象力比知识更重要。"

星儿慢慢地喝着："你把喝茶也上升到理论层面了。"

朱香香自己也喝着："聪明人总是善于将一般事物提升到特殊层面上来。说吧，找我什么事？"

星儿放下茶杯刚要说，朱香香又打断她："让我猜。"她说着用手指头蘸着茶水在桌上写了四个字："新闻大厦"。写完后看着星儿，星儿微微一笑点点头。

朱香香说："马诚马上要带队去上海、北京考察，你姐夫也去。"

星儿听到何大龙也要去有点意外，这个情报她不知道。只瞬间走了神，她马上调整过来："何大龙跟你透露了什么？"

朱香香叹了口气："你还不知道他那个人，公事私事分得太清了。"

星儿盯着朱香香说："你们……"

朱香香知道她指的是什么，顺势打出第一张牌。她点点头。

星儿不太自然地笑笑说："祝福你们。瑞东集团决定参加竞标。"

朱香香打出第二张牌："我从马部长那里得知了这个消息。"

朱香香今天也是有备而来。她对新闻大厦的具体情况并不十分了解，但当她得知瑞东集团要参加竞标后，她给自己设了一个赌局，赌星儿会来找她。为此她准备了三张牌，这三张牌不仅仅是针对项目本身，还针对参与这件事的人，比如星儿。她要让星儿以及她背后的瑞东集团明白，我朱香香也是有人脉有实力的。把星儿带到茶馆来，自己来当茶艺小姐，就是一种主动，可以抵消自己是平民星儿是贵族的差别。然后出第一张牌：我与何大龙好了。这可以扼制住星儿的刀锋；第二张牌：我在马诚那里也玩得转。可以让瑞东集团知道我的人脉也能让我直达关键点；第三张牌是我朱香香有实力拿下1/4的工程。只是她没想到，这么快就出了两张牌。

星儿又小心慢慢地喝了一口茶，说："你是我的师姐，我们又是好朋友，就别兜圈子了。强龙压不过地头蛇，这是你我都懂的道理。省建工集团已向省领导要求参加竞标，如果估计不错的话，这次竞标是三足鼎立，省建工集团，你的东方商业地产和我们瑞东集团。"

朱香香没吱声，慢慢喝着茶。她在揣摩星儿的话是什么意思。

星儿继续说："如果瑞东集团和东方商业地产争斗起来，那么三足鼎立之势恐怕会有变，我知道还有不少人想来争夺这块肥肉。其中不乏有实力的企业。"

朱香香听了这话，不由自主看了一眼包厢里的匾"和气生万福"。星儿敏感地捕捉到了朱香香的眼神，她也跟着往上看一眼，然后对朱香香说："明白了？"

朱香香笑笑："小女子我是不见鬼子不拉弦。我有什么好处？"

星儿问："你要多少？没关系，开门见山吧。"

朱香香一口喝了杯中茶，又自斟了一杯说："不兜圈子了，我不狠，要1/4。"她打出了第三张牌。

星儿也一口喝干了杯中的茶，说："我不怀疑你的实力。但马部长那里……"

朱香香摇摇手肯定地说："我有我的办法，我们目的是一致的。"

星儿完全相信朱香香的公关能力。她知道童瑞东提出与朱香香合作还有另一层意思，因为贺副省长的关系，瑞东集团和星儿在东方市不能太张扬，很多事只能幕后运作。他们需要一个在前面周旋的人，而朱香香是不二人选。马诚等人要去北京等地考察，这一路上肯定会遇上被人巴结的事。而此次马部长出行的接待问题，朱香香肯定已有准备。她讲她有办法，说明她胸有成竹。想到这儿星儿笑着说："师姐你真厉害。我同意你的要价，童董事长说得好，只有大家一起赚，才能赚到钱。"

朱香香一直以为星儿是在心里算账，谁知她是在考虑战略问题。见星儿松了口，她也暗自松了口气说："星儿，你知道吗？已经有人在打何大龙的主意，还有人准备在他们考察的路上玩名堂，可那都是小儿科，是太简单的游戏。"

星儿问："你准备怎么玩？"

朱香香又开始往茶壶里倒水泡茶，她平静地说："如果现在有人在大龙那里跟我抢生意，你说你姐夫会帮别人还是会帮我？"

星儿哼了一声冷冷地说："还用问吗。就怕是我去抢你的生意，何大龙都未必会帮我了吧。"

朱香香得意地一笑。把何大龙弄到手的确不容易，在情场上战胜星儿也让她暗自欣喜："你知道马部长的儿子准备去法国留学吗？"

星儿清楚了朱香香的公关工作做到了什么程度。她说："说定了，你的公关费用我们两家分摊。"

"不，这点钱我出得起。我只要瑞东集团给东方商业地产做个担保就行了。"朱香香给星儿斟茶。

"银行贷款担保？"星儿问。朱香香点头。星儿一直就怀疑朱香香的实力，看来她要吃下1个亿的工程，实力还差点。这也是星儿预料之中的事："可以。但我们只对你的公司在新闻大厦这个项目所需资金提供担保，这一条附加在我们合作的协议里。什么时候签？"

目的都已达到，朱香香高兴地说："现在签都可以呀。但这个协议对何大龙暂时保密。"

星儿有同感，她也不希望何大龙知道那么多事："明天或者后天签吧，别太草率了。"

朱香香笑着说："不签也没什么。星儿，在这件事上我就是害我自己也不会害你。"这是肺腑之言，在她的内心深处对星儿还存有歉意，毕竟自己抢了星儿心目中的男朋友。

星儿点点头说："我信。"她电话响了："喂，小虹儿啊，姨马上回去。作业做完了吗？好的，拜拜。”

朱香香不好意思地说：“也不知小虹儿能不能接受我。”

星儿装着认真地说：“对小孩的公关可不像对大人噢，你要是摆出后娘的姿态，我第一个不饶你。”

朱香香脸红了楚楚动人：“别说得那么难听。我也让小虹儿叫我姨。”

“呸，我才是她的亲姨呢。我让她叫你后妈妈。”星儿开玩笑。

朱香香赶紧求她：“你别这样啊，我正为这事犯愁呢。”

星儿喝了一口茶。“这茶喝到现在刚喝出点味来，可惜要回去当姨喽，走啦。合作的事就一言为定了。”

朱香香伸出右手，两人击掌。朱香香说：“小虹儿的事还求你帮我搞定。”

星儿头一扬：“那要看你的表现。”

何大龙烦死了，这边被陈元打了一闷棍，抢走了新闻，好多读者来电话问怎么黄珊的报道突然停了，晚报不知该怎么回答，可自己还得安慰贾诚实。那边又被马诚逼上梁山，他实在不愿掺合新闻大厦的事，宣传部硬是把他拉到招标领导小组里去了。这些天许多不认识的人转弯抹角找他，请他在招标中予以关照，莫名其妙嘛。

得知马诚成功说服市委市政府后，何大龙在新闻大厦问题上的立场发生了逆转，他打消了建晚报大厦的念头，公开表态支持宣传部的这个决策。他猜想李书记支持这个项目肯定还有别的原因，这不是所谓的拍脑袋的政绩工程，而是推动东方河北岸经济发展的一个举措。自己没有权力也不允许发出不同声音。他向马诚表示，该晚报出的钱他一分都不会少出。但他委婉提出不参加招标组的工作。马诚不同意，说这个项目一定要阳光操作，越透明越好，几家业主的头儿都必须参加招标组。

部里通知去上海北京等地考察，何大龙心里没底，去还是不去？他给贺副省长打电话求教。

电话接通后他恭敬地说：“爸爸，宣传部通知出去考察。可新闻大厦的项目我真不太懂，你看我应该是个什么态度？”

贺副省长说：“大龙，首先应该有个积极的态度。这个项目不是马诚同志能做主上马的，省里也很重视，有更深的东西；其次作为个人要把握好两个重点……”

何大龙边听边在本子上记录。

“一个重点是授权有限，你只能提建设性的意见。比如中央对民工工资问题非常重视，你们这个工程决不能出现拖欠民工工资问题。你完全可以提出在招标时把这条写进去，作为一个硬性指标，让工程真正成为民心工程。”

何大龙有豁然开朗的感觉：“爸，您说得对，我一定照办。”

“第二个重点是你要有为本土企业说话的态度。比如省建工集团就要求参加招标，他们可能也找过你吧。省领导一直有扶持本省建筑企业的指示，你可以在有关会议上提出这个问题，目的是肉烂在自己的锅里。”

何大龙快速地记录着，嘴里不时说：“好。”

“另外，听说瑞东集团还有东方市的民营地产公司也要投标。这就涉及到我们家了，你一定要回避，不能在这个问题上栽跟斗。不管是星儿也好，童瑞东也好，还是那个朱香香也好，对他们，你一律装聋作哑，什么也不知道。马诚如果让你表态，你就尽量中庸。现在已有不少人栽在了所谓的项目上，太不值得。”

何大龙感激地说：“爸，我知道该怎么做了。你提出的一个态度两个重点非常重要，我记住了。”

贺副省长对何大龙善于总结很满意，叮嘱他注意休息，身体是本钱。

放下电话，何大龙呼出口大气。不知怎么搞的，每次与老丈人通话都紧张，整个人像是被什么东西提着。但每次通完话，他都觉得大有收获。真可谓听君一席话胜读十年书。刚才老丈人讲的“一个态度两个重点”不但具有可操作性，更重要的是自己能说出领导想说的话，这是领会领导意图的最高境界。听老丈人的口气，他好像知道自己和朱香香的关系。不知他们知道多少？

晚上，朱香香让他过去，他也觉得累想请朱香香按摩按摩，便去了她家。对这里他已经很熟了，每周总要来一两次。他还是不愿朱香香去他家，怕小虹儿临时回来，也怕虹儿的在天之灵。

何大龙裸体趴在朱香香的两米宽的大床上，他曾戏言这床睡四五个人没问题。

朱香香穿着一套黑色的内衣骑在何大龙身上给他按摩。她的手法是台湾指压，这是她专门向台湾技师学的。她用手指按住腰骶，用力，然后慢慢放松。“你们什么时候走？”

何大龙习惯了朱香香的手法，他享受着这份舒服：“周五部里开例会，周六走。”

朱香香在按他的脊椎骨，她的大拇指灵活地压住脊椎，用力，慢慢放松。

何大龙问："你和马诚谈得怎么样啦？"

朱香香说："你不是不管的吗？问这干什么？"

何大龙调整呼吸："随便问问，反正你别打我的牌子，我也不会在你们公司竞标这个问题上表态。"

朱香香"哼"了一声口气变得咄咄逼人："如果我是星儿你就肯定会表态了。"

何大龙咧咧嘴："错。星儿找过我，瑞东集团也加入进来了，你和星儿去斗吧，我隔岸观火。"

朱香香暗自好笑，这个男人哪里懂得女人在想什么在干什么。他要是知道自己已和星儿联盟，不知会有何反应？她想着，手上的力度加大了。

"哎哟，轻点轻点。"何大龙叫道。

朱香香忙放松手指："对不起对不起。我看你隔岸观火是坐不住的。"

何大龙问："怎么坐不住？"

朱香香笑道："你就愿意你的两个亲爱的女人自己打起来？"

何大龙可怜地说："所以我劝你还是别去和瑞东集团争，他们有钱有势。"

朱香香特意使劲按，何大龙又"哎哟"叫起来。"香香，你们没欠过民工的工资吧？"

朱香香说："没有呀。干吗？"

"这次招标有领导提醒要重视民工工资问题。新闻大厦的建设决不能出现拖欠民工工资的丑闻，要约束施工单位。"

"会把要求写进标书吗？"朱香香问。

"不说了。"何大龙闭住嘴。但这点信息足以让朱香香联想许多事，把民工工资的问题在标书中注明，这肯定是一大砝码。何大龙在不经意间已泄密，要提醒他不可再对别人讲。一走神，手不觉停了。何大龙问："你累了？"朱香香回过神来，忙道："不累。"她按得更有劲了。

第十一章 独家新闻

DUJIAXINWEN

〖商报讯〗昨天晚上本报记者与警方联动端掉一赌窝，缴获赌资10万余元。此次行动先由记者暗访，在查清场内情况后，给警方发出暗号，警方一举破获了这个暗藏在居民小区的赌窝。

记者现场看到，在一个大壁柜里面竟然隐藏着一个赌场，面积约200平方米。昨日凌晨0点左右，当全副武装的警察迅速冲进赌场时，20多名赌徒顿时被从天而降的警察吓得如鸟兽散。有的直往桌下钻，有的想往门口跑。一名工作人员见势不妙，竟倒地装死。在警察现场抓获的28名赌徒中，有6名女性，经过调查，这些人大部分是东方市人，他们承认来这里是赌博取乐。这次行动查封了总价值约10万元的赌具25件，但赌场老板不知所踪。

记者当场采访了几个赌徒，他们说来玩的人几乎没赢过，一次少则输上三四千元，多则上万元。这里还有一条规矩：生人必须由熟人带领才能进入。

目前，案件尚在进一步调查中。

牛文广纳闷，自己的举报如同一块小石头扔进了大海，不见任何波澜。难道是陈元的后台硬？还是举报信未切中要害？仔细回想举报的过程，没问题。哦，会不会是信未寄到？不会吧，是用EMS寄的，不应该出错。但真出了错自己也不知道，因为在寄信人栏用的名字和电话都是假的。会不会是因为匿名的原故？如今是匿名信满天飞的年代，大事小事屁事都有人写匿名信。听说处理匿名信的方式有变化，不再像以前那样件件有落实，而是把主要精力放在处理实名举报上。牛文广想，实名举报，自己还没这个胆子，中国人通常把举报告密者称为“奸人”。虽然“奸人”合法，但却有悖道德。而道德不好在中国则为人不齿，牛文广尚无胆量以身试之，但要谋害陈元的心却一刻也放不下。他有时觉得好笑，陈元并没把自己怎么样，为什么自己却如此恨陈元呢？不知道，反正就是恨他。恨他拆散自己与林彬的搭档？恨他没让自己干首席记者？恨他水平并不比自己高却当上了总编？唉，等机会吧。

晚上，他又到常去的一个赌博场玩。不知是心情不好还是运气不佳，不到三小时，竟输掉了8000元。他赌得并不大，但玩九点半，速度很快。牛文广自己还没完全反应过来，钱已输掉了。

走出赌场，他回头看看，还是不明白怎么会输得这么快？别是被人玩了老千吧？以前他从未认真看过这个赌场，今晚一看，真觉得这个赌场老板厉害。这是个居民小区，紧贴着居民楼的是一栋两层的房子，开了一家名叫“无间道”的网吧。来赌博的人都是熟客，他们穿过网吧，从后面的一个小门进入到居民楼里一套四室三厅的房子里，这就是赌场。网吧里有人进进出出丝毫不会引起什么怀疑，借着网吧的掩护，这个赌场在多次清查中安然无恙。

好哇，让老子输了这么多，那就别怪我不客气了。和所有的赌徒一样，牛文广只记得赢而不记得输。今天，他终于记得输了。从赌场出来他直接去辖区派出所报案，并明确跟所长说他是记者，在暗访东方市的赌博活动。接下来，一切都顺理成章，当晚牛文广带着10多个警察把赌博场端掉了。派出所所长当场还给了他8000元，并希望他好好写篇稿子。

牛文广很是兴奋，看到赌场里的人一个个耷着脑袋的样子他好得意。怀着特威风的心情一口气写了篇2000字的新闻稿，《本报记者暗访警察迅速出击，隐藏在居民区内的赌窝被端》。写稿时没感到一丝羞耻，而是觉得自己原本就是去暗访的。当然他隐去了输了8000元的情节。

陈元在编前会上表扬了这篇稿子，打分时给了A稿，在商报凡评上A稿的都可获300块奖金。更让他想不到的是接到了一个陌生人的电话，讲有新闻线索提供给他。等他赶到接头地点——迪欧咖啡馆时，才知道找他的居然是一家赌博场的老板。过了好多天，牛文广还记得他和那位赵姓老板的对话。

赵老板问：“无间道的那帮小子真不知道你是记者吗？”

牛文广摇摇头，他在观察赵老板。

“他们有眼无珠呀。老弟，我注意你很久了。”

“为什么？”牛文广问。

“你写了好多时政新闻，说明你跟当官的走得近。”

牛文广觉得这人懂点新闻：“你还知道时政新闻？不错嘛。”

“我还知道你跟不少派出所关系也不错。长话短说，我想请你来我的公司兼职。”

“兼职？兼什么职？”

赵老板笑了笑：“明说吧，我也开了个赌场，公安那边已经摆平了，但我一直在想如何才能不被记者曝光，因为你们一登出来公安想保我也保不住了。所以想请你来兼职，帮我摆平记者。”

牛文广反应不过来：“你要我摆平我自己？”

“不，不是你自己，是摆平东方市跑这个口子的记者。让他们不写稿不发稿。”

“我怎么摆平人家，不可能嘛。”牛文广拒绝。

“用钱。用钱来办别人认为不可能的事。”赵老板胸有成竹地说。

牛文广每月都能拿到几个红包，多数是开新闻发布会得的，人家是希望他们发稿。眼前这位赵老板正好相反，是要压稿子。“你有多少钱？”

“我每个月给你1万块兼职费。每压一篇稿，费用另计。”

牛文广脸红了，是激动的。就这一下的工夫他已计算出了得失，结果是此事如处理得当，对自己不会有什么损失，而一年12万的兼职费已经是商报差不多6倍的工资了。“可这事谁也没百分之百的把握呀。”他给自己找好退路。

“这个世界上原本就没有百分之百的事。只要你努力了，万一没堵住也不怪你。但我能查出来你是不是努力了。”

牛文广由激动变为抖动，赵老板是个黑道人物，弄不好他会杀了自己的。转而一想，怕他干吗？我才是主流社会的人，认识这么多政法口的官员，没等他动手，我先灭了他。想到这儿他笑着说：“一言为定。但要压稿，必须在记者采访时就堵住，所以你不能在记者采访后再告诉我，而是要在记者采访前或采访当时告诉我。那个时候沟通会比较方便。如果你们发现是暗访，也要及时通报给我，各报新闻部主任我都熟，压稿子问题不是太大。但电视台不行，我玩不转。”

赵老板欣赏地看着他说：“老弟，痛快，我没看错你。到底是内行，一语中的。电视台我们不怕，他明访暗访都会被我们发现。我们就怕报纸记者，白纸黑字谁不怕呀。”说着把一个纸包递给牛文广说：“这是预付给你三个月的兼职费。”

牛文广接过掂了掂，乐滋滋地想：发财喽。

陈元不知道钱冰冰是怎么知道自己生日的。就38岁了，真是一眨眼的功夫呀。生日那天下午，陈元和钱冰冰去参加广告推介会。钱冰冰坚持要陈元坐她的POLO去，一开车门，陈元就见副驾驶座上摆着一大捧鲜花，全是黄色的玫瑰，非常漂亮。

“Happy birthday to you!”

陈元问：“你怎么知道我生日？”

钱冰冰妩媚地一笑：“上车吧。”

钱冰冰熟练地一把方向盘，POLO听话地驶出了停车位。

陈元把花放到后座上。

钱冰冰眼睛直视：“老婆没给你个问候？”

“来了电话，说希望明年的生日在特区过。”

“怎么？她希望你回特区？”

陈元点点头：“她就不同意我来东方。家家都有本难念的经。”

钱冰冰同情地说：“夫妻分居两地总是有各种各样的麻烦。”

陈元不想就这个话题往下说，每家情况都不一样，找不出普遍性，而纠缠在个别当中只会让人不痛快。“换个话题吧。”

钱冰冰转过头用询问的目光看他，每次一提到他的家庭，他总会戛然而止。是不是已经出了问题？还是有其他的原因？

陈元换了话题：“最近牛文广表现还不错，他抓的赌博稿是我们独家的。如果独家新闻越来越多，商报的价值就越来越高。”

“牛文广这个人我总感觉有哪里不对，阴阴的。他有才华，可我不喜欢他。他好像嫉妒四木与郝歌在一起。”

陈元不以为然：“他以前与四木是搭档嘛。我不管编辑记者的私生活，只要他们上班认真就OK了。”

开完推介会，被硬留下来参加冷餐会，结果到20点40才散场。

钱冰冰带着陈元开车直奔东方花园。快到门口时，陈元问：“你这是把我带到哪里去？”

钱冰冰心里有点紧张，她是想让陈元到她家坐坐，然后相互找找感觉。如果来电，就水到渠成。如果没电，就看情况再说。选今天这个日子是钱冰冰蓄意已久的，原本广告推介会陈元完全可以不参加的。她知道推介会后是冷餐会，等结束时天肯定黑了。她还算准了在推介会上一定会有人在陈元面前赞美她美丽能干，今天又是陈元的生日。把这些因素加在一起，或许会引发意想不到的结果。在钱冰冰的包里还有一件礼物，这是准备到家后再送给陈元的。见陈元问，便轻声说：“我想请掌柜的到我那儿坐坐。”

陈元一惊，第一反应是不能去。晚上去单身女同事家肯定会有麻烦，是无法说清的事。他马上说：“不行，大圣我……我还有好多事要做。你送我到报社吧。”

钱冰冰的热情随着陈元的话瞬间凉到了冰点，她预感到和陈元之间恐怕没戏了。还是星儿厉害，如果今晚是星儿，他不会拒绝吧。钱冰冰没说话，飞快地将车开到报社，在门口停下。

陈元打开车门刚要下又回过头来：“对不起，我真的有事。改天吧，改天一定去你家玩。”关上前门，他又拉开后门拿起后座上的花：“谢谢你，真的。”

钱冰冰从包里拿出包装得好漂亮的盒子递给陈元说：“这个也给你吧。晚安。”

陈元拿着花和盒子目送钱冰冰的车快速离去，然后走进报社大门。

在办公桌前陈元用剪刀剪开了包装，里面是一盒顶级的杰士邦安全套。他拿在手上，先是笑了，然后沉思起来。在他的心里是有钱冰冰的，他甚至想过与钱冰冰进一步发展。可发展了，会有什么结果呢？与她成为同事是幸运的。与她成为情人呢？是幸运还是不幸？她会要求自己离婚吗？她和晚报贾诚实的关系很多人都知道哇。别人会怎么看我陈元，星儿又会怎么看我陈元？中国是个他律的国家，别人说你好你才是真好。刚才钱冰冰邀他去家坐坐，自己虽然下意识反应是不能去，但还是有冲动的，只不过是理性战胜了本能而已。可自己这么做会不会反而伤害了钱冰冰？想到这里，拿起电话拨钱冰冰的号码。电话接通了，但没人接。

钱冰冰在开车，她的脑子很乱。有很多事交织在一起，可哪一件都不具体。电话铃响时她看了电话的屏幕，显示是陈元来的，她没接。可电话铃声执着地响着，她拿起电话按下了关机键。

陈元拿着话筒等钱冰冰接电话，可等到的是："对不起，您呼叫的用户已关机。对不起，您呼叫的用户已关机。"他叹了口气放下电话。钱冰冰肯定生气了，我伤害了她，可不这样又怎么办？

陈元在办公室里走来走去，他拿不准以后与钱冰冰如何相处？"唉，顺其自然吧。"

钱冰冰"呼"地开进了东方花园。但车马上又被她刹住，然后倒车到保安室门口停下。摇下玻璃说："小江，值班呀。"

保安小江走出值班室，笑眯眯地说："钱小姐，回来啦。"

钱冰冰问："你什么时候下班？"

小江看看手中的表说："还有半小时。"

钱冰冰说："下班后到我家来，有事找你。"

"姐，什么事？"

钱冰冰微微一笑说："好事。"完后把车开进了小区。

半小时后，钱冰冰家的门铃响了。已经洗了澡的钱冰冰穿着一条酒红色丝绸吊带睡裙赤着脚把门打开，门口站着还穿着制服的小江。

"来来来，快进来。"钱冰冰把小江让进门。她边叫小江在客厅沙发上坐下，边进另一间屋子从里面拿了一条中华香烟出来："别人送我一条烟，我又不抽，给你吧，谢谢你每天照顾我的车。"

小江忙站起来："姐，帮你看车是应该的，你别客气。"

钱冰冰靠近小江，闻到了小江身上的汗味，那是夹杂着强壮的雄性荷尔蒙的味道，开始心醉："你都叫我姐了，还跟姐客气什么，拿着。"她把烟塞到小江手中。

小江诚惶诚恐，不知这位漂亮的姐姐为什么要这样。他机械地拿着烟，不敢看已经离得很近的她的脸，只是低着头，目光不可避免地与钱冰冰的赤脚相遇。那是一双极美丽的脚，十指匀称，指甲上涂着大红色的指甲油，红色的指甲油与她雪白的皮肤形成强烈对比。继而小江发现雪白的皮肤实际上还透着淡红色，他奇怪这双脚怎么看不到青色的筋，自己脚上全是粗壮的青色的筋。他幻想，钱小姐的脚如果穿凉鞋肯定特别好看。因为离钱冰冰近，闻到了她身上的香味，肯定不是香皂的香味，是种很长的可以伸到骨头里的香味。他的鼻翼不由自主地扇动，为的是吸入更多的好闻的香味，他贪婪地吸着。

"你在看我的脚吗？"钱冰冰抬了抬脚暧昧地问。

"不不不，没有。姐，我走了。"小江语无伦次。

钱冰冰拍拍小江的肩说："就不能陪姐再坐坐？"

两个人又坐到沙发上。小江拘束地坐着，他的喉结在上下滑动发出性的渴望。钱冰冰看在眼里，知道火候差不多了，便进一步勾引他："小江，你有女朋友吗？"

小江摇摇头。

"你从没找过女朋友？"钱冰冰不太信他还是个处男。

小江还是摇摇头："家里穷。"

钱冰冰一阵兴奋："你闻闻，姐身上香不香？"

小江再也忍不住了，像头发了情的猛兽，突然一跃而起抱住钱冰冰并把她按在沙发上，手很自然就摸向了她的乳房。这一摸才知钱冰冰睡衣里面什么也没穿，是裸体的。他自己也不知动作为什么那么快，倏地把自己的衣裤统统脱掉了。

钱冰冰完全没有厌恶小江是个乡下的小伙子，也不在乎他身上是不是干净，而是快速地引导他进入自己的体内。她需要男人的蹂躏，她要用这种方式来诉说心中的不平。恍惚中，贾诚实、陈元的形象在脑海中交替出现，他们为什么就不愿与自己好呢？小江急速的喘气声以及他没有任何技巧经验的动作，把钱冰冰拖入近乎原始的快乐当中。遗憾的是她尚未到达高潮，小江就趴在她身上不动了。他不懂爱抚，只知不加掩饰地强攻，但又很快退缩。能证明他是处男最有力的一条是他竟然找不到入口。

累得要命的又兴奋无比的小江脑子里一片空白，以为自己强奸了钱小姐，这是犯罪。他迅速爬起来，"扑通"一声跪在钱冰冰面前，带着哭腔说："姐，对不起，我不是要强奸你，你别去公安局报案。"

钱冰冰强忍着笑说："姐不怪你，你快走吧。"

小江三下两下套上衣服，就往外跑。"嗨，带上烟。"钱冰冰叫道。小江从茶几上一把抓过烟，蹿出门去。

钱冰冰起身走到卫生间，看着大镜子中的自己，自问："这是我吗？"想起刚才小江求她别去报案，便哈哈大笑起来。笑着笑着她哭了，眼泪先是一滴一滴，然后连起来变成一串一串，再后来就像瀑布似的从眼眶中涌出。镜中的她没哭出声，嘴角还保持着笑靨。她就这么站在镜子前，就这么看着自己，脑子里空空的，想不起任何事，也不愿意想什么事。我是不是变成了一个外表纯洁内心淫荡的女人？操，我就这么活着，让陈元，贾诚实之流见鬼去吧。

几天过去了，钱冰冰依然每天开车进出，但总不见小江。问其他人，才知道他去了小区另一个入口值班。钱冰冰几次想开车从那个入口进来，可想想还是算了，不能再去打扰人家。嘻嘻，这个小江真要感谢我，是我让他变成大人。如果加以引导，他一定会成为很好的性伴侣。呸！钱冰冰自己呸了自己一口。可不能再想这事，还是多赚钱吧，有了钱，一切都会有的。她并不知道，这次出轨将给她造成塌天大祸。

何大龙深思熟虑后决定不随考察团去北京上海。请假的理由很充分：学校通知他论文答辩，马诚不得不批假。于是，差不多同一天，宣传部新闻大厦项目考察团赴北京上海，何大龙去了学校。朱香香一直讲要陪何大龙去答辩的，事不凑巧，马诚同意她全程陪同考察团。童瑞东和星儿则分别在北京和上海接待考察团。

答辩安排在两天后。这两天里要做好多事，将论文按学校要求的格式打印装订，然后给五个参加答辩的教授送过去；要填一大堆的表格；要准备答辩陈述；还要找导师好好聊聊……

住在学校的宾馆里，何大龙有时间跳出东方市思考报社的问题。答辩定在今天下午3点进行。早饭后他到外面走走，学校青年园里到处传来和着鸟鸣的读书声，大多是背英语的。奇怪，怎么还有箫声？寻声找去，一个男同学坐在水边正认真地吹着一首悠扬的曲子。关于箫，何大龙知之甚少，只在金庸的小说《笑傲江湖》中看过“笑傲江湖曲”是琴箫合奏的。他在吹箫的学生后面站了一会儿，又朝前走。这时他发现，尽管周围很嘈杂，可自己却如入无人之境。在家里和办公室，只要有电视机的声音和街上的汽车声，便集中不了思想。可在学校竟无所谓其他的声音了，看来人的生活的确是需要环境的，学校的环境能让各种声音和谐共存，而人只有在和谐的环境里才能集中思想。

何大龙的思维在跳跃。如果自己和考察团在一起，该如何面对朱香香呢？又该如何面对星儿童瑞东呢？找马诚请假时他表示完全支持部长的想法，只提了两点建议：一是希望考察团能在考察中了解民工工资问题，看看人家是怎么解决的；二是希望新闻大厦的项目建设在可能的情况下肉烂在锅里，他举了省建工集团的例子。马诚很认真地将他的意见记录下来，并评价说这个建议极具建设性。

昨晚与导师聊了很久，中心话题是答辩陈述讲些什么。和导师谈完后回到宾馆疏理答辩陈述，大致谈四个方面："为什么要选择这样的题目"、"目前在新闻理论领域对新闻研究的方向和程度"、"本论文的撰写角度"、"自我评价"。陈述围绕着"用哲学思考的方式，对新闻进行反思"这个中心。

何大龙心里默默地结构着自己即将要进行的阐述。参加答辩的五位教授都是博导，答辩委员会主席还是学校主管文科教学的副校长。

昨晚香香来电话，询问他的答辩情况。他得知考察团在北京小王府吃了饭。何大龙听说过小王府，那个地方背靠昆明湖，每餐只接待一桌，极为奢华。你可以告诉餐馆你的口味，但不能点菜。菜谱用宣纸写好装裱起来，餐具都是古董。今天晚上考察团在北京饭店吃谭家菜，还准备去钓鱼台撮一顿。何大龙想，虽说吃一点喝一点犯不了错误，可也不能这么吃呀。星儿也给他来了电话，他问是不是要把考察团拉到外滩转转。星儿却说老土才去外滩，现在时兴在黄浦江上看外滩。她要请考察团去金茂大厦吃饭，菜谱是上海市政府招待APEC会议首脑宴会上的东西，然后带考察团去和平饭店宵夜，那里有老年爵士乐队的演奏，还请好了十几个小姐陪考察团跳舞。星儿笑着说："谁叫你不来。"何大龙干笑笑，心里一点也不羡慕，相反还觉得幸运。毕竟那不是我们的生活，它也不可能与我们的生活和谐起来。老子说：鸡犬之声相闻，老死不相往来，才是大和谐。如同眼前的青年园。

下午3点，何大龙走进答辩教室，从容地用了10分钟完成答辩陈述后开始回答教授们提出的问题。因为有了在报社工作的实践，他对教授们提出的10多个问题都能快速提炼，删繁就简找到答案。在回答了"偏见在新闻中的作用是什么"、"新闻导向与新闻事实的关系"、"影响新闻权力的因素有哪些"等问题后，他开始回答"关于新闻工具论"的问题：

"新闻的工具论具有两重性。一是新闻从诞生那天起就是某个人或某个集团为达到目的而使用的宣传工具。不管新闻使用什么样的语言，选择什么样的所谓的事实，其最后的落脚点还是工具上。应该说这个工具的威力是极其强大的，它是有组织有策划的。举例说，中国汉朝的建立因素是多样的复杂的，但从未有人研究其是如何利用宣传来拉拢人心的。刘邦的大军师萧何是这方面的高手，他为了让军人崇拜刘邦，编造出刘邦斩蛇的故事；在进攻咸阳的路上他大肆传播所谓的约法三章；被项羽轰出咸阳的汉军，居然无中生有，说项羽烧了阿房宫。事实是阿房宫从来就没建成过，萧何这么做是要激起民愤，为的是后来的十面埋伏逼迫霸王乌江自刎。可以说萧何成功地运用了媒体这个工具，传播了他想要的结果。至于工具论的另一层是指受众，他们把新闻当成提高学习的工具，也利用这个工具来达到一些个人的目的。

"正因为有新闻工具论，才导致了新闻逐步形成了自己的权力。这个权力在21世纪会越来越膨胀，它在解决了真与假的问题后，开始围绕制造矛盾、解决矛盾这个怪圈不断达到预期的轰动效果，使新闻在满足一切后再摆布一切。这是非常危险的，而在意识形态领域又很难用法律去丈量。这就是当今世界有大约2/3的国家没有《新闻法》的原因……"

何大龙滔滔不绝讲了近40分钟。答辩委员会从论文的现实意义和理论价值两个方面对他的论文形成决议，并投票，最后他以88分的高分通过答辩。走出答辩教室时，他长长吐出一口气，两年多的辛苦终于有了结果，难道这不比去考察更有意义？何大龙为自己高兴，一个月后他就可以戴上硕士帽了。此刻脑子里不知不觉映出了虹儿的影像。是她让何大龙考研究生的，也是她帮忙弄到了单考指标。回去后第一件事就是去虹儿的墓，要把这个消息告诉她，相信她一定会高兴的。何大龙边想边掏出手机给朱香香发出一条短信，就三个字："已通过"。

不到半分钟，朱香香回了短信："祝贺你，戴帽子时我一定陪你去收获你辛劳的硕果。"

一股热流从何大龙心底涌出，他搞不清为什么边想着虹儿，边又给朱香香发短信。人一生大概就是这么矛盾着。到现在他和朱香香都没公开恋情，也没相互说爱，只是发生了。何大龙的底线是既然发生了，就要负责。可他与高原红也发生了，却无下文，和高原红在一起是有共同语言的，只是工作上的共同语言替代不了生活，它还可能会破坏生活，所谓的比翼双飞都是些鬼话。但他感激高原红，正是她的理智，才使大家都不尴尬。何大龙一直有个承诺，只要能帮她，就决不打折扣。

在回东方市的路上，何大龙给星儿打了电话。星儿高兴地祝贺要他请客。

"东方市的酒店随你挑。星儿，我要提醒你，对考察团的接待别太过了，适得其反就不好了。"何大龙告诫说。

"姐夫，我会掌握分寸的，你放心吧。我也要提醒你，在投标发包的问题上你要有倾向哦。”

何大龙大声说：“只要不违反原则，我一定帮你，行了吧。”

朱香香一回来便听东方花园巡逻的保安讲了小江和钱冰冰的事。她立刻把小江找到办公室狠狠批评，说如果不把事情搞清楚就立刻开除他，还向公安局报案。

小江吓坏了。这些天来，他既提心吊胆，又躁动不安。为了不看见钱冰冰他要求调到其他的岗哨，可又忍不住想看到钱冰冰。于是每天偷偷地躲在远处看钱冰冰下车回家，结果被巡逻的保安抓到，逼他说出了原因。现在老板要开除自己还要报案，那不死定了。他可怜巴巴地看着朱香香说：“朱总，该说的我都说了，还要搞清楚什么呀？”

朱香香板着脸故意吓唬他：“要搞清楚究竟是你强奸了钱小姐还是钱小姐自愿的。”

小江赶紧说：“是她自愿的，自愿的。要不她怎么会给我一条中华牌香烟呢。”

朱香香心里明镜似的，肯定是钱冰冰勾引小江，而小江这个农村孩子还糊涂着呢。她想，你钱冰冰想就这么过关？还记得你和那个贾诚实在晚报上搞我吗？这才多长时间，你就落到我的手上。她对小江说：“我是相信你的。但你必须证明给我看你是被钱冰冰勾引的。”

小江纯朴地说：“钱小姐没勾引我。”

朱香香紧逼一句：“那就是你强奸她。”

小江快要哭出来了：“我该怎么办？我该怎么办？”

“好办。”朱香香说，“你只要听我的，一切都好办。”见小江点头，朱香香接着说：“你给她打电话，就说你是从来没找过女朋友的，要她跟你好。她不肯，你就要她赔你青春损失费，如果她讲要报案，你就说奉陪到底。明白吗？”

小江点点头又摇摇头：“她真报了案怎么办？”

朱香香冷冷一笑：“她不敢。就算她真报了案，有公司替你作主。”说着她指指桌上的电话。

钱冰冰的手机号在保安那里有登记，出了紧急情况好联络。小江战战兢兢地拨电话，电话通后朱香香按下免提键。

电话里传来钱冰冰的声音：“请问是哪位？”

“是我，我是小江。”

钱冰冰有些意外：“小江？你在哪里？怎么这么久没见你？”

小江定了定神说：“对不起钱小姐。我是……是从来没交过女朋友的，现在你……你和我在一起，那你要负责任。”

钱冰冰嘎嘎地笑起来：“你要我负什么责任？”

“我要……我要……我要永远和你在一起。”小江鼓足勇气说出这句话。

钱冰冰笑得更开心了：“什么？你要和我永远在一起？你不是在做梦吧？小江，看不出你真幽默。哈哈……”

“要不然我不会罢休的。你不和我在一起就要赔……赔……”见小江说不出，朱香香赶紧在一张信笺上写了“青春损失费”五个字。小江马上念出：“青春损失费。”

钱冰冰不笑了，问：“你想要多少？”

小江又看朱香香，朱香香在信笺上写了20万。小江惊呆了，不敢说出口，朱香香示意他快说。“20万。”

这个数字显然把电话那头的钱冰冰吓了一大跳：“你说多少？”小江又重复了一遍。钱冰冰口气严肃起来：“小江呀，想敲诈我？你就不怕我报案？”

小江吞吞吐吐地说：“我……我奉陪到底。”他的话一说完，朱香香迅速挂断电话。她对小江说：“我马上把你调到东方商城，不要再和钱冰冰联系，也不准把这事跟任何人说。等我调查完了会给你作结论。”

当天晚上，朱香香按响了钱冰冰家的门铃。钱冰冰还是穿着那件吊带睡裙开了门。

朱香香笑着说：“钱小姐你好，我今天是不速之客。”

钱冰冰打量着她，不知她来干什么：“有事吗？”

“当然有，但不能站在门口说。”

钱冰冰略一想，把她让进门。朱香香走进客厅四下张望后自己在沙发上坐下。她看着钱冰冰说：“我开门见山吧，下午小江是在我的办公室跟你打的电话。”

钱冰冰一惊。自下午接了小江的电话就一直忐忑不安，再给那个电话打过去不是占线就是没人接。她想不通小江为何会打那个电话，照她的如意算盘，如果自己实在有需要就将小江发展成一个情人。可那么老实的人怎么会敲诈她20万呢？会不会有人在教唆？朱香香一开口，她明白了，是这个女人插了手。这下麻烦了。“什么小江的电话？”钱冰冰故作镇定不愿就此投降。

“我已经把我办公室的电话转移到手机上了。你要不信就再拨一遍吧。”

将信将疑的钱冰冰拿出手机拨下午那个号码。朱香香的手机真响了，她将手机给钱冰冰看，手机里显出钱冰冰的手机号。钱冰冰无奈地放下电话：“你想怎么办？”

朱香香收起手机：“关键不是我想怎么办，而是你想怎么办。”见钱冰冰没反应，她接着说：“我其实很理解你。大概你不会愿意这事让教头和陈掌柜他们知道吧？”

钱冰冰越发不解：“你怎么知道他们的绰号？”

“我和星儿的关系你是知道的呀。”她没炫耀与何大龙的关系，这是她的底线，到现在，除了几个当事人外，还没谁知道她与何大龙的真正关系。“我可以从此让小江闭嘴。”朱香香抛出了她的牌。

钱冰冰问：“你也想控制我？”

朱香香忙说：“错，不是控制，是合作。”

钱冰冰突然情绪激动起来：“好啦。你去说，随你的便。我不玩了，行不行？我不玩了。”

朱香香很镇定地坐着，来之前已想到了钱冰冰会情绪激动，这表明她快要投降了。于是不慌不忙地补了句：“只要你还在江湖，游戏就不可能结束。”

钱冰冰像泄了气的皮球，坐下说：“开价吧。”

朱香香暗喜，这个女人终于在我面前倒下了。“我要价不高，两条，一条是今后我的公司在商报做广告我要最低的折扣。”

钱冰冰松了口气，这个条件完全可以满足她。

朱香香看着钱冰冰，想看看自己欲擒故纵是否成功？等她的眼睛眨了眨后，朱香香知道成了，但还是故意问：“没问题是吧？好！第二条苛刻一点。”

钱冰冰刚放下的心又提了起来。

“我希望知道商报的经营机密。”

钱冰冰听后并没有吃惊，一个做房地产的问一家报社的经营机密似乎不搭界，就算是她想知道也可以问星儿呀。“你为什么要知道？”

“不为什么，就是好奇，想知道。”朱香香提出这一条，完全是为了何大龙。帮何大龙在商报安插了这么一个特务，他得怎么感谢我。但这个秘密不能告诉任何人，就连何大龙也不能告诉。

“好吧，我答应你。可是你怎么知道我告诉你的就是机密呢？”钱冰冰想，你这个女人未必不会在星儿那里弄到机密。

朱香香见她妥协了，很得意。她要教训这个丫头：“在经营上，机密通常是指实施之前的东西，实施以后就不是机密而是案例了。如果商报实施了一个计划，而事先你又没告诉我，就说明你没履行我们之间的协议。”

钱冰冰心里骂到：这个恶毒的女人，总有一天我要……

朱香香笑着说：“你肯定在心里骂我吧，没关系，我在心里也骂过你。如果你对我们的口头协议没意见的话，就这么定了。我走了。”

钱冰冰很少会被别人看穿心思，她忽然觉得自己怎么这么没用，在这个女人面前乱了方寸。

朱香香走到门口又回头说：“如果我没猜错，那天小江来你也是穿这件睡裙吧？如果我是男的也一定会……”

钱冰冰迅速做了停止的手势：“打住。别让我走投无路。”

朱香香听了这话赶紧出门，对手的弦如果绷得太紧了，就容易断，那就前功尽弃。她边出门边说：“对不起，我再也不会提一个字。”

朱香香刚出门，钱冰冰就一把将吊带裙扯下来往垃圾筒里一丢，一头扎进沙发里痛哭起来。她有种被别人鞭挞的感觉，后悔屈辱都化作泪水，想用泪水把自己洗涮干净。

而朱香香出门以后便马上想到另一件事。这次陪马诚考察，多次听他讲他收藏了江西景德镇几位大师的小作品，烟缸茶杯笔筒之类的东西。朱香香对收藏不感兴趣，但她敏锐地发现这是给马诚送钱的最好方式。于是缠着马诚要他出让一两件。想不到他答应了，讲回东方后联络。

朱香香给马诚打电话，约好明天，他会带几件东西去办公室。朱香香放下电话后，突然想这一件件事怎么都这么顺？难道机会真的是给准备好了的人？不对，要注意满招损。她提醒自己，越是快接近成功的时候越是要回避功亏一篑的厄运。她边嘱咐自己边发动车，她想开车兜兜风。

夜幕中，朱香香驾驶大红色的酷派跑车疾驰而过。

商报女记者林彬去金剪美容美发店时发现了一条重大新闻线索。她看见不少长头发的女人在剪发，直觉告诉她这种现象不正常。喜欢留长发的女人一定是将这头秀发看成是自己身上最宝贝的东西，绝不会轻意剪掉的。一问，果然有问题。

几年前，东方市出现过一个“敲头案”，现在还未破。案子的特点是：有人专门袭击长头发的女人，把人打昏后劫财劫色，弄得全城谈敲头变色，后来这件事销声匿迹了。可十几天前这个敲头罪犯又出现了，已经五次得手。一时间吓得长发女人特别是上夜班的长发女人不得不忍痛割爱。

林彬通过110的朋友了解到警方已经成立专案组，也了解了一些这个罪犯的作案手法，他的作案目标是深夜回家的长头发女子，作案地点全选在小区的楼道内。为了不让被害人看见他的面目，一般会用一件衣服裹住被害人的头，再用硬物猛敲被害人的脑部，待被害人昏迷后，实施抢劫。遇到漂亮年轻的小姐，会扒掉被害人的内衣内裤，但未发现被强奸的情况。由于案子未破，为避免更大的混乱，警方严密封锁消息，也拒绝了林彬正式采访的要求。

林彬决定化装暗访。她买了一套职业女装，一个长发假头套，还在网上买了一支笔形电棒，说是可以瞬间放出高压电将罪犯击昏。化装暗访前她分别在医院和家里采访到了三位受害人，她们讲的过程中有个共同点，就是在完全无防范的情况下被袭击。她们说只要有一点防范就不会那么容易被人蒙住了头，而且她们感觉罪犯个头不高，敲头的硬物也不是铁锤砖块，所有的被害人都没出血，只是昏迷。还有个关键，这个罪犯好像只要钱和色却不要命。有了这些背景材料，林彬才决定冒险。她没有告诉郝歌，怕他阻止；也没有向报社报选题。她想独自完成一篇震动东方市乃至全省全国的新闻。她甚至想好了这篇新闻如何写，分四个部分：背景、化装、遭劫、搏斗。如果输了（反正也不会死），就写被劫的感受；如果赢了，就写喜悦的心情。

从周一到周六，一连6天她都在0点左右去居民小区活动，从这个楼道转到那个楼道。为了吸引罪犯的注意，她还故意选择黑的路和黑的楼道走。可6天了什么也没碰到，脚却受不了了，为了吸引坏人她穿高跟鞋，转来转去爬上爬下，脚痛死了。但周日晚她还是坚持去了。

在林彬现在的眼里，夜是冷清的漆黑的罪恶的，一点也不迷人，更不浪漫。大约在零点40分，林彬忍住脚痛，从一条没有路灯的路上走进了一个黑黑的楼道。刚踏进楼道她就感觉身后有动静，心在一刹那间狂跳起来，全身汗毛也都齐刷刷地竖起来了，身体在瞬间异常地敏捷。她迅速转身右手举起紧攥着的电棒，可还是晚了。她转过身来时，已看见一件衣服朝她头上罩过来。她不由自主地尖叫：“我是记者。”几乎在她叫“我是记者”的同时，传来一声男人的怒吼：“住手！”两个声音差不多是同时响起，罪犯愣了，就在这1秒多的时间里，林彬眼前一片闪光，同时听到了快门的“咔嚓”声。她一屁股坐在地上，是郝歌来了。与此同时，那个罪犯已跑得无影无踪了。郝歌冲进楼道一把拉起林彬就往外跑，直到跑到有灯的地方才停下。

两个人喘着粗气，谁也不说话，就这么喘着互相看着对方。林彬的目光慢慢变了，变得温柔变得渴望。她凝视着郝歌的双眼，然后视线缓缓地落到了他的嘴上。郝歌被她看得热血喷涌，一把抱住她，两个人在黑夜里灯光下吻了起来。开始还平静，继而激烈。林彬感觉郝歌的舌头直达她的舌根，一股爱液在全身弥漫。两人正忘情地吻着，郝歌无意踩了林彬的脚，“啊”林彬疼得惨叫一声，这一叫把正激情澎湃的郝歌吓得不知所措。林彬坐在地下，脱下高跟鞋，两只脚全肿了。郝歌忙蹲下给她轻轻按摩脚。

林彬见郝歌相机挂在脖子上，便问：“拍到了？”

郝歌没把握地说：“不知道。当时是来不及了，才用闪光灯吓唬那小子。”

“看看，是不是拍到了正面。”

郝歌用的是数码相机，他打开重放，屏幕上出现一组照片。

“你是连拍的？”

郝歌还心有余悸：“想也没想，按着快门不放。”

屏幕上的照片糊的多，但还是能看到罪犯背影，他正在用双手撑着一件衣服扑向林彬。罪犯转过头的画面居然很清楚，是30岁左右的比较瘦的男子，他惊愕地看着镜头，有三张同样的画面，只是他嘴巴张开的程度不一样。然后是他逃走的画面，能看到他身上有锤子模样的东西掉了。林彬说：“一定是凶器。我们回去找。”

郝歌拒绝了：“不行，不能冒险。打110报警。”

很快警车就来了，是专案组的刑警。他们在现场找到了一把装修房子用的橡胶锤，难怪被敲头的人都没出血。

在刑警队的电脑上，罪犯被放大样子更清楚了。专案组立刻布置抓捕方案。当晚所有车站和出城路口都被封锁。

回到郝歌的房间，林彬一点力气也没有了，任凭郝歌用热水给她敷脚。在当天的日记里她记叙了遭遇罪犯的过程后，写到“我就像是一件祭品，躺在床上任郝歌宰割。慢慢地我感觉到了前所未有的释放，那种轻松激情的状态无法用语言来描述……”

直到看完了林彬写的6000字的稿子和郝歌的一组照片后，陈元才勃然大怒。他知道商报借这篇新闻能一鸣惊人，也知道这条新闻和照片获新闻大奖没一点问题，但他为林彬后怕。万一出了人命他陈元该如何交待？说自己事先不知道暗访的事？对新闻人来讲，不知道本身就是渎职是犯罪。他把林彬、郝歌叫到办公室大骂了一顿。

“你们如果想死，请别这个死法。刚才我是哆嗦着看完了稿子，多危险。我一惯反对那种安排好了的排排队吃果果式的新闻，但也绝不赞成不顾自己生命安全的卧底式采访。实在要冒险，也得经过报社批准并作出妥善安排后再进行。你们这种无纪律的行为必须处罚，这个月的奖金你们一分也别想要。还要通报全社引以为诫，今后凡不打招呼便搞卧底暗访的，严惩不殆。”说到这儿，他的目光变得慈爱。“四木、郝歌，如果让我在这篇稿子和你们之间挑选，我会毫不犹豫选择你们，你们一定要替报社珍惜你们自己呀。”

林彬差点掉眼泪，实际上她也很后怕。如果那个罪犯没被吓住而是与他俩打斗起来，后果还不知是怎样的，谁也难保罪犯没有其他凶器。

陈元批评完他们，立刻布置发稿，从一版到四版全部给稿子让路。陈元亲自改了标题，他决定用通常在重大时政新闻才使用的三行标题。引题是“本报女记者化装引蛇出洞”，主题是“震惊东方市的敲头案罪犯昨显原形”，副题是：“临危不惧一声吼‘我是记者’”。

果不出所料，第二天的商报轰动东方市，一时间洛阳纸贵。新浪、搜狐、雅虎等门户网站纷纷转发，林彬在Google上搜索，有100多家网站转发了她的新闻。更让她高兴的是，报纸一面市，刑警队就接到了举报，早上9点，罪犯落网了。下午市公安局召开了新闻发布会后，破例让林彬和郝歌独家采访罪犯——一个来东方市某装修公司打工的民工。他的女朋友是长头发，骗了他。为了报复女朋友，便对长发女人下手。但他和几年前的“敲头案”没关系，而是受了“敲头案”的启发，他是不想打死人才用装修公司的工具橡胶锤行凶的。

连续的独家新闻让林彬、郝歌扬名业内。电视台的“记者档案”专栏访问了他俩。商报也决定对他们重奖：林彬奖1.5万，郝歌奖1万。

童瑞东专门给陈元打电话表示祝贺，他委托星儿代表集团宴请林彬、郝歌等人。

何大龙在朱香香家看到商报时还忍不住地说：“商报这条新闻精彩，是个大大的胜仗。晚报要向他们学习呀。”

朱香香极少听何大龙表扬商报，觉得他自从答辩回来人都变得宽容了，这种变化对她来讲是好事。

“其实这篇新闻见报的头天晚上我就知道商报在做。”

“你怎么会知道？”何大龙奇怪地问。

“我朋友多呀，别人告诉我的。”

“哦。”何大龙没往下问，他好像在思考什么。

朱香香的消息是钱冰冰告诉她的。但在她眼里这不过是篇新闻，即使告诉何大龙，也没多大的意思，就没说。不是圈内的人是无法知道这篇新闻究竟有多大分量的。听何大龙说后，她还是很高兴情报是有用的。

她走到一只柜子边，拿出三件瓷器，茶几上，一只笔筒、一只烟缸和一只茶杯。外形一点也不惊人，笔筒上是幅山水画，烟缸里画了条龙，茶杯上则画的是桃花。她笑嘻嘻地对何大龙说：“猜猜这三件瓷器的价格？”

何大龙拿起来看看，摇摇头：“我不懂。”

“每件5万元人民币。”朱香香怕吓着何大龙，用随意的口气说。

何大龙听后立刻想到一个人，马诚。听马部长吹过，他在当省领导秘书的时候，随领导去景德镇。几个工艺美术大师用看家的本事给领导创作了几件作品，这些作品马诚是没份的，他便要了好几件大师随意做的小玩艺儿。后来那些大师大多去世了，在世的也是耄耋之年。大师的后代不希望世人知道大师们还做过小玩艺儿，便找到他高价回购，但他不肯，时常将这事作为炫耀的资本。

见何大龙没吱声，朱香香又问：“知道景德镇的珠山八友吗？”

何大龙拿起笔筒说：“这东西是马诚的。对吗？珠山八友也是他告诉你的，对吗？”

朱香香嫣然一笑说：“你真聪明。”

何大龙变得严肃起来：“你真懂瓷器？”

朱香香摇摇头：“我哪儿懂。听马部长说的，我买来玩。笔筒是给你买的，放在办公室插笔吧。”

何大龙看看笔筒，又看看她：“开玩笑吧？5万块的笔筒放在我办公室？要被马部长看见了，他还不得用我看不见的刀子把我给剐了呀。他可不会像那个敲头犯，傻B一个。”

朱香香嘎嘎地笑起来。

何大龙认真地说：“香香，你买他的东西肯定有目的。什么目的你别跟我说，我也不想知道。但是，关于新闻大厦招标的事，你别想从我这里打听到什么。”

朱香香翘翘嘴说：“不打听，不打听。行了吧。我没指望从你那里打听什么，但我敢肯定，以后你会从我这里打听什么。”

“什么意思？我不需要打听什么小道消息。”

朱香香把何大龙从沙发上拉起来：“你不打听我也会说给你听的。”她对着他的耳朵说：“我要保护你。”

何大龙觉得好笑：“你？保护我？”

朱香香拉着他走到卫生间。“快洗澡吧，要不要鸳鸯浴？”她笑着说。

何大龙尴尬地说：“不要，我不习惯。”

朱香香说：“你不是在你的论文里大谈经验问题吗？不实践怎么会有经验？”

“经验也可以从书本上材料上得到。”话一出口他自己都觉得假。

“NO，从书本材料上得到的充其量是知识，但决不是经验。卡耐基的理论厚厚的几大本，难道你会背了，就会做人了？就会做生意了？完全不可能。”

“那……那我们试试？”

朱香香高兴地说：“这就对了。我给你脱衣服。”

“不，我给你脱。”何大龙忽然想，自己是个男人，应该主动进攻才对。

朱香香其实早就期待何大龙给她脱衣服。她顺从地站在何大龙面前，让他给自己一件一件脱光衣服。

何大龙边脱边说：“昨天报上讲艺术与黄色的区别，脱光衣服是艺术，上床就是黄色。”

朱香香已经陶醉，她细语道：“当黄色用艺术来表现，一定是烈火熊熊如醉如痴。”

祸不单行，钱冰冰正被保安的事吞噬着，又添新烦恼。上午9点还在梦中的她被春酒厂王厂长的电话吵醒了。王厂长用愤怒地声音说：“钱小姐呀，商报是釜底抽薪呀。你赶快想办法补救吧。”钱冰冰莫名其妙，等她迷迷糊糊听完了王厂长的解释后，才恍然大悟。春酒经过炒作在东方市已炙手可热了，销量从白酒类20多位，擢升为前5位，于是假春酒自然出现了。王厂长赞助工商局打假，昨天工商局一举查处了一批假春酒。按百姓消费心理，假亦真时真亦假，为了防止买到假的，消费者可能真的也不买了。所以王厂长只打假不宣传，谁知最不可能出问题的商报却是唯一捅出这条新闻的。

钱冰冰对这条新闻本身没意见，但对涉及春酒的新闻陈元未跟她打招呼意见很大，认为他是没把自己放在眼里。她想，如果那天陈元跟她回了家，朱香香就不可能套住她。想着想着，怒火在心中聚集。下午陈元刚进办公室，一脸冷漠的钱冰冰就闯进来。

陈元并不认为商报有错。他说："在这件事上如果有错，也错在春酒厂，他们知道工商打假，却不告诉我们。难道就因为春酒在商报有广告，我们就应该成为他的奴才？"

听了这话钱冰冰的火"呼"地一下往外喷出："掌柜的，话不能说得这么难听，没有谁讲商报是春酒厂的奴才。但我是分管广告的，春酒广告又是我拉来的，难道遇到涉及大客户的稿件不应该跟我打声招呼吗？"

陈元并不知前因，也觉得委屈："我这是表扬稿，是帮春酒正本清源，商报没错。"

钱冰冰冷笑一声："你没错，什么都是我错了。"说完快步离开了陈元办公室。

贾诚实在起床后不久接到久违了的钱冰冰的电话，相互问好后钱冰冰只说了一句"谢谢"就不再说话了。两个人都不想按掉电话，听着电话中彼此熟悉的呼吸声。

钱冰冰听晚报广告部的人告诉她，昨天编前会上报了假春酒的稿子，今天却没见报。好像是心有灵犀，她立刻意识到是贾诚实撤了这条新闻。他为什么要撤？一定是为了我钱冰冰。刹那间心中沉淀已久的情感冒出来，可这会儿因自己的出位，感情已变得酸甜苦辣，不知是什么滋味了，在电话中她无话可说。

贾诚实昨晚在大样上看到查获假春酒的稿子后，思忖再三还是把稿子撤了。他是老新闻，知道正面新闻会起反面作用。何大龙曾说过不要放过春酒，这让他犹豫半天，稿子没上何大龙会追究吗？可春酒是大圣的客户，虽然她负过我，但我是男人，何必要负她。管它，我贾诚实值班我负责，社长问起来我再解释。

他没想到钱冰冰会来电话，也想说点什么，可什么也说不出来，原本流利的表达能力此刻不见踪影了，难道真是话不投机了吗？

还是钱冰冰先按下了结束通话键。缠绵不是她的风格，她深知与贾诚实已不可挽回，能做个普通朋友就心满意足了。正心乱如麻，商报广告部来电话，讲刚才陈掌柜要广告部列一个黑名单，把商报的广告大客户都列进去。今后采编部门见到与名单中有关单位的新闻一律先通报广告部，再决定采编。

原本一肚子气的钱冰冰慢慢变得神清气爽起来，陈元是在亡羊补牢，他用行动向自己道歉了。她给陈元发了一条短信："能屈能伸方为大丈夫。"

星儿为新闻大厦的事忙前忙后，招标即将开始，里里外外该做的事都做了。标书中专门写了一节关于民工工资的问题，这是非常重要的砝码。他们提出，如果被选上，将把民工工资打入宣传部指定账号，由项目监管部门负责发放。这种方法的社会效益比经济效益重得多，对马诚是一大政绩。而这种天上掉下来的政绩一定会打动有关官员，特别是在省领导对市里已有暗示的情况下。这条绝密消息是朱香香得到的，星儿也不得不佩服她。

陈元为了报纸大征订的事向董事会写了报告，她看过后，利用忙新闻大厦的间隙约陈元谈了一次，因涉及到广告，请钱冰冰也参加。

谈话在星儿的办公室里进行，星儿一见钱冰冰笑着说："大圣是第一次来我这儿。这些天光忙着招标的事，办公室乱糟糟的。"她边说边给他们倒水。

三个人在沙发上坐下后陈元问："商报发行征订方案看过了？怎么样？"

星儿手上拿着的就是商报征订方案。"付一年款看两年的报纸的确是个突破性的方案。对报纸这件商品来说，不管你怎么策划，最终价格问题还是一般读者决定是否购买的关键问题。"

陈元点头道："所以这个方案中最需要探讨的就是资金问题。如果我们拿到10万新订户，恐怕就得净投入1400多万。"

星儿对着钱冰冰说："这涉及到了广告问题。在商业游戏中投入了就要有产出，现在对商报而言，产出非常单一，就是广告费。大圣，如果公司投入1500万，广告能弄回多少呢？"

钱冰冰对发行与广告吸附力的比例问题很熟悉。她说："对一个成熟的媒体来说，通常的规律是扩大1万订户能拿回200万广告费。"

星儿马上得出了大概的数字："那我们拿到10万订户就能拿回2000万的广告费。如此一算这个投入是很划算的。"

陈元有所保留地说："刚才大圣讲的是成熟的媒体。但对商报还很难，东方市的办报环境也比较恶劣。"

钱冰冰说："听说晚报在分类广告上开始降价，就是针对我们的。"

星儿问："投入1500万能不能持平呢？"

陈元看看钱冰冰，钱冰冰也在看他。

星儿把两个人的状态看在眼里。她心里清楚，企业投入从来就是有风险的，她之所以提出这个问题是想看看这两个人的决心。看来他们不敢打保票。便笑笑说：“你们不用回答，我也就这么一问。但掌柜的，不管结果怎样，算盘还是要先打好。”

陈元这时已在脑子里把星儿的问题串起来想一遍：“算盘打得如不如意恐怕要打了才知道。按照董事长当初的想法，商报发行量控制在12至15万份，广告由1000万递增至2000万。这个目标今年即使不搞订一年看两年的活动也基本能完成。但根据商报的实际情况，我认为还有潜力可挖，特别是最近连续独家新闻使商报的人气大旺。作为一个报人，我希望我们的报纸发行量越大越好。要想成为符号要想制造社会道德标准，没有庞大的阅读群是不行的。”

看着陈元有点动情了，星儿依旧笑着说：“掌柜的，对这个方案本身我没太大的意见。但你说过，发行量也不见得越大越好，那就没个头了，还是有规律的。我只是想当面听你二位说一说，也好在董事会上介绍时更内行一些。我也希望商报能成为东方市的符号，但是，我们还是要以现实为基础，脱离了现实那肯定不行。大圣你说呢？”

钱冰冰又看了看陈元。她是支持这个方案的，支持的理由比陈元要单纯一些，就想做东方市的广告老大，而做这个老大就是为了争口气，就是要气气晚报及何大龙之流。但自从发生了与保安小江的事后，她一直郁闷，好长时间了，居然一点想做爱的念头都没有。那天因假春酒的新闻与陈元发生冲突后，她甚至恨陈元，但后来他不仅亡羊补牢，还亲自给王厂长打电话道歉。这多少让钱冰冰舒服一点，只是还有些耿耿于怀。见星儿问，便说：“扩大订户我认为是每个平面媒体都在追求的，但是，一定要实事求是量力而行。”

陈元一直以为钱冰冰是完完全全支持这个方案的，她此话一出，让陈元感到不解。

钱冰冰没再看陈元继续对星儿说：“就算董事会批准投入1500万，我们也不能肯定就能拿到10万新订户，也难保证投入产出能成正比。市场是变化的，我的意见是我们必须把握住市场的变化，才可能使投入得到合理的产出。”

星儿也被钱冰冰的话说愣住了。今天找他们来谈话其实还有走程序的意思，此前她已和童瑞东通了气，童瑞东认为要投入的资金实际上后年才用得上，这个方案完全可行。但在向董事会报告之前，必须与商报的项目负责人谈一次，谈话内容要写进有关报告中。钱冰冰的一席话让星儿觉得有理，但星儿并不知她已有把柄在朱香香手上，也不知她对陈元有了微词。星儿以为此刻她说这种话，恐怕是怕担责任而推卸。她喜欢陈元，是不可能拆陈元的台的。星儿想：这个女人太精了，但还只是个小女人。

陈元的想法跟星儿相反，他不认为钱冰冰是推卸责任，而是认为钱冰冰在反对他。此前他们两人对方案的认识是高度统一的，报社也已经开会讨论通过。难道她对我拒绝去她家怀恨在心？难道假春酒的新闻还有后遗症？陈元脑子里闪着这些天钱冰冰的情况，似乎没异常呀，只是很少见她了。对了，每次见她都是打电话叫她她才来的，以前好像都是不请自到。怎么回事？

星儿思考了一会儿后说："大圣的话有道理，有必要在方案中将风险意识强调得更现实一点。另外恐怕还应该提出为了扩大订户除资本这个硬通货投入外，报社在软件方面还有什么打算？"

陈元答道："这方面我早有想法，准备从三个方面入手，一是开辟评论版，评论是新闻的旗帜，它是用另一种语言来解释新闻。大凡读报的人都希望对同一新闻有不同的看法；二是在商言商，创办七彩周刊。这个想法还不成熟，究竟是扩版还是在现有版面基础上做设定。但每周7天，我们将赤橙黄绿青蓝紫七色与之对应，可能会有意想不到的效果；三是学习外报。搞有奖征集新闻线索，不是一般地在报上征集，而是准备在110、120、119等重点单位重金征集新闻线索，就是找线人。将商报的自采稿提升到新的高度。"

星儿欣赏地看着陈元，这个男人真是个称职的报人，一说报纸马上滔滔不绝，他这三条又够何大龙喝一壶的。晚报也搞有奖征集新闻线索，何大龙还把自己的佣金贴进去，但他们没想到去公共部门内部征集。星儿自己也觉得好笑，怎么一欣赏陈元就会想到何大龙，真是见鬼了。

钱冰冰对报纸广告稔熟精通，她也被陈元的这番话打动，如果七彩周刊能面世，对吸引广告是很有利的。陈元还是值得喜欢的男人。

星儿感觉该做决定了，她说："我看这样，把掌柜的刚才说的补充到方案中去，再将困难风险意识写得全面一些，由我向董事会汇报。如果董事会有要求，陈总可能也要在董事会上陈述你的观点。但我估计不会有太大的问题，商报可以开始准备实施细则，一切顺利的话下月就可以操作。二位还有什么意见？"

陈元和钱冰冰都摇摇头。

送走他们，星儿翻看备忘录，看看本周还有什么事没做：周四上午与新闻大厦的建筑设计公司经理见面，探讨合作事宜；下午与标书起草工作小组的成员研究标书起草中的问题；周五上午听纸厂小金的工作汇报，下午约朱香香聊协议细节，晚上还有饭局；周六上午与董事会开视频会议，向董事会报告公司在东方市的运营情况；下午去参加小虹儿的家长会……看到这里，她自己对自己乐了，拿起电话拨号：

“喂，姐夫是我。在干吗？”

何大龙说：“正在生气，我的车居然被交警拖走了。”

“他们吃豹子胆了？敢拖社长的车？”星儿调侃道。

“说是违章停车，我的司机还跟他们吵了一架。你有事吗？”

“周六下午是小虹儿的家长会，我忙，你去开吧。”星儿故意为难他。

“周六下午我已通知了开例会，没时间去呀，还是你代劳吧。”

“我又不是小虹儿的家长，凭什么总是我去。”

“你是她的小姨呀，怎么不是家长。你不是说要作我的主嘛。再说以前都是你去，突然变成我去，老师都不知我是谁呀。求求你了。”

“好吧，周六晚上你请我吃饭，我要吃你做的饭。”

“好好，我做我做。小姨子，行了吧。”

“那还差不多。”星儿满意地放下电话。

和星儿通话时高原红正在何大龙的办公室，听到小虹儿开家长会的事便说：“师哥，你要没时间，我替你去吧。”

何大龙想都没想便说：“不行，你自己还是个孩子。还有，自从你叫她美女，现在她天天以美女自居了。”

高原红的脸颊偷偷地红了，心想，我如果是孩子，你就是罪犯，强奸幼女罪加一等。

何大龙没察觉高原红的变化，说：“刚才谈到哪里了？”

高原红赶快恢复到常态：“说到情感版。我们《青年报》虽然在情感实录这面比商报起步晚，但我以量压倒它，商报每周三个版，我这是每周九个版。开始我以为这类文章的读者局限在白领，现在看来老少咸宜。”

何大龙笑了：“谁都想知道别人的隐私呀，食色性也。”

“上官德的那个菲菲真牛，天生会做生意。她建议把《青年报》在东方市有点儿规模的美容院SPA馆免费摆放，以吸引都市丽人；还去交管部门调查有驾照的女同志，说有驾照的女人大多是有文化有车的，她们一定会将心比心地看情感实录。我做了实验，结果有美容院在我们《青年报》开始投放广告了。”

何大龙连连点头：“这说明《青年报》的定位是准确的。我已经和社委会的成员通了气，调菲菲来发行部干副主任，主管零售。”

“我上次就讲了举双手赞成。还有件事，我们的校对太娇情了。有个姓肖的作者给我们投稿，可他却领不到稿费。”

何大龙问：“为什么？”

“因为总校对把‘肖’字改成了‘萧’。说是从上世纪50代年汉字改革后，生肖的‘肖’字就不能成为姓了，都得用萧条的‘萧’作姓。可作者身份证上用得是生肖的‘肖’字，邮局讲姓字不同不给领稿费。”

“哈哈……”何大龙大笑了起来，“真别扭，校对就是喜欢咬文嚼字，以后遇到这种问题，就以作者身份证为准。”

高原红突然换了个话题：“师哥，你和那个朱总好上了？”

何大龙不明白她为何说这话，有点尴尬地看着她。

“我几次看见你坐她的车了。”

“哦。”何大龙边应付边想怎么回答。和高原红自从在办公室做那次爱后就极少谈私人的话题，今天突然涉及，该如何回答呢？“大侠，你看朱香香这个人怎么样？”他反问道。

“我对她不了解。但可以看出她有商人的精明。”

“她其实是误打误撞进了房地产界。她是学文的，也是高材生。”

见何大龙不动声色地为朱香香辩护，高原红没有多说。

何大龙很真诚地说：“我真的特别希望你幸福。”

高原红的目光一直停在何大龙的脸上，可当何大龙的目光扫向她时，她又急忙回避他的目光。“师哥，我知道你关心我，我想我会幸福的，放心吧，眼前最要紧的是做好你交给我的《青年报》。”

何大龙很满意她的回答，这个充满智慧的女人的确让人留恋。

贾诚实敲门进来：“少帅，你的车被交警拖了？”

一听这话何大龙火了：“你来得正好，交警以为老虎不发威就是病猫了。违章可以罚款嘛，为何司机都在还硬要拖走？”

贾诚实说：“那些停放违章车辆的停车场和交警都有利益关系，听说交警在拖车费、停车费中另外有提成。”

何大龙愤怒地说:“他们这么干分明没把晚报当回事,我们还老老实实天天给他们做宣传。这样,派四路记者,分河滨路,中山路,解放路,北京路,给我盯住交警,看看他们有没有问题,我想问题会有很多。我已经让司机去交罚款领车了,交了钱我们就不领他交警的情。我倒要看看交警的行风政风到底怎么样。都记住,这件事谁来斡旋都不行。”

贾诚实说:“我来安排。”

高原红很少见何大龙这么发火,她没吱声,只是静静地看着他。

第十二章 猛料

MENGLIAO

〖晚报讯〗在接到读者投诉后，经过多天的明察暗访，本报记者发现东方市交警大队存在一系列的问题。

昨日，一位卢姓妇女以不履行法定职责为由，向市中级人民法院状告东方市交警大队。

去年10月1日晚上8时，卢某在解放东路斑马线过马路时，被一辆飞驰而来的黑色别克车撞倒在地，她在剧痛中失去了知觉，肇事车司机逃离了现场。市红十字会医院会诊后确认，卢某为严重脑膜外血肿和右小腿骨折，脑外科专家为她施行了开颅急救手术和骨折接驳手术。

肇事后，在东方市交警大队出具的《道路交通事故责任认定书》中，明确指出由机动车负全部责任。东方市交警大队在肇事司机身份及下落不明的情况下，以肇事车系被盗车辆为由，将肇事车发还车主，导致在赔偿过程中出现困难。有律师指出，东方交警大队在肇事车主未交付保证金及预付医疗费的情况下，将肇事车辆发还给车主，属于不履行法定职责，应认定为行政不作为。

记者在采访中还发现，有不少查扣车停车场与交警是合作关系，市区也经常发生违规拖车的现象。在纠正交通违法行为时，有的交警还有乱扣证和打人的现象。为此，本报设立新闻专线：68948000。凡对交警执法有意见者，请拨打我们为你设立的专线电话。

在晚报连续三天批评东方市交警后，省公安厅长做出批示，要求东方市交警加强政风行风建设，严处违规交警，树立交警新形象。于是何大龙在拒绝了与市交警大队政委见面后，和市交警大队队长见了面。

拒绝与交警大队政委见面是因为政委非一把手，何大龙认为交警大队还没认识到严重性。而此前将他的车拖走的交警中队队长已向晚报新闻部道了歉，还讲要退回拖车费、停车费等费用。何大龙也没同意退，讲："他们执法并没错，为什么要退款？"

何大龙并非得理不饶人，他一直想试试晚报在东方市的能耐究竟有多大？也想试试自己的手能伸多长。批评报道的第二天，马诚就给何大龙打电话，讲市公安局丁局希望晚报能停止报道。他让马部长碰了软钉子，先问马部长这个报道是不是失实了？得到肯定回答后他说："马部长，如果你要求我们停下来，我服从。但关于窗口单位的政风行风建设我们总不能只报喜不报忧吧？这次停下来，今后其他单位可能就照葫芦画瓢，会对我们的监督新闻提出异议，到那个时候，恐怕就不好办了。我的意见是在以后几天的报道中，晚报也报道交警好的方面，但批评报道最好别仓促停下来。马部长是不是能支持我们一下？"他的话让马诚不好多说什么。结果第三天省公安厅长的批示就下来了。

何大龙与交警大队队长见面的成果有三条：一是晚报开通政风行风热线电话，市交警大队官员现场接听市民监督和解答市民关于交通管理的电话；二是晚报与交警合作开设"红绿灯下"专版，暂定每周一期。全市的交通罚款公告和驾照遗失声明等都指定在这个专版上刊登，这是要收广告费的。专版的副产品是由两家联合向专版记者发采访证，何大龙拿到的是001号采访证，这玩意儿在交警那里比记者证管用；三是凡车外印了"东方晚报"字样的采访车、送报车只要不严重肇事，一般不处罚。没有印"东方晚报"字样的小车，一律发给东方市临时车辆停放证。

这三条让何大龙很满意，还引发了他的联想，媒体是座资源丰富的宝矿，就看你有没有本事有没有经验勘探挖掘了。从交警来晚报接听热线电话的火爆场面，他进而想到市政府前不久成立的政风行风办公室，晚报能不能与这个办公室合作搞政风行风评选呢？他有个哥们儿刚调到这个办公室做副主任，前些日子还发牢骚讲没劲，说政风行风办公室不过是市政府的一个花瓶摆设。如果它与媒体联手，就不是摆设了，而是一把尚方宝剑。多年机关工作的经验告诉他，全国正在落实中央提出的建设和谐社会构想，政风行风建设是这一构想中重要的一环，要不然也不会专门成立办公室。机关是什么？就是国家机器的关口。既然设了政风行风办公室这个关口，那就可以对进关出关的人或单位进行监督，必要时可实施其他手段，这可是奉旨行事啊。何大龙想到做到，立刻给哥们儿打电话，政风行风办正挖空心思想干点什么，两人一拍即合。

接下来，东方晚报以一天两个版的篇幅开始刊登东方市各个局办的政风行风建设情况。每天晚上都有局级干部到晚报接听热线电话。何大龙在一周的时间里跟五个不同单位的局长见了面。前段时间，工商局对晚报的医疗广告查得比较紧，还罚了款。现在医疗广告也真太不像话，什么都敢吹，就差能治疗死人了。那些肾病性病广告更缺德，说80%的男人有病。何大龙不想登，可医疗广告是各家报纸争夺的广告源，他没办法脱俗。所以在与市工商局长见面时，特地叫广告部主任参加，结果取得了工商对晚报的广告审查得过且过的支持；与市地税和国税局长见面时，何大龙叫财务部主任参加，得到了一些优惠政策，比如所得税营业税和稿费税等的征收，局长们表示要支持晚报的发展；他还和市城管大队和市劳动与社会保障局的一把手见了面。

更让何大龙高兴的是老丈人贺副省长把电话打到了他的办公室，印象中这种情况没发生过，总是何大龙打过去。贺副省长讲他注意看了政风行风的新闻，语重心长地说："大龙，你长大了，知道怎么使用政府资源了。作为一个国家干部，如果不用好用活他手中的资源，他就不是一个合格的干部。大龙啊，政府的资源是取之不尽用之不竭的。但如何挖掘？不仅仅要智慧，更需要勇气，有时勇气比智慧更重要。昨天我碰到你们潘市长，他对你操作的政风行风热线评价甚高，我为你高兴。但你要注意，别走歪了，要努力让那些局长们喜欢你而不是怕你。这样才能互相支持。"说到这儿，他又加重语气说："互相支持，你明白吗？"

放下贺副省长的电话，何大龙兴奋地在办公室里走来走去。一会儿看墙上的东方市地图，似乎想看透这座城市，或将这座城市了然于胸；一会儿又在窗前看窗外的车水马龙，对红灯停绿灯行的规律他已变得熟练起来。他忽然想起陶渊明先生的《桃花源记》，这篇文章看似是虚景实写的游记，可谁都知道它背后隐藏着陶渊明的政治目的，《古文观止》说它是“记以寓志”一点也没错。此刻，何大龙想背诵《桃花源记》，却想不起来。以前背过的，300多个字一气呵成，现在怎么记不起来了？只记得“落英缤纷”，“豁然开朗”8个字。他坐在电脑前用Google搜索，屏幕上出现了《桃花源记》。他把头靠在大班椅的头枕上，喝了口水，轻轻地念道：“晋太元中，武陵人捕鱼为业，缘溪行，忘路之远近。忽逢桃花林，夹岸数百步，中无杂树，芳草鲜美，落英缤纷。”后面的句子他想起来了，于是边从大班椅上站起来在屋内踱步，边背诵道：“渔人甚异之。复前行，欲穷其林。林尽水源，便得一山。山有小口，仿佛若有光，便舍船从口入。初极狭，才通人。复行数十步，豁然开朗。”背到这儿，何大龙停下来哑然失笑，心想，这个渔民胆子真大，只能容一个人的小洞口他就敢往里钻。但如果他不进去，就不可能看到世外桃源。这个渔民是陶渊明吗？他的这种乌托邦似的为官向往与现在的官员有相似之处吗？大概这个渔民就是勇气比智慧更重要的典范吧？他又想起一个著名的段子：“没有矛盾，制造矛盾。制造矛盾是为了解决矛盾。解决矛盾就是为人民服务。”现在晚报就是在反复的矛盾中为人民服务。想到这儿，何大龙心里特爽，味道好极了。

正想着，贾诚实冲进来：“有猛料，东方商城坍塌，听说死了人。”

何大龙一惊：“什么？东方商城？朱香香的东方商城？”他一连三问。贾诚实直点头。

何大龙拿起电话给朱香香拨，得知她也是刚得到消息正往现场赶。放下电话何大龙自言自语：“不可能呀。我去过东方商城，怎么可能坍塌呢？”他问贾诚实：“派了记者去吗？”“新闻部的记者已经到了现场。”何大龙略一思考后说：“如果真死了人，就不是小事。但报道要慎重，稿子出来后给我看看。”

林彬是接到120的线人电话，才知道东方商城坍塌的。她赶到现场时，坍塌的地方已被警察围住了，只能隔着20米外看混乱的现场。

整个现场乱哄哄，到处是120、119、110的警灯闪烁，已有吊车和铲车在作业，还有人在高声指挥，现场不时响起警报声。天已开始暗了，林彬看表：17点20分，抢救还算及时。她问警察：“死人了吗？还有人被埋吗？什么时候坍塌的？”一问三不知。她只有边观察外围情况，边不断给现场内的120线人打电话询问情况。她指挥线人观察现场。初步得到消息是：东方商城在中心广场搭建大型天幕和廊桥，这是后加的建筑。当天17点05分左右突然坍塌，现场有20多个民工，有9个人压在里面，已清理出3具尸体，4个受伤民工被送往人民医院抢救，正在挖掘搜索剩下的两个。

林彬正和线人通话，一辆红色酷派轿车急速开过又急速刹车。旁边有人讲:“东方商城的老板来了。”林彬赶快跑过去想拦住从车里走出来的朱香香:“请问你是东方商城的开发商吗？”朱香香没回答急急忙忙往里走。“为什么要搭建天幕和廊桥？”朱香香还是没回答。林彬眼睁睁看着朱香香走进警戒线，她又看了表：17点30分。给郝歌打电话，通了没人接。“这个死郝歌怎么不接电话呀。”她气得骂道。

在乱哄哄的现场内，郝歌穿着120的白大褂在偷偷拍照。他的镜头里，有毁墟，有尸体，有120工作人员抬担架，有铲车在清理，警察在维持秩序。朱香香刚进入现场便被他捕捉到了。郝歌是17点10分到现场的，他到达的时候这里尚未警戒。他还是灵机一动，故技重演跑到边上牙科诊所借件白大褂穿在身上。果然警察到达现场后立刻清理无关人员，因为他穿着白大褂，自然不属无关人员，这才得以留在现场。

林彬在外围获得了重要信息，这里的民工都来自平乐县，他们租住在前进路的前进村。她马上给陈元打电话报告。

陈元也是第一时间知道消息的，他在办公室指挥各部门的行动。总编室找了东方商场的资料，有照片有文字。并留出版面准备做大。接到林彬的电话后，他立刻派记者去前进村采访，同时增派记者去现场，他告诉林彬:“郝歌已在警戒线内，你也要注意安全。”

现场已有几十位记者了，电视台电台的转播车都来了。知道郝歌在里边后，林彬很高兴，这里可交给他了。她给郝歌发短信:“我去人民医院了。你注意安全。”

林彬赶到人民医院急诊大楼时，警察在盘查可疑人，林彬知道他们主要是封锁记者，于是决定扮成民工家属混进医院。她躲到一边，先把录音机、手机藏好，然后把头发弄乱，抓了两把土把衣服弄脏。试着哭了两声，没哭出来。想起演员的哭大多要启发，林彬想启发启发自己，她想起乞丐母女的事，想起那天大雨她和郝歌在一起的事，眼泪不知不觉出来了。怕眼泪缩回去，又哼哼了两声，赶紧跑向急诊大楼，这时她已是“呜呜”地哭。结果经过警察身边时，警察还安慰她：“别急，慢点慢点。”

林彬在医院不但采访到最后两名送到医院的重伤民工的情况：一死一伤，还采访到了民工家属。市长潘智雄到医院看望伤员的情景也被她弄到。到这时，林彬才冷静下来一场事故已死了4个人，这可是特大事故呀。她开始梳理整个事故发生的过程，以及事故发生后的情况。还有几个问题没落实，商城搭建是否经过审批？是否是违章建筑？是否经过合理设计？这些问题，今天是弄不到了，明天去城建局设计院采访。

到晚上10点，陈元手上已经有了大量稿子。林彬的综合消息，外围目击，受伤民工及家属专访，还有潘市长的消息；郝歌拍了200多张照片，挑选余地很大；另外几组记者的专访，有去世民工家庭的，有在现场施工民工的名单，还有市城建局局长在现场接受采访的情况，他是在林彬去医院后才到现场的。原本也不接受采访，但在记者的拥堵下，在摄像机前，他不得不开口。现在对陈元来说是怎么在报纸上布局。他首先调整了版序，将这个突发新闻放到二三版，一版做头条导读加照片。题目已经想好了，主题是"东方商城工地昨傍晚轰然坍塌"，副题是"9位现场施工的民工4死5伤"。

朱香香在陪潘市长到了医院以后，才想起媒体的事。现场有那么多的记者，明天的报纸电视广播不定会是什么样子。她很想请潘市长发话，让各媒体都发通稿。可看到潘市长铁青着脸，她又不敢提。送走潘市长后，便吩咐公司的人赶快准备现金应付紧急情况。然后才在车里给何大龙打电话，电话通后还未开口她就哭了。何大龙安慰她："既然已经出了事，就别想其他的。要尽量尽快地解决问题。"

朱香香感觉自己是在漩涡中挣扎，她好害怕好害怕，抽泣道："大龙，明天的新闻报道一定会说我是杀人凶手。怎么办？"

何大龙冷静地说："瞒是瞒不住的，现在要做的是如何疏导。你请的这些民工有没有违章施工的情况？如果是他们违章施工，舆论就会得到扭转。"

朱香香继续抽泣，声音有些哆嗦："我哪里知道。本来想做件好事，让商城的中心广场成为全天候的休闲区，谁知会出这个事。大龙，你就说是民工违章嘛。"

何大龙断然拒绝："不行。你怎么能讲这种话？4条人命啊，你马上找施工监理了解情况，看看是怎么回事。另外你要高姿态地抚恤好民工，以获得同情。"

经何大龙一点，朱香香似乎清醒了，她立刻打电话叫施工监理到她的办公室。在去办公室的路上，又拨通了钱冰冰的电话，要求她在尽可能的情况下让商报压缩对这次事故的报道，还骗钱冰冰说市委不希望此事扩大化。

钱冰冰听到消息第一个反应是“报应”。她本想拒绝朱香香，但听到“市委不希望此事扩大化”后，又不禁为陈元担心，于是她也赶到报社。

自从被朱香香抓住把柄，钱冰冰就很少主动去陈元办公室了。她的心情变得复杂起来，不知道该如何与陈元相处。自我疗伤的结果是先赚钱，其他的事都先放一边。只有赚够了钱，别的事才能办好。可赚多少钱才是赚够了呢？100万？1000万？钱冰冰还是矛盾着。

她走进陈元办公室时，陈元正在看二三版大样，见她进来高兴地说：“明天的报纸绝对猛料。这个东方商城不是你的大客户吧？”

钱冰冰拿起二版看看，欲说又止。

陈元见状问：“你好像有事？不说话可不是你钱大圣的风格。”

“市委宣传部有说法吗？”

“什么说法？”陈元不解。

“关于东方商城的坍塌报道。”

“没有。这么大的事谁敢瞒。这又不是国企也不会涉及大的社会问题。”

钱冰冰摇摇头说：“我听说市委不希望此事扩大化。”

钱冰冰的话引起陈元的警觉，他盯着钱冰冰问：“消息哪里来的？可靠吗？”

陈元这么一问，钱冰冰的脑子马上快速运转。她想：别是朱香香骗我的吧，兵不厌诈？如果真是市委不想此事扩大，宣传部一定会干预采访报道的。她说：“再问问办公室吧。”

陈元拿起电话拨通后说：“我是陈元，宣传部有关于东方商城坍塌的报道要求吗？没有？好的。”放下电话后说：“我看你是十年怕井绳。做新闻是有风险的，关键是什么风险值得冒。今天这一仗我们打得非常漂亮，我可以说，读者想要的，我们都弄到了，这才是做新闻呀。”

钱冰冰没被陈元的话所打动，一段时间以来她的状态乱七八糟，主要原因当然是朱香香，她感觉自己上了贼船下不来的了。从来都我行我素的她忽然被一根无形的绳子五花大绑，有时都喘不过气来。尤其是她把商报的发行征订方案电邮给了朱香香后，越发感到郁闷，她不知道如何解脱。伴随着孤独和沦落，她开始失眠，整夜整夜地睡不着，即使睡着了，也会被恶梦吓醒。

陈元并没感觉到钱冰冰是在关心他，而是认为她肯定是来帮东方商城说情，因为东方商业地产近阶段在商报上投放了不少广告。见钱冰冰没吱声，他笑道:“你是不是怕我们这么一弄,会让东方商业地产减少在商报的广告?你放心,报纸归根底还是新闻,新闻做好了,广告自然会来的。”

钱冰冰苦笑,她知道陈元误解了,但不想解释,她已经觉得自己很对不起陈元,不想再给他添麻烦,只要宣传部没干预就行了。对这个男人,自己有过许多遐想,但从没想过自己会伤害他,现在事实上伤害他的行动正在进行。怎么办呢?

郝歌拿着版样走进来:“掌柜的,我觉得还缺个环节。”

陈元一见郝歌又兴奋起来:“说说看。”

郝歌看着版样说:“我们没有采访到业主方。因此,东方商城为什么要做这个工程我们不知道,我们也不知道东方商业地产老总的想法。”

陈元点点头:“嗯,这是个缺陷,但没关系。新闻给人最大的冲击不是‘为什么?’而是‘是什么’。东方商业地产为什么要做这个工程,相信他们能说出1000条理由。但那些都和读者以及新闻本身无关。只有坍塌才是读者最关心的,坍塌造成的后果才是我们所要传达给读者的,高明的媒体应该让读者自己判断是非曲直。如果说我们在这其中有观点的话,那就是同情在事故中的弱者,也就是那些民工。”说到这儿陈元停顿了,他想到广告问题,为了不对东方商业地产打击太大,也可以同意郝歌的意见,让东方地产发言,这事可以让钱冰冰办。他叫了声“大圣”后才发现钱冰冰走了,这个大圣,也不打个招呼,她好像最近一直都闷闷不乐,不知什么原因。但此刻陈元沉浸在新闻中,其他东西都被自动排除在外,他对郝歌说:“你去找大圣,让她联系东方商业地产采访后续新闻,尽量客观一点。”

郝歌答应一声出去了。

陈元在屋子里来回踱步,刚才与郝歌谈话中提到了同情弱者,现场施工的民工都是平乐县的,应该采访平乐县的领导。接下来商报应该做三大块东西:伤员后续,东方地产的回应和平乐县领导的行动。这可以使报道向纵深推进,如果宣传部不干预,这个新闻最少可以炒一周。想到这儿,他给牛文广打电话,指示他去采访平乐县书记祖国,务必要体现家乡父母官关心外出务工民工的姿态。

何大龙一直呆在办公室,看了记者的稿子,又仔细分析了每个环节后,认为这个打击对朱香香是严重的。如何才能把打击减到最小?何大龙想,此事他不能不伸手,如果缩回去,不仅仅会让朱香香孤立无援,也是对我何大龙的人格污辱，这不是一个男人应该做的。如何帮她？何大龙首先想到行政干预，他给马诚打电话，询问关于坍塌新闻的报道尺度，以探宣传部的口风。马诚态度暧昧，估计是潘市长讲要严查，他不敢再表态了。只讲了几条“实事求是”之类的原则。放下电话何大龙知道行政干预不可能了，这就可以想象明天各媒体会如何报道。

经过苦苦思索，渐渐地何大龙脑子里有个方案清晰起来，首先要在报道中努力将坍塌事故扭到经济上，尽最大努力避免政治。他知道，企业的问题如果有了严重的政治影响，就可能遭来灭顶之灾，如果仅是经济问题就好操作得多。其次要让读者从同情民工中扭转到同情东方商业地产，要悄悄地不动声色地改变读者的价值取向。以晚报的权威身份，这一点是可能能做得到的。报道中弱化民工的死伤，强化他们无证操作，强化东方商业地产是在全心全意为东方商城业主服务，同时让朱香香表态不惜血本抢救伤员赔偿死者。通过一系列解释，达到读者以及相关单位谅解的目的。

方案清晰后，他立刻布置上官德等记者开始行动，并要贾诚实留出两块版面并空出一版大部分来做坍塌新闻。晚报在商城里就有发行站，采访很方便。

这期间他与朱香香的电话联络10分钟1次。朱香香讲要到他办公室来，他坚决反对：“香香，如果你要我全心全意帮你，你就绝对不能来报社和我见面。我们见了面，我就等于是在利用公家的媒体办我的私事，同志们会怎么想？只有我站在边上帮你，不但更客观，也更有效。”他要朱香香马上找几个商城的业主谈建休闲区的好处，她自己也接受晚报的独家采访，并建议她如何跟记者讲。作为开发商，现在必须低调，要不断解释不断承诺。

放下电话，何大龙又想到有必要与东方电视台联手。他给王台长打电话，表达了联手的意思，提出只有两家的声音是一致的，才能维护两家在读者观众心中的权威性。在这件事上如果媒体自己打起来，受损的也只有媒体自己。王台长完全同意，双方达成了交换新闻的口头协议。何大龙把自己的报道方案和盘端出后说：“作为东方市的主流媒体，我觉得我们不能站在一边看笑话，应该参与进去。东方商城不可能因为这件事而灭顶，因此痛打落水狗不是好办法。恐怕只有通过解释向人们警示，防止以后再发生类似事故才是最重要的。”王台完全同意他的观点。

贾诚实已领教过朱香香的厉害，也猜到何大龙与她的关系不一般。所以从采访开始他就坚决按何大龙的意图指挥采编，稿子齐后，全部送到何大龙的桌上。稿件中商城业主几乎全部说建全天候休闲广场是东方商业地产做好事。指出商城原本的设计有缺陷，每到下大雨时，雨水会影响到做生意；朱香香在接受独家采访时承诺会按有关规定的最上线赔偿死者，同时宣布全天候休闲广场还会再修建，以回报商城的业主；从施工监理方采访到，建筑是已报批了的，坍塌事故很可能是民工违规操作所致，他们在焊接主支撑梁时没按图纸搭建脚手架。

何大龙删掉了事故现场的描写，太感性了。消息只保留了主干，并控制在800字，其它位置全部放解释性的新闻。选照片时，他挑了朱香香陪潘市长在医院看伤员的照片，还用了休闲广场的设计效果图。这样的图文搭配，将他的方案体现得淋漓尽致。他在稿纸上写下总标题："东方商城昨突发坍塌事故，商业地产启动紧急预案"。副标题是"有关人员表示，全力以赴做好善后工作，休闲广场的施工将继续进行"。这个标题很好地将晚报的观点表现出来，到这时，他才松了口气。

星儿接到电话后赶到朱香香的办公室。朱香香给星儿打电话是想要她给陈元施压，对坍塌事故弱化处理。钱冰冰来电告诉她商报明天准备了三大版新闻，她无能为力。星儿在电话里也婉转地拒绝了她的要求，说此刻不能去干预陈元的工作，否则会适得其反。

放下电话，星儿觉得电话里说的不足以安抚朱香香，她现在大难临头，自己和她于私是姐妹，虽然有了些芥蒂，但不是原则上的；于公是合作伙伴，瑞东集团和东方商业地产已联合竞标新闻大厦。在这么大的事故面前，自己不能只和她通电话，而应该出现在她的面前，表示对她的支持。

去朱香香办公室的路上，星儿在车里跟童瑞东通了话。她简单讲了坍塌事故过程后说："我正在去朱香香办公室的路上。虽然帮不上她什么大忙，但我觉得我必须和她见面。"

童瑞东没有任何思考便说："你做得对。商报的报道可能会让你尴尬，但朱香香是聪明人。尽管我们把原则放在首位，不去干扰陈元，但我们决不是不讲义气的商人。"

星儿脑子里下意识地冒出个想法："我们能不能在新闻大厦招标中利用这件事？"

"你的意思是瑞东集团趁火打劫，让东方商业地产出局？"

星儿被自己的想法吓得打了个寒战，怎么会有这样的想法？是因为骨子里恨朱香香夺走了何大龙？真该死，不可以这么想。

童瑞东像是有双千里眼，看清了她内心活动：“后悔这么想了吧。这样的想法是不能有的。如果我们这么做，还有人敢和我们合作吗？记住，任何一次合作都是在吃亏的基础上进行的，况且我们并没有吃亏。朱香香的为人你比我清楚，见了她代我向她致意，重申瑞东集团与她合作的决心。你明白我的意思吗？”童瑞东的老到让星儿嫉妒，什么时候我考虑问题也像他这么全面就好了。

星儿的到来让朱香香心里宽慰了一些。何大龙不让她去报社，她感到无比孤独，想放声大哭，可此刻又不允许她哭。她以令自己都吃惊的冷静处理着一个接一个的问题。先是让出纳将公司50万现金全部提出备用，然后成立了三个应急小组，第一组带着30万现金负责医院抢救；第二组带着10万现金在现场处理清场；第三组带着10万现金机动，随时补漏洞。何大龙的方案出来后，她又按照方案派机动组配合记者采访。给星儿打电话是死马当活马医，她知道星儿不会在原则问题上让步。但电话必须打，万一星儿愿意找陈元呢。

在别人眼里，今晚的朱香香很坚强，在厄运面前，她依然保持着矜持。只有她自己明白已绞尽脑汁，始终是战战兢兢的。她知道祸不单行，此时绝不能出错。她也想到了这场事故可能会影响到招标，当星儿代表瑞东集团重申与她合作的决心时，她终于哭出来了，哭得稀里哗啦。害怕的泪水、委屈的泪水、感激的泪水一涌而出。抢了何大龙已对不住星儿，可星儿在如此大难的面前这么真诚。刚才生星儿不肯给陈元打电话的气不知跑到哪里去了，两个人拥抱着。

星儿拍拍朱香香说：“嗨嗨，把我的衣服弄脏了。”

朱香香还在哭：“我不管，我赔你，去北京王府专卖店挑，我买单。”

星儿笑着说：“我要去国贸的苏罗定做。”

朱香香转过布满泪水的脸问：“多少钱？”

“一两万吧。”

“太奢侈了吧，小姐。”

“可你的眼泪把我的GUCCI弄脏了，这是我在巴黎买的原装货。”

“好吧，等竞标成功我给你刷卡。”

第二天早上，陈元看了晚报后，气得把报纸往桌上一摔，大叫一声：“弹精竭虑的颠倒黑白！”

而何大龙看了东方商报后，淡淡一笑，把报纸叠好轻轻放在桌子上，轻描淡写：“一条只会叫的狗。”

在坍塌事故的采访报道中，最高兴的人恐怕要算牛文广。他在采访祖国书记时，又成功地敲了他一笔，仅以1万元的价格买了一辆2002款的韩国轿车索纳塔。

祖国在坍塌事故的第二天赶到东方市，牛文广立刻采访了他。祖国讲了维护民工利益如何重要，讲了作为父母官他将全力为受伤和死去的民工讨公道，还带了慰问金送到9个民工家属手中。牛文广一边记录一边在心里冷笑，这位父母官真真是个操蛋的人，真能秀。

一个月前牛文广去省人民医院泌尿科采访，意外地发现了祖国在此看病。事后在采访医生时得知，祖国居然得的是淋病，而且是第三次来看病。医生说他是个傻B，中了标也不接受教训。经过确认，他是因不洁性行为而染病的。牛文广想，这可是猛料呀，虽然祖国用的是假名，可他却无法抵赖。只是这条猛料不能轻易抖出来，怎么才能利用好？必须找到合适的机会，它才会升值。现在机会终于来了。

采访完后，牛文广跟着祖国去了洗手间。

“祖书记，上个月我在人民医院看见你。”

“哦，你怎么不叫我？”

“我见你去泌尿科，没好意思叫。”牛文广说这话时，看见祖国打了个激灵，心想，这招打到了他七寸上。

祖国到水盆边洗手。镜中的他红润富态，但眼神不定。就在转换之间，他恢复到了常态：“牛记者，上次听说你想买个车呀，县里准备处理一批办公用车，想不想弄一台？”

牛文广眼睛一亮，这小子记性真好，好久以前跟他讲过想买辆车，他还记得。“祖书记，我很想买台索纳塔，不知平乐县有没有？”

祖国想想说：“县财政局有一辆，给你吧。”

“那要多少钱啊？”牛文广试探道。

“你只要多给我们平乐写几篇稿子，吹吹我们的和谐发展创业之路，车就算奖给你的。”

面对祖国的慷慨牛文广没敢接话，要了这部车就是职务受贿，自己的把柄就被祖国握在手上了，随时能毁了他。县里可以用一万条理由说明这车是该送的，可到他这里却可能要他的命，你一个小记者人家凭什么送车给你。想到这儿，他说："不不不，祖书记不可以。"

祖国像是看透了他的心思哈哈一笑："你要害怕就给点钱呗。"

"多少合适？"

"凑个整数好算，你就给1万吧。"

牛文广心里乐开了花，连忙感谢。

走出洗手间时，祖国像是无意地说："我是去人民医院看个朋友，那小子得了前列腺肥大。"

牛文广笑着说："那是我误会了。现在治疗前列腺的方法很多，不会有问题。"

祖国故作神秘地说："这个病影响向老婆交公粮咧。哈哈……牛记者，下周来平乐看车吧。"

牛文广再次连说谢谢。他清楚祖国此刻心里在想什么，肯定是在骂我牛文广祖宗八代吧。不管你怎么骂，你总是向我屈服了，真痛快，这也是惩治贪官的一种方法吧。

何大龙在事故后的第五天晚上到了朱香香家。在信息爆炸的时代，人们了解了一件事的始末后，便没时间再去关心它。东方商城的工程在继续，事故中丧生的4位民工也已火化。最重要的是在何大龙的操作下，社会舆论对这件事的看法变成了民工操作不规范而引起的意外事故，东方商业地产对每位死者赔偿15万元的慷慨，博得了许多人的好评，朱香香在电视上流泪的镜头也让许多人同情。东方商业地产的人气指数因坍塌而在东方市大增，坊间传说在这里做生意跑火，这是谁也没想到的。真是福兮祸所倚。

何大龙刚进门，朱香香就一把抱住他："说，要我怎么谢你？"

"你想怎么谢？"何大龙在她脸上亲了亲。

"先谢晚报和电视台吧。我让人做了两面锦旗，你看看。"她走到沙发前拿起放在茶几上的一面锦旗展开，上书四个大字"激浊扬清"。

"好，这四个字用得好。"何大龙脱口而出。

"没有你的运筹帷幄，我这四个字想送也送不出去。"

何大龙在沙发上坐下，用欣赏的目光看着把锦旗卷起来的朱香香。在这次灾难中她表现出的从容也让何大龙刮目。

“还没看够呀。”朱香香娇嗔道。

何大龙微笑着摇摇头：“看不够，你憔悴了一些，但更有风韵。”

朱香香顺势坐到何大龙怀里：“新闻大厦还有一周就要开标了，有消息吗？”

何大龙吻了吻她的耳垂，轻轻地说：“我在尽量回避这事，就是知道也不会告诉你什么的。”

朱香香仰起头看着他，这场风波让她更加珍惜何大龙这个宝贝了，是他用机智和权力使东方商业地产很快化解危机。朱香香算过账，爱上这个人并得到他的爱，是多少金钱也买不来的。

何大龙问：“总共损失多少？”

“最后的统计还没出来，已经花了接近200万。”

“那么多？”何大龙叹了口气。

朱香香抱着他的脖子与他耳鬓厮磨着。“不多。200万买不来我对你的爱。”

何大龙被她的动作和语言弄得很受用，身体开始有反应。他想起下午编前会时与娱乐版编辑的对话。他问：“昨天报的女影星爱穿男人三角裤的稿子，今天怎么没见报？”编辑说：“今天的娱乐版都没下身了，所以不用穿裤子。”他拿起报一看，娱乐版有半个版的广告，他被编辑的幽默逗乐了。

朱香香听他讲完后对着他的耳朵说：“你的下半身不会不见了吧。走，我帮你洗澡。”

两人走进浴室。

水龙头流出的热水很快就让浴室内充满了蒸气。何大龙与朱香香在朦胧中相互抚摸，享受做爱前的美妙感觉。

这是朱香香几天来最最放松的时候，脑子里空荡荡的，完全回归到自然人的原生态。金钱，尔虞我诈已不见踪影，她只想享受人的本能。莎朗·斯通表演本能是极其到位的，她杀人都是在本能之后。人的本能到底是什么？

何大龙早已勃起，强烈的征服感在燃烧着他。怀里的这个女人全心全意地帮他，但这一次，他力挽狂澜摆平了她的麻烦。从刚才进门的那一刻起，他就感觉到了她作为女人软弱的那一面，感觉到了一个女人侥幸逃生后的夹杂着惊恐的快乐。

他们的呼吸都重了。何大龙平静地进入到朱香香的身体之中。他从来没有在放满水的浴缸中做过爱，浴室中弥漫着新鲜、刺激。在何大龙进入的那一刻，朱香香呻吟起来，开始是小声，慢慢演变成带着野性的尖叫。正是她的尖叫，激发出何大龙的无限活力……

他们在水中交织着，浴缸里的水被搅起了浪花。朱香香满脸是水，头发被水粘在脸上，她闭着眼睛，嘴巴微微张开，脸上荡漾着快乐的期待的笑容。何大龙双手撑着浴缸边缘，努力保持着和谐的姿式，进攻着。她说了句话，让何大龙更加卖力地进攻。她说："嗨，你不是讲不习惯洗鸳鸯浴嘛。现在怎么不教自会了？"

一个小时后，何大龙裹着浴袍，靠坐在沙发上。身体觉得累，可精神却无比愉快。他甚至理性地审视今天的做爱，得到的结论是：太棒了。做爱就应该这样。

朱香香在浴室用吹风机吹头发。看着镜子中红润妩媚的自己，她很满意。她像是一节充满电的电池，体态丰盈，精神饱满，记忆中与何大龙做爱没这么棒过。她突然想起了什么，对着客厅喊："我包里有份材料，是给你的。"

何大龙漫不经心地打开她的纪梵希牌手提包，里边有一份折叠起来的材料。拿出打开一看：《东方商报发行征订方案》。他吃了一惊，这种机密的东西怎么会出现在朱香香的包里？便大声问："你怎么会有这份东西？"

朱香香在浴室中大声回答："你帮了我，我回报你呀。别管我怎么会有这份东西，你看看是否对你有用。"

只扫了几眼何大龙就明白了商报的发行策略，订一年报看两年报，真他妈的恶毒呀。何大龙完全从刚才的快乐中回归，恢复了常态。他严肃地翻看材料，边看，脑子边思索，晚报应该用什么方法来应对挑战？

俗话说大悲大喜。对于朱香香来讲，新闻大厦揭标暨签约仪式就是她从大悲走向大喜。

头一天中标单位已接到了通知，瑞东集团与东方商业地产联手拿下了60%的标，省建工集团一家拿下40%的标。朱香香实际拿下25%，这正是之前与瑞东集团谈判时要价1/4的结果。她赢了，瑞东集团也赢了。

仪式在凯莱大酒店大宴会厅举行，有近200人参加，都被要求正装出席。马诚学习外地的经验，把揭标、签约与酒会舞会合为一体。宴会厅里搭建了主席台和签约桌，靠主席台的左边是一排食品菜肴桌，还专设了酒水冷饮桌。在主席台右边是两支小乐队，室内弦乐和电声乐。宴会厅的中央没铺地毯，这是为了跳舞方便。仪式进行时室内弦乐队一直在演奏外国曲子。

揭标签约仪式时间很短，20分钟就结束了，大厅里庄重的气氛在一瞬间就转为了轻松，特别是电声乐队奏起当下流行曲《两只蝴蝶》时，马诚已开始搂着星儿在舞池中跳起中四来了。

朱香香在人群中穿梭显得非常活跃，好多认识她的人都对坍塌事故表示同情，并异口同声地说一个成语："因祸得福。"

为了今天的仪式，朱香香昨晚一直在考虑穿什么衣服。她在坍塌事故中的表现，以及迅速扭转乾坤并顺利地中标新闻大厦工程，将导致她成为人们关注的人物。已有人在猜测她到底有什么背景？既然成为人们关注的对象，外表就是无比重要的东西，尤其是职业女人。她在衣柜中翻找职业装，哪一套都不错，哪一套也不十分中意。想到明天的重头戏实际是签约以后的酒会舞会时，她决定穿晚礼服。想给星儿打电话问问她明天穿什么？但又想，明天星儿也是明星，自己与她是"晚会皇后"的竞争对手，还是自己拿主意吧。

面对几橱柜的衣服，她有点束手无策了。有位时装大师讲，女人永远都缺一套衣服，真没说错。天天穿衣服，可天天都觉得没衣服穿。干脆牛仔上场。不行，如果明天一身牛仔装出现不仅会与现场气氛格格不入，恐怕会留下大笑话。她把礼服一套一套摊在床上地上，然后叉着腰，左瞧瞧右看看打不定主意。操起电话打给何大龙："你说我穿什么衣服好？"何大龙说庄重一点就行了。等于没说。

经过3个多小时的试穿，最后做出决定：一件纯白丝质无袖旗袍，在旗袍的左上角有一丛手绘的牡丹花；一条大红色的纯毛大围巾，外面再套一件黑色的伦敦雾风衣，脚没穿皮鞋，而是光着脚穿一双CK高跟凉鞋。身上的配件也符合她的两个身份，一是成功的女人，二是女企业家。她选择了一条银色系列的卡地亚美钻铂金项链，与之相配的是一块银色卡地亚手表。没戴耳环，她觉得那不够庄重。发型也没做太大的改动，一头短发显得她充满激情，是个职业女性。手上没涂指甲油，却在脚上涂了紫罗兰色的指甲油。拎的包是CD新出的设计非常简单的黑色皮包。她设想，当她走进宴会厅时人们看到是一个穿黑色风衣的女人；酒会舞会开始后，人们看到的是全身洁白，又有中间层次的朱香香。

果然，马诚跟她握手时说："此刻我脑子里找不到恭维你的词汇了。"与何大龙握手时，她感觉到了何大龙通过手传过来信息，他在握手时突然用力，弄得她疼得差点叫起来。何大龙却偷偷露出了调皮的笑容。

星儿知道马诚为什么邀请自己跳第一支舞，这多少沾了老爸的光。她没有为今天的活动刻意打扮，只穿一套深灰色的凯撒职业女装，里面是一件蓝色的丝质衬衫，大大的衬衫领子翻到职业装外面。酒会开始后，她脱去西装，虽没有晚装正式，却也别有风韵。看到朱香香的打扮，不禁为这位师姐叫好。她频频偷看何大龙，看看他对朱香香的打扮有什么反应，却什么也没看出。

星儿与马诚跳完舞后第一件事就是把陈元介绍给朱香香。这是应朱香香的要求做的。

“久闻大名。感谢朱总对商报的一贯支持。”陈元端着一杯橙汁说。

朱香香端着一杯红酒，满脸春风地说：“早就想认识陈总，可我的这位师妹总愿意把你藏起来。”

陈元听到这话看了看星儿。星儿赶紧解释：“别听她胡说。”

陈元笑笑：“藏起来也好啊。我觉得我的报纸比我好看多了。”

“哈哈哈……”朱香香爽朗地笑了，“陈总，商报对坍塌事故的报道我都看了。真佩服你的记者，好多事我自己都不知道呢，看商报才知道的。”

“我们没失实吧？”陈元问。

“没有没有。”朱香香说，“只是平乐县的那个祖书记有点过分，他凭什么指手画脚？”

陈元解释：“作为遇难民工的父母官他有权说一说。”

朱香香没就这个话题往下说，而是说了与陈元见面最重要的话：“陈总，现在我和瑞东集团合作，今后商报对我们可要手下留情哟。”经过坍塌一役，她对媒体已顶礼膜拜了。新闻真是厉害，如今要做一件公开的事，离开了媒体几乎没有成功的可能。要搞定商报，一个钱冰冰是不够的，最好能搞定陈元。

陈元没说话，只是点点头。

星儿为陈元解困说：“商报是独立的。我觉得凡是独立的媒体，它的上帝就只有一个——读者。”

朱香香瞟了星儿一眼没理她，而是拿出一张名片对陈元话里有话地说：“我们交换张名片，省得上面放下面望，中间有根顶门杠。”

星儿自嘲道：“好好好，我多余。你们聊吧。”星儿转身向童瑞东马诚走去。

马诚和童瑞东碰杯以后轻声说：“谢谢你的帮忙。我儿子留学的事都已办好了，下周走。”

童瑞东满脸笑容地答道：“一点小事。瑞东集团在英国也有业务，我会吩咐那边的同志照顾马公子的。”

马诚一脸轻松：“谢谢谢谢。为我儿子留学的事你没少操心呀。”

“马部长在为东方市新闻界的大事操心，家里的这些小事，就由我们来为你操点儿心嘛。”童瑞东真诚地说。

“哈哈哈……”马诚开心地大笑。

星儿走过来问：“马部长笑什么？是不是在说段子？”

马诚对童瑞东说：“现在这个段子文化太丰富了，想得太绝了。前几天我收到一条，说现代社会疯狂了：绵羊开始吃狼了，猫和老鼠上床了，兔子也吃香肠了，找个情人算正常了。真是切中时弊呀。”

童瑞东说：“是啊。但现在短信骗子也很多，国家该治治了。”

马诚严肃地说：“你说到了点子上。短信媒体正在争夺主流媒体的受众，可宣传部又不知该怎么管理。我参加了全国地市宣传部长会议，中央已有拿短信开刀打算。”

何大龙刚要走，朱香香叫住了他：“不跟我跳个舞就走呀。”

何大龙话音有点酸：“我看你左右逢源，还稀罕我？”

朱香香把酒杯放在侍者的托盘里，笑着看看何大龙：“吃醋了。告诉你一句格言，知道生气的人才知道高兴。别生气了，跳舞吧。”

两人滑进舞池。弦乐队正在演奏《弯弯的月亮》。

朱香香看着何大龙的衣服说：“这套衣服还挺好看的。”这套杰尼亚西服是朱香香买的，今天第一次穿。

“朱总买的衣服当然好看。”何大龙搂着朱香香在舞池边跳着。

朱香香避开前面的话题说：“我给你看的商报的材料有用吗？”

“到底是从哪儿弄来的？”何大龙一直想知道材料的来源，以判定真伪。

“不告诉你。我说过我要保护你，你记得吗？”

“谢谢你的好意。但我用不上你的保护。”

朱香香固执地说：“用不上我也要做。”她发现何大龙的目光在注视别处，顺着他的目光看去，是星儿在和陈元跳舞。“怎么？又吃醋了？”

何大龙瞪了一眼朱香香：“吃什么醋？别人吃我的醋还吃不过来呢。”他手用上了力。

朱香香愿意被他用力抱着，她悄悄吐了一下舌头。“那位陈元看样子很喜欢星儿，我要不要给他们加把火。”

“就你喜欢多事。别说加把火，你就是愿意放把火我也没意见。”

朱香香感觉到何大龙的酸劲儿越来越浓，现在不能再加醋了，醋坛子破了对谁也没好处。她换个话题："平乐县的那个祖书记对我们还是不依不饶的，要我们对伤者加倍赔偿。"

何大龙收回了看星儿的目光，说："那位祖书记自己都不干净，却总想当江湖老大。我看了商报的新闻，他纯粹是作秀，你别管他。赔偿问题不是他这个县委书记能说了算的。"

何大龙的话像是定心丸，让朱香香连连点头。

"这个祖国，别落在我手上。"何大龙又补充了一句。这句话出口时，寒气袭人。朱香香险些打个冷战。

一曲结束，两人分别从侍者手上端了杯红酒。何大龙接着说："看了你给我的材料，我给菲菲出了个点子，让她找联通谈发行的事。那份材料的真实性不会有问题吧？"

朱香香喝了口酒不高兴地说："你都问八百遍了。是不是不信我？"

何大龙咧了咧嘴："不信你我信谁呀。"

正说着星儿过来了："姐夫，要不要我给你正式介绍陈元？"

何大龙斜了一眼远处正和童瑞东谈话的陈元说："今天不合适，以后总会有机会的。"

星儿追问："你不屑与他相识？"

何大龙笑着说："什么话到了小姨子嘴里就变味了。星儿，求你帮个忙跟马部长说一声，我有事先走了。"说完他放下酒杯走了。

两个女人并排站着目送何大龙离去。星儿说："吃点东西吧，别光喝酒了。"朱香香附和，两人走向摆菜肴的餐桌。

陈元今天心情也很好，童瑞东批准了他的征订方案和再次改版的计划，准备大干一把，只要在发行上站稳了脚跟，就能与晚报拼到底。

菲菲用了两周时间终于将联通东方分公司主管广告宣传的张总请上了酒桌。两周来，她碰了不下五次钉子，但她坚持着。因为总进不了张总的办公室，苦思冥想后，她使出一招先打再摸计策。让上官德写了一篇不可能发表的新闻稿，内容是联通被投诉，CDMA夸大宣传，在国外遭抛弃，老百姓说他们是"中国联不通"等等。又请何大龙在发稿笺上签意见："此稿暂不宜见报。对国有企业存在的问题，报社有责任监督，但应该以沟通为主。请将此稿告知联通，看看他们有什么想法。"菲菲将稿子和发稿笺传真给联通办公室，下午她就接到了张总的电话，请她过去坐坐。

寒暄几句后，菲菲直奔主题："张总，我其实是联通的忠实用户，从我有手机到现在一直在用联通。不是因为联通的技术好，而是因为联通的服务好。用户省事儿。"

张总满脸笑容说："我们对待每一个客户都非常负责。"

"所以，当晚报有了很好的优惠政策时，我首先想到联通。"菲菲接着谈了她的方案，即联通订阅一定数量的晚报送给手机VIP用户，费用以广告抵扣。就是说联通投一次钱，却能获得广告加报纸两次回报。

张总不解地问："这么做晚报不是亏了吗？给我报纸，帮我投递，还要给我广告版面。"

"所以，你一直不见我是个错误。如果你再不见我，我就只能找移动合作了。"

张总一遍一遍翻看协议方案。希望在其中找出破绽和晚报的目的。

菲菲接着说："这个方案能使联通服务得到总体升值，而对联通来讲这种升值还是免费的。晚报还可以承诺一报两投。"

"怎么个投法？"

"对联通客户，周一至周五把报纸投到办公室，周六和周日投到家里。"

张总高兴地说："谢谢你呀。我们很快会研究这个方案，尽快给你答复。但上官记者的那篇稿子就不要发了吧？"

菲菲话里有话地说："放心。我们少帅说联通的服务指定好，不发！"

一周后，张总说公司原则同意，再商量具体的资金投入。菲菲顺势把他与联通策划部的人请到了东北人酒店。

酒桌上，张总提出订两万份。菲菲此前已对联通公司在东方市的广告宣传投入一清二楚。她甚至掌握了他们在哪家媒体投入多少钱广告的具体数字。所以很干脆地拒绝了两万份。

张总说："按照你们144元一年的订价，两万份是280多万呐。"

菲菲端起酒杯对张总说："张总，我老长时间没喝过白酒了，我是东北丫头，不骗人。你如果只愿意订两万份，那我们就别扯了，只喝酒。"菲菲说得很得体又很爽快。

"那你说说订多少合适？"张总把球踢过来。

菲菲放下酒杯，把两只手的食指交叉在一起，示意要订10万份。

她的动作把张总吓一大跳："10万份？1400万？"

“如果能确定这个数，我们愿意以每份报纸100元做为年订价。”事先她已与何大龙达成协议，一次性年订单5万份就按每份100元计算。但不给订报提成。

张总把头摇得像拨浪鼓，连说不行。

菲菲说：“联通订得越多，晚报吃亏就越大。”

“那你们为什么要吃亏？”

“和你们一样，为了市场。你投1000万，晚报就要贴进1000多万，为的就是要取得竞争的优势。”菲菲有点语重心长了，“张总，今年联通在报纸投放的广告额是600万，在电视台投放了900万。我算了笔账，你们全年在东方市投放的广告达到1900万。你们为什么要这么投？还不是为了占领市场嘛。”

张总做出一副下定决心的样子说：“好，菲菲小姐，明人面前就不说暗话了，经过测算明年联通在晚报的投入不会超过600万。”

张总的话一出口，菲菲心里就算好了账，能有6万份的收获已经很不错了。想到这儿，她对张总说：“OK。我作主按100元一份给联通。”

“别忙叫OK，还有个条件。”

菲菲不明白还有什么条件，她看着张总。

张总笑眯眯地拿起两只能装一两酒的酒杯放在玻璃转盘上：“菲菲小姐是东北人，东北丫头没有不会喝的。所以我们来的时候就商量好了，你喝两杯，我订你1万份报纸。你要喝不了，那就请你恕罪，我们也订不了。怎么样？”

自从与上官德好了，她就没再喝过白酒，她决心要为上官德生一个健康的孩子。现在几乎没有烟瘾了，只是偶尔抽一支玩。面对张总摆下的酒杯，她什么也没说，端起就喝。

张总和联通策划部的几个人一边起哄一边数：“一杯，两杯，三杯，四杯，五杯，六杯，七杯，八杯，九杯，十杯，十一杯，十二杯……”

喝了十二杯后，菲菲头开始晕了，全身的血都在往上冲。她微笑着对张总说：“张总，十二杯，行了啵？”

张总被她的豪爽感动了，从未见过一个女孩子这么喝酒，他也豪爽地说：“你如果能再喝，每两杯我加订1万份晚报。”

菲菲用红红的眼睛看了看周围的人，又盯着张总说：“大老爷们说话算话？”

张总拍拍胸脯："以人格担保。"

"先给我支烟。"边上的人赶紧递给她一支烟并点上。菲菲猛吸几口，又端起了酒杯。她一口喝掉了杯中酒，边上人喊着"十三杯"，她又一口喝掉了杯中酒，"十四杯。"头晕得不行，她心里很清楚，再喝就真醉了。可她想把订数加到8万份，那与商报10万份的目标相差也不会太远，她咬咬牙又喝了两杯。这两杯酒下去时，边上的人都惊呆了，大家都忘了数数。趁着还没醉过去，她对张总说："一共十六杯，8万份报纸，一言为定。"

张总没想到菲菲这么能喝，可话说出去了，他一拍大腿说："明天9点18分到我办公室签约。"

"9点18分。"菲菲嘴上笑着重复着这句话身子倒在了地下。

等她醒来时，已躺在医院的急救室里输液，上官德坐在一边守着她。

菲菲轻声问："哥，你怎么在这里？"

上官德给她倒了热水喂她："你真不要命了，我听联通的人讲，你喝了1斤6两五粮液，把他们都吓呆了。"

菲菲高兴地笑着，只是全身无力，头还发晕："以为我是个女的好欺负。他们后悔了吧。"

"那位张总讲你多喝四杯酒，他要多付200万。"

"嘿嘿嘿。"菲菲好开心。"明天上午9点18分签约，他们是想久要发。"

上官德喂好水想把菲菲的头放回枕上，菲菲不肯："别动，我就靠在你怀里。"

上官德让她的头靠在自己怀里，轻轻抚摸着她的脸："你真是不要命了，以后千万不许这么喝了。"

菲菲甜甜地笑着："哥，心疼了？没事，我还能喝呢。明天带瓶红酒去联通。"

上官德马上说："少帅来过了，他要你一定休息好，明天另外派人去签约。"

"不行。"菲菲坚决地说："我打下来的江山，谁也不能不让我坐。我得去。你给少帅打电话，必须得我自己去。"

"你打着吊针呢。"

"那我不管。一定得自己去。"她忽然想起件事："坏了，我没买单就醉倒了。"

上官德的目光充满柔情："联通的人买了，他们吓坏了。"

第二天，何大龙派他的别克送菲菲去联通签约。张总见菲菲抱着一大瓶红酒进来完全愣在那儿了："还喝呀？"

菲菲得意地看着张总说："喝。签完字接着喝。"

星儿偶然从联通的朋友那里得知了晚报与联通合作的事。她意识到晚报这一招比商报订一年看两年要高明。他们虽然损失了几百万的广告费，但扩大了发行量，关键是在经济上没什么负担，压力要比商报小得多。她在第一时间把这个消息通报给了陈元，却引起了陈元的怀疑。

陈元认为，晚报突然以这种方式抢市场一定是知道了商报的发行策略。两家报纸的发行量原本就有差距，陈元是想利用一个突破来缩小这种差距。可晚报以自损广告的方式突击订阅，目的很明确，就是不让商报与之缩小差距。他们怎么会知道商报的机密呢？他又想到了那次航拍泄密，矛头自然对准了星儿。只有她才最可能将机密透给晚报，毕竟是姐夫与小姨子的关系啊。

陈元很痛苦，一方面他喜欢星儿，虽然没有到狂热的程度，但如果星儿愿意，他是很高兴与她好的。他也知道这恐怕是自己单相思，可这种单相思一点也不苦。现在出了这事，要不要向童瑞东报告？另一方面，商报在自己手上新闻是上去了，可发行量还处在瓶颈，如果这次的发行策略实施成功，情况会有改观。但现在又该如何应付呢？

陈元想来想去还是给钱冰冰打了电话，他要找个人说说心里的烦恼，因涉及机密又不能随便找人，钱冰冰是最合适的。

两个人坐在一家小小的咖啡馆里，昏暗的灯光下，一对一对的男女在窃窃私语。他俩要了现磨的巴西咖啡。

钱冰冰不知道陈元为何突然约她聊天，印象中这是第一次。她以为陈元是高兴，因为瑞东集团批准了他的征订方案，童瑞东来东方还表扬了他的工作。谁知他开口就提到了发行方案泄密的事。

陈元没看钱冰冰，而是看着桌上正燃烧着的小蜡烛说："我们的发行方案晚报知道了，他们已和联通合作搞发行。"

钱冰冰的心在瞬间猛地加快速度，快要跳出口了，脸色陡然变得刷白。她被吓呆了。只是还不能肯定是不是自己给朱香香的方案漏给晚报了。她战战兢兢地问："谁泄的密？"

陈元抬起头看看她，蜡烛晃动的光点在陈元的黑眼珠中反射出来，让钱冰冰觉得恐惧。"你？你干吗看着我？"

陈元又低下头去，他实在不想说出星儿的名字。他用中指在桌上写了个“贺”字，然后又看看钱冰冰。

钱冰冰惊讶地问：“她？”马上又反驳自己：“不可能，不可能是她。”

陈元端起咖啡杯轻轻喝了一口，哇，好苦。“我也不信是她。可不是她，难道是你？”

钱冰冰做贼心虚地一哆嗦：“掌柜的，这可不能开玩笑。”

陈元苦笑。

钱冰冰自言自语：“如果是她，那她为什么会把晚报与联通的合作告诉你呢？她完全可以装着不知道呀。”

“只能说这是贼喊捉贼。”

钱冰冰又哆嗦一下，陈元这是在讲她还是在说星儿？

陈元问：“你说说，我们该怎么办？”

钱冰冰斟字酌句地说：“是不是再看看情况？我想联通要从几百万用户中找出十万八万的用户决非易事，即使找出来了要想找到准确地址也非易事。晚报的投递肯定会遭遇大的挑战，如果用户没收到报纸只要投诉一多，他们的合作能不能顺利就难说了。”

钱冰冰的话让陈元好受一点，他想到了有效发行的问题，晚报这样得到的读者是有效发行吗？不要钱的报纸读者能真的接受和珍惜吗？“大圣，我在考虑我们能不能修改方案，利用晚报因自办发行而得罪邮政的情况，我们和邮政合作。”

钱冰冰真不愿意陈元讲下去，她不想再知道什么秘密了。“掌柜的，发行的事是大事。集团也批准了我们的方案，恐怕不宜大动，只能做小的调整。”

陈元点点头，目光有些暗淡。

当天晚上，钱冰冰躺在床上睁着眼睛看着天一点一点地亮起来。她都忘了一个晚上去了几次厕所，越是睡不着，就越想上厕所。把方案漏给朱香香时，她还有侥幸，认为朱香香不会当回事，因为这事跟东方商业地产没什么关系。即使何大龙知道了，他也不敢拿银行的贷款赌发行。没想到何大龙金蝉脱壳，用广告换发行，这种局面真让商报尴尬。如果陈元知道这是我钱冰冰搞出的事，就是他不赶我，我也没脸在商报干下去了。唉，真是一步错步步错呀。怎么办呢？

钱冰冰打死也不信星儿会泄密。尽管她与何大龙的关系不一般，但她是个职业女性，她把敬业摆在首位，从她的许多做事方法中能看出。再加上不会这么巧吧，一份只有几个人知道的方案，居然有两个人泄密，那商报也太惨了，这不可能。唯一可能的是朱香香把方案给了何大龙。

既然睡不着，索性搬把椅子坐在阳台上。这个季节，夜晚已经冷了，穿着睡袍的钱冰冰盖着一床空调被。看着天上的月亮，脑子里一片空白。想把事情的来龙去脉好好理理，可理不出头绪。因为所有可能出现的头绪都指向她自己，她解脱不出来。精神变得恍惚四处飘荡无从皈依。星儿肯定是为自己背了黑锅，麻烦的是她自己还不知道背了黑锅，可能她还在为商报发行的事想辙吧，真对不住她。可我一个弱女子又有什么办法？都怪那个可恶的朱香香。不对，也不能怪人家，要怪就怪自己。突然，最不愿意想到的两个字跳进了她的脑袋里：“辞职”。

不！我不能辞职，还有好多钱没兑现呢。要辞也要等过完这个经济年度，结清了账再辞。可一想到辞职，居然所有的麻烦都在瞬间解决了。她暗自下决心，决不让朱香香再从她这里得到商报的一丝消息。大不了鱼死网破，一拍两散。只是不知陈元知道真相后他会如何看我钱冰冰？会恨我？还是不屑一顾？说到底，自己还是爱陈元的，正是这无结果的爱，让自己现在走投无路。

当月光渐渐消失，黎明开始到来的时候，小区里有了些许嘈杂声，人们出门开始锻炼。就在太阳要升起的那一刻，钱冰冰迷糊了，困了。在万籁俱静中清醒的她，在嘈杂声中却闭上眼睛睡着了。即使睡了，她也知道自己决不是曹禺笔下的陈白露。

第十三章 曝光

BAOGUANG

〖晚报讯〗近日，本报记者赴北京采访时发现一条惊人的新闻，我市所属的平乐县县委书记祖国的老婆在北京住院，全县居然有240多名科级干部去北京看望。在医院的抗议下，县委办公室在医院附近的宾馆里开设了专门的接待办公室。据悉，大多数的干部并未见到祖书记的老婆，他们只是去表示对领导的关心。有人说，这就是借机会送礼。

位于北京东城区王府井帅府园1号的北京协和医院是我国著名的三级甲等医院，祖国书记的爱人林英因患粘膜下子宫肌瘤入住该院。据主治大夫说，她的病情并不严重。

在记者对妇科住院部护士采访时得知，有护士因看林英的人太多而大发脾气，扬言要请“焦点访谈”来采访。有位张姓护士对记者说：一个县委书记的老婆住院，怎么就会有这么多人千里迢迢来北京？他们是用自己的钱来的吗？我亲眼看见他们往林英的枕头下面塞红包。

记者又采访了那间设在宾馆里的办公室，但工作人员告诉记者，这是县委为到北京参加全国农产品交易会的代表而设的接待处。但记者调查后发现，全国农产品交易会已于一周前就闭幕了。记者本想采访祖国同志，但他的办公室电话无人接听，手机也一直关机。据县委办公室的值班人员讲，祖国同志下乡搞调研去了……

上官德是冲进何大龙办公室的，他兴奋的样子一看就知有猛料。果然没等何大龙开口问，他就说了一条正中何大龙下怀的新闻线索，那位不可一世的祖国祖书记终于露出了马脚。

初步得到的情况是祖国的老婆患病在北京住院，县里居然有200多名处科级干部去北京探望，弄得医院扬言要去焦点访谈报料，影响极坏。何大龙当即决定派上官德悄悄去北京和平乐县暗访。

“上官，这次暗访的原则是四个字：安全，保密。”何大龙口气坚定语重心长，“安全是指处处小心，祖国的手伸得长，你除了所有暗访要有录音和照片资料外，还要防止意外。祖国要得知我们在暗访他，一定会凶相毕露，会动用一切关系来对付我们；保密就更重要了，实际上只有保密做得好，安全才不会有问题。”

上官德严肃地点点头。

何大龙继续说：“报社就只有你和我，加上大教头我们三人知道。最好也别告诉菲菲，只说出差就行了。”

上官德又点点头说：“我知道怎么做。”

“我只提醒一句，你的录音笔一定要保证有电。没有录音的东西要慎之又慎，这是有教训的。你飞去飞回，动作要快。具体怎么做你随时调整吧。”

“好的，争取一周完成采访。”

四天后，何大龙已知道了关于祖国的许多事。他老婆患粘膜下子宫肌瘤，是妇科常见病，问题不大，但会影响夫妻生活。不少有求于祖国的人因此常给他安排性生活，号称是“为祖国献身”；而那些送钱送物的人则幽默地称“为祖国纳税”；他很能喝，有八两到一斤的量，人们送他的外号是“津（斤）巴（八）布韦”。他老婆林英在北京协和医院住院，竟然全县有240名处科级干部去北京看望。这些人中有已升了官报答祖国的，有正忙着升官必须再加一把“火”的，有随大流别人都去了我不去不好的，还有必须要和祖国搞好关系以保住官位的……

开始大家是去病房，把红包塞在林英的枕头底下。最后导致病房成了人才市场，川流不息的探病者扰乱了医院的秩序。于是护士长扬言要去中央电视台焦点访谈报料，吓得这帮人不知如何是好。祖国派去北京照应的县委办公室副主任想了个办法，在医院附近的宾馆里设接待室，来北京的人去那里登记，不去病房了，反正大家也不是真的要看望什么病人。这招很管用，病房从此清静了。消息传回平乐后，还没去北京的干部们猜测，祖国书记设了接待室，意味着他不反对大家去北京呀，可能还希望大家去。于是平乐县又掀起一轮去北京的热潮。

根据上官德采访到的数字，大概可以算出，仅这一次祖国就可敛财百万，而且在县里造成极坏影响。何大龙咬着牙说："这混蛋胆子真大。"

为了保密，何大龙与贾诚实商量，请高原红亲自编辑拼版。这条新闻太重大了，弄不好会出大问题，但搞好了，晚报就为平乐县人民清除了一条蛀虫。何大龙问贾诚实："你敢不敢做这篇稿子？"贾诚实笑着说："我决定这篇稿子由我来签发。"

贾诚实的话让何大龙感动，这是教头在保护他。而教头是有过教训的，还这么执着，让人钦佩。

一周来，为做这篇稿子何大龙没停止过思考。这是不是义气用事？祖国对朱香香不依不饶，使得自己的脑子里先入为主地有了要整祖国的想法。不可否认，这个想法是存在的。但祖国要不吃荤，谁也整不了他呀。但是，一张市级晚报，不打招呼曝光一名正县级干部，符合组织原则吗？何大龙明白，在稿子没见报之前，一切都在自己的掌握之中。一旦稿子见了报，那便开弓没有回头箭。以晚报和自己的力量能斗过祖国吗？斗不过，自己就是第二个孙强。斗过了，可能就是英雄，也积累了政绩。这次曝光与假县长新闻完全是两回事，虽有丑闻的属性，但这次只针对祖国个人，不涉及其他官员。做还是不做呢？何大龙在犹豫。

他想跟朱香香商量，但又一想，此事说起来还真与她有关。如果出事，他不知会不会连累她。和星儿商量？也不行，星儿不会有意透露给商报，可无意的事就说不清了。要不要跟老丈人报告一下？恐怕结果只有一个，稿子压下。贺副省长可以不知道这件事，但知道了就不可以不向更高级别的领导报告，事情就复杂了。但如果老爷子事先不知，出了事他还能不保我？对何大龙来说这也是一层防火墙。

还考虑过用内参的形式发。可如果是发内参，那也得罪了祖国，并给他反扑造成时间上的方便。马诚是祖国的老乡，商报为了拍他的马屁还曾特意弄了平乐县的专版新闻，内参首先会到马部长手中，他无论是压住还是同意发至市委常委，都肯定会对我何大龙有意见。只有一锤子砸开花，那就连想帮祖国说话的人也不敢说了，因为舆论会像一把利剑不见血地刺中要害。但这把利剑是双刃的，未伤人就肯定伤己。

几次何大龙想把自己的思考告诉贾诚实和高原红。但面对部下，连一把手都不是胸有成竹，他们肯定会乱成团。直到看完上官德的稿子后，才下决心赌一把。面对这些确凿的证据，马诚们总不敢明目张胆地死保祖国吧？

何大龙微微笑着对贾诚实说："教头，晚报可以少了我何大龙，但不能少了你大教头。今天我来当班，你回去吧。没事。"

贾诚实不肯："我是常务，采编上的事自然由我负责。"

何大龙装着不高兴的样子说："怎么？要和我抢功？这件事错了，我兜着。对了，我摘果子。你就别争了，回去吧。"

高原红在边上一直没吱声。贾诚实走后，她才担心地问："师哥，有把握吗？"

何大龙摇摇头，刚才的微笑从他的嘴边萎谢了。

高原红的心在往下沉，她不愿意看到何大龙出事。"师哥，你不能有事。只有你安全了，报社才安全。"

何大龙的目光停在高原红的脸上，她的焦虑已写在那儿。"担心了？"

高原红也看着他，心情复杂地点点头。

何大龙又把微笑挂回脸上，心想，真是个不错的女孩子，可惜与她有缘没分。不能给她压力，否则这版子做不好。"大侠，你放心，我们不会输的，因为我不是孙强。"说这话时掷地有声，可以断定，这篇报道有六成胜算。"不能眼睁睁看着他祖国为非作歹。虽然有新闻纪律，但也不应该泯灭我们的新闻良心。往大里说，我们是在帮市委的忙，而不是添乱。"这时的何大龙动了真情，这篇新闻拨动了他心中的神圣感，如果不做这篇稿子，肯定会后悔。

高原红见他目光坚定，便说："你要决定了，我一定争取做好。"

"不要去机房排版，去广告部排，然后拷贝到机房联版。明白我的意思吗？"何大龙嘱咐道。

"我知道，放心吧。在向印刷厂传版前，不会让别人看到的。"

何大龙在发稿笺上签上名后，高原红去排版了。他打电话告诉总编室空出二三版版面，有重要稿件要上。另外将一版倒头条导读的位置也预留出来。又给上官德打电话交代说由他担任校对，在见报前必须把知情人的范围缩到最小。

打完电话，何大龙在办公室踱步，走到窗口，无意识地看着夜色中的车水马龙，心想，该用个什么标题呢？主题要点出新闻事件，引题要突出事件的原因。脑子里浮现出一个主题“平乐县240名干部鱼贯进京”。他赶快走到办公桌前拿起笔在稿纸上写下来，然后又琢磨引题。先写下一句“县委书记夫人因病住院”，再写“惊动全县各级干部。”考虑了一下，把“各级干部”四个字划掉了，他觉得与主题重复了。惊动什么呢？何大龙想了想，写下“机关企业官员”。

拿着写好的标题他走进广告部。高原红已排好了一块版，上官德正在校对。他俩都对这个标题叫好，高原红的评价是：“不卑不亢。”上官德说：“这个标题足以说明稿子的分量。特别是‘干部鱼贯进京’，很形象，又有可读性。”

何大龙没接俩人的话，而是拿起版样问：“接待站的照片你是怎么弄到的？”

上官德说：“我偷拍的。在偷拍祖国的夫人时还差点被发现。”

高原红在电脑上放大了祖国夫人在病床上的照片：“就这张。”上官德说：“听护士讲，病房变成花房了，她们天天都带鲜花回去。而且都奇怪，不就一个县级干部的太太嘛，怎么会有这么多人来看？赶上中央领导了。”

何大龙叹气道：“护士们不懂呀，七品县官是一方父母。‘郡县治天下治’，县一级治理好了，就是天下治理好了呀。这个祖国，胆子真大。”

凌晨2点10分，晚报全部联好的版样传到了印刷厂。何大龙让高原红上官德关掉手机，又给贾诚实打电话，让他也关掉手机，并把座机的电话线拔掉。他笑着说：“从现在起到明天上午，我们全体失踪。”何大龙怕万一泄密，就可能导致做好的版面上不了印刷机，还可能印好了报纸发不出去。只要有关人员失踪了，这些事就很难发生。何大龙在确定印刷厂已出了菲林片开始制版后，他发出最后一个指示：加印5万份。并通知菲菲明天有重磅新闻，要打好零售仗。然后关机，去了朱香香家。

凌晨2点25分，马诚打电话找何大龙，手机关机，家里电话无人接听。找贾诚实，手机关机，家里电话永远占线。找高原红，手机关机，找上官德，手机关机。他突然感到莫名其妙的烦躁，怎么回事？从未有过的事。宣传部一直要求各媒体老总24小时不能关机，今天为何集体关机？蹊跷啊。

10分钟前马诚接到童瑞东的电话，说晚报明天有关于祖国书记的重大新闻曝光，是一个叫上官德的记者写的，两大版，具体内容大致是他老婆在北京住院的事。马诚本想问问消息来源，转而一想，可能会给童瑞东出难题，所以只是谢谢他。放下电话就给何大龙打电话问是怎么回事？什么重大新闻要用两个整版来做？发觉所有手机都关机后，他敏感了。关机不是纯属偶然，一定有必然。何大龙发这样的稿子为何不报告？为何不发内参？他想公开整祖国？就凭一篇报道就能整倒一个正县级干部？这个何大龙太不自量。

祖国老婆在北京住院马诚是知道的，他还专门去了电话表示慰问。也听说平乐县有不少人去北京看望，可那都是人之常情嘛，大惊小怪。但此事如果在媒体公开曝光，影响就很难挽回，起码会引起仇官心态的膨胀。看来对何大龙要敲打敲打，别以为有贺副省长当靠山就万事大吉，你何大龙不过是人家的前女婿。想到这儿，他拎起电话打给了祖国。

睡梦中的祖国被电话铃声惊醒。深更半夜家里的电话响绝对不是好事，不是爆炸就是坍塌，要不就是农民打架死了人。他拿起电话不高兴地问："谁呀？什么事？"听到是马诚的声音，他"唰"地一下坐起来。"领导，是你呀。"

马诚慢慢地说："你老婆在北京住院都干什么啦？那么大的动静？"

祖国的脑子开始清醒，但他摸不着头脑："没干什么呀，就住院。"

"听说去看的人不少。"

"县里的这帮王八蛋找各种理由去北京。我说了多少次让他们别去，可说不通呀。怎么？有人告状？"

"你有个思想准备吧，明天晚报会曝光，听说有两个整版。"

祖国一惊，彻底清醒了："那？那你快阻止呀。他妈的，晚报要干什么？"

马诚叹口气："我现在找不到人，都关机了。你是不是太张扬了？"

祖国急着辩解："没有哇。我没得罪晚报呀，他们为什么要整我？"

"你也别慌。听我说，明天你看到报后最重要的是仔细看看有没有失实的地方。只要有，我就让他何大龙好看。"

"好好好。领导，不会有事吧？要不明天给晚报送点钱做广告，他们不就是想要广告费嘛。他妈的这些记者太不要脸了。"祖国一慌啰嗦起来。

马诚静了静说："恐怕不是这么简单。李书记最近没批评你们平乐吧？"他突然想到，何大龙这么干是不是有李书记的暗示，才这么大胆，才敢不向自己报告。

"没有没有。"祖国否认，"李书记前不久还表扬了我们，说他看了商报，对平乐的工作表示满意。"

马诚又思忖着说：“这样，如果新闻有失实的地方就最好。如果没有失实，你则立刻赶到晚报，承认错误感谢舆论监督，并提出改正方案，等风平浪静了再找机会。明白我的意思吗？”

“谢谢领导关心。天一亮我就去晚报，无论是不是失实我都会表现出高姿态，好汉不吃眼前亏。马部长，马家村的水泥路我已批了钱下去，听说村里的老乡都说你是马家村的骄傲呢。”祖国急于表功。

马诚心想，这个祖国太急功近利，嘴上却说：“谢谢你呀。但愿明天的报纸不会引发什么大问题。”

祖国问：“用钱能不能摆平那个何大龙？”

马诚摇摇头说：“别打这个主意了，何大龙不缺钱。”

晚报关于祖国的新闻如同一声惊雷在没有任何准备的东方市炸响。加印的5万份报纸10点不到就售罄了，还出现了恶意收购，有人开车到报摊上见《东方晚报》就全买。互联网上也是一派热闹，十大门户网站都把这条消息放在国内新闻的头条。

祖国彻底慌了，他连想都没想过报纸会有如此威力，几小时之内，他已名扬世界了。“为祖国纳税”“为祖国献身”迅速成了段子在手机短信中流传开来。他都不敢开手机了，从早上8点起，询问的电话就不断。他一慌，又做了极不明智的决定，派车上街收购报纸。本来想好的计划全乱了，都到了报社门口，犹豫半天还是没进去。他感觉已不是承认错误或给钱就能解决问题，必须考虑该如何自保。

马诚看了报纸后第一时间给市委李书记打电话。晚报这篇新闻太厉害了，决不是祖国老婆住院有人去看望这么简单，如此翔实的内容一定是有内线在作祟。谁在这个时候要保祖国，都可能是自取灭亡。果不出所料，李书记在电话里表扬了晚报，说尽管这件事让市委有点措手不及，但这是件好事，是舆论监督应该做的事。李书记还透露省纪委书记亲自给他打了电话，要东方市抓住不放，并从中找出问题吸取教训。马诚放下电话，又立刻给何大龙拨过去，一拨就通了。他高度赞扬晚报：“大龙啊，你们这一仗打得漂亮，可以说是一举成名，做媒体的领导就是要善于和敢于挖掘社会的黑暗面。估计你的压力不小吧？没关系，有市委的支持，有宣传部做后盾，没有过不去的火焰山。”

到了下午，马诚更庆幸自己的判断是对的。李书记已要求市纪委和市反贪局组成联合调查组去平乐，必要时找祖国谈话。马诚后悔昨晚给祖国打那个电话了。

何大龙刚开机就电话不断，菲菲的电话讲报纸遭恶意收购；星儿向他提出个问题：如果是商报得到了这些内幕，陈元敢报吗？贾诚实问下一步怎么走？高原红则兴奋地告诉他各门户网站都发了头条。最重要的电话有三个：马诚贺老爷子和市委李书记。马诚的态度让何大龙有点找不着北，他不是力保祖国的吗？怎么转了一百八十度？不懂。贺老爷子认为这篇报道抓得及时，省里刚刚通过了新的反腐倡廉文件，具体内容就是领导干部应管好家属。他透露消息说，省纪委书记上午已给东方市市委打电话，要求查清问题，给老百姓一个交代。李书记的电话先是批评他不应该突然袭击，再是表扬他敢于顶住压力揭露腐败，并要他下午带记者去市委汇报。综合各方面的信息，何大龙暗自松了口气，终于成功了。

朱香香昨晚看了何大龙带回的版面大样，第一反应这是在为她报仇。对她的反应何大龙笑话她是小女人。早上起来，为何大龙熬粥。他上晚班没味口，想吃很稠很稠的粥和麻油豆腐乳。熬粥时就不断听到何大龙在接电话，全是关于今天报纸的。听着何大龙的回答，她觉得这事是不是玩大了？凡是弄大了的事输赢问题就越发微妙，完全可能差之毫厘就失之千里。她又为何大龙担心起来，这事儿怎么着也跟自己有关。粥好后，她盛了一碗放到餐桌上，又摆好三个小碟：豆腐乳、花生米、和腌制的雪菜。“大龙，来吃吧。”

看着何大龙喝粥，朱香香问：“不会有问题吧？”

何大龙抬头看着她：“什么问题？祖国的事？”

朱香香担心地点点头。

何大龙没回答继续喝粥。他在考虑如何向李书记汇报，既要言简意赅，又要切中时弊。既要讲讲他决定用这篇稿子的想法，又要就组织观念问题向市委检讨。

朱香香不知他在想什么，说：“都怪我，不该说祖国的坏话。”

何大龙见她想岔了，笑着说：“我说你是小女人吧，你还不服。就为了祖国讹诈你，我就这么干？太小看我喽。对这个祖国我不是现在听说他的问题，由来已久。现在可以讲晚报已稳操胜券。粥不错，再来一碗。”

朱香香还是担心，盛好粥后说：“还是小心点为好。你的政治前途比你一时气愤更重要。”

何大龙点点头。这话不错，正是考虑到政治前途自己才下这步险棋的。

贺副省长对自己的保护随着时间的推移会越来越弱，如和朱香香结婚保护则更会削弱。估计是星儿在家里说起过朱香香和他的事，星儿妈妈不轻不重地提醒他："我们带小虹儿是应该的，但你也不能不担起做父亲的责任。如果以后你给她找个后妈，我们可不允许她受半点委屈。"何大龙因此必须利用现在的平台，做出引人注目的事来，让市委领导重视他，也让贺家重视他把他纳入到家族的干将之中。祖国的问题完全符合了他"引人注目"的思路，要让官员们明白不仅是纪委反贪局可以查你，我这个舆论工具也不是吃素的。现在看来目的已达到了一半，剩下就看市委怎么查处了。会怎么查处他呢？喝着粥，他感到与朱香香挺和谐的。

谁都没有料到，一周后，祖国突然自杀了。用一根领带在家中的卫生间里上吊，十多个小时后才被他的司机发现。这倒真让市委措手不及，因为调查组还在外围调查，根本未接触祖国。但从外围调查情况看祖国的问题的确不小，卖官鬻爵、养二奶、收受贿赂，还有行贿的情况。估计他自己明白将会受到什么处罚，只有一死才可能了之。

马上有省领导表态，讲既然人已死了，就到此为止。各媒体也接到省委宣传部通知，一律不对祖国的死作报道。

何大龙总觉得如梗在喉，怎么就结束了？坊间此时已有对他的非议，说祖国就是被他逼死的，人们总是同情弱者。虽然目的已达到，何大龙还是闷闷不乐。

牛文广得知祖国死后偷着乐。开始他担心自己的车会因祖国的问题而被没收，现在人已不在了，死无对证。他乐的原因还有一个，晚报曝光祖国那天，祖国给他打过电话，问商报会不会跟进报道，还问该怎么办？他告诉祖国只有宣传部能制止此事。可祖国说马诚当天凌晨给过他电话，讲了晚报的事。现在看来，马诚是在通风报信。作为宣传部长为什么要这样？他和祖国的关系肯定不一般。现在祖国人已死，马诚决不愿意别人知道他的这个电话，偏巧我牛文广知道了。哈哈……他笑了，笑得好得意。他都弄不明白为什么自己就能知道这么多可以利用的资源呢？他决定在适当的时候敲一敲马诚。

陈元近一段时间都是在警惕中度过的。看了祖国的报道，他对何大龙另眼相看，但他现在没时间与晚报恋战，必须尽快实施他的市场份额扩张战略。

晚报与联通合作后，他单独向童瑞东汇报了一次，极不情愿地提出了对星儿的怀疑。童瑞东也认为星儿在不经意中向何大龙泄密是可以理解的，现在征订方案的大框架已定，就不要再向星儿报告具体的操作了。授权商报在不突破预算的前提下，开始自行运作。

陈元找钱冰冰商量了几次，决定下两步棋，一是提前征订，二是与地市级邮局合作。前一步棋是钱冰冰提出的。以前个人订报纸12月份是高峰，自办发行后，商报能不能搞365天，天天订报？陈元立刻表示同意。第二步棋是陈元在与邮局谈判时想到的。报刊发行的格局自有了自办发行后发生了变化，邮老大垄断的牛气已不像过去。加上邮政改革，地市级的邮政系统相互竞争厉害。陈元决定自己抓住东方市，让邮局去做全省，他和几个重要的地市签合同，交一年的钱，看一年半的商报，其中半年的报纸全给邮局，订出去的报款也全归他们。

这个合同是陈元经过对发行成本投递成本核算后决定的。因为合同不符合邮政的规定，只能私下偷偷地签，他一个地市一个地市谈判，成熟一个签一个。经过1个多月的辛苦，陈元签下近6万份的发行量。他瘦了，也黑了。

回到报社，他立刻决定祭起已考虑成熟的“三管齐下”策略，推出评论版，重点打造东方时评；推出七彩周刊；推出重奖征集新闻线索。因为筹备工作做得扎实，“三管齐下”按部就班地进行。在繁忙的工作中，陈元并没察觉到钱冰冰的状态不好。

“三管齐下”中的七彩周刊是钱冰冰负责筹备的。这些天来她的心灵被煎熬着，有天早上她在家里的秤上磅了一下，竟然瘦了5斤。为什么会瘦，原因明摆着，吃什么都没胃口，又失眠。好像睡着了一会儿，又被恶梦吓醒了。她想了好多解脱的办法，去锻炼，把自己累得跟孙子一样，这总会睡得着吧，可不行，还是睡不着；喝酒，麻醉自己，结果借酒浇愁愁更愁；不想吃就饿着，饿得不行了，总会想吃吧，但就是不饿。这倒让她想明白了道理，人这种动物在相当程度上是被精神所左右的。可能就是因为精神上认为自己不该对陈元做亏心事，才导致这个后果的。我又凭什么就不能对陈元做亏心事？他明知我喜欢他，他又凭什么冷落我？就凭所谓的道德？还是他压根儿就看不上我？

面对这么多的问号，钱冰冰无法一一找到答案。这影响到她的工作，脾气也见涨，动不动就跟人急。但在这一锅粥样的问题当中，有一点她是清楚的，决不能再把商报的信息告诉朱香香。七彩周刊如果面市，朱香香肯定会质问她，她已想好了怎么回答。

下午4点，从陈元的办公室出来，钱冰冰把车停在东方河边，打开车门。已是冬天了，在这个季节里太阳变得沮丧阴郁，而风却更得意自己的威力，它无需咆哮便轻而易举地改变环境。东方河的河风已变得冰凉，可钱冰冰觉得吹到脸上还挺舒服。河里有人在打鱼，一网一网下去，总不见有鱼，打鱼者在固执地撒网收网。钱冰冰的思绪渐渐清晰，要摆脱现在的困境，就要摆脱朱香香；而要摆脱朱香香就必须摆脱陈元。最后归结到了一点：辞职。只有辞职才能彻底摆脱。这个问题早想过了，而且是反复地想过，被自己淘汰了多次。她忽然佩服起祖国来，有勇气自杀的人真英雄。

下午陈元看了七彩周刊的版样，不满意，才找钱冰冰的，他刚从县市回来。他说七彩周刊虽然还是赤橙黄绿青蓝紫，但与之对应的行业不理想。

“先撇开版面设计不谈，你把绿色对应美容显然不合适，应该对房产，大多数房地产商都在打‘绿色家园’的牌。”

钱冰冰反驳：“要这么说，我也可以把绿色对应美食呢，‘绿色食品’嘛！”

陈元认真地解释：“也有道理。但你比我清楚，美食和房地产的广告投入谁的大？肯定是房地产。所以在设计版面时首先向广告投入大的行业倾斜。”

钱冰冰没吱声，七色对七个行业是编辑弄的，她未作修改。

“还有旅游，放在青周刊里做不好，全国都在弄红色旅游，把旅游放在赤周刊里做现成的嘛。青在颜色里就是黑色，应该对应家电，家电就分黑家电白家电。”

钱冰冰还是没讲话。心里已服气了，就是这种服气，让她对陈元的喜欢欲罢不能。

“汽车也是广告大户，要给它安个好颜色，用紫色最合适，紫气东来。”陈元边说边用笔在版样上做改正。“大圣，看样子你没用心呀。凭你的经验，不应该出这样的问题。”

钱冰冰想哭，不是因为陈元的批评，而是觉得委屈。

陈元继续在版样上修改。“我这趟下去跑，收获不小。那些地市邮政局长真能喝，快把我喝死了，好在不负众望。下次一定要带上你，替我挡挡驾。他们都讲我黑了，是不是黑了。”他抬起头。

钱冰冰赶紧把眼眶里的泪水收了回去，微微一笑说：“全省跑，还能不黑。休息也不好吧？”

“就是。我又没风吹日晒怎么会黑呢？可能是没休息好，人疲倦就显黑。你在家也忙坏了吧？”陈元的口气转向关心。

钱冰冰叹了一声：“你总算是说了句体贴下属的话。”

陈元走到墙边拿了两瓶水，递给钱冰冰一瓶：“你是批评我？”

钱冰冰喝口水摇摇头：“不敢。谁敢批评你掌柜的呀。”

陈元也喝水，笑笑说：“我觉得这一段我们好像生疏了。”

“不是好像，就是生疏了。”钱冰冰肯定地说。

“为什么？能跟我说说为什么吗？”

钱冰冰盯着陈元说：“别装糊涂。”

陈元被她的目光弄得心里一震，她还未解开爱的疙瘩。

“我也不好。”钱冰冰自责道。

陈元不吱声了。不管他如何说都不能说服一个单相思的女人，只有不说，才是最好的说。

“你不批评了？”钱冰冰无话找话，“没别的事我就先走了，还要和代理公司谈七彩周刊的广告。”

陈元挥挥手，目送她出去。

钱冰冰站在东方河边，想着陈元挥手的尴尬样子，“扑哧”笑起来。如果陈元就着她的话题讨论下去，可能两个人都不高兴。在关键的时候选择沉默，是大多成熟男人的惯用伎俩。还是要振奋精神，当一天和尚就撞一天钟，争取把钟撞得震天响。想到这儿，钱冰冰面向东方河伸伸胳膊踢踢腿，又大口大口地呼吸着冰凉的空气，觉得清醒多了。她走回汽车，挂档松刹踩油门，POLO车飞快地汇入车流当中。

朱香香与星儿的接触变得紧密起来，她们要对新闻大厦的标段细分，同时要组织好队伍进场施工。东方商业地产与瑞东集团达成基本协议，商业地产主要承担标段内的室内装修工程，瑞东集团做土建和部分装修。本来朱香香现阶段不会有太多的事，双方工程师讨论施工方案就行了。可星儿提出，能不能装修与土建同时进行。说国外已有不少先例，不等土建结束就开始装修，只要确保每个施工阶段验收合格就行。这样可节省工期，还可将土建施工、装修施工结合，取长补短。工程师们对此做了可行性报告，认为没问题。

朱香香真服了星儿的想象力，她没干过土建工程，却能很快进入角色，这与她的想象力有关。朱香香算了账，工期缩短一个月，可节约资金最少200万。马诚也发话，在工程质量确保的前提下，缩短一个月奖励100万。

还有一件事值得朱香香高兴。东方商城休闲广场玻璃顶终于完工了，很漂亮。何大龙出主意，让民工代表剪彩，并在仪式中加了个环节，向在事故中死亡的4位民工默哀。开始她认为在这个喜庆的场合默哀不吉利，可就是默哀不仅感动了商城里的业主，也吸引了众多媒体记者。充满人性味的典礼第二天占满了各报纸的倒头条，进一步消除了坍塌事故给东方商业地产带来的负面影响。朱香香竖起大拇指对何大龙说："高，实在是高。"

但有件事让她不高兴，就是商报七彩周刊的出版。这个消息钱冰冰应该告诉她的，可没有。给钱冰冰打电话，结果惹了一肚子的气。钱冰冰说她已被害惨了，不能再当特务了。至于朱香香要怎么办，悉听尊便。如果逼急了，她就公布真相。朱香香还真被噎住了，钱冰冰说得有道理，她的把柄被利用过一次后，朱香香也被她抓住了把柄，利用男女关系敲诈，决不会给商业地产老总戴上光环，相反是不为人齿。何大龙如知道了，恐怕也会反对。妈的，抓蛇反被蛇咬了。忍了好几天，终于忍不住把钱冰冰透露商报发行方案的事说给星儿听了。

那天因装饰材料的问题开会到晚上7点，朱香香想喝罗宋汤，便把星儿拉到绿茵阁西餐厅。

刚落座，星儿就说："你欠我一件苏罗的晚礼服。"

朱香香翻开菜谱点餐："说了我刷卡，你去订做嘛。罗宋汤，西冷牛扒，七成熟。"

星儿也在点餐："血蛤膏，海蜇皮，一份通心粉，再要个鸡蛋单面的。"

"晚餐吃鸡蛋不消化。"朱香香说。

星儿合上菜谱递给服务生，俏皮地说："我愿意。说，什么时候陪我去北京。周六去周日回行不行？"

朱香香想想，拒绝道："不行。必须周六早上去晚上回，周日我答应了和你姐夫一起带小虹儿去海洋公园。"

"喊。"星儿不由得吐出一句网络语。

朱香香想圆场："你们商报的那位陈总不错。"

"你怎么知道不错？学会看相了？"

"你说对喽，我看女人看不准，看男人一看一个准。几次都想请他吃饭，可总不能如愿。"

星儿斜她一眼："别吃着碗里的看着锅里的。"

朱香香小声挑逗她："怎么？吃醋了？好像还是山西老陈醋。"

汤先上来了，两人喝着汤。星儿说："你的罗宋汤才酸呢。"

朱香香得意地说："现在最流行的歌，叫《酸酸甜甜就是我》。嗨，你说对不对？"

星儿只顾喝汤："对个屁。'酸酸甜甜就是我'是我家的小虹儿。"

朱香香嘿嘿地笑笑说："先别说小虹儿的事。我请陈元吃饭不能如愿，其实就是怕你吃醋。告诉你一个秘密。"见吊起了星儿的胃口，她接着说："知道你姐夫是怎么知道商报发行方案的吗？"

听到这里，星儿一惊。商报最近与地市邮局的合作她都不知详情，已明显感觉到陈元不信任她。好在她把全部精力投入到新闻大厦项目中，没时间管其他的事。朱香香提起这事，她便急于想知道答案，一方面洗刷自己，另一方面挖出内奸。她放下汤碗忙问："是谁？"见朱香香洋洋得意的样子，猜一定是她告诉何大龙的，可她怎么会知道这个机密呢。"你不说是吧？不说我生气了。"

朱香香忙说："我说我说，我不想自讨没趣。还记得我求你引见你姐夫吗？"

"我是引狼入室。NO，是引狐狸入室。"

"别插嘴，听我慢慢说。当时有位东方花园的业主在晚报投诉我，所以我才要你引见大龙的。"

星儿的通心粉来了，她没吃，一心想早点知道是谁泄的密。

"那位业主你认识。"

"谁呀？"星儿问。

"她姓钱……"

没容朱香香说完，星儿就脱口而出："钱冰冰？"说出名字时她自己都不信，眼睛一直盯着朱香香："是她？"

朱香香眉毛上扬，一副忘形的样子，开始切牛肉。

"真是她把方案给你的？"星儿不放心地问。

"要看看她给我的E-mail吗？"

星儿长长呼出口气又紧皱眉头说："真是乱套了，这怎么可能呢？不可能嘛。"星儿不断在否认，可心里明白，朱香香没骗她。可这个女人是怎么把冤家变成了同谋呢？

朱香香嚼着还带血丝的牛肉赞赏道："好，这牛肉真嫩。星儿，你记住：商场上有些东西需要大声叫嚷，有些东西就必须永远沉默。你别想从我这里得到钱冰冰为何会成为我的同谋的。"

星儿开始吃通心粉，谜底已经揭开，那些过程就成了故事。故事并不重要，她无所谓地说："我不想知道更多的，你就烂在肚子里吧。"

朱香香叮嘱一声："别告诉你姐夫。"

星儿摇摇头："想封杀新闻呀？拿封口费来。"

"我们喝点酒吧。"

"好啊，知道了这个秘密，是该喝点。"

马诚在办公室接到一个让他毛骨悚然的电话。

"马部长，我是一名记者。平乐县的祖书记生前跟我说，晚报刊发曝光新闻的那天晚上你给过他电话，通风报信。作为东方市主管宣传工作的领导人，你这么做是什么性质的问题，想必你比我清楚。"

马诚嘴唇颤抖地问："你是谁？想干什么？"

"我不想干什么，只是想在需要马部长帮忙的时候，你给个援手。我还会给你电话的，别以为祖书记死了就无对证了。可以告诉你我是谁，我叫牛文广。"

马诚放下电话，他冷静不下来，真慌了。

省市领导对祖国的死采取到此为止的措施。作为祖国的生前好友，他帮了祖国最后一个忙，由他出面打招呼，把祖国埋在东方市的豪华墓区。因为祖国的墓与烈士陵园紧挨着，于是东方市到处在传是他将祖国埋在了烈士陵园。而且由此引发了新闻大厦招标有问题的传言，他为这事悔青了肠子。可人都埋下去了，总不能再挖出来吧。说心里话，去看墓地时，他是动了将墓与烈士陵园实际连成一片的想法，那也是帮朋友的忙嘛，当时多少人平乐说他仗义啊。可传着传着，大家把他与祖国划为一类人了，他妈的。这还没完呢，牛文广又来电话，竟然明火执仗地敲诈。该怎么办？牛文广是怎么知道这件事的？他没可能知道啊。真是树欲静，风却不止呀。

马诚仔细思考在什么环节上会出错。给祖国打电话不是错，我是主管新闻宣传的官员，有权打这个电话，也有权通报给当事人，这是为了宣传工作能实事求是不出偏差嘛。我甚至有权禁止那天的报纸出版。对啊，我为什么不禁止那天的晚报出版呢？如果晚报出不来，祖国在上面有那么多的关系，很容易摆平的，最多是何大龙对我个人有意见。唉，机会总是稍纵即逝呀。给祖国选墓地，也不是大错。人都死了，省市领导也有指示。不就是墓与烈士陵园紧挨着嘛，事实是祖国的墓不属烈士陵园管辖，只是这个小聪明被人放大了；关于新闻大厦，也不会有问题，招标工作一直是在公开公平公正的前提下进行的，省市领导对省建工集团入选和民工工资的处理都很满意。如果说有问题，就是童瑞东在自己孩子出国留学时给了30万，但那跟招标无关。瑞东集团的入选他贺副省长还有面子在里面呢。尽管童瑞东讲这笔钱连星儿也不知道，只怕这30万是个炸弹。对，错就错在这个环节上。牛文广是商报的人，这不得不让人联想，会不会是童瑞东在背后？他想进一步控制我，从而达到控制东方市的媒体？越想越怕。该怎么弥补？最好的办法是还钱。可现在拿不出钱，弥补的办法就只有一个：借。

想到就做，马诚拿了三张公文纸分别写了借据，一张20万，两张5万，日期写在招标完成后。这是他听纪委的同志讲，办事之前收人钱，是受贿；办事后收人钱，就比受贿轻得多，这里有别人感谢你的意思。写好条后他给童瑞东打电话。

"童董事长，你给我儿子留学的30万我写了三张借条，用特快专递给你。收到后告诉我一声。"

童瑞东回答的口气完全是朋友式的："马部长何必呢，钱是给你儿子的。怎么？有人说这事？"

马诚解释："没人说，我只是觉得我们之间应该有这样的手续。新闻大厦的项目这么大，一定会有人说三道四，防患于未然。"

童瑞东理解地说："你要这么做，我也没意见。可我要再告诉你一遍，30万是我私人的钱，跟瑞东集团无任何关系。我的钱我愿意给谁就给谁，对吧？"

马诚在这点上是佩服童瑞东的，他总能做到滴水不漏。"谢谢你。老人家曾说过：世界上没有无缘无故的爱，还是履行个手续好。"

童瑞东笑道："悉听尊便。令公子在英国留学斯间，我能照顾到的，一定不会袖手旁观。"

马诚连说"谢谢"后又试探说："商报有个叫牛文广的，你请陈元同志注意他。这个人据我所知有问题，是职业操守有问题。"

童瑞东忙说："我立刻让陈元叫他走人。"

听了这话，直觉告诉马诚童瑞东并不知牛文广的事。还没想好该如何处理牛文广，但肯定不能现在激化矛盾，以防狗急跳墙，“暂时不要这么做，但要加强教育，对他的稿件要慎重一些。我怀疑给我写匿名信告陈元同志的就是他。”

童瑞东坚决地说：“这种内奸怎么能留呢，养虎为患，还是开除算了。”

“我的意见是别急。不能冤枉一个好人，也不要放过一个坏人。”

“好吧，我会告诉陈元的。新闻大厦的开工正在紧锣密鼓啊，星儿和朱香香她们很辛苦。”

马诚听到“新闻大厦”四个字还是很高兴，这毕竟是他孕育出来的：“是啊，市委李浩书记也在常委会上问我什么时候开工。政府批给的一个亿已到账了，你们还要抓紧。建工集团的动作比你们快呀。”

“我准备在东方市待一段时间。我向你保证，决不会耽误工期。马部长，我建议开工奠基的日子是不是请人算一算。”

马诚感叹道：“那位祖国书记最喜欢算，连到市里汇报工作也要找人算算时辰，可人算不如天算。当然，像奠基这样的大事，找人算算日子也是有必要的。这件事我就不好说了，共产党人嘛，在其位谋其政。还是你找人算个日子吧。”

童瑞东答应说：“没问题，交给我。”

刚放下电话，电话又响了，是市委李书记的秘书，说李书记明天去晚报社看看，问马诚有没有时间陪同。他连声说有时间。再次放下电话后，他感到东方市新闻界表面上很平静实际却喧嚣得很。是李书记自己要去的，还是何大龙运作的？这个何大龙又在搞什么花样？他在晚报是站稳了脚跟，下一步他要干什么？杀回宣传部？不是没这种可能。想到这儿，他拿起电话给何大龙打，但拨了几个号码后又放下电话。既然何大龙没给我汇报李书记去晚报视察的事，我就没必要打这个电话，他何大龙不是不懂规矩。李书记去晚报因为晚报还是因为何大龙？马诚还没想通。

何大龙又在哼唱京剧，请李书记来晚报视察的事终于运作成了。还有件高兴的事，查出了是谁向商报告的密。祖国事件虽然虎头蛇尾，但这组报道彻底改变了晚报在一般读者和官员心目中的形象，何大龙不仅在外的政治地位如雨后春笋般地往上窜，在内的威信也大大增长。人人都佩服他的胆量，都对晚报充满信心。他耿耿于怀的是新闻见报的那天晚上还是有人向商报告了密，尽管没造成后果，但这事不可容忍。他让人去电信局查了当天的电话记录，凌晨1点55分，在机房有一个电话拨到了商报陈元的手机上，通话时间是3分钟。肯定是这个电话告的密。调查了那天到底有谁在机房，发现只有传版的工程师和一名总编室的实习生。何大龙马上把那名实习生找来，他承认了，因为商报答应正式聘用他。何大龙想大骂他一顿，又一想，何必骂一个小孩子，陈元他妈的太不地道，弄个间谍放在晚报。也没什么，我不是也弄到了他商报的发行方案嘛，算了，彼此彼此。何大龙让办公室下通知，晚报各部门的实习生一律解除实习离开报社，以后凡要接收实习生必须经社委会讨论决定。

针对陈元发行工作的“三管齐下”，何大龙一直在找对付的办法。最先想到的是请市领导来报社视察，这就能策划出新闻来。但以什么理由请领导来呢？找贾诚实他们商量了几次，贾诚实提出能不能从“和谐”中想办法，现在全国上下的政治主题是和谐。

贾诚实说：“我对中央提出的建设和谐社会考虑了很久，我认为最能在媒体上再现和运作的是社区，社区服务，社区建设，社区新闻等等，因此我建议晚报弄个纸上社区。”

何大龙听后眼睛闪着光，他举一反三地说：“纸上社区是虚拟的，我们完全有能力走进真实的社区。现在不都把以前的居委会改成社区了嘛，我们就开设社区新闻版，聘他一批社区记者，大大炒作一番。”

贾诚实被他的话吸引，但马上又担心道：“商报已经弄过送药进社区活动，我听钱冰冰讲过效果很好。”

何大龙冷笑一下说：“他们的点子不错，但手笔太小。社区可以做成一篇大文章，在社区里发生的事就是社会的缩影，读者对身边发生的事比别处发生的事感兴趣得多。克隆商报的点子是因为我们可以以我们的权威性放大它。商报也克隆过我们的东西嘛，比如他弄的重奖新闻线索。”

何大龙沉浸在他的想法之中：“比如现在医疗问题是社会突出矛盾，晚报就可以与《大众医生报》联手送医进社区。前些年很有影响的‘为您服务活动’我们也可以重新捡起来，送服务进社区，修锁车修家电等等。也可以乘机搞发行。”

贾诚实的兴趣被调动起来：“对对，现在搞文化三下乡，我们也可以搞文化进社区嘛，去社区放露天电影，既可丰富文化生活又可以勾起人们对过去时光的美好回忆。”

何大龙的情绪完全被调动起来，他说：“这样的话，我们请李书记来报社视察的理由就充分了，建设和谐社会是个大题目，李书记关注这个大题目天经地义，通过他的视察，向社会发出加快和谐社区建设的信号。对我们为社区做的实实在在的工作，李书记肯定表扬。只要他一表扬，我们就有话可说。他陈元搞‘三管齐下’，我们做服务进社区，记者进社区，李书记来视察，我看这是‘三箭齐发’。对，就是三箭齐发”。

贾诚实笑了：“三箭对三管，有点意思。”

何大龙说：“还要考虑更周到一些。教头，你辛苦一下，弄个方案。这事还要与菲菲商量，她点子多，在市场开拓上比我们强。”

贾诚实说：“好，我马上找她商量。”

何大龙深有体会地说：“算辛苦账算经济账都算不过政治账，我们是用政治对付陈元的市场。”

东方市委书记李浩带领市委办公厅、组织部、宣传部、民政局、文化局等部门的领导视察《东方晚报》的消息第二天在全市所有媒体都有报道。晚报从一版到三版，全方位报道了李浩视察晚报，去社区观看“为您服务”活动，在晚报召开和谐社区建设座谈会。

贾诚实将新闻报道手法发挥得淋漓尽致，有特写、侧记、链接、图片新闻、记者手记等等。何大龙则要求菲菲全部用封面纸印当天的报纸，要让领导们从里到外都满意。

李浩书记对社区建设提了20个字的要求，“统一思想，明确目标，提高认识，增强信心，振奋精神。”根据要求，民政局和文化局立刻行动。民政局是全市社区的管理部门，他们发出通知，要求各社区积极订阅晚报并推荐社区记者。文化局也向所属单位发出通知，要求市电影公司按照晚报的安排，每周末轮流去社区放露天电影，要求市歌舞团在“三下乡”的基础上增加进社区的演出。马诚也指示宣传部给全市报纸、电视台、网站等媒体发通知，切实做好和谐社区建设的宣传报道。

又是一周日，何大龙在厨房做饭，星儿与小虹儿在客厅看影碟，迪斯尼大片《花木兰》。

好几天了，何大龙还在兴奋之中，这一仗打得太漂亮了。听说李浩书记拿着晚报对边上的人讲：这个何大龙有政治头脑，进步很大。

星儿端杯水走进厨房问：“你会做东北乱炖？”

何大龙正把香菇、土豆、罐头肉、大白菜、豆腐等往锅里放。“我仔细问过东北厨师，乱炖关键是乱字。当然还得要点东北属性，比如原料都应产自东北。”

星儿指着菜笑道：“这些香菇、土豆都是东北的？”

“不是，那成本多大呀。亏你还是企业的管理者，成本大了就要亏本，不知道吗？”

星儿觉得好笑：“你真行，炒菜又炒到管理上去了，我看你就是在狡辩，为这个假东北乱炖狡辩。”

何大龙给锅里放油放盐放料酒，加水，盖锅盖：“东北乱炖是个概念。我们只要搞懂了概念，那就是掌握了本质。就像你读哲学，如果读进去出不来，那就是个理想主义者，或者叫书呆子；读进去又能出来，就会成为马克思毛泽东一样的领袖；读了一点，搞清楚了概念就赶紧出来，就变成了企业家，就像你和你的董事长。我这道菜你也可以冠名华东乱炖，或者东方乱炖。但它的概念是变不了的。”

星儿喝口水。“不跟你辩。李书记的视察让你心里特美吧？”

何大龙在冰箱里拿水果：“那当然，我这是成功地打了一场没有硝烟的政治仗。老爷子在家里说了什么？”

星儿拿起一个桔子剥开放了一片在嘴里：“呀，好甜。”她叫小虹儿：“小虹儿过来，给你吃桔子。”小虹儿跑过来，星儿把剥好的桔子给她。

小虹儿问：“爸，你要这么多水果干吗呀？”

何大龙在切苹果，他把苹果切成小块：“给你做一道好吃的菜，叫什锦水果羹。”

小虹儿再问：“水果煮熟了好吃吗？”

何大龙点点头：“好吃，酸酸甜甜的。”

小虹儿大叫一声：“哎呀，酸酸甜甜就是我，你要吃我呀。”

“哈哈哈……”何大龙星儿大笑。星儿还张牙舞爪地说：“我们今天就是要把小虹儿吃了。”

小虹儿惊叫着跑回客厅看电视了。

何大龙开始削梨子：“广告太可怕了。你还没讲老爷子怎么说呢。”

星儿像是漫不经心地说：“老爷子没直接表扬你，只说你有点灵气了。”

何大龙“哦”了一声，继续削梨。

星儿拿起一小块苹果放进嘴里：“他还说，一个好的干部，除了要有霸气和灵气外，还要沉得住气。”说最后一句时，她看了何大龙一眼，看得意味深长。

何大龙被这句话说得一愣，手上被刀划破了。

星儿赶紧跑到客厅在一只小盒子里找了块创可贴，给何大龙贴上：“疼吗？”

何大龙摇摇头。他的思绪还在星儿的那句话里，要沉得住气。祖国的事结束没多久就策划李书记视察，这是沉不住气吗？祖国的新闻一出老爷子就来了电话，而这次他却没来电话。难道他认为我沉不住气？

星儿知道何大龙是被她的话说愣住了，但在给他贴创可贴时还是忍不住问：“姐夫，你说，是朱香香对你好？还是我对你好？”

何大龙没回答，他不知道如何回答。他还在想关于沉住气的问题。

“别装聋作哑。上个周日你们一家去海洋公园特幸福吧。说呀。”星儿已经对他俩的关系释然了。可只要有机会，还是愿意逗逗他。

何大龙依旧不吱声，他开始剥香蕉。

“小姨，你有电话。”小虹儿拿着星儿的手机跑过来。

星儿拿过电话，是陈元的。她看看何大龙，走到客厅阳台上去接。

何大龙没在意，他对小虹儿说：“老爸教你做水果羹。”

小虹儿高兴起来：“我来剥香蕉。爸，我还想和那个朱阿姨去海洋公园玩。”

何大龙悄声问：“你喜欢那个朱阿姨吗？”

小虹儿一个劲地点头。

陈元在电话里说看了钱冰冰发给他的辞职电子邮件后，才知道发行方案是钱冰冰泄密的。他为冤枉了星儿向她道歉。

星儿没有太大的反应，这件事她知道在先，她也没将钱冰冰泄密的事告诉陈元。但对陈元能在第一时间向她道歉还是有点感动，实际上她越来越感到陈元的光明磊落，浑身充满了男子汉的气息。他敢于知错就改，也爱憎分明，是个值得尊敬的男人。

见星儿没说话，陈元问：“我还没同意钱冰冰辞职，想问问你的意见。”

星儿说：“钱小姐如果下了决心，你是无法阻止她的。我可以想象她为什么会辞职，你问我的意见，有两点供你参考：一是挽留，但做好她走的准备；二是把账算清楚，是她应该得的一分也不少她的，她对商报的贡献还是巨大的。”

陈元同意她的意见。

“小姨，快来看我做水果羹。”小虹儿在喊。

星儿对着电话说：“如果钱小姐真走，谁来接手？这是迫在眉睫的问题，你说呢？”

陈元连声说对，他说已经在考虑这个问题。

收线后，星儿走回客厅，但她还在顺着自己的思路往下走。朱香香告诉她真相后，她就断定钱冰冰一定会离开商报。理由非常简单，她出卖了她爱着的男人，唯利是图的性格将导致她被矛盾吞噬。可商报要在短期内要找到她这样优秀的广告人不容易。好在商报广告已全面实行代理制了，她的离开不会伤筋动骨。代理制是商报未雨绸缪呀。

何大龙走到客厅，一看星儿就觉得不对劲，问：“怎么啦？有事？”

星儿说：“商报的事。”

听到“商报”二字，何大龙不吱声了。他已经没丁点儿想从星儿这里得到商报的信息了。晚报的走向完全可以掌握在自己的手中，知己知彼会事半功倍，但在东方市这块土地上却未必。我的“三箭齐发”在后，陈元的“三管齐下”在前，结果如何？他对着厨房喊：“小虹儿，把煮水果羹的火关掉。”

小虹儿在厨房里快活地应道：“好嘞。”

钱冰冰把辞职的邮件发给陈元后在家睡了一天。开始在床上翻来覆去睡不着，往事如烟，从毕业到晚报，到与贾诚实吵架、上床，再到从晚报辞职与陈元合作。全部过程中唯一让她后悔的就是与小江上床。那位朱香香真是自己的克星，为什么总是在关键时刻这个女人都会出现，使得自己倒霉。该死的臭三八。钱冰冰把能想到的恶毒的词汇“不要脸”、“荡妇”、“贱货”、“婊子”之类的统统加在朱香香身上。张爱玲在小说中是怎么对假扮纯情的女人讥讽的？她们是“天真的可耻”。朱香香就是这样的人。如果有能力让朱香香死，一定不让她好死。让她车祸死，她不是开着跑车耀武扬威吗？要让她死在车里警察都弄不出来她的尸首。不行，自己也开车，诅咒她车祸，不等于咒自己嘛，不能让她这么死。让她在工地上被重物砸死，她已中标新闻大厦，肯定要常去工地，保不准哪天就被砸死了，让她被砸成肉酱，来世也变不成人。还有……还有让她在做爱的时候突发心脏病死在男人身上，现在的心脏病说发就发，医院事先都查不出来。如果她裸体死在亢奋中的男人身上，那个男人会怎样？会阳萎吗？肯定会，任谁也经不住这样的吓呀。

钱冰冰在胡思乱想中睡着了。奇怪的是，就这么折腾她也没做恶梦，足足睡了将近9个小时才自然醒来，睡个好觉真不容易，她不知道这是她全身放松的结果。让钱冰冰全身放松的原因有二：一是向陈元说出了心中的秘密，去掉了一直压抑在心里的让她担惊受怕的定时炸弹，而且以辞职作为代价，他陈元总无话可讲吧，这也意味着我不欠他的。至于报社还欠我多少钱，无所谓了。他陈元愿意给我就收着，不愿意给就拉倒，就算我对商报的赔偿；二是在给陈元发电子邮件前，已在工商局注册了“三人行广告策划有限公司”，这是退路。因为泄密行为一旦传出去，她便没有在东方市任何一家媒体工作的可能。她也不愿意被人背后议论，所以自己干是最好的选择，也有这个实力。

“三人行”注册资本200万，是她一个人的钱。合作伙伴是东方大学艺术系设计专业的副教授，他们一拍即合。钱冰冰没让他出资，送他20%的干股。这么一来，艺术系设计专业的学生就成了“三人行”的编外员工，接多大的单子都没问题。工商局的同志开玩笑说：三人行怎么变成二人行了？她说还在找另一个人呢。想到“三人行”这个名字当然首先是因为孔子的《论语》，其次她想让人一听就记住，她没想过“三人行”就要三个人来办。工商局的人说的也对，如果“三人行”是三个股东，岂不赋予了新的含义。找谁来做这“第三人”呢？

钱冰冰不仅注册了公司，还租好了写字楼。一旦陈元批准她的辞职报告，要做的第一件事就是在商报和晚报上做招聘广告。广告词都想好了：“既然宝刀在手，就当笑傲江湖”。多好的广告词呀，大气、霸气，还充满朝气。

起床后，钱冰冰先洗了脸，然后拉开窗帘，外面已是月上东山。她站在窗前看着天上的月亮，今天是农历十五还是十六呀？月亮怎么这么圆呀？钱冰冰想起，小时候看见月亮圆会用手指，奶奶为这事骂她，说你指月亮，月亮里的人便会拿剪刀在你睡觉的时候把你的耳朵剪下来，吓得她晚上睡觉时把被子紧紧地捂着头。真奇怪了，第二天耳朵真的痛。奶奶说幸好用被子捂住了头，要不然耳朵就没了。直到现在她还不敢用手指月亮。

对月亮这个被奶奶称为天灯的东西，钱冰冰也仅仅记得几句如“明月几时有，把酒问青天”“今人不见古时月，今月曾经照古人”的诗。倒是嫦娥的爱情故事让她对月亮有种说不出的感觉，这嫦娥也真真是傻女人，放着后羿这么强壮的男人不要，结果被那个臭猪八戒调戏。一想到男女关系，脑子里竟冒出一句诗来：“月色溶溶夜，花阴寂寂春”。不知是谁写的，但肯定与男欢女爱有关。溶溶夜对寂寂春，什么意思？唉，自己不就是被这“寂寂春”给绊了一跤嘛。也好，没有伏就没有起。

打开手机，又把拔掉的电话线插上。很长时间没这么关过电话了，没电话真好，所有的时间都是自己的。正想着，手机就响了是陈元的，约她见面。钱冰冰思忖，无论如何都躲不过见一次面的，那就见吧。

半小时后，在离商报不远的咖啡吧里，陈元在等她。此刻已经没一点缠绵，也没有商量工作的快感，双方讲话都放弃了解释单刀直入。

陈元先开口：“我愿意把过去的一切忘掉。”

钱冰冰回答：“我忘不掉。这是我内心的痛，一失足成千古恨。”

陈元找她的目的是要挽留她。“商报不能没有你。”

“开玩笑，商报可以没有任何人。掌柜的，不要兜圈子了，我希望我们的谈话是讨论我走的结账问题。”

陈元有点生气，明明是你错了，我挽留你，你还牛B？但他忍住没说出来。“你就一点也不留恋报社？”

钱冰冰看看他，自己对自己笑笑。报社能让我留恋的就是有个赚钱的平台，还有你陈元。嘴上却说：“既然决定离开，就没什么可留恋的。”

陈元还想争取：“我打了你一天的电话。”

对这话，钱冰冰有些感动，毕竟是自己不对，说：“你应该给贺总打电话，向她道歉。”

“我打过了，她讲她早知道这件事。”

钱冰冰一惊，星儿早知道泄密的事，为什么她不说出来？

陈元看出了钱冰冰的不解，说：“她说不想商报失去你。”

钱冰冰被星儿的大气感动，深深叹口气说：“她的大度让我更不能在商报留下去了。”主动交代与被迫交代有质的不同。自己还以为是主动交代呢，自作多情。

陈元见无法打动她，便说：“如果你实在不愿意留，我不勉强，你好自为之。”

钱冰冰礼貌地笑笑：“放心吧。我还会继续做广告，还会与商报合作，只不知陈总是否欢迎。”

陈元也礼貌地点点头：“这是另一个问题，合作也是后话。”

“其实我还有个不放心的事。”钱冰冰小心地提出问题，这是她早就想提的。

“说吧。”

“我觉得你斗不过何大龙，在政治上你没有他成熟。”

陈元没马上回答，钱冰冰的话不无道理，与何大龙比自己的确在政治上不够成熟，晚报赢的地方都在政治上。看来这方面的修养要加强，政治家办报的这个根本不能放松。想到这儿，他说：“我会小心的。”

钱冰冰站起来：“掌柜的，我对不起你，这是真心话。我希望商报越做越好。”

陈元也站起来。“看来我们已是话不投机呀。”

钱冰冰鼓足勇气说：“记得那次拥抱吗？我还想抱你一次。”没容陈元表态，她就一把抱住陈元，但马上又放开，说了句“再见”急匆匆走了。

陈元黯然伤神地看着钱冰冰的背影消失在门外。他又坐下，谁来接钱冰冰的班呢？又有几个地市的邮局表示想与商报合作，还得往下跑，原本打算带她一起跑，唉，还是得一个人孤身上路。他觉得累了。

钱冰冰从咖啡吧出来后，心里觉得很堵想号啕大哭一场。她把车开得飞快，车内音响却在放着二胡曲《二泉映月》。此刻脑子一片空白，想想点什么，却什么也想不起来，内心深处只回荡着一个声音：我终于辞职了，我自由了。在她的脸上，两行眼泪流了出来，她自己也搞不清楚这是高兴还是难过。

第十四章 暗访

ANFANG

〖商报讯〗“二奶”，是缺席现代汉语辞典而近十几年来却耳熟能详的名词，它已像越长越大的毒瘤存在于我们活生生的现实社会中。进入新世纪，原先有所回避、遮掩的有关“二奶”的话题开始越来越多地见诸国内媒体，但对于“二奶”的生存状态却普遍语焉不详。

“二奶”让人毫无疑问地联想到男人和女人，金钱与性交易，尤其是容易让人联想到女人的命运。二奶们幸福吗？她们是怎样沦为二奶的？她们为何当二奶？她们没有别的道路可走吗？人们该谴责男人还是谴责女人？对此类丑恶现象，社会该如何拯救？近日，本报记者改名埋姓装扮成落魄女人，孤身暗访东方河畔的“二奶岛”，努力去接近、了解、捕捉、反映“二奶”们的甜酸苦辣，揭开“二奶”们令人心悸的生活内幕和内心真相。

据悉，东方河畔的“二奶岛”与深圳厦门的“二奶村”不同之处是包养“二奶”的男人不是香港和台湾人，而是内地的一些老板以及到东方市投资的部分老总。本报从今日起，连续对“二奶岛”进行报道。请读者关注……

这些天来，陈元一直郁闷。钱冰冰辞职后他一直想和星儿深谈一次，可星儿推辞，讲没有必要为过去道什么歉，她在忙新闻大厦奠基开工的事，根本没时间谈，陈元搞不清楚她是真没时间还是生气了。这事儿如落在自己头上也会生气的，这个冤枉污辱了人格，而且童瑞东还知道了。现在又不是那回事，的确不好交待。

以前有问题可以找钱冰冰或者星儿聊一聊，那样心情会好些，可这两个女人都成了新闻当事人了，找谁都没法聊。

尽管郁闷，事还得干。七彩周刊临时请郝歌代管，没想到他还真能干，在周刊图片运用上尽情发挥了他的才能。从读者反馈情况看，这种休闲式的有着较高品味的周刊很受欢迎。只是评论版的原创太少了，靠报社的人写是不够的，要有权威评论才行。这需要在大学党校和社科院去找专家，完全可以提高稿费，哪怕是500元千字都行。发行的事进行得蛮顺，邮政的同志也较踊跃，但要一家一家跑，关键是需要时间，还必须自己这个一把手亲自跑。唉，办报真是累人啊。还是要找星儿谈一次，不谈不行。

下午到办公室后第一件事就是跟星儿挂电话，说一定要谈。星儿笑着说晚上一起吃饭，边吃边谈。放下电话精神放松了些，但额头好像还是很紧，他用左右两只手的拇指顶着太阳穴，用力按摩。颈椎也酸酸的，这是职业病。他又站起来做别人教的一个缩肩动作，将头部拼命往颈脖子里缩，双肩则往上拱。正做着这怪怪的动作，林彬闯了进来。

林彬一见陈元没了脖子的样子愣住了，继而大笑："哈哈……掌柜的，你在干吗？"

陈元继续左右扭动脖子："运动。有料吗？"

林彬把手上的材料递过来："祖国出事后，关于平乐县的消息满天飞。在县城边上有个楼盘叫东方半岛，据说里面住了不少'二奶'，当地人都把这个楼盘叫二奶岛。我想去卧底采访。"

陈元接过材料翻看着。"嗯，有点意思。深圳有个全国闻名的二奶村，这里有个二奶岛。看来二奶还是有社会需求啊。"

林彬说："我想在新闻体裁上做点创新，搞新闻连载。"

陈元点点头："好是好。但卧底有风险，上次抓敲头案是教训。"

林彬显然是有备而来，她说："我都想好了，东方半岛还有房子在招租，我以被男人抛弃的女人身份租住进去。然后设法与二奶交朋友，拿到素材。"

陈元由二奶想到了包二奶的人，他们是谁？会不会引发政治波澜？"四木，这个线索要认真考虑，必须做到万无一失。比如，你采访二奶必然会涉及她们的男人，这些男人非富即贵。富人还好办，贵人却不是那么好办的。”

林彬说：“我考虑过这个问题，万一碰到省市官员包的二奶怎么办？这组稿子的基调是二奶的生存状态，不涉及她们背后的男人，实在回避不了的就虚写。听说不少二奶是来东方市投资的老板包的。”

陈元再次点头：“你再找郝歌商量商量，把方案尽量弄扎实一些。我原则同意做，这样的新闻对发行工作有好处。”

“笃笃笃”有人在敲门。陈元和林彬同时往门口看，陈元的门从不锁，只要他在办公室门就是开的，报社的人进来都是打招呼而不敲门。

敲门的是个不速之客，一看就是个老板，两只手都戴钻戒。

林彬对陈元说：“我先走了。”

不速之客等林彬走了自我介绍：“我姓赵，是开游戏厅的。您是陈元总编辑吧。”得到了肯定回答后，他又说：“我是来投诉的，投诉贵报的记者牛文广。”

陈元心里“咯噔”一下，董事长曾在电话里讲要注意老牛。但他没露声色，把赵老板让到沙发上坐下，并给了他一瓶水。这个过程陈元没说话，在没弄清情况前，他不知要说什么。

赵老板没受陈元不说话的影响，不慌不忙拿出一叠材料：“我最恨的人是拿了别人的银子，而不给办事的人。牛文广每月在我这儿拿报酬红包，却没帮我办好几件事，还借别的游戏厅的老板来打压我。”

陈元还是没听明白，乱七八糟什么呀。他请赵老板从头说起，这才慢慢听明白了。越往下听越惊心，牛文广居然黑吃黑，这边拿着赵老板一万元一月的兼职费，那边鼓动别的游戏厅的老板向媒体揭发赵老板，再拿写好的稿子敲诈赵老板出压稿费。从单据上看，短短时间内，牛文广已从赵老板这里拿走了六七万元。据赵老板讲牛文广把这当生财之路，还强行要其他老板请他兼职，证据都确凿。

赵老板伤心地说：“陈总，我知道我赚的钱不太干净。但这位牛记者也太黑了，他赚的钱更脏。说实话，我手下几个弟兄都讲要做掉他，但我制止了。今天来向你报告这事，就是想要让这样的害群之马受到惩罚。”

陈元翻看着材料，想不到牛文广敢这样胆大妄为。记者拿红包已见怪不怪，搞搞新闻敲诈也时有发生，但牛文广这种常规化的无端生财让人震惊。陈元开始表态：“赵老板，关于牛文广的事商报会作调查，如果属实，我们决不姑息。但你也有错，你不该用这种方法来化解掩盖你的问题。”

赵老板连连点头：“是是是，我活该引狼入室。陈总，给你的材料我们会通过关系送给宣传部。”

陈元说：“那是你的权力。但我劝你赵老板别再开名义上是戏厅实际是赌博场了，我们该曝光的还会曝光。”

赵老板站起来说：“陈总说的是另一个问题，我们也要活下去是不是。你的记者抓住了我的辫子，那我认了。如果没抓住，我还得干下去。但像牛文广这样的，他妈的还不如我。”

送走赵老板，陈元仔细看了那些材料，所有收钱的收据上都有牛文广的签名，看来这事假不了，难怪他还买上车了。心情刚好一点的陈元又郁闷起来，牛文广也是商报的一员大将，怎么就不争气呢，商报的工资不少了。董事长说要注意这个牛文广，自己还没太在意，这样有才无德之人坚决不能要。听赵老板讲材料还会送给宣传部，这对商报是污点。应该主动向宣传部报告。

他拿起电话拨通了马诚。没想到马部长一听牛文广的名字就炸了，在电话里严厉地说：“早就听说这个牛文广有问题，没想到到了如此严重的地步。商报对这件事绝不能轻易放过，不仅要严肃处理当事人，还要以此为契机在报社掀起一场职业道德教育活动。”

放下电话陈元丈二和尚摸不着头脑，马诚似乎早对牛文广有看法，他是部长怎么会对一个小记者有看法呢？看来想保也保不住了。为保险，陈元把牛文广叫到办公室。

在那一叠材料面前，牛文广耷拉着脑袋一声不吭。

18点30分陈元准时到了凯莱大酒店咖啡厅，这是他第一次与星儿单独谈报纸的地方。

今天见面对陈元来说有点窘迫，他从未明说星儿是泄密者，但心中存有的介蒂似乎彼此都明白。尤其在向童瑞东报告时提到了星儿与何大龙的关系，更让陈元觉得对不起星儿。他想买一束花，算是赔礼，但他那可怜的自尊心让他放弃了这招。在椅子上坐下后，又后悔，还是应该有束花。因为对星儿这个女孩子（至少在陈元眼里她是个女孩）心存好感，而且好感已经演变成了一种朦胧的似曾相识的东西，他明白这东西是什么，有了这东西，他在意星儿的一切。当怀疑是星儿泄密时，他其实比谁都痛苦，宁愿是自己泄的密。星儿在接到他道歉电话时的态度，以及推说忙不愿意和他见面加深了他的窘态。人家都已经站在了圈外，俯视着泄密事件，自己还傻B地在怀疑，在痛苦。我陈元也不是个笨人呐，怎么会如此笨呢？可能还是那个东西在作怪，它在潜意识里左右自己。唉，不管怎么说，自己是错了。男子汉错了就错了，要有勇气承认错误。见到星儿第一句话该说什么？说“对不起”，还是说“你受委屈了”，呸呸，两句都不好，像是演戏。陈元突然觉得喉咙渴了，端起玻璃杯“咕咚咕咚”把一大杯水喝了，让服务员又倒了一杯，他又一口气喝了，这才感觉喉管润滑了。第一句话应该直切主题开门见山，今天见面的主题是什么？承认错误。那第一句话就是“我错了”。正想着，感觉桌子对面有个人坐下，是星儿。陈元一慌竟卡壳了，他只是看着星儿，说不出话。

星儿真不想为这么点小事特意和陈元见面。新闻大厦开工奠基近在咫尺，她和朱香香每天都加班到半夜。但陈元坚持要见面，正好也有钱冰冰的问题要和他谈谈，便答应一起吃饭。钱冰冰与陈元谈了辞职的事后给星儿打了电话，也请星儿原谅，并告知已注册了“三人行”广告。商报由谁来接替她？提纲挈领的人物走了，肯定会造成影响。等到坐下，才发现陈元在想事连招呼也没跟她打。

“嘿，掌柜的在想什么呢？聚精会神的。”星儿问陈元。

“哦，哦，你来了。我在想……在想今晚吃什么。”陈元有点结巴。 星儿没给他面子，说：“一听就知道在撒谎。你是在想怎么跟我道歉，对吧？”

“别得理不饶人。服务员，点餐。”陈元招来服务员。

两人点完餐后，陈元盯着星儿口气生硬地说：“今天我约你就是为了说一句话和干一件事，很简单。”

星儿看着他，目光变得好奇。

“一句话就三个字：我错了。一件事就是请你吃牛扒。”

星儿乐了，目光由好奇变得温柔。“没了？”

“没了。”陈元说完这句话低着头，双手紧紧抱着那只装冰水的玻璃杯。

星儿轻轻地说：“你真是个理想主义者。”

陈元不解地抬起头来：“你不接受我的道歉？”

星儿微笑摇摇头说：“你根本就无需道什么歉。如果你不按正常思维对泄密问题进行推断，那你才真错了。其实在商报重大问题的决策上我是应该回避的。”

陈元身心开始放松，负罪感陡然减少了不少。

“我不想再扯上什么何大龙。告诉你，他与朱香香在谈恋爱。”星儿口气还是有点酸。

陈元听后马上回想起招标那天何大龙与朱香香的举动，原来两人在谈恋爱。进一步联想后，解开了为什么瑞东集团要和东方商业地产合作和晚报在东方商城坍塌事故中的举动的谜。其中有多少复杂的东西呀，找到答案真不容易。

星儿把心中泛起的一丝醋意压下去，说：“好了，谈点工作吧，钱冰冰的位置有人选吗？”

陈元回过神，答道：“我已让广告部副经理代替，问题不是太大。”

星儿摇摇头说：“别小看了动一个钱冰冰，弄不好广告会滑坡的。”

陈元点头道：“我会密切注意。周末我请各代理公司的老板开会，说明情况，表明商报的合作态度。只是现在有另一件棘手的事。”

星儿不解问道：“还有比钱冰冰更棘手的事？”

陈元简单介绍了牛文广的情况，还说了马诚的态度。

星儿没立刻表态。正好他们点的餐上来了，星儿仔细地把牛肉切成一小块一小块的。边切边考虑，为什么马诚一听牛文广的名字就炸了。

陈元说：“我已经让办公室起草处理文件，开除牛文广。”

星儿放下刀，右手握叉，开始吃小块的牛肉。“我同意。但建议你把处理文件先送宣传部，再在报社宣布。如果我猜得不错，马部长有别的考虑，很可能会让宣传部转发你这个文件。”

陈元也吃着牛肉说：“好，明天就送宣传部。周一开始我又要往下跑了，还是发行的事。”

“辛苦了，报社在大发行期间还是要注意可读性。”

“四木有个好策划，我让她再弄详细一点。”陈元把二奶岛的策划告诉了星儿，并提出为防止扩大化，只做二奶本身的生存状态，尽量避免养二奶的男人。

星儿高兴地说：“一定会有许多读者会感兴趣的。掌柜的，你不怕我把这个策划泄密给我那个姐夫？”

陈元笑了，笑得有些尴尬。

何大龙得到一个惊人的消息，省纪委在调查马诚。引发调查的是两件事：一是马诚帮忙将祖国实际葬在了烈士陵园；二是纪委发现了马诚给祖国打的那个电话。两件事加在一起，让纪委怀疑马诚有没有与祖国同流合污的问题。

何大龙得到消息后首先想到朱香香手中那几件从马诚手上买来的瓷器，会不会成为行贿的证据？他给朱香香打电话，要她立刻将三件东西拿去请专家评估目前市场价。只有市场价高于当初的收购价，才可能不构成行贿。

接到何大龙的电话后，朱香香不敢怠慢，立刻托人找了省博物馆的专家。专家一看那三件东西就激动不已，把玩欣赏着三件东西，嘴里连连说："没想到，没想到哇，他们居然还有这样的小件在世。"

在专家的详细解说后，朱香香对三件原本不当回事的东西也肃然起敬了。

烟缸中盘着的那条龙是取自北京故宫九龙壁中间的那条桔黄色的龙，在烟缸外延上画着另外八条神态各异的龙，它们嬉戏于澎湃的波涛之中。朱香香得知九龙壁在中国有三座最有名，它们分别是在山西大同、北海和故宫，其中故宫九龙壁是最精美的一座。而九龙壁的设计暗含了皇权和天子的九五至尊，是一种象征。用九龙壁的图案烧制烟缸从未见过，无论从精细出神入化的技法，到烟缸简洁的造型，都让人赞叹。最最重要的这个东西市场上从未见过，其价值没法说，只能参考作者其他作品的价格。

笔筒的造型也简洁大方，像个直筒茶杯，上面的画是积墨山水。专家讲这幅环杯而成的山水画，很有清代金陵八大家之首龚贤作品的气韵，勾勒点染，色墨交融，境深幽而意邈远。专家根本没想到作者会在一只笔筒上露这么一大手，实在罕见。也是无法估价，只能参考作者其他作品的价格。

那只茶杯更是有趣。1975年中央向江西景德镇下达了一个毛泽东用瓷研制任务，那套瓷器后来被称为"7501"，是收藏品市场极具收藏价值的东西。朱香香这只茶杯不是"7501"瓷的造型，就是一般的带盖的茶杯。但它除了是半薄胎用料与"7501"瓷一样外，更重要的是杯上的水点桃花图案出自"7501"瓷图案作者一人之手。专家怀疑是不是在制作"7501"瓷后，作者用剩下的材料又私自做了这个茶杯。

三件东西除烟缸是青花外，另外两件都是釉上彩，其收藏价值很高。朱香香想，马诚知道这东西好，但他肯定不知其中有这么多玄机，要不然他不会出手。

朱香香洋洋得意，稍不留神成收藏家了。好啦，我朱香香的行为根本构不成行贿，相反，是马诚吃了亏，这下可以放心喽。她拨通了何大龙的电话特兴奋地说："东西没价，但参考作者其他作品，这三件东西价值翻了一番多，看来做收藏比做地产回报大多了。"

晚饭后，何大龙去了朱香香家。一进门朱香香就递过一张商报说："看看那个钱冰冰，单干了，在招兵买马呢。”

何大龙打开报纸，看了一眼说：“她在我们晚报做了同样的招聘广告。不过这两句广告词真不错，‘只要宝刀在手，就当笑傲江湖’，不像是女流之辈的口吻。”

朱香香在茶几上拿起一个苹果削：“你骨子里还是瞧不起女人。”

何大龙看着她说：“你除外。”

朱香香把苹果递给他说：“星儿也除外吧。”

何大龙咬了口苹果说：“朱总，你别总拿星儿来跟我较劲好不好？”

“好好好，不拿。”她说着起身走到柜子前，将刚经过鉴定的笔筒烟缸茶杯拿出来放在茶几上：“今天我把这三样东西带给省博物的瓷器专家看，那个老头儿爱不释手。”她把当时的情景给何大龙描绘一番。

何大龙一手拿苹果一手拿起那只笔筒：“真的翻了一番？”

朱香香兴奋地说：“本来就没价，这是稀缺货呢。如果马诚真完蛋了，这只笔筒你放桌上就没问题了，真后悔没多买几件。”

何大龙放下苹果和笔筒说：“朱香香，别想人家完蛋。你还是要做好被调查的准备，只有做好准备，才能应付万一。另外你和星儿要商量，在新闻大厦的招标过程你们有没有不当之处。我估计马诚要出问题也是出在这个大项目上。”

被他这一说，朱香香刚才的兴奋无影无踪了，担心地问：“真有这么严重？不会吧，马诚还是比较廉政的。”

何大龙没回答，他被电视新闻吸引住了，新闻内容是省委决定在全省范围内公开选拔副厅以上干部10名。何大龙在办公室已看过文件，自己完全符合条件，也有合适的位置。他心里“咚咚咚”跳着，去不去考一把？这对于升官是一条毫无疑问的捷径。

朱香香一看新闻马上说：“差点把这事忘了，你完全可以去参加公开选拔呀。那个文化厅副厅长的位置就很适合你。”

听朱香香说话时，何大龙的眼睛没离开过屏幕。他何尝不想去考呀，可他知道，报考的利弊是均等的。利不用多说，从正处变为副厅，相信自己在文化口还是能有作为的。但如果没有考上呢？最担心的是笔试，按规定笔试前五名进入面试，换句话说，就是你有后门可开，也必须拿到笔试前五名的成绩。谁有这样的把握？除非能弄到试题，而据说试题是请中组部和中央党校出的。肯定有人能弄到题目，但这个人是自己吗？凭本事考也许能进前五，面试又该如何运作呢？这些事让他想得头疼。

朱香香站在沙发后见他没吱声，小声问："你考不考呀？我们可以去弄题目嘛。"

何大龙扭过头看着她问："弄题目？去北京找中组部党校？"

朱香香轻松地说："大不了花钱呗。我在中央党校有同学。"

何大龙"哼"了一声，自言自语道："花钱能办到的事，是最简单的事。况且你敢花这样的钱吗？只要你花了，你就从此失去自由。这样的例子还少哇。"

什么"失去自由"，什么"例子"，朱香香都没反应过来。

何大龙又扭过头说："香香，你想过没有，如果进入了面试，却仍然没考上，今后对我的提拔会有什么影响？中国人的俗话讲是骡子是马拉出来遛遛。我这一遛又没成，结果会是什么？"

朱香香有点明白了："你是说从此别人会讲你不行？不会吧，你的成绩是明摆着的。"

何大龙微微一笑，把朱香香叫到身边坐下双手捧着她的脸说："你在考虑一个项目能不能赚钱时，最先考虑的是什么？"

朱香香没任何思考便说："成本呀。成本是盈利的关键因素。"

何大龙放下手，点点头说："你的这个成本叫经济成本，通俗地讲就是算账。那么我参加公开选拔，要不要也算算账呢？我的这个成本叫政治成本。"

朱香香恍然大悟："我知道了，是去考还是熬着，取决于算账，对吗？"

何大龙拍了拍朱香香的头，在刚才与朱香香的对话中，何大龙的思路清晰了，他特老练地说："考官是捷径，但风险也大。就我而言，考上了人家会讲你肯定走了后门；没考上人家会讲你本来就不行。而在这个过程中要受多大的考验还未知。熬着等升官虽然慢，要走各种程序，但稳。目前我的位子已经很有政治地位，再干几年也没问题。只要不出错，那个副厅级还不是探囊取物。"

朱香香笑着说："那就别想那么多了，熬着呗。你这个人就是想得太多了，太累。"

何大龙也笑着说："我可比不了你们商界，按照你们的逻辑，只要有50%的把握，就敢上。"

朱香香接话道："那才有利润呀。要是畏畏缩缩哪儿赚钱去？就像我买这三件瓷器，这才多久，利润率就百分之百了。"

何大龙听她提到三件瓷器，脸上又严肃起来："香香，无论是政治还是经济，不考虑安全问题最终是要完蛋的。刚才我讲了你要做好被纪委调查的准备，不是说说而已。纪委和检察院办案有一套成熟的办法，只要被他们盯上，想蒙混过去几乎没有可能。只有事先准备充分才能让调查的人满意或者无计可施，对你来讲决不是小事。"

朱香香也严肃地点点头："放心，我会的。虽然没什么问题让纪委查，但我还是会未雨绸缪。"

何大龙拿起登有"三人行广告"的商报笑着说："这个钱冰冰的确是个人才。"

朱香香不屑地说："手下败将，算不得人才。"

何大龙问："怎么？你们对抗过？"

"保密。"朱香香神秘地说。"我给你泡壶茶，普洱陈茶，香着呢。"

何大龙看着报纸，思绪却飞到了另外的地方。马诚到底会有什么问题？市委会对他作出处理吗？

马诚接到商报关于处理牛文广的文件后，第一时间让新闻处向全市媒体转发，并加了宣传部的转发通知。通知指出，商报对牛文广的处理是全市媒体在职业道德教育活动中的成果，为净化媒体队伍，今后对类似情况发现一个处理一个。同时要求全市各媒体不得录用牛文广，建议省委宣传部要求全省媒体不得录用牛文广。

迅速地办结此事，马诚的私心多于公心。在私心里不仅仅是牛文广威胁敲诈过他，占据更多的是他要显示宣传部的权威，也就是他自己的权威。这些天来，他胆战心惊，纪委要查他的风声已经变为了现实。如何应对？如何摆脱已在外界暗中流传着的不利流言？本想以静制动，只私下检点自己有无问题。当牛文广的事出现后，他临机一动，决定一石二鸟。既除掉牛文广这个祸根，又告诫宣传部辖区内制造流言的人。

除了向童瑞东借款30万外，马诚并没有发现自己有其他经济问题。如果说给祖国打电话和安葬祖国是政治问题的话，那不是罪，最多是错误。新闻大厦的招标完全是透明的，只是在考察期间有些吃吃喝喝，那也构不成罪。想到这儿，他释然。毕竟纪委还没有正面接触他，一切都是猜测，可能对也可能错。在这个时候向外界发出一个强硬的信号，应该没错。近期还可能向外发出强势信号，那就是新闻大厦奠基开工典礼。

在官场浸淫了几十年的马诚很清楚官场明暗之间的关系。场面上的事如开个会，考察个干部，作个决定等远远不如暗中的较量精彩，那是殊死的搏斗。不知有多少人看中宣传部长这个位子，那位春风得意的何大龙就是位竞争者。原以为他会报名参加省委的公选，至少在别人眼里他希望很大。可他没有报名，难道是他老丈人不让他报名？真是如此的话，他的目标肯定就锁定在宣传部。何大龙这个人看不出什么缺点，但优点也不突出。我不推荐他，市委能让他升到宣传部？可能性极小，毕竟我还是常委。马诚已对纪委调查可能涉及的问题一一想好答案，有备无患。按惯例，在纪委没有公开调查之前，一切都是正常的。只有调查出对他不利的结果，才可能改变这种正常。如果没查出什么，则不了了之，甚至不会有什么结论。老天保佑，千万别无事生非。

手机响了，是星儿打来的。她简单报告了新闻大厦奠基开工仪式安排，并想听听他的意见。马诚强调必须把节约放在首位，决不铺张。在这个原则统领下，缩短仪式的时间，取消奠基酒会，现场布置也尽可能地简朴，原定的老年秧歌队和大学生军乐团也取消。他告诉星儿在这件事上不要争了，这是政治的需要。

放下电话，把新闻处的人找来，要他们拟宣传通知，在报道新闻大厦奠基开工仪式的新闻时，平面媒体至少半个版，并在一版发图片，电视广播媒体也要两分钟以上的新闻，网站可以发得更详尽一些。他考虑一下又叮嘱说："不要发打印好的通知，只给各媒体口头通知。"

他把仪式在心里演练了好多遍。因为仪式表面上的主角是李书记、潘市长，实际主角是他马诚，这更加需要掩饰，不能给人有嚣张的感觉。

林彬的二奶岛卧底报道一出来就好评如潮，她很好地把握了度，不黄色又不乏有好看的故事。直接反应是，有人结伴去东方半岛参观，而平时穿梭不停的高级轿车却统统不见了。间接反应是，东方市的市民把二奶岛当成了话题，一聊二奶就说商报，无形中商报的知名度又提升不少。听说已经有人在暗中查找谁是卧底的记者，林彬的安全成了问题。陈元拨通了她的电话。

"你知道吗？有人在查你，安全有把握吗？"陈元问。

林彬轻松地说："我已交到了几个好朋友，安全不会有问题，掌柜的放心吧。"

"还是要注意。从现在的情况看，你准备发多少篇？"

林彬答道："我想发10天。再采访两天素材就够了。"

陈元说："我们见好就收，两天后我派车去接你。二奶岛是夜长梦多的地方，就这么定了。"

"好吧。"林彬回答后又说："掌柜的，牛文广给我打电话，讲他去深圳的一家媒体了，他说背井离乡是你造成的。"

陈元没理会后一句话，而是急切地问："你没告诉他你在二奶岛卧底吧？这个人什么事都能做出来。"

"我没说。他还说你在深圳工作过，不希望你跟深圳的朋友揭露他。"

陈元叹了口气说："他这个人是有才的，但无德。你可以转告他，如果深圳的朋友问我，我会对他有公正的评价，没人问我也不会多嘴。但我更关心的是你的安全。"

"放心吧，我机灵着呢，不行就逃。"

两天后，商报没有接到林彬的电话，却接到关于林彬的匿名电话，让商报去二奶岛边上的一个村庄为林彬收尸。

这个电话在报社如晴天霹雳，不祥的气氛笼罩了各个角落。郝歌第一反应是不可能，就二奶岛的那些人还没这个胆量。但他心里很虚，只是死劲儿安慰自己。陈元也慌了，真为这篇报道出了人命，麻烦就大了，那会让自己后悔一辈子。他一面要办公室向市公安局报案，一面派车去匿名电话中说的那个村庄。

在去的路上反倒是郝歌安慰陈元："掌柜的，没事，没事的。林彬机灵，命大，不会有事的。"可他的声音是颤抖的。

陈元摇头说："真后悔让她去卧底。上次敲头案就很危险，真出了事我们怎么向她父母交代。郝歌，你别安慰我，我知道你心里难过，在这个时候我们都要坚强。"他对前座的人说："不停地拨四木的手机。""她的手机一直关机。""那也要不停地拨，可能是手机没电了。"说这话时，他一点底气也没有。

然而当他们赶到村口时，陈元郝歌却同时看到林彬笑眯眯地站在一辆警车边上。陈元没等车停就蹿下车去，一把抱住林彬问："没事吧没事吧？"

林彬说："没事，没事。"

报社的人围着林彬。林彬也给大家看她手上被绳子勒出的深痕。

陈元跟警察握手，向他们表示感谢。

警察说："我们接到110的电话后，20分钟就赶到了。林记者被人绑在一个牛棚的柱子上，眼睛被蒙住了，身上没有受伤。我们分析绑她的人并不想伤害她，只是警告。陈总，看来记者工作和我们警察一样也很危险呀。”

陈元连连点头说：“每年全世界因公殉职的记者不比警察少哇。我们要以这件事为教训，加强自我保护。”

警察说：“根据林记者描述的情况，我们在加紧追查是谁作的案。”

陈元又是一连串的谢谢。

林彬突然大声问：“郝歌呢？这家伙这么不关心我？”

大家这才发现郝歌还在车上。林彬跑到车门边，见郝歌正在哭呢，本来还笑嘻嘻的林彬也“哇”地一声大哭起来。郝歌流着泪用力抱住林彬，他不想失去她。刚才看见林彬的那一瞬间，郝歌才明白自己是多么爱她。两人情不自禁地吻在一起，四片热唇紧贴，眼睛里都闪烁着泪光。塌塌实实地吻过后，一连串的问题才从郝歌嘴里蹦出来：“他们打你了吗？”“他们是怎么抓到你的？”“你看清了是谁吗？”“为什么你要关机？”……

林彬说，结束采访后她是被人从背后蒙住眼睛绑架的。有个男人的声音对她说：“我们不想伤害你，但你在伤害我们。真想杀了你，但我们不傻，杀一个女记者，我们也活不了。今天只是对你警告，别太过分。唯一能原谅你的是你没有曝我们的光。告诉你，已经给商报打了电话，让他们来给你收尸，吓死你们这帮狗记者。”从被绑到被救时间没超过40分钟，绑她的人讲不会弄死她后，她反而好开心，这样的经历不是每个记者都有的，她甚至希望这帮人能打她，只要不伤筋动骨破点皮什么的都行，可人家没动她一根毫毛。获救后想给报社打电话报平安，又一想，还是不打，要看看陈元和郝歌他们急成什么样子，这可不是狼来了的故事，是真的哟。

看到郝歌哭的样子，林彬才有了后怕，但很快又高兴起来。见到郝歌伤心地哭，她心里美滋滋甜滋滋的，郝歌的哭是发给她的最高稿费。

新闻大厦奠基开工仪式如期举行，一切都在马诚的计划之内，可他高兴不起来。他发现在仪式举行的30分钟里，市委李书记跟何大龙聊了差不多12分钟，潘市长也与何大龙聊了十来分钟。这不正常，绝对不正常。以至于仪式结束送走李潘二位领导后，星儿朱香香过来问他对仪式满不满意时，他没一点高兴，只是随口说：“满意。”

本来贺副省长答应来的，又临时说要参加重要接待工作没来。马诚怀疑他是真有重要接待还是有意回避。他要回避什么呢？回避星儿是他的女儿童瑞东是他的同学？还是回避李潘二位对他女婿何大龙的赞扬？从表面看，马诚是今天仪式的绝对主角，但他明白，按官场的潜规则，一直未公开讲话的何大龙才是今天的主角。在这样应景的场合，如果不是有意的话，市委书记市长不可能同时对一家报社的社长感兴趣。马诚在边上听到几句，无非是市委对报社工作非常满意。难道何大龙真要升迁？

跟马诚一样在心里打鼓的还有何大龙自己。他也觉得奇怪，李书记为什么会主动跟他谈工作。除了对晚报宣传工作表示满意外，还夸奖了他在晚报的经营工作，说只有两个效益都有创新，才是文化产业的根本出路，也是今后宣传工作的方向。让他吃惊的是李书记对他没参加省里公选厅级干部表示满意，说："东方市是舍不得放走你这样的年轻干部的，只要努力工作，被重用的途径有很多条，我相信我李浩不会看错人。"何大龙听了既暖呼呼的又充满疑窦。老丈人决定不来参加仪式，听星儿讲是回避，他能理解，毕竟发包方有女婿，中标方有女儿和同学。星儿还说："老爸回避主要是怕当面听李书记表扬你。"这就不明白了，李书记表扬我不也是老爸的光荣嘛。莫非这其中有玄机？是什么玄机呢？

在仪式上关注何大龙与李书记谈话的还有两个人，星儿与朱香香。仪式总操办人是星儿，现场调度是朱香香。两人都很兴奋地忙前忙后，指挥音响、礼仪小姐……但在忙里偷空时，都不约而同地发现李书记与何大龙交谈甚欢。朱香香问星儿："嗨，怎么李书记没大理会马部长，反而与大龙谈得多呀？"

星儿摇摇头说："我哪知道。"

朱香香皱眉头说："是不是李书记欣赏大龙呀。"

星儿瞟了她一眼："不欣赏他能把他放在报社干一把手吗？嘿，还没结婚，就大龙大龙的叫。"

朱香香羞涩地一笑："我也就是在你面前叫叫。你说李书记的举动会不会是暗示呀？"

星儿想想说："不一定。师姐，我看你对政治有些敏感了。"

朱香香特自豪地说："都跟你姐夫学的。"

星儿哼了一声："别臭美了，赶紧招呼礼仪小姐，准备带领导去培土。"

朱香香答应着忙去指挥。

星儿转头一看，发现童瑞东也在注视李书记与何大龙的谈话。星儿想，童瑞东的目光向来老道，他莫非从李、何的谈话中发现了什么？朱香香转告了何大龙关于新闻大厦的忠告，她们两人也像用梳子梳头一样把招标前后大事小事都梳理了一遍，没有发现存在破绽，竞标过程合理合法。至少到目前为止，马诚没在新闻大厦项目上下手要钱。必须承认，在招标过程中人情是很重的砝码，可这人情并非瑞东集团一家，省建工集团难道就不是靠人情？只要在竞标过程中没行贿没受贿就不会有问题，加上竞到标的单位都是自己干，没有转包，这就更没问题了。可是纪委为何要调查马诚呢？她侧面问过老爸，被他一眼瞪回去了。现在连朱香香都觉得李、何谈话越了常规，童瑞东的目光中更是暴露出他强烈的关注。恐怕东方新闻界又有好戏上演了，主角无疑是何大龙。莫非这个朱香香旺夫？自从她惦记上何大龙后，何大龙就顺风顺水。不对，他顺风顺水也有我一份功劳。唉，可惜不能把亲上加亲进行到底。她朝远处正忙碌的朱香香望去，想：我哪点不如她？

就在陈元下地市与邮局就发行问题进行谈判的第二天，商报被省委宣传部严厉批评。原因是在商报评论版上发了篇重磅评论《是当官还是发财》。文章指出，当官已成为高风险行业，权钱交易虽方便，可一旦被查处，就一切归零。而用当官的智商去经商的话，则可能大有作为，文中对江苏等地连续出现的辞官经商现象予以褒奖。本来这篇评论没大问题，但目前省里正在公开选拔厅级干部，省委要求进一步拓宽选人的视野，让优秀人才脱颖而出。这篇评论的出笼使导向出了问题，与省委精神恰好背道而驰。省委组织部专门就这篇评论向省委宣传部质疑，于是一连串的批评直接下到了商报。

祸不单行，商报被批评的第三天，林彬暗访二奶岛新闻连载最后一篇刊发，她做了两个新闻链接，一是银行几天时间被提走了几亿现金。原因是扫黄，小姐们纷纷回家暂避，去银行取钱，弄得几家商业银行头寸告急；二是《一位二奶的年终总结》……

这两篇东西让东方市乃至全省都炸了锅，不到48小时，到处都在议论。这天的商报竟有人出50元一张收购。

几大商业银行联名向宣传部发函，抗议商报发假新闻，他们一致否认有小姐大量提现金的事。省委宣传部反应迅速，责成东方市委宣传部派工作组进驻商报。陈元被火速招回。

在开编前会的会议室里，陈元检讨了3个多小时，狠挖思想根源。他把责任全部扛在自己肩上，指出报道是他安排的，自己放松了思想政治教育……他想保住林彬等人。

当天下午5点钟，市委宣传部和市新闻出版局联合作出初步处理意见，东方商报停刊一周。省委宣传部和省新闻出版局10分钟内批复了同意。

星儿得知这个结果后，立刻向童瑞东汇报，同时给陈元打电话，说晚上请他吃饭。陈元提出要林彬与郝歌也参加。

陈元说他想吃重庆火锅。星儿提前20分钟到了东方市火锅一条街，她觉得自己应该先到，她想用这种姿态安慰陈元他们。

第一眼看到他们三个时，星儿发现他们与自己刚才的想象一样：没精打采，进来就赔礼道歉，讲给公司添麻烦了。她让他们说，自己边听边点菜。本来讲火锅底上鸳鸯的，但陈元不要，只要麻辣的。星儿知道他是想折磨自己。

喝了第一杯啤酒后星儿问："在东方市的历史上，哪张报纸值得别人用50块钱收购？"

林彬与郝歌相互看看，又一齐把目光投向陈元。

陈元自喝一杯说："你是表扬还是讽刺？"

星儿笑笑说："既不是表扬也不是讽刺，只是觉得这是有趣的社会现象，怎么现在的人会颓废成这样？四木，你说说为什么在最后一天要上这个总结？"

林彬说："我考虑整个报道太沉重了，也出现了有读者同情二奶的情况。所以在最后我想通过黑色幽默的方式告诉读者，二奶这种社会现象不值得同情。"

郝歌摇摇头说："结果幽默未遂，惹祸上身。"

林彬对着郝歌嚷道："我说了几百遍了，这件事我负责。我心甘情愿被报社开除，心甘情愿背井离乡。这和牛文广有本质的不同。"

陈元不耐烦地打断她："别吵了。有什么问题什么责任都我扛，你争什么。"

星儿暗中为陈元的表现叫好，他能这么护着部下，难怪部下会那么卖力。但她还是平静地说："现在不是说谁负责任，而是我们都要面对现实。现实是什么？停刊一周，这个打击对报社来讲不可谓不严重。但既然事情已经发生了，我们要考虑的就是怎么变坏事为好事？老百姓读者会怎么看这件事呢？我看同情我们的人会不少，商报会名声远扬。好孩子变坏孩子常常会被人们批评叹息，如果坏孩子变好孩子，情况就不同，那是浪子回头。商报要做什么样的浪子？一周以后我们能否卷土重来？这才是问题的关键。"

林彬被星儿的话打动，她马上想到一个选题："昨天平乐县公安局来电话讲绑架我的人已被抓到，是两个当地的民工，他们是受一个二奶老公的委托。这是呼应前面的东西，也是读者期待的东西。另外二奶岛已名存实亡了，在我们连载进行当中，二奶们陆续搬走了。”

郝歌心有余悸：“这个话题还能做？”

陈元理直气壮地回答：“为什么不能，我看可以做。”

星儿悄悄用目光扫视陈元，他的脸红红的。又看了看他的脚边，已经有四个空酒瓶了。刚想劝少喝点，电话响了，一看是童瑞东的，便站起来走到外面接电话。她预感到童瑞东有大事跟她说。

果然，电话里童瑞东告诉她，通过与股东们的紧急磋商，决定辞退陈元，以平息宣传部对商报的愤怒。同时决定由星儿接替陈元。

星儿没想到问题会这么严重。出事后她也在考虑如何与宣传部沟通，比如可以给当事人记过处分，扣除年终奖什么的。

“星儿，这不是经济问题，而是政治问题。宣传部在看瑞东集团的态度，他们完全可能勒令瑞东集团退出东方市的媒体市场。在关键时刻，你要挑起重担。明天我赶到东方，会跟陈元好好谈的。”

已经没有余地的星儿只好答应。她再次走进火锅店时，心理上有了微妙的变化，就这几分钟内，自己成了商报的老大，本想劝陈元的话，都变成劝自己了。既然已无话可说，干脆招呼大家尽情地喝。

在宣传部决定商报停刊的当天晚上，东方市市委书记李浩分别找马诚与何大龙谈话，宣布了市委书记办公会的决定，马诚调市政协任专职常务副主席，何大龙调市委宣传部任常务副部长，主持全面工作并列席市委常委会。《东方晚报》领导班子的调整由宣传部拿方案。

从李书记办公室出来，何大龙没感到特别的兴奋，脑中反反复复出现的一句话是：无风不起浪。他没把消息告诉任何人，而是直奔老丈人贺副省长家讨教为官之道。他肯定，这件事上老丈人起了作用。可他老人家为何不事先打个招呼呢？不打招呼也可能有不打招呼的道理。老丈人一直在对他是否成熟能否经得起风浪进行考验。去的路上，他做了两个决定，一是提拔贾诚实为晚报社长总编辑，提拔高原红为常务副总编辑。把晚报交给他俩是可以放心的；二是请马诚吃顿饭，由朱香香出面请，自己作陪，以避免尴尬。这顿饭的作用就是表态并没有其他含义，要让马诚知道自己对他是尊重的。

朱香香接到何大龙的电话后一阵狂喜，手上的“潜力股”变成抢手的“蓝筹股”了。何大龙的升迁是预料之中的事，可没料到这么快。再一联想到马诚被查、商报出事，李浩书记在新闻大厦奠基仪式上与何大龙热情谈话，似乎一切又是正常的。

地点还是在天鹅会，还是在朱香香第一次请马诚吃饭的那个包房，马诚与何大龙、朱香香见面了。

接到朱香香的电话时他还惊讶，听说何大龙也参加，便知道是何大龙请客朱香香买单。无论从公从私，这顿饭都是要吃的，所以爽快答应出席。他听到过一些关于他俩的风言风语，见面后，看到朱香香注视何大龙的眼神，马诚进一步判断出他俩关系暧昧。

何大龙料定只要朱香香说了他会到场，马诚就一定会答应出席的，这是新老交替不可缺少的环节，只是实施这个环节的方法多种多样。何大龙认为让一个马诚熟悉的局外人请客，而且又不会妨碍彼此的谈话，是最佳的方法。

这两个男人之间已无需解释什么了，相互之间的工作关系也归零了，他们要说的纯属私人情谊。

马诚看到上鲍鱼后笑呵呵地说：“朱总的接待规格没降低呀，谢谢。”

朱香香收起脸上的笑容，说道：“马部长，你的话里有话。我表个态，今后不管你马部长当官还是不当官，我朱香香请你吃饭一定是尽我的能力，只怕马部长不赏脸。”

马诚原本有点作秀的笑容变得真诚起来：“好好好，我说错了，自罚一杯。”他端起酒杯一口咪下满杯的“四特”15年陈酿。然后说：“大龙也得罚一杯。”

何大龙脸上一直挂着笑容，他不明白马诚为何要罚他。

马诚说：“你们的事，我听到过一些传言，今日一见，果然不假。流言越来越像新闻，真是有意思。”

何大龙没想他是否话里有话，今天他在自己面前是弱者，没必要较真，干脆挑明：“马部长，我和朱香香是在恋爱。这事没主动跟领导报告，我自罚一杯。”他端起酒杯要喝，马诚挡住：“慢。现在的厅级处级干部喝酒有个说法，叫汽车眼，鸟叫声，倒挂钟。你们不懂吧？”

何大龙与朱香香对视片刻，一起摇头。

“汽车眼就是酒在杯中要拱起来像车灯。”他拿起酒瓶小心地给何大龙的酒杯中倒酒，“鸟叫声是指喝下去时要发出一种鸟叫的声音。然后倒置酒杯，表示一滴不剩，就叫倒挂钟。”

何大龙懂了：“我就学一个。”他慢慢端起杯子，“吱”地一声喝下去，又把酒杯倒过来，“部长，行吗？”

马诚用手点点他说：“你小子就是学得快。没做过报纸，可一做就像模像样。好！”

朱香香觉得他们对话像是打禅语。马诚肯定不痛快，又发不出来。何大龙在摆高姿态，又必须掌握好度，都不易。她不敢轻易插话，不知是该与何大龙一起安慰马诚还是该说点别的。对，还是谈点别的，就说他的瓷器。想到这儿，她给自己满上酒，对马部长说：“我也来个汽车眼鸟叫声倒挂钟。”“吱”地一声喝干酒后，又说：“我们要有个君子协定。”马诚看着她。“马部长以后如果想拍卖你的瓷器，一定要先通知我。知道啵，马部长，你让给我的三件小玩意价钱翻番呀。”

马诚开心地笑了：“好哇，你赚了我就高兴，要不然会有人怀疑我是在变相受贿。我不会再出让我的小玩意儿喽，去了政协，有的是时间把玩我的小玩意儿。”

何大龙借话说话：“马部长可千万不能不管我呀，我还得你带着。”

马诚收起笑容看看何大龙，又看看朱香香，再轻声问：“真的？”

何大龙特真诚地点点头。

马诚喝了口茶，说：“好。机关工作中最重要的是什么？是程序。宣传工作尤其要注意走好程序，这你都知道。但要统领好全市的媒体，这一块最容易出问题，必须拿捏好度，要竞争，又不能出事。现在的新闻界呀，要教育好编辑记者在名利场上淡泊名利，在风月场上远离风月，在角斗场上停止角斗，是个大课题。这方面我有教训，唉，商报真不争气。另外，我最遗憾的是没有看着朱香香他们把新闻大厦建起来。”他用深沉的目光注视朱香香。

何大龙表态道：“请部长放心，我一定想尽办法办好这件事，到时候请你一定来剪彩。”

“有你这句话，我不来也高兴啊。要建东方市标志性建筑不易啊。好啦，我敬你们一杯，先祝贺，你们结婚别忘了请我喝喜酒。”马诚端起酒杯。

朱香香赶紧双手端起杯子轻轻和马诚碰杯后说：“谢谢部长的关心，我们一定努力。”她不敢讲结婚的事，到底何大龙会不会娶她，到现在她心里也没底。

何大龙也双手端杯与马诚碰杯，他说：“今天就郑重邀请部长给我们当证婚人。”

朱香香突然脸红了，一直红到脖子。就像是少女蓦然回首看见了梦中的白马王子，羞涩地低下头。

马诚哈哈大笑地接受了邀请。

送走马诚，朱香香硬拉何大龙去蹦迪。她很想问什么时候结婚，又不好意思开口，便拉他去“五月花酒吧”，在热烈的气氛下或许可以问婚期。

车到“五月花”门口，何大龙不肯下车。这个地方他来过，办完虹儿的丧事后一个人为了减压到这里蹦迪，还被朱香香认出来了。朱香香见他不下车，又看了一眼“五月花酒吧”霓虹灯的招牌，恍然大悟连声说：“对不起。”重新发动车离开了热闹的“五月花”。

酷派跑车停到“本色酒吧”门口，何大龙笑着下车。他清楚地记得这里是第一次吻朱香香的地方。

朱香香下车锁好车门：“满意啦？”

何大龙小声说：“在这里我给了你初吻。”

“呸，是我给了你初吻。”朱香香笑着反驳道。

“好好好，是我要了你的初吻。”两人边说边走进酒吧。

有个女歌手在台上唱着刘若英的《很爱很爱你》，她把这首歌演绎得好暧昧。

何大龙拿着小支的七喜啤酒喝了一口，心情愉快，有种说不出的东西油然而生。看着何大龙轻松的样子，朱香香在寻找开口的机会。

当DJ大声邀请大家去舞池蹦迪时，朱香香问：“蹦不蹦？”

何大龙摇摇头，说：“今天不想，只想在边上看，看看红尘中的人在玩什么？”

“你跳出三界外了？那不行啊，我还没结婚呢。”想了好久怎么说的话就这么说出来了。话一出口，她的脸红了，红彤彤的。

何大龙温柔地看着她，目光像是支棒棒糖，直插朱香香的心里。朱香香说：“不理你。”自己下到舞池里蹦起来。从昨晚到今天她走路都觉得爽，见到谁都和颜悦色。生活真是美好，上帝太眷顾自己了。有一刻她怀疑这些是不是真的，怎么会这么顺呢？新闻大厦建筑部分很顺，按照装修同步进行的方案，她的公司已全面备料等待进场了。因瑞东集团担保，银行贷款也下来了，剩下的就等回报。而回报也是五个手指拿螺丝——稳稳地，现在何大龙出任宣传部掌门人，给回报又加了一层保护。

何大龙知道朱香香是在为自己升官高兴。晚饭时对马诚讲要与朱香香结婚不是随口说说，而是经过深思熟虑的。他需要有个女伴，小虹儿也需要有个妈妈。经过这么长时间的磨合，星儿退出了；丈母娘虽有微词，但还是识大体的，没有明确反对他再结婚；小虹儿也逐渐被朱香香收编了，这是让何大龙最高兴的事，他是决不会让女儿受委屈的。唯一让他担心的老丈人贺副省长，何大龙从来就没弄明白过老丈人在想什么，只有等他做了以后，才知事先他的一些举动是何用意。他对何大龙的政治生命无微不至地关注，那是因为何大龙是他女婿。如果再婚了呢？他还会关注吗？何大龙一直没底。昨晚去老爷子的书房谈官至常务副部长后该如何干，他还是那句话：出好点子用好人。谈完工作后，老爷子主动提到朱香香，指出，如果何大龙想再成立家庭是合常理的，贺家在这件事上只会祝福而不会拖后腿。他和虹儿的妈妈把何大龙当儿子看。这番话让何大龙哽咽的说不出话来，只说过两天去给虹儿扫墓，跟她说说自己的心事。

看着朱香香在兴奋地跳着，何大龙想到另一个问题，他又遇到新官上任三把火。第一把从什么地方烧？一定要找最引人注目的地方烧，目前宣传部最引人注目的地方就是新闻大厦。以前可以讲新闻大厦跟我何大龙没什么关系，现在不是了。那么这必然涉及到东方商业地产公司，看来这第一把火得从朱香香开始。对，动员她退出这个项目，理由非常充分，她是何部长的未婚妻，应该避嫌。趁着今天她高兴，跟她说或许能事半功倍。

朱香香大汗淋漓回到何大龙身边。“跳一跳真舒服。”她拿起啤酒大口喝着。何大龙递给她一叠餐巾纸，她接过擦去脸上的汗水。

何大龙小心地说：“香香，跟你商量个事。”

朱香香奇怪，这个人从未这样跟自己说过话。看着他的脸，她没回答。

何大龙看着周围，又看看朱香香，在想：话一出口可能她就会跳起来，听她说过工程利润有上千万呢。

见何大龙欲说又止的样子，朱香香敏感地意识到他要讲的恐怕不是私事。“你说嘛，什么事？”

何大龙重重地呼出口气下了决心似的说：“我想请你的公司退出新闻大厦的项目，原因我就不多说了。”

朱香香虽有敏感，可她完全想不到何大龙会有这种想法，刚才跳舞时还在想今后宣传部付款会更方便一些，现在却当头挨了一棒。她脱口而出：“不行，打死也不行。”

她的话还没出口，何大龙已从她脸上看出了激动和愤怒，坏了，不仅没事半功倍，可能不仅没有功，还变成过了。这时最好的办法是沉默，不能说，什么也不能说。

朱香香见何大龙不作声，更慌了，认为这是何大龙的最终决定。她不由自主地解释，想通过解释来说服他："我怎么退？放着一千万利润不要？银行贷款怎么办？我已经备好的装修材料怎么办？那么多的民工怎么办？这是细处，往大里说，我的竞标有问题吗？是黑幕吗？没有吧。我光明正大赚钱有错吗？"

何大龙也想解释："我以前并没有反对你做这个项目，但是，现在情况不同了，我们的关系会影响到工作。"

朱香香借酒生胆，打断何大龙的话："错。我们还不是夫妻，当初你在这个项目招标上也无权说三道四。"

听了朱香香的话，何大龙有点生气了。他自问，赚钱那么重要吗？自己爱上的这个女人难道为了钱不顾一切？他正想着，朱香香已在买单。

两人走出酒吧，朱香香冷冷地对何大龙说："你打车回去吧，我很累。"不等他回答，朱香香就走到跑车前拉开车门坐进去发动车。

何大龙没说话，看着跑车从面前驶过，他的脸色越来越不好看，铁青着。

"嘀铃铃……"手机响了，何大龙没理会，慢慢在人行道上走着，脑子已乱成一锅粥，想理清，可理不清。手机坚持响着，他不情愿地掏出手机，是老丈人家的电话，按下接听键。刚"喂"一声，电话里就传来女儿小虹儿的哭声："爸，你不要我啦？"他的思绪马上回到现实："谁说爸不要小虹儿了？""那你为什么不接我的电话？""哦，刚才爸没听见。""我已经打了好几个，你都没接。""对不起小虹儿，爸爸太忙。""爸，我要你现在就来外婆家，我想你。"何大龙立刻答应："好好好，我马上来，爸爸也想你。"小虹儿高兴了："爸爸，我在窗口看着，你快点呀。"

收线后，何大龙招手叫了出租车，朝贺家驶去。

东方国际机场人来人往，不断有飞机在起降，广播也反复播着飞行信息。

星儿林彬郝歌等人在给陈元送行，郝歌帮他换登机牌。

星儿说："好话已经讲了许多，但还是要讲，谢谢你陈元。"

陈元一副轻松的样子："星儿，我一直想做职业新闻人，现在看来我错了，败了。"

星儿摇摇头："你没败，只是时机不好。我很清楚我是替代不了你的，让我来接替商报也是老板的权宜之计。如果时机成熟我还想请你当掌柜的。"

陈元会意地点点头说："与宣传部搞好关系守住红线是你必须做的事。何少帅上了，相信你会把关系处理得很好。"

星儿笑笑："可我不会办报。谢谢你这几天给我办速成班。你提出的股市低靡将股票版改为财富版的设想我会尽快实现。"

陈元谦虚地笑着说："我的经验仅供你参考，但我会不断关注商报。"手机来了短信，他打开，是童瑞东来的："你已在机场了吧？记住，瑞东集团不会忘记你的贡献，我们一定还有合作的机会。到了特区给我来电话。童瑞东"他把短信给星儿看。

星儿看完后把手机还给他说："老板一再要我在各个方面处理好集团与你的问题。他还强调集团并未放弃你，只不过你不再担任商报的职务。"

陈元有些感慨："是呀，问题主要是出在我自己身上。老板和你都没亏待我。我老婆得知我被炒高兴极了，今天晚上她在国贸旋转餐厅订了位，欢迎我回去。"

星儿涩涩地说："我能理解她。"

郝歌拿着登机牌过来。林彬与陈元拥抱，她流着泪说："掌柜的，是我坑了你。对不起。"

陈元拍拍她笑着说："你是个好记者，千万别忘了自己是个好记者。你没有对不起我，新闻不是文学作品，它不管什么文责自负。只要发表了，出了问题就是我的责任，要不怎么叫掌柜的呢。你和郝歌来特区旅行结婚吧，我一定隆重接待。"

林彬破涕为笑，伸出小指说："你不许反悔，拉勾。"两人笑嘻嘻拉勾。

一群人走到安检口。陈元对星儿说："再见。"他伸出了手。星儿没握他的手，而是给了他拥抱，并在他的耳边说："掌柜的，我喜欢你。"她的话让陈元全身涌起一股暖流，手也不由自主地用力，悄声说："我也喜欢你。"

和每个人拥抱后，陈元走进了安检门，然后走进候机楼。他心情复杂，在这一刻他脑子像被格式化了，想不起他为何来到这座城市，又为何离开。刚才星儿说喜欢自己，喜欢是爱吗？不，不是爱。种种迹象表明，星儿爱的是何大龙，钱冰冰才是爱我的。想到钱冰冰，陈元的思维全部定格了。在被宣布离职的第二天，钱冰冰打来电话，她一句话也没安慰自己，开口就说："你被撤职，是意料之中的事。"那天晚上钱冰冰请他吃饭。吃饭时的对话此刻又浮现在脑海里。

钱冰冰说："办报做新闻不是在象牙塔里做学问。你陈元太清高。"

"我承认我与社会政治有点格格不入，但我并没有反党反国家。"

"嘁，你如果反党反国家，那就不是撤职的问题。"

"别用撤职这个词，太难听。"

"NO，这个词能使你觉悟。怎么样，有没有信心在哪里跌倒在哪里爬起来？"

"什么意思？"

"我们合伙干。我的公司叫三人行，其实是两人行，你来了就是真的三人行了。"

"我去跟你打工？"

"又错了，你来跟自己打工。你是股东啊，你要愿意，我把大股东的位置给你。"

"为什么？你为什么要这样？"

"你是真不明白还是装糊涂？我爱你。"这句多少次想说又多少次咽了回去的话，终于说出口。

陈元没有感觉到突然，半天才喃喃地说："对不起，我没资格。起码现在我必须回去，这座城市让我难过。"

正往登机口走的陈元手机来短信了，是老婆的："老公，登机了吗？我马上去机场接你。"刚看完，钱冰冰又来了短信："我在机场，看着你走进安检门。掌柜的，走好。"他赶紧往回拨电话，通了，可钱冰冰不接。

钱冰冰趴在出港天桥的栏杆上，手机一直响着，她没接，不想在东方市再听到陈元的声音。原以为陈元会留下来，"三人行"已拿下东方市老城区改造的整体广告策划，这个项目是以冒险的代价拿到手的，能不能赚钱完全要靠运作，假如运作不好就可能赔钱。钱冰冰感觉自己跑外主内力不从心，而陈元是最好的现成的舵手。钱冰冰猜到陈元的心思，无非怕人家讲他吃软饭，对男人这是致命的，可我钱冰冰真不是养小白脸的人，他陈元的能力完全可以证明他自己呀。为什么他不证明？算了，反正我仁至义尽了。那么多人来机场送他，也不缺我一个。想到这儿，心头飘过一丝醋意，她暗自骂了自己一句："没出息。"

星儿的宝马车在钱冰冰的眼皮下开过去。林彬坐在副驾驶位上，脸上还有泪痕。她说："你们看见了吗，钱大圣在上面。"

星儿开着车说："她来送掌柜的。"

郝歌问："那她怎么不进去呀？"

林彬撇了郝歌一眼："笨死了，不好意思呗。"

郝歌还没明白："有什么不好意思的，都是老同事。"

林彬没好气地大声说："全报社都知道大圣喜欢掌柜的，就你傻B。"

星儿笑了："毛主席说群众的眼睛是雪亮的，真没错。你们说，如果我们把大圣请回来她会干吗？"

郝歌摇摇头说："不知道。"林彬想想说："不一定。听说她的三人行一出手就拿下了东方市老城改造的广告项目。当老大多牛啊。"

星儿没说话。她的角色已经转变，报社该如何开展工作，陈元毫无保留地介绍了有关流程和可能遇到的问题。但办报不是机械的，是变动的。老爸要她找找何大龙，反正他也不干总编了，该解密他的办报理念了，对，找他谈一次。关于招回钱冰冰不是心血来潮，她的长处可以弥补我许多短处。既使她不回来，也可以合作，全方位合作。有意思，我星儿怎么总是在路上，就不能到头么？不知办报好不好玩？想到这儿，她笑了，笑得自信。

第十五章 突发事件

TUFASHIJIAN

〖晚报讯〗中部地区最大的新闻大厦工程进展顺利，据有关专家介绍，将于明年11月8日记者节竣工的新闻大厦是东方市的标志性建筑。

新闻大厦是东方市委宣传部牵头投资兴建的新闻文化设施，它不仅是集办公、会议、展览、住宿、餐饮、休闲等多种功能于一体的四星级水准的写字楼和商务酒店，还有中部地区最大的电视演播大厅和高水准的音乐厅。新闻大厦落成启用后，将为我市国际、国内新闻文化交流活动提供一个现代化场所，并会在我市文化、旅游事业的发展中产生积极作用。

新闻大厦紧邻风景迤俪的东方河，距火车站8公里，飞机场23公里，交通极为便利。总占地80亩，总建筑面积7万平方米，其中广电大楼26层，建筑高度加上发射塔118米；报业大楼18层，建筑高度68米；演播厅7000平方米；在喷水广场四周有300个停车位，还有一座能放100辆车的地下车库。总施工期是18个月，总投资4亿人民币。整个建筑群造型新颖、独特，富有时代气息，是东方市十大城建景观之一，也是东方市的标志性建筑。

何大龙上任前最后一次值晚班。平时做具体的工作不是很多，但他真是喜欢上了这个工作。每当在大样上写“改后付印”四个字并龙飞凤舞地签上名字后，有种说不出的快感。现在就要告别这个工作了，舍不得呀。

他跟贾诚实讲今天由他包圆儿：评报、主持编前会、值班。明天下午他就要去宣传部报到，那里的工作虽比较熟悉，但主持全部工作还是有大量要学习的地方。向老丈人讨教了几次，在“用好人”的基础上，老爷子又细分为：充分尊重老同志，大胆提拔新同志，细心团结中间的同志，切忌雷厉风行。他把这四句话写在新记录本的扉页上，时时提醒自己。

下午编前会前，心情愉快的何大龙用红笔在报纸上直接写评语，他尽量客观，表扬不惜溢美之词，批评也刀锋犀利。评报表面上是评编辑记者，实际是评老总自己。你评报水平不高，意味着你在下属面前暴露了你的学识低下和新闻素养欠缺，由此你将失去别人由内向外的尊敬。所以对评报工作何大龙的经验是凡搞明白的就排山倒海，搞不明白的就点到为止，至今在晚报还没谁讲他何大龙是外行。

他在《四子合谋杀母》的新闻边上写道：“多猛的社区新闻呀，可记者只用了通讯员的稿子，编辑又删改成了300字，使得这条民生新闻变得极不抢眼。我曾再三强调新闻语言问题，版面语言亦为新闻语言的一类。在这里要对记者提出严肃批评，据我所知警方曾主动将此线索告诉过记者，我们的记者却没有第一时间去现场回访，去采访社区里对情况熟悉的人，从现在的新闻中根本无法弄清这四兄弟为何对母亲这么仇恨。如此震撼社会的新闻是很少碰到的，记者要时刻警醒自己。”他又在《后八轮失控挂断电缆》的新闻边上写道：“这是本报独家。现在从热线来的新闻线索中，多是车祸。车祸一多记者便麻木了，便对此类题材不感兴趣了。其实只要善于抓住细节，车祸新闻也能出彩。比如这篇独家，记者对司机车祸前后的心态，周边因电缆断了停电而引起的问题，电力部门抢修的过程都采访得细致。很好。只有不断将好奇与热情注入到新闻工作中，你才可能享受新闻给你带来的荣耀和乐趣。”他又将报纸翻到一版，在报头的空白处写道：“我就要离开报社了，真心祝愿同志们在工作中创造激情，避免在工作中消磨激情，真正成为无冕之王，祝晚报更上一层楼。”

放下笔，何大龙有点激动，在办公室里来回走动，不时看一眼桌上他写好评语的报纸。

有人敲门，他刚喊“请进”，门就开了，门口站着的是星儿，她可是好久没来过这儿了。“你怎么来了？”何大龙不明白她为何不请自到。

“我怎么就不能来？我来向宣传部何部长汇报工作呀。”星儿俏皮地说。

“哦，我还没当面祝贺你呢。来，握握手，星儿总编。”何大龙伸出手要跟星儿握手。

星儿翘翘嘴说：“不握，先答应我的条件再说。”她说着走向何大龙的大班椅坐下。

“小姨子，你又要我答应你什么条件？”何大龙双手按着桌子对星儿说。

星儿显然是有备而来，她站起来指指大班椅：“你坐这儿，我坐这儿。”她走到桌子对面的椅子上坐下，见何大龙坐回大班椅后，她说：“我并不是做报纸的最好人选，要不然童瑞东就不会请陈元来。但现在我还是做报纸了，本想和你一争高低，可你却溜了……”

何大龙想打断她，但又忍住了。对待星儿最好的办法是别跟她争，这个小姨子在姐夫面前是不讲理的。

“既然你当了宣传部长，我就要求你一碗水端平，商报和晚报都是东方市的报纸，哪家出事都对你宣传部不好，是吧。”

何大龙点点头。马诚下台就有这方面的因素。

“端平一碗水对你来讲不难吧？”

何大龙说：“很难。”

“为什么？”星儿追问道。

何大龙笑笑说：“我最近在看一本小册子，书名叫《制衡论》。书中说大千世界均衡则存，失衡则动。可是存不是无穷的，只有动才是无穷的，制衡本身就是动态的。如此说来我怎么可能将水端平呢？”

星儿反驳道：“制衡的目的就是平衡。”

何大龙不慌不忙说：“你说的是局部，而我说的是整体。我要的是整体的稳定有序和高效。”

星儿“哼”了一声：“为了整体利益，就可以牺牲局部利益对吗？”

“理论上说是这样。但不是牺牲，而是竞争的结果。”何大龙纠正道。

星儿用锋芒毕露的口气说：“现在你是老大，你说了算。但有一点我必须要提醒，你——还是何大龙，我——却不是陈元。”

“哈哈……”何大龙大笑起来，“一针见血，说得好。所以你没必要专门来跟我谈什么一碗水端平的事。”

星儿也笑了，她知道在重大问题上何大龙不会不管她的。

何大龙想起了件事："星儿，我告诉你，最近郑州市和广州市的党政代表团要来东方，千万别在商报国内版中发批评这两市的新闻，甚至河南省和广东省的批评新闻都不要弄。"

"这是新部长的第一个指示吗？"星儿笑着说。

"别跟我嘻嘻哈哈。你要是敢碰高压线，那就不是我不端平一碗水，而是你自己打破平衡。"何大龙严肃地说。

"是是是，我听命。什么一说国民劣根性就想到河南，一说艾滋病也想到河南。还有广东的走私，干部腐败我统统不做，行了吧。"

何大龙点点头，内心是佩服这个小姨子的，她举一反三的能力常常将她超人的智慧运用到位。

星儿用神秘的口气说："姐夫，还有件事。"她停下话头盯着何大龙。

何大龙心里发毛，她的目光怪怪的。

"为什么你要香香退出？就为了你这顶破官帽？那是1000多万的利润呢，你干几辈子也赚不到的财富。"她两个质问一个结果，把问题的本质全端了出来。

何大龙站起来，叹口气："香香让你来找我？"

星儿也站起来："她才不会呢。她跟我说这事时开始还觉得好笑，天方夜谭嘛，后来她哭了。"

何大龙轻声说："她哭是正常的。企业老板嘛，总是要把利益最大化，煮熟的鸭子说什么也不能让它飞了。"

星儿追问："你真要她放弃？"

何大龙摇摇头话里有话地说："我也不知道。但我怕禽流感呀。"

星儿若有所思地说："这么说你要娶她。"

何大龙看着星儿。星儿从他的眼中得到了回答，有些醋意，继而释怀："你们是心有灵犀。"

何大龙急问："她同意放弃？"

星儿慢慢地说："看把你急的，她说你值一个亿。"

"太好了，太好了。"何大龙高兴地走了两个来回，"你们瑞东集团可得给我发点佣金。"

"为什么？"

"朱香香退出，瑞东集团凭空多赚1000万。这个功劳是我的，不该给我佣金？"

“呸，想的美。”星儿恨恨地说：“这个属蛇的朱香香真是条美女蛇。你以为她会拱手相让？她要瑞东集团出500万买她的标。还得意地说：这就叫不劳而获。”

“哈哈……”何大龙大笑，他不是笑朱香香赚了500万，而是为自己的自信而笑。

“姐夫，朱香香比我更爱你。”星儿用怪怪的又很有感情色彩的口气说。

何大龙的笑声戛然而止，心灵被星儿的话震动了。“星儿，谢谢你告诉我香香的事，谢谢。也谢谢你理解我。”他的话很到位，很动人。

星儿没作声，只是愣愣地看着何大龙。

贾诚实敲门进来：“少帅，开编前会了。”

何大龙赶紧给贾诚实和星儿介绍：“这位是商报新任老总贺星。这就是我们大教头，晚报的新任老总。”

两人握手，星儿说：“教头，晚报是老大哥，以后请多加关照。”贾诚实笑着说：“你可别谦虚，我们要向商报学习，你们那些体现人文关怀的社会新闻策划值得我们学呀。”

何大龙表面上平静地看着他俩握手，心中却有波涛。如何整合好东方市的新闻界，还有很多工作要做，晚报与商报握手就算是良好的开端吧。

中午12点朱香香提着食盒与一只装服装的袋子按响了何大龙家的门铃。

正在卫生间梳洗的何大龙过来开门。门一开他愣住了，没想到朱香香此时会来。

朱香香故意生气地说：“不请我进去？”

“进来进来，没想到是你。”何大龙接过食盒引朱香香进屋。

朱香香环视着客厅，有一张虹儿的大彩色照片，有何大龙一家三口的照片，还有油画等。

何大龙指指油画说：“那就是虹儿从俄罗斯带回来的《伏尔加河的春天》，车祸时它一点也没受损。如果虹儿是坐在司机后边可能就……”

朱香香同情地看着他。

何大龙摇摇头：“不说了，请坐。香香，我要郑重感谢你对我的支持。”

“星儿告诉你了？”

“是，她主要是告诉我，说你敲了他们500万。哈哈哈……”何大龙不由自主地笑了。

朱香香愤愤地说："那你也不给我打电话。"

何大龙给她倒了杯水："昨晚想好了要给你打电话，可贾诚实高原红他们轮流来我办公室谈工作，就忘了。"

朱香香叹口气。"在你的心里，我永远是最容易忘掉的人。"她说得有些可怜。

何大龙在她身边坐下："平时最容易忽视的人，其实就是最亲的人。"

"真的？"朱香香按住喜悦问。

何大龙微笑着点点头。

朱香香站起身来："好啦，我不生气了。"她拎起茶几上的食盒问："厨房在哪儿？"何大龙指了指客厅左边。朱香香走过去，她说："你下午上任，我估计12点你一定会起床，就去炒了几个菜。哎，下午你穿什么衣服？"朱香香在厨房将食盒中的菜倒进盘中。

何大龙跟进来："就穿你上次买的那套杰尼亚吧。"

朱香香瞟了他一下："我猜就是这样。不行，新官上任该有新形象，我给你买了一套国产红都牌西服，藏青色的。你去看看。

何大龙走回客厅，从朱香香拿来的服装袋中取出一套藏青色西服。朱香香把几个装好菜的盘子放在餐桌上后走过来说："听说党和国家领导人的西服都是红都牌的，做工不如进口的牌子，可它有意义，政治意义。"

何大龙拿着衣服，眼前闪现出他去晚报上任的那天星儿给他选衣服的情景，一种被人呵护关怀的感觉倏地弥漫全身。

"有熨斗吗？"朱香香问。

何大龙答："有。就是很久没用过了。"他去柜子里把熨斗找出来，又把熨衣架放好。

朱香香拿着裤子说："裤子还要再熨一下。你吃吧，我先熨裤子。说实在的，你要帮帮星儿，她对办报还是生疏。"

何大龙点着头说："我已经给她弄了一二三四五。叫守住一条思想底线；搞好社会和经济两个效益；做到群众、生活、社会三个贴近；强化都市、新闻、民生、参与四个意识；练好求真实、讲真理、传真知、重真情、献真心五个真功夫。"

朱香香听后咯咯地笑了："你这是做报告呀。"

"这也是我下午要在会上讲的。"何大龙特开心地吃饭。久违了的家庭气氛在这间屋子回荡，虽物是人非，但依然让人留恋。"香香，你退出新闻大厦项目后，我管理起来可以更顺一些。从省到市再到马部长都对这个项目寄予了厚望，没理由不干好。”

朱香香在熨裤子：“说来说去都是马诚的功劳，也是他的政绩。你恐怕要多考虑在你的任上要干什么。”

何大龙端着碗走到朱香香身边说：“我在想，既然有了新闻大厦，各媒体都被集中在一起办公，为什么我们不能弄个什么联合体呢？深圳就把全市的报纸整合到一起，搞了个报业集团。东方市可不可以成立新闻集团。”

说到这里，他突然激动起来，本是无目的的瞎聊，可“新闻集团”四个字使他脑子灵光一闪，东方市新闻界何大龙时代该干些什么在这瞬间有了答案。

朱香香把熨好的裤子摊在沙发背上说：“新闻集团是美国媒体大王默多克的公司，你别侵权。”

何大龙坐回餐桌，脑子里在继续想着“新闻集团”。好像市委李书记还提过搞晚报集团，“新闻集团”不过是晚报集团的放大嘛。他回答朱香香的问题：“默多克在外国行，到中国来他就是个屁。哎，香香，帮我理理思路，新闻集团完全可以搞，最好的理由是新闻大厦已经把各家新闻单位都弄在一起，我何不再加把火，吃干榨尽可以用的资源。”

朱香香也走到餐桌边：“好，我帮你理。但这事千万别告诉别人，这是政治机密。我觉得你要想想下午在上任时说什么。”

何大龙快速吃了几口饭说：“早想好了。”

“嘀铃铃……”家里电话响了。何大龙过去拿起电话。一个急促的声音在说：“何部长吗？我是市委办公室小张。中坑煤矿20分钟前发生瓦斯爆炸，有50多个民工在井下，李书记、潘市长都在往现场赶，李书记讲下午宣传部的会推迟，请你也先去现场，要特别控制好新闻报道。”“好的，我马上赶去现场。”何大龙放下电话，简单把情况跟朱香香说后去衣柜里找了一件夹克衫。

朱香香说：“我送你去吧。”

何大龙边穿衣服边说：“不用，有车。”他脑子里在急速思考如何发新闻，是做通稿控制各媒体采访，还是进行新闻疏导。现在他已不是报社的社长了，必须站在东方市的全局看问题。他拿起电话拨通了宣传部新闻处：“喂，小陈吗？通知全市各媒体18点到宣传部开会，必须请一把手参加，内容是如何报道中坑煤矿瓦斯爆炸。”

小陈问：“要不要通知各媒体不派记者去现场？“何大龙说：“不用，堵是堵不住的，先让他们采访。另外密切注意外省媒体到东方市，还要把情况给省委宣传部报告。就这样。”

何大龙打电话要好车后与朱香香一起出门，走进电梯何大龙说：“你给星儿打个电话。她刚去商报，对突发新闻的处理没经验，让她稳重一点，采访可以去，但发表必须以18点的会议确定的方案为准。千万别壮志未酬身先死。”

朱香香点点头说：“我等会儿就打，你去现场一定要注意安全。我本来安排说晚上带小虹儿去吃麦当劳的。”

何大龙心里已定好了这次报道的调子：只帮忙，不添乱。听朱香香讲带小虹儿去吃麦当劳，便说：“要不你下午去学校接她，我给她外婆打好电话，你们去吃。今天我不知要弄到几点，我会注意安全的，放心。”

刚出电梯，何大龙手机响了，是高原红的：“部长，中坑煤矿爆炸你知道了吗？”

何大龙答道：“知道，我正要去现场。宣传部马上会通知18点开会。”

高原红说：“好的，我想问该怎么处理？”

“六个字‘只帮忙，不添乱’。采访可以照常进行，明白我的意思吗？”

“好，我知道了。”

“以后电话里别叫什么部长，叫师哥，听见没？”

收线后何大龙走到他的车旁拉开门，又回身对朱香香说：“记得给星儿打电话。”他突然笑笑说：“我有种上考场的感觉。”

朱香香深切地说：“你一定能考个好成绩。”

何大龙上车。别克车起动，快速离去。

朱香香看着车走后，拿出手机拨通了星儿：“星儿，我是香香……”

东方市新闻界的新一轮竞争开始了。

……

不久，66岁的萨达姆在他的家乡提克里特附近的一个农场地窖中被美军逮捕。

又过不久萨达姆称美军在地洞内将他抓获的说法“是出自一部美国西部牛仔电影里的虚构”。并称自己是在朋友的家中被美军抓获的。

后来，美国中央情报局(CIA)公布了有关在伊拉克寻找大规模杀伤性武器情况的最终报告。报告中指出，没有在伊境内发现任何大规模杀伤性武器的踪迹。

结果，2005年度诺贝尔和平奖被授予国际原子能机构(IAEA)及其总干事巴拉迪。在伊拉克核查问题上，他多次指责美国在查无实据的情况下，绕过联合国对伊拉克动武。

后记

这个版本是2004年底构思，2005年4月开始动笔的。中间停顿了几个月，是因为赶写一本名叫《一锅粥》的励志小册子。都签了出版合同，但因某些原因还是夭折了；这期间还干掉了伴随我二十多年的痔疮，没有痔疮的日子真是太棒了，再也不怕感冒拉肚子。这期间还完成了一篇我自己颇感自豪的论文《新闻的解释》，并在《传媒》杂志部分发表。

《新闻界》从动笔到落笔，花了近八个月的时间。先是在办公室利用工作之余写，但常被繁杂的事务性工作打断思路。只得改变策略，每个周末都尽量拒绝应酬，只待在书桌前埋头苦干。这样每周大约能弄一万字左右。到落笔时，迟迟不愿与和我相聚了八个月的书中人物告别。心中有酸楚也有欣慰，这也算是对干了二十多年的新闻工作有个交代。

这部小说实际上在1999年8月就动手写了，只是那个版本在完成近16万字后我发现写不下去了。原因是对新闻界的全局问题把握不准，对新闻的本体问题认识模糊，加上人物关系太窄太概念化，故事也太专业，于是便放下。但写新闻界的初衷一如既往，甚至没想过要用另外的书名。

我是1983年开始从事新闻工作的。最初是一家大型企业报的副刊编辑，后又从事广播电视工作。大约在1998年我下海上岸后，到江西一家省级都市报当记者，写了不少在当时有影响的特稿，然后组建江西省第一份报纸周刊《周末都市》轰动一时。到2000年底时，我因职务的变动，对新闻界的理解和视角都和以前完全不一样了，正是这些不一样，促使我抛弃了好容易写成的16万多字，另起炉灶。

关于新闻界的故事不少作家涉及过，大多是把新闻界当做场景或故事的一般背景。没有谁较深入地写过记者编辑总编辑们的生活工作，没有谁对“无冕之王”或“狗仔队”的内心真实的状态以及他们的喜怒哀乐进行演绎。而无数的人又对新闻的神秘充满好奇，对新闻的权力充满敬畏。告诉大家一个比较真实好看的新闻界，是我想写新闻界的原因之一。我把看到的听到的包括我自己在做的许多事件许多细节，搭载在一个有全景意义的故事上，让读者跟着书中的记者深入到新闻现场，跟着编辑们走进总编室，看看新闻究竟是如何出笼的。不知这个初衷是否能达到。

做新闻人是快乐的，也是危险的。什么样的世界观决定新闻工作者走什么样的路。因为编辑记者不是个体的，他们的举动可以牵一发动千钧，而关注他们其实就是关注我们自己。尽管在这本书写完之际，我已下决心离开供职多年的报社（本书出版时承蒙孙彦军先生的邀请，我已是一名大学老师了）。但我永远会爱记者，爱编辑，爱新闻。因为它的可爱之处太多了。

我喜欢用笔在纸上书写，这种快感不是计算机键盘能替代的。但在计算机里修改稿子又实在太方便，投稿也方便。于是每当写完一章，妻便录入进计算机，我写作之余，对电子文本校对修改。而校改的过程又成了我这个业余作家为连贯故事要做的必然，不然前面写的故事都忘了（这也是业余写长篇不方便之处）。这样的流程我觉得很舒服，想写长东西的朋友，不妨借鉴。这里也向妻表达我的谢意。

书中写了不少术语和专业的东西，新闻界的朋友一看就明白，恐其他读者看得糊涂，可又没办法用其他词语替代。本想在书前弄个注释什么的，又觉得累赘，只好在写作中尽量避免特别难懂的术语，但愿读者能看得舒畅。如果此书能出版，我最大的愿望是用新闻纸印刷，既有文化衔接点，又有新闻炒作点，多有意思啊。

关于出版，也有些故事。蒙广东作家田瑛先生看重，将书稿推荐给北京。这里一并道谢。在书中，引用了一些报纸上的新闻，虽然我做了些修改，但还是要向有关的记者表示感谢。

还要感谢的是我的导师马天俊先生。他对我的论文倾注了心血，正是和他聊天，我得以在写作方向上有清醒的认识。

最后，特想说的是，朋友们千万别对号入座。如有意见，请告之：HX5805@YAHOO.COM.CN。

谨为后记！

2006年6月7日凌晨

图书在版编目（CIP）数据

新闻界／朱华祥著．—北京：中国广播电视出版社，2006.10

ISBN 7-5043-5109-1

Ⅰ.新…　Ⅱ.朱…　Ⅲ.长篇小说－中国－当代
Ⅳ.I247.5

中国版本图书馆 CIP 数据核字（2006）第 108364 号

新闻界

作　　者	朱华祥
责任编辑	李亚明
封面设计	娜　佳
监　　印	赵　宁
出版发行	中国广播电视出版社
电　　话	86093580　86093583
社　　址	北京市西城区真武庙二条 9 号（邮政编码　100045）
经　　销	全国各地新华书店
印　　刷	北京瑞达方舟印务有限公司
开　　本	787 毫米 × 1092 毫米　1/16
字　　数	390 千字
印　　张	23.5
印　　次	2006 年 10 月第 1 版　2006 年 11 月第 2 次印刷
书　　号	ISBN 7-5043-5109-1/I · 682
定　　价	28.00 元